PRAGUE

Directeur	David Brabis
Rédaction en chef	Nadia Bosquès
Responsable éditoriale	Béatrice Brillion
Édition	Clarisse Deniau,
Rédaction	Clarisse Bouillet, Hervé Kerros
Cartographie	Véronique Aissani, Josyane Rousseau, Géraldine Deplante, Thierry Lemasson, Michèle Cana, Alain Baldet, APEX Cartographie
Iconographie	Stéphanie Quillon, Lucie Moreau, Caroline Gibert
Préparation de copie	Pascal Grougon, Jacqueline Pavageau, Danièle Jazeron, Anne Duquénoy
Relecture	Élisabeth Privat
Maquette intérieure	Agence Rampazzo
Création couverture	Laurent Muller
Pré-presse/fabrication	Didier Hée, Jean-Paul Josset, Frédéric Sardin, Renaud Leblanc, Sandrine Combeau, Cécile Lisiecki
Marketing	Ana Gonzalez, Flora Libercier
Ventes	Gilles Maucout (France), Charles Van de Perre (Belgique), Fernando Rubiato (Espagne, Portugal), Philippe Orain (Italie), Jack Haugh (Canada), Stéphane Coiffet (Grand Export)
Communication	Gonzague de Jarnac

Régie pub et partenariats michelin-cartesetguides-btob@fr.michelin.com
Le contenu des pages de publicité insérées dans ce guide n'engage que la responsabilité des annonceurs.

Pour nous contacter Le Guide Vert Michelin
46, avenue de Breteuil 75324 Paris Cedex 07
℘ 01 45 66 12 34 – Fax : 01 45 66 13 75
LeGuideVert@fr.michelin.com
www.ViaMichelin.fr

Parution 2007

Note au lecteur

L'équipe éditoriale a apporté le plus grand soin à la rédaction de ce guide et à sa vérification. Toutefois, les informations pratiques (prix, adresses, conditions de visite, numéros de téléphone, sites et adresses Internet…) doivent être considérées comme des indications du fait de l'évolution constante des données. Il n'est pas totalement exclu que certaines d'entre elles ne soient plus, à la date de parution du guide, tout à fait exactes ou exhaustives. Elles ne sauraient de ce fait engager notre responsabilité.

Le Guide Vert,
la culture en mouvement

Vous avez envie de bouger pendant vos vacances, le week-end ou simplement quelques heures pour changer d'air ? Le Guide Vert vous apporte des idées, des conseils et une connaissance récente, indispensable, de votre destination.

Tout d'abord, **sachez que tout change**. Toutes les informations pratiques du voyage évoluent rapidement : nouveaux hôtels et restaurants, nouveaux tarifs, nouveaux horaires d'ouverture... Le patrimoine aussi est en perpétuelle évolution, qu'il soit artistique, industriel ou artisanal… Des initiatives surgissent partout pour rénover, améliorer, surprendre, instruire, divertir. Même les lieux les plus connus innovent : nouveaux aménagements, nouvelles acquisitions ou animations, nouvelles découvertes enrichissent les circuits de visite.

Le Guide Vert **recense** et **présente ces changements** ; il réévalue en permanence le niveau d'intérêt de chaque site afin de bien mesurer ce qui aujourd'hui est très vivement recommandé (distingué par ses fameuses 3 étoiles), recommandé (2 étoiles) et intéressant (1 étoile). Actualisation, sélection et appréciation sur le terrain sont les maîtres mots de la collection, afin que Le Guide Vert soit à chaque édition le reflet de la réalité touristique du moment.

Créé dès l'origine pour **faciliter et enrichir vos déplacements**, Le Guide Vert s'adresse encore aujourd'hui à tous ceux qui aiment connaître et comprendre ce qui fait l'identité d'une ville. Simple, clair et facile à utiliser, il est aussi idéal pour voyager en famille. Le symbole 👥 signale tout ce qui est intéressant pour les enfants : zoos, parcs d'attractions, musées insolites, mais également animations pédagogiques pour découvrir les grands sites.

Ce guide vit pour vous et par vous. N'hésitez pas à nous faire part de vos remarques, suggestions ou découvertes ; elles viendront enrichir la prochaine édition de ce guide.

L'ÉQUIPE DU GUIDE VERT MICHELIN

LeGuideVert@fr.michelin.com

ORGANISER SON SÉJOUR

COMPRENDRE PRAGUE

DÉCOUVRIR PRAGUE

QUARTIERS, SITES ET MONUMENTS

À l'intérieur des rabats de couverture, les **cartes générales** :
   – donnent une **vision synthétique** des quartiers de Prague et des alentours traités ;
   – indiquent la plupart des **sites étoilés**, visibles en un coup d'œil.

Dans la partie « **Découvrir Prague** » :
   – les **quartiers** et les **alentours** sont classés par chapitre ; les chapitres sont numérotés de 1 à 12 ;
   – au sein de chaque chapitre, des **promenades** sont proposées dans la rubrique « Se promener » ; les **musées** apparaissent sous la rubrique « Visiter » ; les **sites plus éloignés** sont présentés sous la rubrique « Aux alentours » ;
   – les **informations pratiques** sont présentées dans un encadré vert à la fin de chaque chapitre.

L'**index** permet de retrouver rapidement la description de chaque lieu. La recherche peut être effectuée en français ou en tchèque.

*Musiciens traditionnels,
dans la rue Celetná.*
I. Krejčí / MICHELIN

ORGANISER SON SÉJOUR

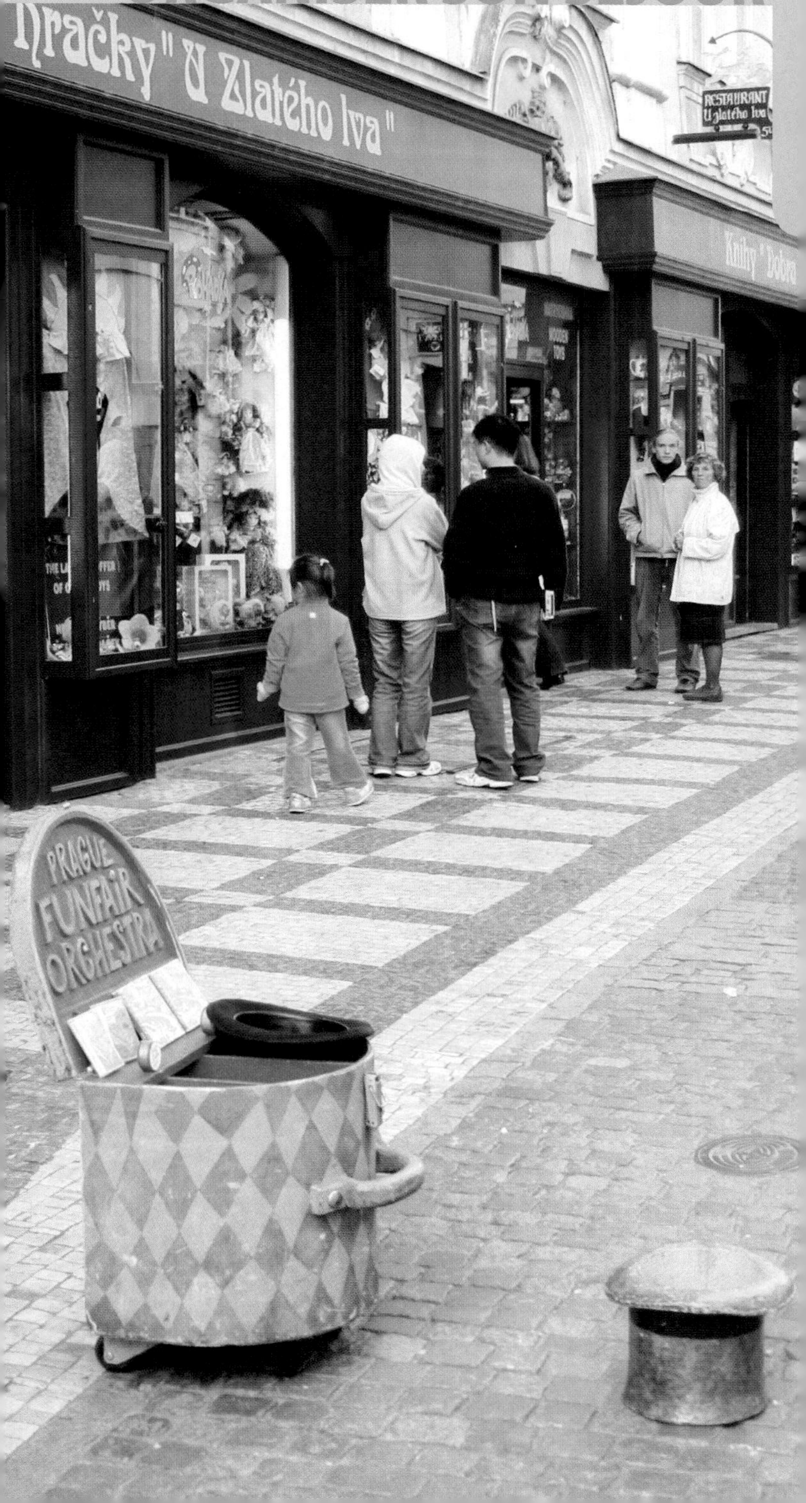

CONSTRUIRE SON SÉJOUR

Au fil des saisons

LE CLIMAT

La République tchèque jouit d'un climat pour partie continental, pour partie océanique, et il est difficile de donner des prévisions climatiques types. L'hiver est plus froid qu'en France, les étés sont assez chauds, parfois humides avec des orages.

Du fait de sa situation dans une cuvette, Prague subit des inversions de température qui retiennent l'air pollué et empêchent sa dispersion. Dans le passé, la faute en incombait à la fumée émise par les innombrables centrales de chauffage fonctionnant au lignite. On a remplacé beaucoup d'entre elles par des centrales au gaz nettement plus propres, mais le bénéfice qu'on en a tiré a été annulé par l'augmentation des émissions des véhicules.

En dehors de la capitale, le climat est approximativement le même, mais l'air est sans doute plus frais.

LA BONNE PÉRIODE

La période la plus agréable pour visiter Prague se situe au printemps ou au début de l'été, quand les journées sont longues mais pas encore trop chaudes. L'automne est aussi une bonne saison.

Prague est envahie de touristes, parfois jusqu'à la saturation, presque toute l'année, mais surtout à partir du week-end de Pâques et pendant l'été. Durant toute cette période, l'hébergement est extrêmement cher à Prague, de même que les billets d'avion.

POURQUOI VOYAGER HORS SAISON ?

Un séjour hivernal, en décembre ou janvier (hors périodes de fêtes cependant !), peut être une excellente idée, tant pour éviter la haute saison touristique que pour découvrir la magie d'une ville merveilleuse sous la neige encore immaculée. Les journées sont courtes et froides, mais la chaleur des cafés praguois n'en est que plus appréciable ! En revanche, si dans la capitale la plupart des sites restent ouverts, vous riquez de trouver porte close dans beaucoup de châteaux en province, qui ferment souvent en automne pour ne rouvrir qu'à Pâques, ou plus tard.

Le Château de Prague au printemps.

Nos idées de séjours

UNE JOURNÉE À PRAGUE

Découverte des quatre quartiers historiques

La promenade débute par un trajet empruntant le tramway n° 22, que l'on peut prendre à plusieurs arrêts du centre-ville, dont Národní třída, ou à la station de métro Malostranská. On résistera à la tentation de descendre à Pražský hrad pour attendre encore deux arrêts, jusqu'à Pohořelec.

Cette journée complète permet d'explorer les quatre quartiers historiques de Prague, de découvrir la ville depuis de nombreux points de vue traditionnels et de passer devant la plupart des principaux monuments, sans les visiter entièrement. C'est une longue marche, mais rien n'oblige à se presser et, à de nombreux endroits, on peut marquer une pause dans un café (*voir les carnets pratiques à la fin de chaque quartier dans la partie « Découvrir Prague »*).

Le Château de Prague et son quartier (Hradčany)
Voir plans p. 200 et 220.
Montez la rampe d'accès à l'abbaye **de Strahov**, traversez la cour du monastère pour ressortir par la porte du fond. Prenez à droite vers la vigne symbolique qui offre un merveilleux **panorama** sur les vergers de la colline de Petřín, le Hradschin et toute la ville. Revenez dans la cour du monastère, descendez le tunnel qui mène à la place de Pohořelec, prenez à droite Loretánská (rue de Lorette) et sortez à gauche sur Loretánské náměstí pour admirer le **palais Czernin** et le **sanctuaire de Lorette**, où vous entendrez le célèbre carillon si vous avez choisi votre heure.

Revenez à Loretánská et poursuivez vers la **place du Hradschin**, que bordent les **palais Schwarzenberg** et **Sternberg** (collection d'art européen de la Galerie nationale). Réservant ce dernier pour une autre visite, assistez, si l'horaire le permet, à la relève de la garde *(la cérémonie principale se déroule à midi)*, puis passez la porte du Château et rejoignez la deuxième cour. Prenez un billet pour le vieux palais royal, dans le vestibule de la chapelle de la Ste-Croix, puis gagnez la troisième cour. Jetez un coup d'œil à la **cathédrale St-Guy** avec ses vitraux du 20e s. et sa collection de statues, puis traversez la cour jusqu'au **vieux palais royal**, avec la magnifique salle Vladislas et l'aile Louis, théâtre de la seconde défenestration de Prague.

En sortant du palais, admirez le chevet de la cathédrale et la façade du **couvent St-Georges**, puis descendez la colline et prenez à gauche vers **Zlatá ulička** (la ruelle d'Or). Quittez le Château par son extrémité est et, en été, entrez dans les **jardins méridionaux** pour descendre jusqu'à Valdštejnská (rue Wallenstein) par les **jardins baroques** des palais sous le Château *(hors saison, empruntez l'ancien escalier, et prenez à droite Valdštejnská)*.

Dans Malá Strana
Voir plan p. 180 et 181.
Avec ses restaurants, tavernes et cafés, **Malostranské náměstí** (place de Malá-Strana) est un lieu propice pour une pause-déjeuner et pour admirer la façade de l'**église St-Nicolas**. On peut aussi pique-niquer au milieu des arbres de l'île de Kampa en profitant de la vue sur la Vieille Ville, sur l'autre rive de la Vltava.

Quelle que soit votre option, rendez-vous à la petite place Na Kampě, à l'extrémité nord de l'**île de Kampa**, et montez les marches du **pont Charles**.

De la Nouvelle à la Vieille Ville
Voir plans p. 135, 144, 145, 234 et 235.
De l'autre côté du pont, empruntez le souterrain piétonnier à droite et suivez le quai, qui offre des vues superbes du Hradschin sur l'autre rive. Au **Théâtre national**, prenez à gauche **Národní třída** (avenue Nationale), puis encore à gauche pour descendre Na Perštýně jusqu'à **Betlémské náměstí** (place de Bethléem) et la chapelle où prêchait Jan Hus ; suivez ensuite Husova (rue Hus) pour rejoindre le flot des touristes qui emprunte vers la droite **Karlova** (rue Charles) entre le pont Charles et **Staroměstské náměstí** (place de la Vieille-Ville).

N.-D.-de-Týn, sur la place de la Vieille-Ville.

La place et ses abords offrent beaucoup d'opportunités pour faire une pause, mais les sportifs seront peut-être tentés de monter à la tour du vieil hôtel de ville pour jouir du panorama sur la Vieille Ville.

Juste au nord, allez jeter un coup d'œil à la façade de la **synagogue Vieille-Nouvelle** dans la ville juive, **Josefov** *(voir p. 169)*.

Après la pause, descendez le passage qui s'ouvre à gauche de l'église de Týn, pour rejoindre l'**Ungelt** ou **cour de Týn**. En quittant la cour, prenez à droite en passant devant la façade de l'**église St-Jacques**. Le passage en face mène à la **rue Celetná**, où l'on peut tourner à gauche en direction de la très ancienne **tour Poudrière** et de la séduisante **Maison municipale** Art nouveau, dont le café pourrait inciter à une nouvelle pause.

Vitrail à la Maison municipale.

Ph. Gajic / MICHELIN

Retour à la Nouvelle Ville

Voir plan p. 234 et 235.
Le dernier tronçon de la promenade mène au cœur commerçant de la ville, d'abord dans **Na Příkopě** («Sur les douves»), puis sur la **place Venceslas** (Václavské náměstí).
Terminez la visite à la **statue de saint Venceslas**, ou sur les marches du **Musée national**, qui offrent une vue superbe sur toute la place.

UN WEEK END À PRAGUE

1er jour

La première matinée sera consacrée à la découverte de la **Vieille Ville** et du quartier juif, **Josefov**. Si la logique veut que la visite commence plutôt par la Vieille Ville, nous vous recommandons cependant de découvrir en premier lieu le cimetière juif, afin d'éviter dans la mesure du possible les nombreux groupes de touristes. Dirigez-vous ensuite vers la **synagogue Pinkas** et la **synagogue Vieille-Nouvelle**. Sélectionnez cette dernière si vous n'avez pas le temps de voir les autres. Remontez ensuite la **rue Pařížská** et traversez la **place de la Vieille-Ville** en direction de **Betlemské náměstí** pour y déjeuner.

Remontez au nord-est vers la **Maison municipale** et sa séduisante façade Art nouveau. Pour cet itinéraire, privilégiez un passage via la **place Uhelný trh**, le **marché Havelská**, le **théâtre des États**, la **rue Celetná** et finalement la **tour Poudrière.** Il vous restera encore du temps pour regagner la **place Venceslas** en fin de journée, non sans avoir fait un crochet par le **musée Mucha**, à la découverte de l'œuvre d'un des artistes majeurs de Prague, initiateur du style Sécession et dont la patte se retrouve dans nombre de façades ou d'éléments décoratifs architecturaux à travers la ville.

2e jour

Sur le chemin de Malá Strana, découvrez le **pont Charles** tôt le matin, avant qu'il ne soit envahi, pour jouir de l'atmosphère calme et profiter des perspectives architecturales étonnantes entre le Château, l'église St-Nicolas et les tours du pont. Une véritable invite à la contemplation, à laquelle vous serez bien plus sensible au lever du soleil qu'en milieu de journée, dans la foule des touristes, musiciens, caricaturistes et vendeurs de souvenirs. De **Malá Strana**, gagnez le **Château** par la **rue Nerudova**. Redescendez par les jardins sous le Château et passez sous le pont Charles pour aller déjeuner sur l'**île de Kampa**.

L'après-midi, visitez le **musée tchèque de la Musique**, l'un des plus intéressants musées de Malá Strana, où vous découvrirez les plus étonnants instruments de musique élaborés par les plus grands fabricants tchèques ; puis empruntez le funiculaire pour monter à la **colline de Petřín** où vous profiterez du panorama sur Prague.

TROIS JOURS À PRAGUE

Vous pouvez bien évidemment décider de compléter les itinéraires proposés sur 2 jours en visitant quelques musées supplémentaires. Mais vous pouvez aussi profiter du troisième jour pour approfondir votre découverte de Prague en sortant des circuits touristiques et en vous immergeant ainsi un peu plus dans la vie des Tchèques. Nous vous suggérons pour cela de parcourir le quartier de

R. Holzbachova/Ph. Bénet / MICHELIN

L'île de Kampa.

Vinohrady *(voir p. 272)*, en prenant comme buts de promenade la **colline de Žižkov** puis les **maisons Sécession** des rues situées à l'est du parc Riegrovy *(voir ci-après)*.

UNE SEMAINE À PRAGUE

Une semaine à Prague vous permettra d'explorer à fond la capitale tchèque et d'enrichir votre séjour d'une ou deux escapades dans les environs immédiats, à la découverte de châteaux et galeries d'art facilement accessibles en transports publics.

Vinohrady – Žižkov
Ces deux quartiers s'étendent à l'est de Nové Město (Vieille Ville). Si Vinohrady, qui signifie littéralement « vignes du roi », a en grande partie été rénové, Žižkov, surnommé dans les années 1920 le « quartier rouge » en raison de sa population à majorité communiste, en est toujours au stade de la réhabilitation. La nuit règne une animation qui n'a rien à envier à d'autres quartiers de Prague. En outre, les quartiers de Vinohrady et Žižkov sont sans conteste ceux où vous pourrez côtoyer au mieux les Praguois dans leur vie quotidienne.

Prenez le métro jusqu'à la station Florenc et commencez par l'ascension de la **colline de Žižkov** jusqu'au **Mémorial national**. Profitez-en pour visiter le **musée de l'Armée** en contrebas. Repartez vers le sud par la rue Italská qui offre de très belles **vues** sur Prague et traversez le **parc Riegrovy** pour rejoindre le quartier des **maisons Sécession** sur son flanc est. Poursuivez vers la **tour de Télévision** au sommet de laquelle vous pouvez jouir d'un extraordinaire **panorama** sur la ville. Redescendez par la rue Milešovská vers l'**église du Très-Sacré-Cœur,** puis dirigez-vous à l'est vers les **cimetières d'Olšany** où vous remarquerez l'attention portée quotidiennement à la **tombe de Jan Palach**. Poussez jusqu'au **nouveau cimetière juif** voisin si vous voulez voir la **tombe de Franz Kafka**. Revenez en métro jusqu'à la station Náměstí Míru et empruntez les rues Belgická ou Americká pour prolonger les soirée dans un des nombreux bars ou restaurants du quartier.

Letná – Holešovice
Au nord du quartier juif, sur l'autre rive de la Vltava et nichés dans une boucle du fleuve, les quartiers de Letná et Holešovice sont une destination de promenade privilégiée pour les Praguois. Le parc de Letná offre de très belles vues sur Prague, alors que l'ancien palais des Expositions communique avec le parc Stromovka, l'ancienne réserve de chasse royale, plus au nord.

Jardins et points de vue

Compter 4h. Longez Na příkopě vers l'est jusqu'à l'arrêt Náměstí Republiky et prenez le tramway n° 8 jusqu'à Letenské náměstí (place de Letná).

Descendez la rue Ovenecká et contournez le musée national des Techniques pour rejoindre le restaurant paysager sur le bord du plateau de Letná, qui surplombe la rivière et la Vieille Ville.

En marchant vers l'ouest, tout en profitant de la vue, passez devant le socle où se dressait autrefois la statue de Staline, puis longez le restaurant du pavillon Hanau, petit édifice exubérant de la fin du 19ᵉ s.

Traversez la passerelle moderne qui mène au jardin Chotek et pénétrez dans les Jardins royaux par le Belvédère.

En quittant les jardins, prenez à gauche en direction du Château, mais tournez à droite à l'entrée pour traverser le jardin du Bastion et rejoignez la place du Hradschin.

Prenez sur Revoluční le tramway n° 5 jusqu'au **musée d'Art moderne et contemporain**. Comptez 2h de visite ou sélectionnez le thème qui vous intéresse le plus. Visitez ensuite l'ancien **complexe de l'Exposition universelle**, puis traversez le **parc Stromovka**. Ressortez au niveau de l'académie et dirigez-vous vers le sud pour rejoindre le **musée des Techniques**. En fin de journée, profitez des très belles **vues** sur Prague offertes par le **parc de Letná** et prenez le temps de faire une pause au **pavillon Hanavský**. De là, redescendez au choix vers Josefov ou Malá Strana.

Smíchov

Le quartier de Smíchov est surtout célèbre pour abriter la grande brasserie Staropramen, l'une des marques de bières tchèques parmi les plus réputées. Mais Smíchov est un peu plus que cela, un quartier hétérogène où se mêlent zones résidentielles populaires ou aisées, centres commerciaux ultramodernes, sites industriels et une ambiance estudiantine et vibrante le soir, dans sa partie nord, sur le flanc sud de Malá Strana. Une demi-journée suffit pour découvrir ce petit quartier.

Prenez le métro jusqu'à la station de métro Smíchov et remontez par la rue Nádražní pour accéder à la **brasserie Staropramen**. Remontez ensuite un peu plus au nord pour jeter un coup d'œil au grand centre commercial **Nový Smíchov**, l'une des dernières grandes réalisations architecturales de Prague, et un exemple réussi de reconversion d'un site industriel en centre commercial et culturel. Remontez ensuite vers la **villa Bertramka** pour une visite du **musée Mozart** et un concert dans les jardins (uniquement en saison) si vous y arrivez en fin d'après-midi. De là, les tramways n°s 4 ou 10 peuvent vous ramener jusqu'au **pont Palckého**. Suivez les quais à pied vers le nord pour rejoindre Malá Strana et, au niveau du **pont des Légions**, faites une pause au grand **café Savoy**, de style Sécession, qui a été récemment restauré.

AUX ALENTOURS DE PRAGUE

Excursions d'une demi-journée

Château de Karlstein

À 35 km au sud-ouest de Prague, accessible en 45mn de train, le château de Karlstein dresse sa silhouette escarpée à flanc de falaise dans un paysage grandiose qui en a fait une destination touristique majeure du pays. Puisque vous disposez d'un peu de temps, tâchez de vous y rendre en semaine pour éviter la foule, et réservez depuis Prague la visite de la **chapelle de la Ste-Croix**, où est conservée l'admirable collection de tableaux de **maître Théodoric**.

Le château de Karlstein.

C. Bouillet / MICHELIN

Château de Zbraslav

À 12 km au sud de Prague, le château de Zbraslav abrite la **collection d'arts asiatiques** de la Galerie nationale, certainement l'une des plus belles et des plus riches en Europe. L'art japonais et l'art chinois sont mis à l'honneur, mais de nombreuses pièces présentent également l'art tibétain, l'art indien et celui d'Asie du Sud-Est.

Excursions d'une journée

Terezín

La forteresse de Terezín fut employée par les Allemands, pendant la Seconde Guerre mondiale, comme ghetto et camp de travail pour les Juifs de Bohême et d'autres parties d'Europe de l'Est avant leur transfert vers les camps d'extermination. Alors que seule une partie de la ville avait été aménagée en ghetto au début de la guerre, en 1942, Terezín fut entièrement vidée de ses habitants pour permettre de loger un nombre sans cesse croissant de Juifs tchèques. Un demi-siècle plus tard, la ville, bien que repeuplée, conserve de fortes et sinistres traces de cette période, dont le visiteur s'imprègne en parcourant les différents sites dédiés à la mémoire de ces années sombres.

Mělník
Au confluent de la Vltava et de l'Elbe, dominé par son château et son église, le bourg de Mělník est réputé en Bohême pour produire quelques-uns des meilleurs vins de la République tchèque. Il s'agit d'un petit village paisible autour duquel s'étendent les vignobles, offrant de belles possibilités d'escapade à vélo ou à pied. Durant trois jours, fin septembre, des fêtes des vendanges s'y déroulent pendant lesquelles les vignerons se réunissent sur la place centrale pour faire goûter leur production.

Excursions d'une journée

Dans la gamme très riche d'excursions d'une journée possibles au départ de Prague, vous trouverez p. 279 un chapitre présentant par ordre alphabétique des sites remarquables proches de Prague (à 70 km maximum).

Week-end hors de Prague
Kutná Hora
À l'est de Prague, la cité minière de l'argent, **Kutná Hora**, qui a dépensé une bonne partie de sa fortune

La cathédrale Ste-Barbe à Kutná Hora.

R. Holzbachova/Ph. Bénet / MICHELIN

médiévale dans de superbes bâtiments telles la **cathédrale Ste-Barbe** ou la Cour italienne, est une destination idéale et privilégiée des Praguois pour le week-end. Facilement accessible, son centre historique, classé au Patrimoine mondial de l'Unesco, a été surnommé « la petite Prague ».

Nos propositions de séjours à thème

LES GRANDES HEURES DE PRAGUE

Si vous êtes féru d'histoire contemporaine, vous ne manquerez pas de visiter quelques hauts lieux de l'histoire récente.

La **place Venceslas** (voir p. 235) fut le théâtre de nombreux épisodes de l'histoire tchèque des cent dernières années : défilé des nazis lors de la conquête du pays, défilé des chars russes lors du « printemps de Prague », immolation de l'étudiant Jan Palach pour protester contre l'invasion soviétique, manifestations populaires lors de la « révolution de velours »… Les célébrations ne manquent pas, et la **statue équestre de saint Venceslas** est régulièrement décorée de bougies commémoratives.

Pour en savoir plus sur la vie à Prague et en Tchécoslovaquie au temps de la guerre froide, prenez le temps de visiter le **musée du Communisme** (voir p. 244), au nord de la place Venceslas. De nombreuses archives et pièces d'époque y ont été réunies, qui illustrent la vie des Tchèques au quotidien.

Vous pourrez revivre les grandes heures du dénouement de l'assassinat à Prague de Reynard Heydrich (voir p. 85, 250) par des parachutistes tchèques, à l'**église Sts-Cyrille-et-Méthode**, dans la Nouvelle Ville .

Autour de Prague, visitez le petit **musée de l'Aviation** (voir p. 263) de Kbely : les pilotes tchèques furent nombreux à partir combattre les nazis, d'abord en Pologne puis en Angleterre, au sein de la Royal Air Force. Une épopée évoquée par

le film du réalisateur tchèque Jan Sverák : **Tamavodrý Svet**. Enfin, toujours pour en apprendre plus sur la Seconde Guerre mondiale, nous vous recommandons la visite du ghetto de **Terezín** *(voir p. 297)* et du site commémoratif du village de **Lidice** *(voir p. 291)*, rasé en représailles de l'assassinat de Heydrich.
Ces deux sites se trouvent au nord de Prague.

DÉCOUVERTE ARCHITECTURALE

La capitale tchèque est un véritable musée de l'architecture à ciel ouvert. Les passionnés se régaleront **d'art gothique, Renaissance et baroque,** mais aussi de réalisations plus rares comme les **maisons cubistes** du quartier de Vyšehrad ou les **maisons Sécession** du quartier de Vinohrady et de la place Venceslas .

R. Holzbachova/Ph. Bénet / MICHELIN

La maison Renaissance « Aux Deux Ours d'or », dans la Vieille Ville.

Le **fonctionnalisme** est également très fréquent, avec en premier lieu le **palais des expositions** dans le quartier de Letná, ou l'**immeuble Bat'a** place Venceslas. Quant à l'**architecture soviétique,** elle n'a laissé que peu de traces dans la ville. Prenez en revanche le temps d'admirer les dernières créations architecturales praguoises, comme la **Maison qui danse,** également surnommée « Ginger & Fred », sur les quais de la Vltava, ou bien le gigantesque complexe de **Nový Smíchov,** exemple très réussi de reconversion de friches industrielles.

Le triomphe du style Sécession à Prague

À la charnière des 19e et 20e s., l'Art nouveau français ou Modern style anglais s'est développé en Tchécoslovaquie sous le nom d'art Sécession, et ce sous la forte influence d'Alfons Mucha. En France, où il passa de longues années, Mucha fut surtout surtout connu pour ses affiches de spectacles.
Le style Sécession a laissé de nombreuses traces à Prague où il s'est traduit par des formes architecturales légères, l'utilisation systématique du verre, de la céramique et de la ferronnerie, et des décorations à base de motifs floraux.
À la différence des mouvements architecturaux précédents, le style Sécession ne s'est pas uniquement traduit par la construction de palais et monuments nationaux, mais aussi par celle d'immeubles d'habitation ; il redessina ainsi le visage de nombreux quartiers de Prague. Il suffit d'arpenter la **rue Pařížská** dans le quartier juif ou les rues se trouvant à l'est du **parc Riegrovy,** dans le quartier de Vinohrady, pour s'en rendre compte. Les bâtiments les plus notables du mouvement Sécession sont certainement la **Maison municipale** ou l'**hôtel Pariž** dans la Vieille Ville, ou encore l'**hôtel Evropa** sur la place Venceslas ainsi que la **gare centrale** dans Nové Město. Et surtout visitez le **musée Mucha** *(voir p. 250)*, et n'oubliez pas d'aller voir les **vitraux de l'aile gauche de la cathédrale St-Guy** *(voir p. 203)*, réalisés par le même Alfons Mucha : une occasion rare de découvrir l'Art nouveau au sein d'un sanctuaire gothique.

POUR LES AMATEURS DE PEINTURE ET DE SCULPTURE

Les expositions permanentes de la Galerie nationale dans le **palais Sternberg** et le **couvent St-Georges,** aux environs du Château, sont incontournables pour l'amateur d'art, tout comme le **musée d'Art moderne et contemporain** dans le quartier de Letná, ou encore le **couvent de Sainte-**

Chérubin du Clementinum.

Agnès et sa galerie d'art médiéval au nord de Josevof. Mais ne dédaignez pas pour autant des musées plus petits mais non dénués d'intérêt, comme celui du **cubisme** *(voir p. 158)*, non plus que les collections de peinture et sculpture des châteaux avoisinants, comme celles du **palais de Trôja** (peintures tchèques du 19e s. – *voir p. 263*) ou celles de **Zbraslav** (arts asiatiques – *voir p. 299*). La clef de voûte de cette découverte du patrimoine artistique praguois pourra être la découverte de la collection de toiles de maître Théodoric dans la chapelle de la Ste-Croix du **château de Karlstein** *(voir p. 282)*.

LA PRAGUE DES MÉLOMANES

Les mélomanes seront comblés à Prague… *Pour connaître la riche histoire musicale de la ville, reportez-vous p. 125. Pour les salles de concerts, voir p. 51.*

Tâchez de programmer votre séjour lors du Festival de printemps de Prague, et réservez suffisamment à l'avance vos places de concert à la **Maison municipale** ou au **Rudolfinum.** Parallèlement, vous n'aurez que l'embarras du choix pour les visites de musées consacrés à la musique. Le plus intéressant est certainement le **musée tchèque de la Musique** *(voir p. 196)*, récemment rénové et présentant une très exhaustive collection d'instruments, dont des pièces extrêmement rares. Visitez également les **musées Dvořák** *(voir p. 252)*, **Smetana** *(voir p. 159)* et **Mozart** *(voir p. 264)*, et tâchez d'assister à un concert en fin d'après-midi dans les jardins de la **villa Bertramka**.

SE RENDRE SUR PLACE

Décalage horaire

La République tchèque se situe sur le même fuseau horaire que la France, soit GMT+1. Néanmoins, Prague est située à plus de 1 000 km à l'est de Paris, et en conséquence vous aurez l'impression que le soleil se couche plus tôt qu'en France, notamment en hiver ou il peut faire nuit dès 16h30. Les passages entre heure d'hiver et heure d'été se font le dernier dimanche de mars (+ 1h) et le dernier dimanche d'octobre (- 1h).

Calendrier de l'horloge astronomique.

R. Holzbachová/Ph. Bénet / MICHELIN

Comment téléphoner ?

Pour appeler Prague ou toute autre ville tchèque depuis la France, la Belgique ou la Suisse, composez le code international (00) suivi du code de la République tchèque (420) et du numéro à neuf chiffres de votre correspondant. Depuis le Canada, le code international est le 011.

Appeler moins cher

Vous trouverez des codes pour téléphoner à bas prix sur le site Internet www.telerabais.com. Depuis un poste fixe, composez le 0 811 310 310, puis le numéro de votre correspondant, vous ne paierez que le coût d'un appel local en France. Si vous voulez joindre un numéro de téléphone portable, composez l'indicatif 0 821 150 150 pour abaisser le coût de votre appel.

Téléphones mobiles

Les téléphones mobiles fonctionnent parfaitement depuis la République tchèque, mais le coût des communications dépendra du forfait que vous aurez souscrit auprès de votre opérateur. Renseignez-vous auprès de celui-ci pour connaître les conditions tarifaires précises au moment de votre voyage. En général, les forfaits incluant moins de 2h de communication par mois n'incluent pas l'option « International », payante. Demandez quelque temps avant votre voyage qu'elle soit activée pour vous servir librement de votre portable. Si votre forfait inclut déjà l'option internationale, vous n'aurez aucune manipulation à faire.

Lorsque vous êtes à l'étranger, n'oubliez pas que les communications sont payantes tant à l'émission qu'à la réception.

Où s'informer avant de partir

AMBASSADES ET CONSULATS

France

Ambassade de la République tchèque – 15 av. Charles-Floquet - 75007 Paris - ✆ 01 40 65 13 00 - www.mzv.cz/paris.

Section consulaire de l'ambassade de la République tchèque – 18, rue Bonaparte - 75006 Paris - ✆ 01 44 32 02 00 - fax 01 40 65 13 13 - consulate. paris@embassy.mzv.cz.

Autres consulats tchèques en France

Lyon – 4 bd Eugène-Deruelle - 69003 Lyon - ✆ 04 78 62 23 24 - fax 04 78 60 73 98.

Lille – 7 r. des Vicaires - 59000 Lille - ✆ 03 20 42 84 34 - fax 03 20 15 06 57.

Nantes – 13 allée des Tanneurs - 44000 Nantes - ✆ 02 40 47 24 21 - fax 02 40 47 24 87.

Belgique

Ambassade de la République tchèque – 154 av. Adolphe-Buyl - 1050 Bruxelles - ℰ 26 418 930 - brussels@embassy.mzv.cz.

Suisse

Ambassade de la République tchèque – Muristrasse 53 - Postfach 537 - 3006 Bern - ℰ 350 40 70 - bern@mzv.cz.

Canada

Ambassade de la République tchèque – 251 Copper street - Ottawa - Ontario K2POG2 - ℰ 613 562 3875.

Consulat de la République tchèque – 1305 Pine avenue Ouest, Montréal - Quebec H3G1B2 - ℰ 514 849 4495 - montreal@mzv.cz.

OFFICES TCHÈQUES DE TOURISME

France

18 rue Bonaparte - 75006 Paris - ℰ 01 53 73 00 32 - www.czechtourism. com - tlj sf w.-end 13h-18h.

Belgique

262 bd Leopold-II - 1081 Bruxelles - ℰ 24 142 040.

Suisse

Am Schanzengraben 11 - 8002 Zürich - ℰ 287 33 44 - infi-ch@czech-tourism. com.

Canada

Simpson Tower - 401 Bay Street - suite 1510 - Toronto - Ontario M5H2YA - ℰ 363 3174/5.

ASSOCIATIONS ET CENTRES CULTURELS

France

18 r. Bonaparte - 75006 Paris - ℰ 01 53 73 00 22 - www.centretcheque. org - accueil juil.-15 sept. : 10h-19h, 16 sept.-juin : mar.-vend. 13h-18h, sam. 14h-19h. Expositions, rencontres et concerts de jazz tous les vend. soir (sauf vacances scolaires et jours fériés) entre 19h et minuit. Bibliothèque ouverte les jeu. 13h-20h et sam. 14h-19h.

Belgique

150 av. Adolphe-Buyl - 1050 Bruxelles - ℰ 26 418 944 - www.czechcenter.be.

Canada

Simpson Tower - 401 Bay street - suite 1510 - Toronto - Ontario M5H2YA - ℰ 363 9928 - info-ca@czechtourism. com.

SITES INTERNET

Sites institutionnels

www.france.cz – Site de l'ambassade de France en République tchèque, pour toutes informations utiles aux voyageurs.

www.czechtourism.com – Site d'informations touristiques rédigé en français et fournissant quantité d'informations générales et pratiques pour se rendre et séjourner à Prague.

www.pis.cz – Site de l'office d'information praguois, le Pražská Informační služba (PIS) ; en plusieurs langues dont le français.

www.cedok.cz – Site de l'agence de voyages tchèque Čedok. Séjours, packages, vols, réservations d'hôtels et de guides, excursions…

www.radio.cz/francais – Émissions en direct de Radio Prague, traduites en français. Actualité politique, sociale, sportive et culturelle.

www.praguepost.cz – Version web de l'hebdomadaire *The Prague Post*, en anglais. Informations générales et une rubrique dédiée à l'actualité culturelle.

Sites généralistes

www.a-tout-prague.com – Site Internet du magazine éponyme. Informations générales sur Prague et la République tchèque, en français.

www.tchequie.net – Présentation générale de la République tchèque. Il donne des informations touristiques, mais également de nombreux conseils pratiques pour ceux qui désirent étudier ou travailler à Prague.

www.prague-info.cz – Portail officiel du service d'information de Prague. Rédigé en français et très ergonomique.

Informations pratiques et touristiques

www.mapy.atlas.cz – Plans de Prague et des principales villes de la République tchèque.

www.avantgarde-prague.cz – Site en français. Portail de l'agence francophone Avant Garde, spécialiste des visites guidées pour touristes francophones à Prague *(voir p. 60)*. Possibilité d'organiser l'ensemble du séjour (réservations d'hôtels, guides, places de concerts…).

www.guide-prague.cz – Présentation des différents guides touristiques francophones opérant à Prague. Visites à thèmes et possibilité de réserver en ligne.

www.pension.cz – Présentation exhaustive des pensions à Prague avec possibilité de réserver en ligne.

www.hotels.cz – Présentation exhaustive des hôtels à Prague avec possibilité de réserver en ligne.

www.camp.cz – Présentation exhaustive des campings à Prague avec possibilité de réserver en ligne.

www.ticketpro.cz et **www.ticketsbti.cz** – Pour réserver en ligne vos places lors des différentes manifestations culturelles praguoises : sport, opéra, théâtre…

www.praguepubs.co.uk – En anglais, toutes les infos nécessaires pour trouver le pub qui vous ressemble à Prague.

www.prague.tv – Actualité des restaurants, bars, boîtes de nuit à Prague. Nombreux hôtels recensés également.

www.czechdineout.com – Restaurants, hôtels, bars, clubs… à Prague et en République tchèque.

Sites culturels

www.zamky-hrady.cz – Site consacré aux châteaux en République tchèque. Informations pratiques et présentation succinte des différents châteaux et manoirs.

www.musica.cz – Très beau site (en anglais) entièrement consacré à la découverte de la musique tchèque. Informations sur les compositeurs, les lieux où acheter des disques, et possibilité de réserver des places pour certains spectacles.

www.fos.cz – Pour tout savoir du folklore tchèque : coutumes, traditions, danses et costumes, et calendrier des manifestations.

http://bohemica.free.fr – Site en français dédié à la découverte de la littérature tchèque. Bibliographies, présentations des auteurs, traductions…

www.czlit.cz – Autre site consacré à la littérature tchèque, mais plus axé sur l'actualité.

www.opera.cz – Actualité de l'opéra et du ballet à Prague : représentations, festivals, réservations…

AGENCES DE VOYAGES

De très nombreux voyagistes organisent des séjours de courte ou longue durée et couvrant toute la palette des hébergements disponibles à Prague. Il est ainsi possible d'acheter un simple « package » pour voyager en toute liberté ou bien de se joindre à un séjour thématique avec guide conférencier. Les agences listées ci-dessous sont présentées par catégories et selon un classement alphabétique ne portant pas de jugement de valeur sur leurs prestations.

Bon à savoir

Notez que beaucoup de circuits en République tchèque ne sont pas accessibles en hiver.

Spécialistes

Amslav – 10 rue Bachaumont - 75002 Paris - ✆ 01 44 88 20 40 - www.amslav.cz. Spécialiste des destinations d'Europe de l'Est, Amslav bénéficie d'une bonne connaissance du terrain et propose des séjours et circuits avec hébergement chez l'habitant ou en hôtel 3 et 4 étoiles. Packages avec hôtels et vols, mais aussi possibilité de construire tout son séjour à la carte, en réservant des guides à l'avance ainsi que les billets pour les grands rendez-vous culturels praguois.

Čedok – 32 av. de l'Opéra - 75002 Paris - ✆ 0 825 540 002 - www.cedok.fr. L'ancienne Agence nationale de tourisme dispose d'un bon réseau d'adresses à Prague et dans l'ensemble de la République, et évidemment de bonnes connexions avec la Slovaquie. L'agence propose un choix d'hébergement assez large. Pour les vols, Čedok fonctionne avec la compagnie aérienne ČSA, mais rien ne vous empêche de ne prendre que le séjour et de voler sur une compagnie moins chère.

Généralistes

Pauli Voyages – 34 r. Fays - 94300 Vincennes - ℘ 0 821 002 022 - www. europauli.com - Gamme étendue de circuits et séjours, mais sans hébergement chez l'habitant. Vous pouvez programmer à l'avance des visites guidées de la ville à partir de 2 personnes. Les voyages en groupe proposés par ce voyagiste ne sont pas centrés sur Prague. Ainsi, le circuit « Escapade autro-hongroise » fait étape à Prague, mais aussi à Vienne et Budapest ; le circuit « Prague et la Bohême du Sud » se concentre plus sur la République tchèque et ses châteaux.

Terrien – 1 quai de Turenne - 44003 Nantes Cedex - ℘ 02 40 47 93 25 - www.voyages-terrien.com. Une seule formule de week-end en individuel, comprenant les services d'un guide pour les visites culturelles. En 2006 a été mis en place un séduisant séjour « Noël à Prague », valable sous réserve qu'un groupe de 15 personnes minimum puisse être formé. Cinq jours à Prague autour de Noël en hébergement quatre étoiles. Animations et visites culturelles haut de gamme.

Transtours / Marsans – 49 av. de l'Opéra - 75002 Paris - ℘ 0 825 031 031 - www.marsans.fr. Des prestations offrant un bon rapport qualité-prix, et de nombreuses promotions de dernière minute pour les départs sans préparatifs.

Voyageurs du Monde – 55 r. Ste-Anne - 75002 Paris - ℘ 08 92 23 56 56 - www.vdm.com. Formules toutes faites pour des séjours de 3 à 4 jours à Prague dans une belle gamme d'hébergement de votre choix, ou bien construction d'un séjour complet sur mesure. Vous pouvez aussi combiner plusieurs séjours si vous envisagez différentes étapes en Europe centrale.

Voyages culturels et thématiques

Arts & Vie – 251 r. de Vaugirard - 75015 Paris - ℘ 01 40 43 20 21 - www. artsvie.asso.com. Voyages culturels en groupe, organisés en République tchèque selon quatre thématiques. Séjour « Prague, ville d'or » (6 jours/7 nuits) : accompagnement avec guide, visite complète et approfondie du cœur historique de Prague et promenades thématiques. Séjour comprenant au moins une soirée musicale. Arts et Vie propose également trois circuits intéressants pour la connaissance de Prague : « Les chemins de Bohême » (9 jours dont 2 à Prague), « De Budapest à Prague » (11 jours) et « Bohême et Moravie » (10 jours).

« Combat de géant » à l'entrée du Château.

Clio – 27 r. du Hameau - 75015 Paris - ℘ 0826 10 10 82 - www.clio.fr. Le grand spécialiste du voyage culturel haut de gamme a établi trois séjours dans la capitale tchèque : « Trésors de Prague », décliné en « Trésors de Prague autour du Nouvel An » et « Trésors de Prague à Noël ». Circuit découverte à travers la ville avec guides conférenciers de haut niveau. Des séjours plus longs (6 à 11 jours) incluent la Bohême ou un itinéraire passant également par Vienne et Budapest.

Intermèdes – 60 r. La Boétie - 75008 Paris - ℘ 01 45 61 90 90 - www. intermedes.com. Nombreux séjours entre avril-mai et octobre-novembre, pour des durées de 4 à 11 jours à Prague ou bien en circuit combiné avec Budapest. Accompagnement avec guide conférencier au sein de groupes de 22 personnes au maximum.

La Fugue – 32, rue de Washington - 75008 Paris - ✆ 01 43 59 10 14 - www.lafugue.com. Cette petite structure s'est spécialisée dans les voyages à thématique musicale et organise de nombreux séjours à Prague pour des événements réguliers comme le Festival du printemps de Prague. Séjours de 3 à 5 nuits en hébergement haut de gamme, visites culturelles en journée avec guide conférencier et soirées consacrées aux grands rendez-vous musicaux praguois.

Formalités

DOCUMENTS IMPORTANTS

Pour entrer dans le pays

Aucun visa n'est exigé pour les ressortissants de l'Union européenne et de la Suisse, qui peuvent se rendre en République tchèque munis d'une simple carte d'identité ou d'un passeport en cours de validité.

Les ressortissants canadiens doivent en revanche être munis d'un passeport valable au moins trois mois après la date d'entrée dans le pays, mais aucun visa n'est exigé.

Les citoyens d'autres pays doivent se renseigner auprès des ambassades ou consulats de la République tchèque, des offices Tchèques de tourisme tchèque, ou des bureaux de la compagnie aérienne ČSA, pour savoir si le visa est obligatoire, et s'il faut le demander à l'avance ou simplement au passage de la frontière.

Pour conduire

La République tchèque reconnaît le permis de conduire de la plupart des pays européens. Le système de points y est appliqué comme en France en cas d'infraction. En cas de doute, les ressortissants d'autres pays peuvent facilement obtenir un permis de conduire international auprès de leur préfecture ou de leur club automobile. Le conducteur doit être muni des papiers du véhicule et d'un certificat d'assurance. Pour circuler sur les autoroutes et routes apparentées, une vignette spéciale doit être apposée sur le pare-brise *(voir encadré p. 23)*.

SANTÉ

Aucun vaccin particulier n'est recommandé pour voyager à Prague. En cas de maladie ou d'hospitalisation, vous devez être en mesure de prouver que vous êtes affilié à une caisse d'assurance maladie dans votre pays. Demandez à votre caisse primaire d'assurance maladie de vous délivrer une **carte européenne d'assurance maladie**. Celle-ci remplace les anciens formulaires E110 et E111, et s'obtient dans un délai de deux ou trois semaines.

DOUANES ET DEVISES

On peut entrer et sortir des devises du pays sans limite de montant, mais les sommes supérieures à 350 000 Kč doivent être déclarées.

La plupart des articles d'usage personnel ne sont pas taxés, à l'exception de quelques produits au-delà d'une certaine quantité :
– tabac : 200 cigarettes ou équivalent en tabac.
– alcool : spiritueux 1 l ; vin 2 l ;
– parfum : 50 g.
L'exportation d'objets n'est pas limitée, sauf pour les antiquités et les œuvres d'art relevant du patrimoine national. Adressez-vous à la douane. Sur place, dans les magasins d'antiquités, on pourra le cas échéant vous fournir un formulaire attestant que le patrimoine culturel tchèque ne souffrira pas de l'exportation du produit concerné.

ANIMAUX DE COMPAGNIE

Vous pourrez emmener avec vous votre animal de compagnie à condition qu'il soit muni de son carnet de vaccination à jour. Votre vétérinaire vous fournira le document officiel adéquat, en particulier le passeport européen pour les animaux de compagnie. Renseignez-vous à l'avance auprès de votre hôtel pour être sûr qu'il sera accepté moyennant un supplément sur le prix de la chambre.

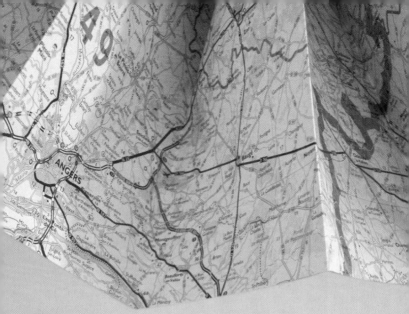

Découvrez le monde

**«Destination»
avec Thierry Beaumont**

•Cartes Postales
lundi et mardi

•48 heures chrono
mercredi

•Les bons plans
jeudi

•L'actualité du voyage
samedi

Se rendre à Prague

PAR AVION

Aéroport International de Prague – ☎ 220 111 111 - www.csl.cz. L'aéroport de Prague se trouve à Ruzyně, à environ 15 km à l'ouest du centre. Il est desservi par de nombreuses compagnies aériennes internationales (**Air France, British Airways, Lufthansa, Air Canada**…) et la compagnie aérienne tchèque **ČSA**. La compagnie low cost **Sky Europe** dessert également Prague quotidiennement depuis Paris et assure quelques vols depuis Nice et Grenoble. Des vols réguliers relient Prague aux principales villes européennes, dont, en France, Paris, Nice, Lyon, Marseille, Toulouse (liste non exhaustive). Le vol Paris-Prague dure 1h20.

Pour vous rendre de Ruzyně au centre de Prague, *voir p. 40.*

France

Air France - KLM – Nombreuses agences à Paris et en France - ☎ 3654 - www.airfrance.cz. Au moins cinq vols quotidiens au départ de l'aéroport Charles-de-Gaulle, terminal 2B.

ČEDOK (agence de voyages tchèque) – 32 av. de l'Opéra - 75002 Paris - ☎ 01 47 42 18 11.

ČSA (compagnie aérienne tchèque) – 17 av. de l'Opéra - 75001 Paris - ☎ 0 825 540 002 - www.csa.cz. Sept vols quotidiens au départ de l'aéroport Charles-de-Gaulle, terminal 2B.

Sky Europe – Renseignements et réservations par Internet uniquement, www.skyeurope.com. Vols quotidiens au départ d'Orly.

Suisse

ČSA (compagnie aérienne tchèque) – Löwenstrasse 20 - 8001 Zürich - ☎ (411) 218 70 10.

PAR LE TRAIN

SNCF – ☎ 0 892 353 535 - www.sncf.fr. Prague est reliée par le rail aux pays voisins, et il est possible de trouver des liaisons avec Paris, Zurich, Hambourg, Dortmund et Munich. Depuis Paris, la correspondance se fait à Francfort, au départ de la gare de l'Est.

Si vous prévoyez un circuit en Europe centrale, sachez que Prague est également desservie depuis Berlin (5h de trajet), Bratislava (5h de trajet), Vienne (4h30 de trajet), Varsovie (9h de trajet) ou Budapest (8h à 9h de trajet).

La plupart des trains en provenance de l'étranger arrivent à la gare principale, Hlavní nádraží (Wilsonova 80 - ☎ 224 615 249/786), mais certains s'arrêtent aux gares de banlieue nádraží Holešovice (Vrbenskěno 7 - ☎ 224 615 865) ou Smíchovské nádraží (nádraží s/n - ☎ 224 617 686).

Toutes les gares sont desservies par une station de métro qui vous permettra de rejoindre très vite le centre-ville.

Sécurité dans les avions

Selon les nouvelles règles adoptées par la Commission européenne pour tous les vols au départ de l'Europe :
– les dimensions des bagages en cabine ne peuvent excéder 56 x 45 x 25 cm ;
– aux points de contrôle, les passagers doivent obligatoirement retirer manteaux et vestes et sortir des bagages de cabine ordinateurs portables et appareils électriques de grande taille ;
– les récipients de plus de 100 ml sont interdits en cabine. Les récipients de moins de 100 ml doivent être rassemblés dans un sac plastique transparent de moins de 1 l (exceptions prévues pour les médicaments et les aliments pour bébés) ;
– les boissons et parfums achetés en duty free peuvent quant à eux être pris en cabine, mais sont acheminés jusqu'à l'avion dans des sacs scellés.

La gare centrale sous la neige.

M. Ivory / MICHELIN

EN AUTOCAR

Prague est accessible en bus depuis de nombreuses villes européennes avec la compagnie Eurolines. Depuis Paris, il faut compter une quinzaine d'heures de route.

Eurolines Paris – Gare routière Gallieni - 28 av. du Général-de-Gaulle - 93170 Bagnolet - ✆ 0 892 899 091 - www.eurolines.fr.

Eurolines Lyon – Gare routière de Lyon-Perrache - 69002 Lyon - ✆ 04 72 56 95 30.

Eurolines Belgique – CNN gare du Nord - 80 r. du Progrès - Bruxelles - ✆ (00 32) 2 274 13 50 - www.eurolines.be.

Eurolines Suisse – 14 r. du Mont-Blanc - Genève - ✆ (00 41) 22 716 91 10.

Eurolines Prague – Agence principale : Senovážné náměstí 6 - ✆ (00 420) 224 239 318 - www.eurolines.cz.

Agence de la gare routière de Florenc - Křižíkova 6 - ✆ (00 420) 224 218 680 et (00 420) 224 814 821 - lun.-vend. 7h-19h, sam. 8h-19h, dim. 9h-19h.

EN VOITURE

Prague est reliée par de grandes routes à tous les pays voisins. À ce jour, le réseau autoroutier vers l'Europe de l'Ouest est encore interrompu par endroits, mais presque tout le trajet de Prague à la frontière allemande se fait par autoroute. De Paris, il y a environ 1 100 km de route jusqu'à Prague via Metz, Forbach, Sarrebruck, Nuremberg, Plzeň.

On trouve tous les types de **carburant** en République tchèque.

Itinéraires par Internet

Consultez www.ViaMichelin.fr. Pour réaliser un itinéraire, il vous est demandé de préciser votre point de départ et d'arrivée. Vous obtiendrez alors des indications sur le nombre de kilomètres, la durée et le coût de votre voyage calculé selon un certain nombre de critères (durée, distance, utilisation ou non de l'autoroute, péages, etc.). Vous pourrez par ailleurs imprimer la portion de carte Michelin correspondant précisément à votre itinéraire.

Bon à savoir

Si vous avez l'intention d'emprunter autoroutes et routes à quatre voies en République tchèque, vous devez acheter une **vignette** à la frontière et l'apposer sur le pare-brise. Comptez 150 Kč (5 € env.) pour 10 jours, 250 Kč (8,30 € env.) pour un mois et 900 Kč (30 € env.) pour un an.

Argent

DEVISES

Monnaie

L'unité monétaire, qui est relativement stable, est la couronne tchèque *česká koruna,* code bancaire CZK ; convertible au taux de 27,91 Kč pour 1 € en décembre 2006). La couronne tchèque s'utilise en billets de 5 000, 2 000, 1 000, 500, 200, 100 et 50 Kč, et en pièces de 50, 20, 10, 5, 2, 1 et 0,5 Kč.

Banques

Les banques ouvrent généralement de 8h à 18h du lundi au vendredi. Vous trouverez à Prague, en particulier dans le centre-ville, de nombreux distributeurs automatiques acceptant les principales cartes internationales (Visa, Eurocard Mastercard, American Express…) et délivrant des couronnes tchèques.

Change

On peut changer de l'argent dans les banques et la plupart des grands hôtels. Il est cependant plus commode de se rendre dans un des nombreux bureaux de change des quartiers touristiques de Prague, ouverts plus longtemps et, pour certains, situés place de la Vieille-Ville, 24h/24.

Euro

La République tchèque devrait adopter la monnaie unique à l'horizon 2010. Dans les quartiers touristiques, la plupart des hôtels et restaurants pratiquent déjà le double affichage et certains hôteliers acceptent les euros.

Cartes de crédit

L'usage de la carte bleue s'est considérablement répandu à Prague, et la plupart des hôtels et restaurants haut de gamme acceptent le paiement électronique. Dans le reste du pays, des endroits très touristiques comme Kutná Hora ou le château de Karlstein, sont bien équipés, mais ce n'est pas encore le cas de tous les villages en province : prévoyez une petite réserve en liquide.

La plupart des stations-service, sur la route, acceptent couramment les cartes bleues.

Pensez à noter le numéro de téléphone du centre d'opposition figurant au dos de votre carte bleue afin de pouvoir faire les démarches nécessaires en cas de perte ou de vol. Si vous avez omis de le faire, vous pouvez contacter un serveur vocal qui vous délivrera le numéro à composer à partir de votre numéro de carte, de votre RIB ou simplement du nom de votre banque. ℘ 00 33 892 705 705 (0,34 €/mn).

BUDGET À PRÉVOIR

Hormis l'hébergement, Prague est une destination qui reste bon marché. Les transports sont très accessibles, et un restaurant gastronomique dépasse rarement 30 € par personne. Dans la plupart des *hospoda* traditionnelles, on mange très bien pour moins de 15 €. En outre, vous pourrez économiser sur les repas du midi en vous essayant aux casse-croûte tchèques place de la Vieille-Ville ou place Venceslas, ou bien en commandant des en-cas (cervelas, omelettes, tartines), autour de 2 ou 3 €, dans des *pivnice*. En revanche, les musées et monuments, très nombreux, alourdiront sensiblement votre budget. Achetez dès votre arrivée la **Prague Card**, valable 4 jours, pour économiser sur les billets d'entrée.

Voici quelques idées de budget par jour et par personne en fonction du type de séjour que vous envisagez.

50 € (1 500 Kč env.) – Pour une chambre double en auberge ou des

Attention au change !

Ne changez jamais votre argent au marché noir, c'est illégal, et il s'agit presque toujours de faux billets ou de coupures hongroises périmées.

lits en dortoir, un casse-croûte le midi et un restaurant simple dans une *hospoda* le soir. Augmentez ce budget de 20 % en pleine saison.

Autour de 100 € (2 800 Kč env.) – Pour une nuit en chambre double dans une pension correcte proche du centre-ville, un repas léger le midi et un dîner au restaurant le soir.

Plus de 150 € (4 200 Kč env.) – Correspondant à une nuit dans un hôtel de charme bien situé, un repas au restaurant le midi et un repas plus gastronomique en soirée, dans un établissement haut de gamme.

Qu'emporter ?

Prévoyez des vêtements imperméables ou un parapluie si vous voyagez en mars, en novembre ou en été, lorsque les pluies sont les plus fréquentes. L'hiver est les intersaisons sont plus froides qu'en France, et des vêtements adaptés doivent aussi faire partie de votre bagage.

Rappelez-vous que lors des grands rendez-vous culturels, à l'opéra ou au théâtre, les Tchèques sont très à cheval sur l'étiquette : prévoyez une tenue correcte si vous envisagez de vous rendre à un spectacle.

Enfin, Prague est une ville essentiellement piétonne mais que les pavés omniprésents rendent peu confortable : de bonnes chaussures de marche seront les bienvenues.

En été, si vous visitez les environs de Prague, prévoyez un maillot de bain pour vous rafraîchir dans les rivières.

SE LOGER – SE RESTAURER

NOS CATÉGORIES DE PRIX

Sans ignorer les limites de l'exercice, nous avons classé les établissements, qu'il s'agisse d'hôtels ou de restaurants, selon plusieurs catégories de prix, dont vous trouverez le détail dans le tableau ci-dessous.

Les prix donnés dans les **hôtels** correspondent aux tarifs pour une chambre double classique en basse et en haute saison (ex. *80-110 €*), pour des touristes individuels, tels que nous avons pu les relever sur place à la mi-2006. Le prix indiqué inclut généralement le petit-déjeuner. Si tel n'est pas le cas, le prix du petit-déjeuner est indiqué à part (introduit par le symbole ☕).

En ce qui concerne les **restaurants** (vous les trouverez dans les carnets pratiques de la partie « Découvrir Prague »), les tarifs donnés correspondent à un repas complet comprenant une entrée, un plat et un dessert, mais sans le vin.

Où se loger

LES DIFFÉRENTS TYPES D'ÉTABLISSEMENTS

Les banlieues et les alentours manquent singulièrement de poésie, il est préférable de loger dans le centre historique pour apprécier vraiment la magie de Prague. Depuis les hôtels retenus dans notre sélection, vous pourrez facilement faire à pied le circuit touristique.

En raison de la crise du logement qui sévit à Prague, vous trouverez difficilement une chambre double dans un hôtel de la Vieille Ville à moins de 3 500 couronnes tchèques (Kč). Et entre cette catégorie de prix et les petites auberges de jeunesse, il n'existe malheureusement pas de classe intermédiaire. La solution la moins onéreuse consiste à loger chez l'habitant ou à louer un appartement. Mais vous pouvez également choisir de loger dans le quartier de Vinohrady, tout proche du centre, où se développe une

NOS CATÉGORIES DE PRIX			
Se restaurer (prix d'un repas complet sans la boisson)		**Se loger** (prix de la chambre double)	
	Centre-ville	**Centre-ville**	**Autour du centre et aux environs de Prague**
⊖	de 100 à 300 Kč	Moins de 80 € (moins de 2 230 Kč)	Moins de 60 € (moins de 1 670 Kč)
⊖⊖	de 300 à 700 Kč	De 80 à 150 € (de 2 230 à 4 180 Kč)	De 60 à 100 € (de 1 670 à 2 788 Kč)
⊖⊖⊖	de 700 à 2 000 Kč	De 160 à 210 € (de 4 460 à 5 860 Kč)	De 100 à 150 € (de 2 788 à 4 180 Kč)
⊖⊖⊖⊖	Plus de 2 000 Kč	Plus de 210 € (plus de 5 860 Kč)	Plus de 150 € (plus de 4 180 Kč)

offre hôtelière abondante et meilleur marché. Pour les jeunes, le choix d'*hostels* à petit budget mais au confort limité est plus étendu.

Dans tous les cas, il est vivement conseillé de réserver le plus tôt possible, en particulier lors des pics saisonniers (vacances de Noël, week-end de Pâques).

Logement chez l'habitant

Čedok – Na Příkopě 18, Prague 1 (Nouvelle Ville) - ✆ 224 197 276 - fax 224 216 324 - lun.-vend. 9h-19h, sam. 10h-15h. Vous trouverez auprès de cette grande agence (ancien office de tourisme) des interlocuteurs pratiquant couramment l'allemand, l'anglais, le français…

TCH (tourisme chez l'habitant) – 15 r. des Pas-Perdus - 95800 Cergy - ✆ 01 34 25 44 44 et 0 892 680 336 - www.tch-voyages.com. Cette agence peut vous trouver des chambres chez l'habitant bien situées en centre-ville pour des tarifs très concurrentiels de 29 € par personne et par nuit, avec un séjour minimum de trois nuits. Pas de changements de prix entre les saisons. Le tarif inclut un petit-déjeuner. Le logement chez l'habitant peut se faire en appartement ou en maison selon les disponibilités.

Location d'appartements

Agence franco-tchèque – Lesnicka 7 - ✆ 224 323 736 (accueil en français) - www.rentego.fr. Cette agence française possède 25 appartements dans Prague 1, tous situés dans un rayon de 10mn. à pied de la place de la Vieille-Ville ou de la place Venceslas. Prestations de qualité et possibilité de réserver et de payer par carte bancaire via le site Internet sécurisé. L'agence peut expédier les clefs de l'appartement à votre domicile pour que vous puissiez vous y rendre directement. Les tarifs sont très attractifs, en particulier pour les périodes longues, avec des différences allant jusqu'à 50 % par rapport au prix d'un hôtel.

Où se restaurer

De la *pivnice* de quartier aux restaurants gastronomiques du cœur touristique, l'offre de restauration est abondante à Prague, et dans la plupart des cas meilleur marché que l'hôtellerie.

LES DIFFÉRENTS TYPES D'ÉTABLISSEMENTS

Pivnice

Il s'agit de bars de quartiers où les Tchèques se retrouvent autour d'une pinte de bière et où l'on peut manger pour moins que rien des petits en-cas souvent copieux ou tout du moins consistants : tartines, fromage frit, cervelas aux oignons, parfois quelques omelettes. Les *pivnice* se reconnaissent à leur petite taille et à leur atmosphère souvent enfumée. Les tables (lorsqu'il y en a) sont partagées entre les clients qui se tassent dès que surgit un nouvel arrivant. Selon le même principe que les *pivnice*, on trouve également des *vinarná*, où se réunissent les amateurs de vin.

Hospodas

Les *hospoda* sont l'équivalent de nos anciennes auberges et se distinguent par des espaces plus grands. Les plus authentiques continuent de brasser leur propre bière sur place. La carte des plats y est plus élaborée que dans les *pivnice* mais draîne une clientèle tout aussi bruyante, animée, et aimant débattre dans d'épaisses volutes de tabac. Dans le centre historique, vous trouverez de nombreuses *hospoda* ayant conservé

Bon à savoir

Dans les restaurants simples et les tavernes, il est courant de partager une table si l'établissement est bondé (demander aux convives avant).

Sachez que l'on vous facturera parfois le couvert, le pain, les condiments, ou les amuse-gueules (que vous pensiez offerts au début du repas). De même, il n'est pas convenable de sortir de l'établissement sans avoir laissé de pourboire, en général 8 à 10 % du montant de l'addition. Dans les zones touristiques, il est directement ajouté à l'addition sous le total de vos consommations, mais n'hésitez pas à contrôler, car certains serveurs ne se privent pas pour en déterminer assez « librement » le montant.

leur caractère traditionnel alors que d'autres ont été redécorées au goût du jour et proposent des plats cuisinés légèrement plus élaborés. On y mange en général pour un budget minime, n'excédant pas 10-12 € par personne pour un repas hors boisson.

Restaurace

On y boit évidemment toujours de la bière, mais les *restaurace* commencent à ressembler à nos restaurants français. On y vient avant tout pour manger ; les cartes sont plus complètes et comprennent de nombreuses spécialités de tout le pays. À l'exception des restaurants touristiques, on trouve rarement de menus comme en France et le choix se fait à la carte. Le budget est légèrement plus élevé que dans une *hospoda*.

LES SPÉCIALITÉS LOCALES

La cuisine tchèque est essentiellement rustique et se caractérise par l'emploi de produits souvent lourds ou gras : sauces, pommes de terre, crème, beurre ou gras de porc sont présents dans 90 % des plats traditionnels, sans parler des salades, toujours noyées sous la mayonnaise. Pour un repas plus léger, rabattez-vous sur les **soupes et potages** *(polévka)*, qui font en général office d'entrée. La plupart sont des bouillons relativement légers, mais il existe d'autres variétés : le potage de légumes par exemple, particulièrement savoureux, et ceux à la pomme de terre ou au chou assez consistants.

En-cas

Un peu partout dans les quartiers touristiques, en particulier lors des marchés de Pâques ou de Noël, vous trouverez de petits stands concoctant des en-cas tchèques, le plus prisé étant la saucisse à la moutarde. Il existe des saucisses de plusieurs sortes, de tailles et de formes différentes, mais toutes sont servies sur une tranche de pain complet et un petit lit de moutarde. Lors des marchés de Noël, ne manquez pas de goûter au **jambon de Prague** *(prazské šunka)*, une très ancienne spécialité praguoise de jambon bouilli,

séché et salé que vous pourrez voir rôtir un peu partout à chaque grande manifestation en ville.

Plats

Rôti de porc et **rôti de canard** sont les principaux plats nationaux, en général accompagnés de chou blanc et chou rouge ainsi que de *knedlíky*. L'**oie rôtie** *(pečenahusa)* se rencontre aussi assez fréquemment. Au rang des abats, les **foies de porc et de bœuf** sont très prisés, et servis en général panés.

La canard à la choucroute, un plat typiquement praguois.

R. Holzbachova/Ph. Bénet / MICHELIN

Accompagnements

Les **knedlíky** sont l'accompagnement le plus populaire et le plus fréquent. Impossible de séjourner à Prague sans y goûter au moins une fois. Il s'agit d'une pâte faite à base de farine, de pomme de terre et de semoule, cuite comme un pain et découpée en tranches. Cet accompagnement est très copieux, surtout lorsqu'ils sont servis avec du porc rôti en sauce.

Chou rouge et **chou blanc** accompagnent aussi la plupart des recettes.

Dans les restaurants, les accompagnements supplémentaires sont peu variés et se résument à différentes recettes de **pomme de terre** : en frites, en purée ou en croquettes. On trouve presque toujours des **épinards**, mais plus rarement des légumes variés, à moins d'aller dans des restaurants un peu plus haut de gamme.

Bon à savoir

👁 Les accompagnements sont facturés en sus du plat.

Fromages

Le choix de fromages est quasiment inexistant sur les cartes des restaurants. Et lorsque vous en trouverez, il sera plutôt servi en hors-d'œuvre, pané et frit ou bien mariné dans une sauce au vinaigre et aux oignons.

Desserts

Si vous vous en sentez le courage, essayez les *palačinky* : des crêpes épaisses fourrées de fruits (en général des pommes) et servies arrosées de chocolat fondant.

Vins

Les vins tchèques gagnent souvent à être découverts. Blancs et rouges, pour beaucoup produits en Bohême, ils se sont considérablement améliorés ces dernières années grâce en particulier à la modernistaion de la viticulture.

Au premier rang des **vins blancs**, on retiendra le *Müller Thurgau*. Considéré comme l'un des meilleurs vins blancs du pays, il s'apparente au riesling et il est également très répandu en Allemagne. Les Tchèques en commandent souvent avec le poisson, mais les Français lui reprocheront certainement un manque de vigueur. Tentez alors le *Neuburské*, légèrement plus parfumé. Le *Ryslink Rinsky* est un vin légèrement cuit ressemblant au muscat, à consommer à l'apéritif ou avec une entrée.

Du côté des **vins rouges**, dans les restaurants, on vous proposera le plus souvent un *Francovka*. Un peu épais, mais légèrement acidulé, il compensera assez bien un plat gras comme le rôti de porc ou de canard. Pour une sensation plus sucrée ou âpre, on vous conseillera plutôt le *Vavřinecké*.

Enfin, signalons le *Burčak*, un vin jeune de Moravie dont l'arrivée est fêtée comme en France celle du beaujolais nouveau. Son goût est très sucré, ce qui permet de le boire facilement, mais son caractère jeune ne vous épargnera pas les maux de tête du lendemain ni les crampes nocturnes. Le *Burčak* arrive en général fin septembre ou début octobre sur la table.

Bière

Avec 160 l par an et par habitant, les Tchèques détiennent le record de consommation de bière, loin devant l'Allemagne (125 l), l'Irlande (100 l) ou la France (36 l). Au Moyen Âge, en Bohême, le droit de brasser de la bière était l'un des plus importants privilèges qu'une ville puisse obtenir. Au fil des siècles, un grand nombre de brasseries prestigieuses firent leur apparition à travers tout le pays, ainsi que de nombreuses *hospoda* brassant elles-mêmes leur bière. Les marques les plus connues (et consommées) en République tchèque sont la *Staropramen* et la *Plzeňský prazdroj* (Pilsner Urquell).

Pour vous familiariser avec l'univers du houblon, vous pouvez visiter dans le quartier de Smíchov la **brasserie Staropramen**. Cette bière, qui est la marque phare de la République tchèque, existe en trois versions différentes. Plus près du centre, dans Nové Město, vous pouvez également visiter la petite **brasserie du restaurant U Fleků**, qui brasse une bière brune depuis plus de cinq cents ans. Les locaux peuvent accueillir plus de 1 200 personnes et sont souvent réservés pour des mariages ou des anniversaires (www.ufleku.cz).

Changer de la cuisine tchèque

Si, votre séjour se prolongeant, vous désirez changer de style de cuisine, sachez que dans le centre-ville l'offre se diversifie considérablement, avec en particulier l'apparition de nombreux restaurants gastronomiques italiens ou français.
Il faut prévoir un budget sensiblement plus élevé (20 à 25 €/pers. pour un repas complet hors boisson), mais la qualité est généralement au rendez-vous.

Dans le pays ont lieu régulièrement de nombreuses « fêtes de la bière », les plus réputées étant celles de Budějovice et de Pilsen (Plzeň).

Sachez que dans de nombreuses *hospoda* on vous servira une bière avant même que vous ayez à la commander. Puis une deuxième et ainsi de suite jusqu'à ce que vous pensiez à arrêter le zèle du serveur. Au cas où l'on vous oublierait, le fait de placer un sous-bock devant vous suffira à attirer l'attention du garçon. Et si vous n'êtes pas franchement amateur, demandez une petite bière (*malé pivo*).

PETIT LEXIQUE CULINAIRE

kachna : canard

husa : oie

vepřová pečeně se zelím, knedlíky : rôti de porc servi avec de la choucroute et des quenelles de pommes de terre

koleno : jarret de porc

svíčková na smetaně : filet de bœuf, sauce à la crème et purée de légumes

smažený vepřový řízek : escalope de porc panée

guláš : goulasch

smažený sýr : fromage pané

kuře : poulet

smažený kapr : carpe panée

palačinky : sorte de crêpes épaisses à la chantilly, aux fruits ou à la marmelade

Sélection d'hébergements

Les adresses sélectionnées ici sont positionnées sur le plan p. 36-37 ; elles sont repérables grâce à des pastilles numérotées (ex. ① ; ces pastilles numérotées sont placées ci-après à la suite du nom de chaque établissement). Vous les trouverez aussi sur les plans de quartier dans la partie « Découvrir Prague ». Pour les catégories de prix symbolisées par les piécettes, reportez-vous au tableau p. 26.

Campings autour de Prague

☻ **Caravan Camp** ⑭ hors plan vers A4 – *Císařská Louka 162 (Prague 5) - ☎ 257 317 555 - fax 257 318 763 - www.caravancamping.cz - 60 empl. : tente 3 € (90 Kč), séjour 3,10 € (93 Kč)/pers.* Dans le quartier de Smíchov, ce camping est situé sur une île, à environ 3 km du centre-ville. En haute saison, une navette peut vous emmener en 30mn à la station de métro Smíchovské nádraží (ligne B).

☻ **Autocamp Trojská** ⑥ hors plan vers C1 – *Trojská 157 (Prague 7) - ☎ 283 850 487 - www.autocamp-trojska.cz - 90 empl. : tente 3/5 € (90/150 Kč), séjour 2,6/3,5 € (78/105 Kč) - ouvert tte l'année.* Sur la route du palais de Trója, ce camping est facilement accessible depuis la Vieille Ville par le bus n° 17 (moins de 30mn de trajet). Plutôt agréable à vivre, il est fréquenté par une clientèle familiale d'habitués. D'autres campings sont situés de part et d'autre au cas où celui-ci afficherait complet.

Staré Město (Vieille Ville)

☻ **Hostel Týn** ㉕ C2 – *Týnská 19 - Ⓜ Staroměstská - ☎/fax 224 828 519 et 776 122 057 (mobile) - www.hostel-tyn.*

web2001.cz - ⚏ - pas de petit-déj. - 14 ch. 32/42 € (960/1 260 Kč), dortoirs 12,5/14,3 € (375/429 Kč). Auberge de jeunesse bien située dans la zone relativement calme du quartier du Týn. La direction pratique des petits prix pour des chambres et dortoirs de bonne qualité, quoique meublés en toute simplicité et brillant par leur absence totale de décoration. Le bâtiment dissimule une petite cour intérieure.

☻ **Old Prague Hostel** ⑩ D2 – *Benediktská 2 - Ⓜ Náměstí Republiky - ☎ 224 829 058 et 776 105 766 (mobile) - fax 224 829 060 - www.oldpraguehostel. com - ⚏ - dortoirs 2 lits 19,9/22,9 € (597/687 Kč) ⚏, dortoirs 8 lits 10,9/13,9 € (327/417 Kč) ⚏.* Nouvelle adresse correctement située dans une ruelle calme de la Vieille Ville, proposant des dortoirs confortables, dotés de grandes armoires fermant à clef, et suffisamment spacieux pour rester respirables. Petite cuisine à disposition.

☻☻ **Pension Accord** ㉓ C-D2 – *Rybná 9 - Ⓜ Náměstí Republiky - ☎ 222 328 816 - fax 222 324 406 - www.accordprague.com - 11 ch. 76/98 € (2 250/2 940 Kč) ⚏.* À proximité de la place de la Vieille-Ville et de la place Venceslas, cet établissement présente de belles chambres confortables quoique meublées en toute simplicité. Le rapport qualité-prix est excellent au regard de la situation. Le petit-déjeuner est servi dans un restaurant à proximité de l'hôtel.

☻☻ **Green Garland Pension** ㉑ C2 – *Řetězová 10 - Ⓜ Staroměstská - ☎ 222*

220 178 - fax 224 248 791 - www.uzv.cz -
9 ch. 68-121 € (2 041-3 630 Kč) ☕. Très bien
située dans une rue calme de la Vieille
Ville, et proche des quais de la Vtlava,
cette agréable pension au caractère très
familial propose de charmantes chambres
avec kitchenettes communes et de belles
salles de bains, spacieuses par rapport à
ce qu'il est coutume de trouver à Prague.

😑😑 **Pension U Lilie** ⑦⑧ C2 – *Liliová 15 -*
Ⓜ *Staroměstská* - 📞 *222 220 432 -*
fax 222 220 641 - www.pensionulilie.cz -
15 ch. 82,1-125 € (2 463-3 750 Kč) ☕. Au
fond d'un passage calme mais tout
proche du pont Charles et du
Clementinum, vous trouverez dans cette
pension des chambres pour la plupart
spacieuses et situées dans une cour
intérieure les isolant du bruit. Évitez les
étages où les soupentes réduisent
considérablement l'espace.

😑😑 **Pension U Medvídků** ⑧① C2 – *Na*
Perštýně 7 - Ⓜ *Národní třída -* 📞/
fax 224 220 930 - www.umedvidku.cz -
33 ch. 82-125 € (2 460-3 750 Kč) ☕. À
proximité du Théâtre national, dans une
ancienne demeure entièrement rénovée,
cette pension a conservé un charme
baroque et des chambres de caractère
très agréables à vivre. Un orchestre se
produit en soirée dans la partie
restaurant.

😑😑 **Hotel King George** ㊾ C2 –
Liliová 10 - Ⓜ *Staroměstská* - 📞 *221*
466 100 - fax 221 466 166 - www.
kinggeorge.cz - 14 ch. 89-127 € (2 670-
3 810 Kč) ☕. Les prestations d'ensemble
sont bonnes, mais les chambres sont très
différentes les unes des autres. Visitez-en
plusieurs pour choisir celle qui vous
convient le mieux en fonction de l'espace
ou de la vue. La chambre n° 15, en
particulier, a une très belle vue sur les
clochers et les toits avoisinants.

😑😑 **Betlem Club** ⑬ C2 – *Bétlémské*
náměstí 9 - Ⓜ *Národní třída -*
📞 *222 221 574 - fax 222 220 580 -*
www.betlemclub.cz - 21 ch. 100-146 €
(3 000-4 380 Kč) ☕. L'excellent rapport
qualité-prix et la bonne localisation de
cet établissement en font une adresse
très recommandable. Vous y jouirez en
outre du calme de la place de Bethléem,
face à la chapelle, tout en restant à moins
de 10mn à pied de la place de la Vieille-
Ville. Les chambres sont étonnamment
spacieuses pour Prague.

😑😑😑 **Hotel Černá Liška** ㉞ C2 –
Mikulášská 2 - Ⓜ *Staroměstská* - 📞 *224*
232 250 - fax 224 232 250 - www.cernaliska.
cz - ♿ - 12 ch. 135-160 € (4 050-
4 800 Kč) ☕. Un bon rapport qualité-prix
compte tenu de l'emplacement : entre

l'hôtel de ville et l'église St-Nicolas. Le
« renard noir » date du 14ᵉ s. et a conservé
un charme incomparable, surtout lorsque
votre chambre donne directement sur la
place de la Vieille-Ville. Attention,
certaines chambres, en particulier au
dernier étage, donnent sur les toits à
l'arrière.

😑😑😑 **Hotel U Prince** ㊷ C2 –
Staroměstské náměstí 29 -
Ⓜ *Staroměstská* - 📞/fax 224 213 807 -
www.hoteluprince.cz - 15 ch. 152-223 €
(4 560-6 690 Kč) ☕. Face à l'horloge
astronomique, ce palais du 13ᵉ s. a été
entièrement rénové en hôtel de luxe aux
chambres spacieuses et très confortables.
La vue sur la place de la Vieille-Ville est
exceptionnelle.

😑😑😑😑 **Hotel Josef** ㊺ D2 –
Rybná 20 - Ⓜ *Náměstí Republiky -* 📞 *221*
700 111 - fax 221 700 999 - www.hoteljosef.
com - ♿ 🅿 *-109 ch. 247 € (7 410 Kč)*
- ☕ *16 € (480 Kč)*. Un établissement
luxueux et moderne, dont le design est
dû au cabinet d'architectes d'Eva Jiřičná à
Londres. Des lignes épurées, un intérieur
moderne et lumineux, et des chambres
au luxe débordant donnant, à l'arrière, sur
un agréable jardin.

Hall de l'hôtel Josef.

Josefov

😑 **Traveller's Hostel Dlouhá** ㊙
C-D2 – *Dlouhá 33 -* Ⓜ *Náměstí*
Republiky - 📞 *224 826 662 - fax*
224 826 663 - www.travellers.cz -
réservations : hostel@travellers.cz -
90 ch. 31,6/45,8 € (948/1 374 Kč) ☕,
dortoirs 10,6 € ☕. Idéalement située à la
limite sud de Josefov, à proximité de la
place de la Vieille-Ville et du quartier du
Týn, cette auberge très prisée des
voyageurs individuels affiche en
conséquence souvent complet.
Réservations uniquement par Internet.

Hotel Haštal 42 **C2** – *Haštalská 16* - Ⓜ *Náměstí Republiky* - ℘ *222 314 335 - 29 ch. 102/139 € (3 060/4 170 Kč)* ☙. Un bon choix pour un séjour au calme : l'hôtel est situé à proximité du couvent Ste-Agnès sur une petite place paisible à la limite du quartier juif. Vous êtes ici dans la partie la plus jolie et la moins touristique de Josefov.

Casa Marcello 17 **C2** – *Řásnovka 783* - Ⓜ *Náměstí Republiky* - ℘ *222 310 260 et 222 311 230 - fax 222 313 323 - www.casa-marcello. cz - 26 ch. 130/220 € (3 900/6 600 Kč)* ☙. Toujours dans le même quartier autour du couvent Ste-Agnès, cette ancienne maison du 13e s., rénovée dans son style original mais offrant tout le confort et la qualité de services d'un hôtel de luxe, est un véritable havre de paix. Les tarifs hors saison sont particulièrement intéressants.

Hall de la Casa Marcello.

Malá Strana

Hostel Sokol 22 **B2** – *Nosticova 2* - Ⓜ *Malostranská* - ℘ *257 007 397 - fax 257 007 340 - www.sokol-cos.cz/ hostel* - ⌗ - *3 ch. doubles et dortoirs 7- 14 lits 10/12,5 € (300/375 Kč)*. Un logement en toute simplicité dans de minuscules chambres avec salles de bains communes, qui conviendra aux petits portefeuilles souhaitant absolument rester à Malá Strana. L'hôtel possède une belle terrasse, à vrai dire son seul point fort, avec ses tarifs. Une cuisine sommaire est à la disposition des clients.

Hotel Kampa Garden 49 **B2** – *U Sovových Mlýnů 9* - Ⓜ *Malostranská* - ℘ *257 930 160 - fax 257 930 161 - www. accomprague.cz/kampagarden - 35 ch. 89/110 € (2 670/3 300 Kč)* ☙. À proximité du dernier moulin de Prague, sur l'île de Kampa, ce bel hôtel propose de très jolies chambres, calmes et

agréablement aménagées, en toute simplicité. L'ambiance de village qui flotte sur l'île de Kampa au petit matin, avant l'arrivée des touristes, est un vrai bonheur.

Pension Dientzenhofer 74 **B2** – *Nosticova 2* - Ⓜ *Malostranská* - ℘ *257 311 319 - fax 257 320 888 - www.dientzenhofer.cz* - Ⓟ *9 ch. 90/110 € (2 700/3 300 Kč)* ☙. Cette maison, située au sud de la place de Malte, dans une ruelle calme de Malá Strana, fut la demeure de l'architecte praguois Kilian Ignaz Dientzenhofer. La qualité des prestations et la charmante cour intérieure font le succès d'une adresse qui affiche en conséquence souvent complet. Réservez même hors saison.

Hotel U Schnellů 63 **B2** – *Tomášská 2* - Ⓜ *Malostranská* - ℘ *257 531 037 - fax 257 532 038 - www.uschnellu. cz* - Ⓟ - *13 ch. 85-145 € (2 550-4 350 Kč)* ☙. Ce bel établissement jouit d'une parfaite localisation si vous souhaitez être à proximité de la place de Malá-Strana. Le pont Charles n'est qu'à 5mn à pied, et le Château au-dessus de vous. Évitez les chambres donnant sur la rue et le tramway.

Best Western Kampa Hotel 10 **B2** – *Všehrdova 16* - Ⓜ *Malostranská* - ℘ *257 404 444 - fax 257 404 333 - www.euroagentur.cz - 84 ch. 150/215 € (4 500/6 450 Kč)* ☙. Dans un quartier calme de Malá Strana, sur l'île de Kampa, l'établissement, entouré d'un charmant petit parc, jouit d'un très bel emplacement avec vue sur la Vltava pour de nombreuses chambres. La salle de restaurant a conservé un aspect médiéval très chaleureux.

Hotel U Pava 61 **B2** – *U lužického semináře 32* - Ⓜ *Malostranská* - ℘ *257 533 360 - fax 257 530 919 - www.romantichotels. cz* - Ⓟ - *27 ch. 171/221 € (5 130/6 630 Kč)* ☙. Légèrement en recul dans une petite rue menant au pont Charles, cet établissement a su jouer la carte du cachet : dans les chambres pierres apparentes, peintures murales, plafonds en bois à caissons et cheminée pour certaines créent une ambiance résolument romantique. Les chambres 201, 301 et 401 ont une vue directe sur le Château. La chambre 205 bénéficie en outre d'une petite vue sur le pont Charles.

Residence Lundborg 86 **B2** – *U lužického semináře 3* - Ⓜ *Malostranská* - ℘ *257 011 911 - fax 257 011 966 - www.lundborg.cz - 13 ch. 160-230 € (4 800-6 900 Kč)* ☙. Si la majorité des chambres a conservé de splendides plafonds en poutres apparentes polychromes, le mobilier et la décoration sont résolument orientés vers un design moderne, et les chambres séduisent par leur espace et leur luminosité. Très bien équipées, avec salles de bains luxueuses, ordinateur et accès Internet, mini-chaînes, télévision... Certaines, comme la 10 ou la 9 (de catégorie supérieure), ont une splendide vue sur le pont Charles.

Alchymist (1) **B2** – *Tržiště 19 - M Malostranská - ✆ 257 286 006 - fax 257 286 017 - www.alchymisthotel.com - 46 ch. 240-280 € (7 200-8 400 Kč)*. Classé au Patrimoine mondial de l'Unesco, ce bâtiment a été luxueusement rénové par des designers italiens, et rien n'a été laissé au hasard dans la décoration des chambres, très spacieuses et richement aménagées. L'équipement de l'hôtel est à la hauteur, avec sauna, salon spa, petite piscine intérieure, le tout dans un dédale de caves médiévales aux pierres apparentes et plafonds de bois de Bali.

Hotel Aria (33) **B2** – *Tržiště 9 - M Malostranská - ✆ 225 334 111 - fax 225 334 666 - www.aria.cz - 52 ch. 370 € (11 100 Kč)*. Entièrement agencé sur le thème de la musique, chacun des quatre étages de ce bâtiment Renaissance met à l'honneur un style musical, et les chambres sont baptisées de noms d'artistes et décorées en conséquence. La décoration change, mais l'équipement répond au même goût du luxe. Au dernier étage, une terrasse offre une vue splendide sur les toits de Prague.

Hradčany (quartier du Château)

Golden Horse House (18) **A2** – *Úvoz 8 - M Malostranská - ✆ 603 841 790 - www.goldenhorse.cz - P - 8 ch. 50-100 € (1 500-3 000 Kč)*. Dans le prolongement de la rue Nerudova, cette pension dotée de chambres très correctes et d'un excellent rapport qualité-prix conviendra parfaitement aux petits budgets. Attention, l'adresse est très réputée et en saison il faudra réserver plus d'un mois à l'avance.

U Krále Karla (90) **A2** – *Úvoz 4 - M Malostranská - ✆ 257 531 211 - fax 257 533 591 - www.romantichotels.cz/ukralekarla - 16 ch. 139-196 € (4 170-5 880 Kč)*. À mi-chemin entre le Château et le couvent de Strahov, ce bâtiment du 17e s. abrite des chambres bien arrangées et décorées.

U Zlaté Studně (94) **B2** – *U Zlaté Studně 4 - M Malostranská - ✆ 257 011 213 - fax 257 533 320 - www.zlatastudna.cz - 20 ch. 145-200€ (4 350-6 000 Kč)*. En contrebas du Château, ce luxueux hôtel aménagé dans un bâtiment Renaissance du 16e s. se niche au fond d'une impasse calme. Très jolies chambres décorées avec soin en style traditionnel et dotées de grandes salles de bains lumineuses. Au petit-déjeuner, optez dès les beaux jours pour la terrasse dominant les toits de Malá Strana.

Hotel Neruda (54) **B2** – *Nerudova 44 - M Malostranská - ✆ 257 535 556 - fax 257 531 492 - www.hotelneruda.cz - 20 ch. 220-260 € (6 600-7 800 Kč)*. Une demeure du 14e s. transformée en hôtel de luxe au design haut de gamme, travaillé dans le moindre détail, depuis le hall jusqu'aux chambres aménagées avec un soin extrême et des matériaux de première qualité.

Nové Město (Nouvelle Ville)

Klub Habitat (69) **C3** – *Na Zderaze 10 - M Národní třída - ✆ 224 921 706 - www.klubhabitat.cz - 35 lits : 15-22 € (450-660 Kč)*. L'entrée n'est pas des plus engageantes, mais dissimule une auberge de jeunesse de bonne qualité et plutôt bien tenue, quoique un peu triste dans sa décoration. Les dortoirs sont pour 4 à 8 personnes. L'hôtel se trouve à 10mn de marche de la place Venceslas. Une adresse basique, mais idéale en rapport qualité-prix pour les petits budgets.

Pension U Svatého Jana (82) **C4** – *Vyšerhadská 28 - M Karlovo náměstí - ✆ 224 911 789 - fax 224 911 864 - www.usvjana.cz - 13 ch. 49-74 € (1 470-2 220 Kč)*. Juste en dessous de Karlovo náměstí, face au couvent d'Emmaüs, l'ancien presbytère de l'église St-Jean a été transformé en hôtel de charme après une solide reconstruction en 2003. Le bâtiment de style néobaroque a conservé de jolis jardins, et les chambres sont très correctement équipées et jouissent de bons volumes. La chambre 33 est la seule à posséder un balcon.

Jerome (66) **C3** – *V Jirchářích 13 - M Národní třída - ✆ 224 933 140/207 - www.jerome.cz - 22 ch. 70/106 € (2 100/3 180 Kč)*. Nichée dans une ruelle de Nové Město au sud du Théâtre national – un quartier animé et littéralement truffé de petits bars et restaurants –, cette pension offre tout le confort souhaité et un calme rare compte tenu de l'environnement. Le site Internet propose régulièrement des offres de dernière minute très avantageuses, avec des prix pouvant commencer à 55 € la chambre double en saison.

⊖🚌 **Hotel Evropa** ④ **D3** – *Václavské náměstí 25* - Ⓜ *Muzeum* - *☎ 603 425 759 - fax 224 224 544* - *www.evropahotel.cz* - *90 ch. 78/107 € (2 340/3 210 Kč)* 🍽️. Donnant sur la place Venceslas, une splendide façade Sécession abrite l'un des hôtels les plus légendaires de Prague (*voir p. 238*). Même si vous n'y logez pas, songez à vous y arrêter pour un café, le temps d'admirer les superbes décorations intérieures. Les chambres ne reflètent malheureusement plus le confort d'antan, mais compte tenu de la localisation, l'adresse reste très recommandable.

⊖🚌 **Hotel Salvatore** ㊗️ **D2** – *Truhlářská 10* - Ⓜ *Náměstí Republiky* - *☎ 222 312 234 - fax 222 316 355 - www.salvator.cz - 35 ch. 75/107 € (2 250/3 210 Kč)* 🍽️. Une très belle adresse nichée au nord-est de la Nouvelle Ville. Le bâtiment abrite une cour intérieure très agréable pour les petits-déjeuners ou retours de visite, autour de laquelle s'agencent les chambres sur trois étages. Bien équipé et spacieux, l'ensemble pourrait être rafraîchi, mais demeure très bon marché pour la qualité des prestations offertes.

⊖🚌 **Hotel U Šuterů** ㊻ **C3** – *Palackého 4* - Ⓜ *Můstek* - *☎ 224 948 235 - fax 224 911 233 - www.accomprague.cz/ usuteru - 10 ch. 88/109 € (2 640/3 270 Kč)* 🍽️. Les chambres sont globalement d'un bon rapport qualité-prix, même si certaines peuvent être plus sombres que d'autres. Les salles de bains sont petites mais bien agencées. Le principal atout de cet hôtel est certainement d'avoir su conserver, grâce à sa petite taille, une ambiance et une atmosphère familiales appréciables, et rares dans ce quartier.

⊖🚌 **Antik City** ② **C3** – *Malá Štěpánská 13* - Ⓜ *Karlovo náměstí* - *☎ 224 919 100 / 001 - fax 224 919 060 - www.antikcity.cz - 30 ch. 123/148 € (3 690/4 440 Kč)* 🍽️. Établissement situé au calme, doté de chambres très correctes ; le service est à la hauteur. La décoration récemment refaite est très sobre, mais l'espace et le confort compensent largement cette austérité.

⊖🚌 **Hotel Adria** ㉙ **C3** – *Václavské náměstí 26* - Ⓜ *Můstek* - *☎ 221 081 111 - fax 221 081 300 - www.adria.cz* - ♿ - *88 ch. 239 € (7 170 Kč)* 🍽️. Une belle adresse si vous cherchez à vous faire plaisir pour un séjour luxueux dans la Nouvelle Ville. L'établissement est situé au bas de la place Venceslas et offre tout ce que l'on est en droit d'attendre d'un hôtel de cette catégorie en termes de confort et de service. Ajoutez-y des chambres avec une vue sur l'animation de la place Venceslas ou le calme du jardin des Franciscains à l'arrière, et un accès direct à la Vieille Ville. Guettez les promotions, fréquentes sur le site Internet de l'établissement.

Vyšerhad

⊖🚌 **Apartments Vyšehrad** ⑤ **C4** – *Vratislavova 38* - Ⓜ *Vyšehrad* - *☎/ fax 224 915 150* - *www.apart-vysehrad.cz - 5 ch. et appart. 58/86 € (1 740/2 580 Kč)* - 🍽️ *: 3,5 € (105 Kč)*. Au pied du château de Vyšehrad, facilement accessible par le tram n° 17 qui place la Vieille Ville à 15mn, voici une bonne adresse si vous désirez prendre vos distances par rapport à la foule. Les chambres et les appartement sont très bien équipés et disposent de volumes spacieux.

Vinohrady et Žižkov

Plan p.37, en direction en D3, et voir le zoom p. 36.

⊖ **Pension Prague City** ㊐ **zoom** – *Štítného 13* - Ⓜ *Florenc* - *☎ 222 782 483 - www.hotelpraguecity.com* - Ⓟ - *33 ch. 34/59 € (1 020/1 770 Kč)* - 🍽️ *7 € (210 Kč)*. Une très belle pension aux chambres agréables et pour la plupart lumineuses. Attention, les prix bondissent lors des pics saisonniers de Pâques et Noël, et la chambre double atteint alors 95 €, ce qui rend cette adresse moins compétitive au regard des prestations.

⊖🚌 **Hotel City Crown** ㊲ **zoom** – *Borivojova 94* - Ⓜ *Jiřího z Poděbrad* - *☎ 222 716 803 - www.citycrown.cz* - *17 ch. 59/99 € (1 770/2 970 Kč)* 🍽️. Géré par un staff aimable et accueillant, offrant un bon rapport qualité-prix, cet hôtel dispose de jolies chambres bien équipées et d'une petite cour très agréable en été pour le petit-déjeuner ou un verre au

L'hôtel Adria, place Venceslas.

retour d'excursion. Les chambres 41 et 42 sont dotées de Jacuzzi.

⊜🍴 **Hotel Kettner** ⑤ **D3** – *Lubláňská 23 -* Ⓜ *Náměstí Míru -* ☎ *224 261 528 - www.clubhotelkettner.cz -* 🅿 *- 11 ch. 63/104 € (1 890/3 120 Kč)* ☕. Le petit nombre de chambres permet à l'établissement de conserver une ambiance familiale appréciable. L'ensemble est irréprochablement tenu, et le restaurant aménagé dans la cave voûtée en pierres apparentes sert une cuisine internationale correcte.

⊜🍴 **U Tří Korunek** ㊸ **zoom** – *Cimburkova 28 -* Ⓜ *Florenc -* ☎ *222 781 112 - www.3korunky.cz -* 🅿 *- 78 ch. 63/107 € (1 890/3 210 Kč) -* ☕ *6 € (180 Kč).* Cet établissement haut de gamme propose des chambres de quatre catégories différentes, toutes soigneusement aménagées et spacieuses. Une bonne adresse de luxe en contrebas de la colline de Žižkov.

⊜🍴 **Hotel Claris** ㊳ **zoom** – *Slezská 26 -* Ⓜ *Jrřího z Poděbrad -* ☎ *242 446 111 - www.hotel-claris.cz -* 🅿 *- 24 ch. 99/109 € (2 970/3 270 Kč)* ☕. Parfaitement rénové, et doté de chambres impeccablement tenues, l'hôtel Claris est une valeur sûre du quartier de Vinohrady, facilement accessible en transports publics. Compte tenu du prix, les chambres sont plutôt une bonne affaire. Copieux petit-déjeuner-buffet dans une charmante salle sous verrière.

⊜🍴 **Hotel Sieber** ㊽ **zoom** – *Slezská 35 -* Ⓜ *Jrřího z Poděbrad -* ☎ *224 250 025 - www.sieber.cz -* *20 ch. 120/170€ (3 600/5 100 Kč) -* ☕ *11,50 € (345 Kč).* À 10mn de la Vieille Ville en tramway, cet hôtel 4 étoiles un peu excentré propose de très intéressantes

promotions sur son site Internet, même en pleine saison. L'accueil et la qualité des chambres sont irréprochables.

Autour du centre

⊜ **B&B U Oty** ⑨ **hors plan vers A4** – *Radlická 188 (Prague 5) -* ☎ *257 215 323 et 602 202 298 (mobile) - www.bbuoty.cz -* 🅿 *-🚭- 6 ch. 34 € (1 020 Kč)* ☕. Très excentré dans le quartier de Smíchov, mais bien desservi par la station de métro Radlická, qui vous place à moins de 20mn du centre, ce B&B entièrement pour non-fumeurs offre de très jolies chambres, agréables et spacieuses, et dispose d'un charmant petit jardin. Le personnel est adorable et applique des tarifs dégressifs en fonction de la durée de votre séjour.

⊜🍴 **Hotel Arbes** ㉚ **B3** – *Viktora Huga 3 -* ☎ *257 210 410 et 233 352 660 - www.arbes-mepro.cz -* 🅿 *- 27 ch. 78/110 € (2 340/3 300 Kč)* ☕. Au pied de la colline de Petřín, cet établissement offre des services de qualité que l'on paierait certainement deux fois plus cher au cœur de Malá Strana. Le « Petit Côté » n'est pourtant qu'à 15mn de marche et la Vieille Ville à 20mn par le pont des Légions. L'établissement a été récemment rénové et offre un cadre agréable et reposant.

⊜🍴 **Hotel Julian** ㊻ **B3** – *Elišky Peškové 11 -* ☎ *257 311 150 et 608 304 432 (mobile) - www.julian.cz -* 🅿 *- 33 ch. 106/142 € (3 180/4 260 Kč)* ☕. Toujours dans la partie nord de Smíchov, à trois stations de métro du pont Charles, l'hôtel Julian est fréquenté par une clientèle d'habitués appréciant le charme et l'ambiance familiale que l'établissement parvient à conserver. Les chambres du dernier étage sont climatisées.

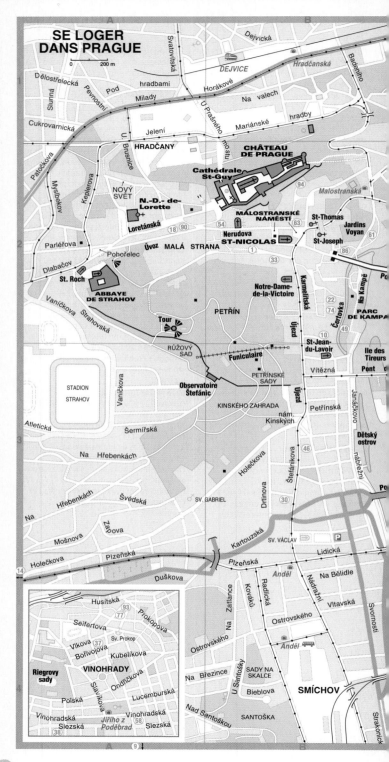

SE LOGER DANS PRAGUE

0   200 m

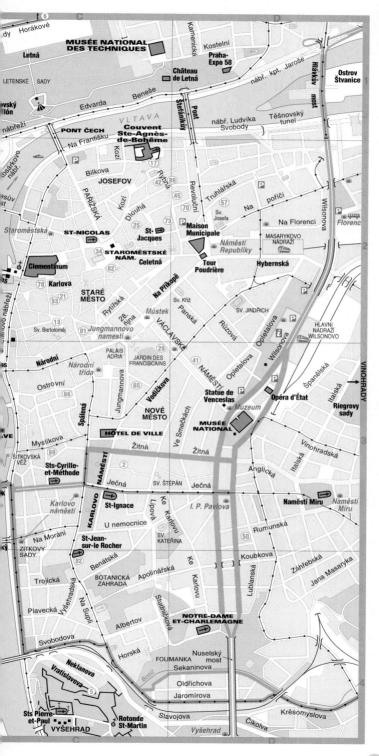

MUSÉE NATIONAL DES TECHNIQUES

Letná

LETENSKÉ SADY

...dy Horákové

Kamenická

Kostelní

Praha-Expo 58

Château de Letná

nábř. kpt. Jaroše

Hlávkův most

Ostrov Štvanice

Edvarda Beneše

Pont Štefánikův

V L T A V A

Těšnovský tunel

nábř. Ludvíka Svobody

...vský ...lón

...nábřeží

...šův ...st

PONT ČECH

Na Františku

Couvent Ste-Agnès-de-Bohême

17

Kozí

Bilkova

Řásnovka

Revoluční

Truhlářská

Na poříčí

Wilsonova

Florenc

...kovo ...abř.

JOSEFOV

PAŘÍŽSKÁ

Řásnová

89

42

Sv. Josefa

57

Na Florenci

Kozí

45

Dlouhá

70

MASARYKOVO NÁDRAŽÍ

Staroměstská

25

St-Jacques

73

Maison Municipale

Náměstí Republiky

ST-NICOLAS

34

STAROMĚSTSKÉ NÁM.

Celetná

Tour Poudrière

Hybernská

Clementinum

62

Na Příkopě

78

Karlova

...nábřeží

53

21

STARÉ MĚSTO

Rytířská

Sv. Kříž

Panská

SV. JINDŘICH

Růžová

Opletalova

HLAVNÍ NADRAŽÍ WILSONOVO

13

Sv. Bartoloměj

81

Jungmannovo namestí

28. Jolna

Můstek

VÁCLAVSKÉ

Národní

Národní třída

PALAIS ADRIA

JARDIN DES FRANCISCAINS

29

41

NÁMĚSTÍ

Opletalova

Wilsonova

Španělská

VINOHRADY

Ostrovní

66

65

Jungmannova

Vodičkova

Statue de Venceslas

Opéra d'État

Italská

Riegrovy sady

Spálená

NOVÉ MĚSTO

Ve Smečkách

Muzeum

MUSÉE NATIONAL

HÔTEL DE VILLE

Myslíkova

69

Žitná

Žitná

Vinohradská

Italská

ŠITKOVSKÁ VĚŽ

Sts-Cyrille-et-Méthode

NÁMĚSTÍ

2

Ječná

SV. ŠTĚPÁN

Ječná

Anglická

Naměstí Miru

Naměstí Miru

Karlovo náměstí

KARLOVO

St-Ignace

Lipová

Ke Karlovu

I. P. Paviova

Rumunská

50

Na Moráni

ZITKOVY SADY

U nemocnice

SV. KATEŘINA

St-Jean-sur-le Rocher

82

Benátská

Apolinářská

Ke Karlovu

Koubkova

Lublanská

Záhřebská

Jana Masaryka

Trojická

Vyšehradská

Na Supli

BOTANICKÁ ZAHRADA

Studničkova

Plavecká

Albertov

NOTRE-DAME ET-CHARLEMAGNE

Svobodova

Horská

FOLIMANKA

Nuselský most

Sekaninova

Botič

Neklanova

Vratislavova

Oldřichova

Jaromírova

Křesomyslova

Sts Pierre-et-Paul

VYŠEHRAD

Rotonde St-Martin

Slavojova

Čikolva

Vyšehrad

PRAGUE PRATIQUE

Adresses utiles

OÙ S'INFORMER

Office de tourisme

Pražská Informační služba

(PIS) – Staroměstské náměstí (place de la Vieille-Ville) - ☎ 224 482 018 - www.pis.cz - tlj 9h-19h.

Autres adresses : Na Přikopě 20 (dans la Ville Nouvelle) - ☎ 224 226 097 et 221 714 444 pour les appels de l'étranger - lun.-vend. 9h-18h et jusqu'à 19h en haute saison, sam.-dim. 9h-15h et jusqu'à 17h en haute saison ; au rez-de-chaussée de la tour du pont Charles, côté Malá Strana (ouvert uniquement avr.-oct. tlj 10h-18h).

Le PIS, service officiel des renseignements touristiques de Prague, fournit, à partir d'une base de données constamment mise à jour, des informations très complètes sur tout ce qui peut intéresser le visiteur : hébergement, points d'intérêt, manifestations culturelles, visites guidées…

L'office de tourisme, place de la Vieille-Ville.

Il propose une brochure en français avec le programme des manifestations, expositions, concerts, films, etc., inspiré du *Přehled kulturních pořadů v Praze (Sommaire du programme culturel praguois)* plus épais, qui liste pratiquement tout ce qui se passe dans la capitale chaque mois, de la fanfare du dimanche après-midi aux cours de danse et aux conférences du soir.

Office national tchèque de tourisme - Staroměstské náměstí 1 - ☎ 221 131 445 - www.visitczechia.cz. Si vous prévoyez des visites dans le reste du pays.

La plupart des villes de province ont par ailleurs leur propre office de tourisme, repérable au symbole 🛈. Les services proposés sont variables. On trouve toujours des renseignements sur les curiosités locales, mais l'information sur l'hébergement est parfois limitée.

Médias

The Prague Post, hebdomadaire en anglais, est une véritable « institution » qui s'adresse à l'importante communauté d'expatriés de Prague et de la République tchèque. Il donne des informations générales et des nouvelles, mais propose aussi le programme des manifestations culturelles, des critiques gastronomiques, des adresses de cafés et de tavernes, et *(en saison)* des suppléments à l'attention des visiteurs.

EN CAS DE PROBLÈME

Ambassades et consulats

Ambassade de Fance – Velkopřevorské náměstí 2 (Malá Strana, Prague 1) - ☎ 251 171 711 - www.france.cz - lun.-vend. 9h-12h.

Ambassade de Belgique – Valdštejnská 6 (Malá Strana, Prague 1) - ☎ 257 533 283 - lun.-vend. 9h-12h.

Ambassade de Suisse – Pevnostní 7 (Prague 6) - ☎ 220 400 611 et 224 311 228 - lun.-vend. 9h-12h.

Ambassade du Canada – Muchova 6 (Prague 6) - ☎ 272 101 800 - www.canada.cz - lun.-vend. 8h30-12h30.

Dépannage

☎ 800 101 215. Ce numéro est valable sur l'ensemble du territoire tchèque.

Police

Le poste de police ouvert 24h/24, Jungmannovo náměstí 9, proche du bas de la place Venceslas, est spécialisé dans l'aide aux étrangers. Les policiers de garde y parlent en principe plusieurs langues.

Sécurité personnelle

Si la délinquance et la criminalité ont augmenté dans la décennie qui a suivi la chute de l'État policier communiste, elles demeurent cependant très inférieures à celles de beaucoup de capitales européennes. Néanmoins, on assiste à Prague à une recrudescence des vols à la tire dans les quartiers touristiques, comme la place Venceslas et le pont Charles, et également au Château, dans la pénombre de la cathédrale. Il faut reconnaître qu'il y a bien peu de policiers en uniforme ou en civil pour s'y opposer. Les stations de métro Muzeum, Můstek, Staroměstská et Malostranská, ainsi que la ligne de tramway n° 22 sont aussi des repaires habituels des bandes. Attention également dans les restaurants. Deux conseils de bon sens : éviter le dialogue avec toute personne proposant de changer de l'argent dans la rue – non seulement c'est illégal, mais cela peut entraîner l'apparition d'un faux policier qui tentera de vous délester de votre passeport et autres objets de valeur ; n'avoir sur soi qu'une petite somme d'argent ainsi qu'une photocopie du passeport laissé à l'hôtel.

Numéros d'urgence

Police nationale : 158

Police praguoise : 156

Ambulance : 155

Pompiers : 150

Ces numéros sont gratuits depuis tous les téléphones, cabines publiques comprises.

Santé

Clinique internationale de Prague – Vodičkova 28 - numéros d'urgence 24h/24 ☎ 603 433 833 et 603 481 361 (accueil en anglais, mais beaucoup de médecins parlent également français) - www.doctor-prague.cz. Sur rendez-vous : ☎ 224 220 040 et 296 236 000. lun.-vend. 8h-17h.

Dentistes – Centre dentaire européen – Václavské náměstí 33 - ☎ 224 228 984 - www.edcdental. cz-lun.-vend. 8h30-20h, sam. 9h-13h.

Gynécologues – Hopital Bulovka - Budínova 2 (Prague 8) - ☎ 226 083 239 et 238 840 501 - www.bulkova.cz - tlj 24h/24 - accès métro Palmovka (ilgne B). Les médecins parlent tous anglais, parfois français.

Objets perdus

En cas de perte d'un objet dans les transports publics, contactez le **bureau des objets trouvés** Karoliny Světlé 5, Prague 1 - Ⓜ Národní třída - ☎ 224 235 085 ou bien la **Compagnie de transports publics de Prague** (Dopravný Podni Prahy - Na Bojišti 5, Prague 2 - Ⓜ I.P. Pavlova - ☎ 296 192 173.

Pharmacies (Lekárna)

Hormis les pharmacies du centre-ville, habituellement ouvertes en semaine entre 7h30 et 18h (avec parfois des pauses déjeuner entre 12h30 et 14h), vous trouverez à Prague deux pharmacies ouvertes 24h/24. Dans Nové město : Palackého 5 - ☎ 224 946 982 (Station Můstek, ligne A ou B) et dans le quartier de Vinohrady : Belgická 37 - ☎ 222 519 731 (station de métro Náměstí Míru, ligne A).

Voyager moins cher

RÉDUCTIONS

Dans la plupart des musées et monuments, les enfants, étudiants et seniors bénéficieront de réductions sur présentation d'une pièce justificative.

Tous les monuments relevant de la Galerie nationale sont ouverts gratuitement le 21 mai, ainsi que les premiers jeudi de chaque mois.

LA PRAGUE CARD

La « Prague Card » est valable quatre jours et vous permet d'accéder librement aux principaux monuments et musées de Prague en faisant de sensibles économies. Comptez 740Kč (env. 24,70 €) par personne pour une carte plein tarif, et 470Kč (env. 15,70 €) pour les enfants et les étudiants. La Prague card est valable dans les quatre jours suivant sa date de première utilisation. L'option transports (220Kč soit 7,30 € env.) donne un accès illimité à tous les modes de transport public

R. Holzbachova/Ph. Bénet / MICHELIN

de Prague mais uniquement pendant trois jours. Si vous prévoyez un séjour axé sur les visites de monuments et musées, la carte est assez rapidement rentabilisée. Elle vous permettra également de bénéficier de réductions pour certaines visites guidées et dans les magasins affiliés. Attention la Prague card n'inclut pas les visites des monuments du quartier Juif, gérés séparément, et pour lesquels existe une carte spécifique incluant la visites des synagogues et du cimetière juif (500Kč - 16,70 € env.).

Vous pouvez vous procurer la Prague card dans divers points de vente : à l'office de tourisme de la place de la Vieille-Ville, au bureau de l'agence Čedok, à l'aéroport où dans certains hôtels de luxe de la ville.

Rens. : www.praguecard.biz.

Se déplacer à Prague et dans les alentours

ACCÈS AU CENTRE VILLE

Depuis l'aéroport

Tous les vols internationaux arrivent à l'aéroport de Prague Ruzině. La solution la plus rapide pour vous rendre au centre-ville est d'emprunter un taxi. Comptez entre 15 et 20 € pour vous faire déposer à proximité de la place de la Vieille-Ville.

Presque aussi rapides et bien moins chers, les minibus de la compagnie Cedaz relient l'aéroport à Náměstí Republiky (place de la République) avec une fréquence d'une navette toutes les 30mn entre 5h30 et 21h30. Comptez 90Kč/pers. (3 € env.) pour le trajet (rens. : ☎ 220 114 296 - www.aas.cz/cedaz).

Enfin vous pouvez choisir la voie la plus économique, avec les transports publics. Le bus n° 119 vous mènera à la station de métro Dejvická, sur la ligne A, d'où vous pourrez rapidement rejoindre la place de la Vieille-Ville. Comptez 45mn de transport ; le ticket coûte 20Kč/pers. (0,70 € env.). Le service de bus fonctionne tlj entre 4h30 et minuit et la fréquence est d'un bus toutes les 20mn environ. Entre minuit et 4h30, le bus n° 119 est remplacé par le bus n° 510, qui vous amènera à Divoká Šárka. De là, le tram de nuit n° 51 dessert le centre-ville.

Gares

Les lignes internationales font leur terminus à la gare centrale de Prague (Hlavní nádraží), à proximité de la place Venceslas. Vous pouvez accéder directement à la ligne C du métro. La correspondance avec la ligne A, qui dessert la Vieille Ville et Malá Strana, se fait à la station Muzeum. Si vous arrivez d'un pays d'Europe de l'Est, votre train marquera sans doute l'arrêt à la gare de Holesovice, située sur la ligne C.

SE DÉPLACER EN TAXI

Malgré la réglementation urbaine qui impose des tarifs au kilomètre et l'usage des compteurs, les prix sont très souvent abusifs, et prendre un taxi à un arrêt n'est pas recommandé. Il vaut mieux téléphoner à une société de bonne réputation comme AAA (☎ 14014), s'adresser à la réception de l'hôtel, ou bien s'entendre avec le chauffeur sur le montant de la course.

En mai 2006, la prise en charge s'élevait à 35Kč. Ce montant doit être inscrit sur la portière de la voiture : si ce n'est pas le cas, ou si le montant affiché vous semble abusif, choisissez un autre véhicule. En montant dans le taxi, vérifiez la licence du conducteur sur le pare-brise avant, et surveillez de près la progression du compteur. Les tarifs ont été libéralisés, mais lors de notre enquête il fallait compter en moyenne 25Kč par kilomètre parcouru. Si vous voyez le compteur s'emballer, faites stopper le véhicule et descendez. Comme en France, une surtaxe peut-être appliquée aux bagages ou à un nombre de passagers élevé.

SE DÉPLACER EN TRANSPORTS EN COMMUN

Renseignements

On obtient des renseignements par téléphone (en anglais et allemand) au ☎ 80 67 90. Les points d'information vendent d'excellents **plans du réseau**. Vous les trouverez aux stations suivantes :

Muzeum – Lignes A et C - ☎ 222 623 777 - tlj 7h-21h.

Můstek – Lignes A et B - ☎ 222 646 350 -lun.-vend. 7h-18h.

Nádraží Holešovice – Ligne C - ☎ 220 806 790 -lun.-vend. 7h-18h.

Anděl – Ligne B - ☎ 222 646 055 - lun.-vend. 7-18h.

À **l'aéroport**, vous trouverez également des bureaux d'informations et de vente de billets dans les terminaux nord 1 et 2 (bureaux ouverts tlj 7h-22h).

Tickets et abonnements

On se procure les tickets dans certaines stations de métro, dans les kiosques à journaux, ou aux distributeurs automatiques disponibles dans toutes les stations de métro et à certaines stations de tramway. Les chauffeurs de bus ou tramway ne vendent jamais directement de billet.

Le **ticket** de base coûte 14Kč (0,50 € env.). Dans les bus et les tramways, ce ticket est valable pour un trajet ne dépassant pas 20mn et n'incluant pas de changement. Dans le métro, un tel ticket n'est valable que pour un déplacement n'excédant pas 30mn. et cinq stations depuis le point de départ, mais vous autorise à effectuer

des changements si besoin. Enfin ce type de tickets n'est valable ni sur le funiculaire de Petřín ni dans les bus et tramways nocturnes.

Pour un trajet durant jusqu'à 1h15, achetez le ticket à 20Kč (0,70 € env.), avec lequel vous pouvez également effectuer des changements de ligne. Ce billet peut être utilisé dans les trois types de transport public. En week-end, sa validité est prolongée à 1h30.

Enfin il existe un billet valable 24h et coûtant 80 Kč (2,70 € env.), utilisable dans tous les transports de jour et de nuit.

Les **abonnements** existent pour des périodes de 3, 7 et 15 jours. Comptez respectivement 220Kč (7,30 € env.), 280Kč (9,30 € env.) et 320Kč (10,70 € env.).

Il faut impérativement **valider**, avant de commencer le parcours, en compostant son titre de transport à l'entrée des stations de métro et à l'intérieur des tramways et des bus. Vérifiez en retirant le ticket du composteur que l'heure y est bien imprimée, et le gardez-le à portée de main pour le présenter aux contrôleurs en civil qui circulent. Le fait d'être étranger ne dispense absolument pas de l'amende, applicable immédiatement.

Tous les transports publics réservent des places aux invalides et aux femmes enceintes, et il est d'usage que les personnes jeunes et bien portantes laissent leur place aux personnes âgées ou en difficulté. Par ailleurs, sachez qu'il est interdit de fumer dans les transports publics.

Le métro

Propre, rapide, sûr et presque tout en souterrain, le métro praguois relie un certain nombre de banlieues au centre-ville. Les passages sont très fréquents, particulièrement aux heures de pointe.

MICHELIN

Indication des stations – Les stations de métro se repèrent grâce à leur logo carré. La plupart des stations souterraines sont profondes : on y accède par de longs escaliers roulants. La direction correspond au terminus. Un message enregistré annonce la fermeture des portes et la station suivante.

Les différentes lignes – Il y a trois lignes de métro, reconnaissables à leur couleur. La **ligne A** (verte) relie **Dejvická** à **Skalka**. La **ligne B** (jaune) relie **Zličín** à **Černý Most**, croisant la ligne A à la grande station **Můstek**, au bas de la place Venceslas. La **ligne C** (rouge) va de **Nádraží Holešovice** (gare centrale) à **Háje.** Il n'y a pas de station commune aux trois lignes, qui se coupent deux par deux dans le triangle des stations Florenc (lignes B et C), Muzeum (lignes A et C) et Můstek (lignes A et B).

Outre les stations du centre déjà citées, les touristes utilisent souvent les arrêts suivants :

Ligne A : **Staroměstská (Vieille Ville)**, **Malostranská (Malá Strana –** correspondance avec la ligne 🚊 22).

Ligne B : **Náměstí Republiky** (place de la République), pour la Maison municipale (Obecní dům) et la gare Masaryk (Masarykovo nádraží) ; **Národní třída** (avenue Nationale) ; **Karlovo náměstí** (place Charles) ; **Smíchovské nádraží** (gare principale de Smíchov).

Ligne C : **Hlavní nádraží** (gare principale) ; **Vyšehrad**.

Horaires et fréquences – Le métro fonctionne tous les jours de 5h à minuit, avec une fréquence d'une rame toutes les 3 ou 4mn en journée, et toutes les 5 à 10mn en soirée et le week-end. Un compteur, en tête de quai, indique le temps écoulé depuis le passage du dernier train.

Gare aux tramway !

Les tramways ont leurs propres feux de signalisation : ne pas démarrer parce qu'un tramway vient de le faire ! Quand l'arrêt de tramway n'a pas de terre-plein central, les voitures doivent s'arrêter pour laisser les usagers traverser ou regagner le trottoir.

Le tramway

Le réseau de tramway complète celui du métro pour relier centre-ville et banlieues. Certaines lignes ne fonctionnent qu'aux heures de pointe, et il y a un service réduit de nuit (numéros différents à 2 ou 3 chiffres commençant toujours par un 5 et de couleur bleue). Chaque arrêt porte un nom et des plaques émaillées numérotées indiquant les lignes qui le desservent. La fréquence des passages est en général de 5 à 20mn. Les horaires affichés aux arrêts apportent des précisions.

Lignes et arrêts particulièrement intéressants pour les touristes *(sites desservis)* :

🚊 **5** : **Vozovna Kobylisy** – **Orionka**. Longeant le flanc est de Josefov et de la Vieille Ville via l'avenue Revoluční, cette ligne vous sera particulièrement utile si vous logez dans le quartier de Vinohrady ou Žižkov. Le tram suit la rue Seifertova. Sa branche nord traverse la Vltava et dessert le quartier de Letná.

Un tramway praguois.

🚊 **17** : **Výtoň** *(Vyšehrad)* – **Národní divadlo** *(Théâtre national)* – **Staroměstská** *(Vieille Ville)* – **Veletržní** *(galerie d'Art moderne du palais des Expositions)* – **Výstaviště** *(Parc des Expositions)*.

🚊 **22** : **Karlovo náměstí** *(place Charles)* – **Národní třída** *(avenue Nationale)* – **Malostranské náměstí** *(place de Malá Strana)* – **Malostranská** *(correspondance avec le métro)* – **Pražský hrad** *(Château)* – **Pohořelec** *(couvent de Strahov)*.

R. Holzbachová/Ph. Bénet / MICHELIN

Le bus

Les bus desservant surtout la banlieue, il y a peu de lignes dans le centre. Ils sont utiles pour rejoindre des points d'intérêt éloignés, comme la collection d'Arts asiatiques à Zbraslav ou le musée de l'Aviation à Kbely.

Le funiculaire

Lanovka, le funiculaire qui relie Malá Strana à la colline de Petřín, fait partie du système de transports publics urbains. Il fonctionne tlj de 9h à 23h30.

SE DÉPLACER À VÉLO

L'usage du vélo n'est pas très répandu à Prague : l'absence de pistes cyclables, la circulation et les pavés ne facilitent pas l'aventure ! Activité réservée aux inconditionnels donc !

Locations de vélos à Prague

City Bike – Královodvorská 5 (Staré město) - ✆ 776 180 284 - www. citybike-prague.com - ouvert d'avr. à oct. tlj 9h-19h. Locations individuelles, mini. 2h (9,70 €), maxi 9h (20 €). Visites guidées sur réservation.

Praha bike – Dlouhá 24 (Staré město) - ✆ 732 388 880 et 604 138 882 - www.prahabike.cz. Ouvert toute l'année, 15 mars-15 nov. 9h-19h, 16 nov.-14 mars 12h-18h. Visites guidées uniquement entre mars et nov. Location de vélos pour 2h mini. et jusqu'à une semaine.

SE DÉPLACER EN VOITURE

Si vous restez à Prague, privilégiez le système de transports publics qui est excellent ; il n'est pas vraiment intéressant de louer un véhicule ou de venir en voiture. De nombreux sites en dehors de la ville sont desservis par les transports publics ou les cars des tour-opérateurs.

On ajoutera que les conditions de circulation à Prague sont particulièrement difficiles : le trafic est dense, il y a peu de places de stationnement, et les tramways occupent le terrain.

En revanche, si vous souhaitez voyager loin de Prague, la voiture peut s'avérer très utile, voire indispensable pour certaines excursions.

La **carte Michelin n° 731** « République Tchèque, Slovaquie » couvre la totalité du pays à l'échelle 1/600 000.

Location de véhicules

Vous trouverez les principaux bureaux de location de voitures à l'aéroport de Prague dans le terminal des arrivées. Tous comprennent également un bureau dans le centre-ville :

Europcar – Pařížská 28 - ✆ 224 811 290 - www.europcar.cz - reservation@europcar.cz - tlj 8h-20h.

Avis – Klimentská 46 - ✆ 221 851 225/2266 et 810 877 810 - www.avis.cz -lun.-vend. 8h-18h.

Hertz – Karlovo náměstí s/n - ✆ 220 102 424 - tlj 8h-20h.

Dans le centre-ville vous trouverez également de petits acteurs locaux indépendants pouvant proposer des tarifs intéressants ou faire une promotion en fonction de la durée de la location :

Rent a car – Na příkopě 31 (à l'intérieur du palace Broadway) - ✆ 776 210 020 et 776 345 747 (24h/24) - www.rentcarprague.cz. Location de petites voitures type Smart à partir de 32€ H.T. pour un kilométrage illimité. Tarifs dégressifs au-delà de trois jours de location.

Code de la route et circulation

Le code de la route est proche de ceux des autres pays d'Europe, mais il faut noter qu'il n'y a aucune tolérance à l'égard de l'**alcool**. Le port de la **ceinture** est obligatoire, et les enfants de moins de 12 ans doivent rester à l'arrière. Tout **accident** comportant des blessés ou des dommages importants doit être signalé à la police. Le triangle de signalisation rouge, les ampoules de

Numéros utiles

Police : 158.
Dépannage : 1054.
Club automobile national (dépannage routier) : 1230.
Club d'Assistance automobile de Bohême : 1240.

rechange et la trousse de premiers secours sont obligatoires. Pour toute infraction, votre permis sera défalqué du même nombre de points que si celle-ci avait été commise dans votre propre pays.

Limites de vitesse pour voitures de tourisme :
– 50 km/h dans les zones habitées (annoncées par le panneau d'entrée du village ou de la ville)
– 90 km/h sur route
– 130 km/h sur autoroute.

Le réseau routier de la République tchèque est dans l'ensemble bon, mais les routes à deux voies peuvent être surchargées. La conduite est parfois fantaisiste. L'heure de pointe est pénible à Prague et dans ses alentours, et il en va de même le vendredi en fin d'après-midi et début de soirée, quand les Praguois cherchent à rejoindre leur petite résidence de campagne, et au retour du dimanche soir. Dans les zones rurales, la circulation peut être clairsemée.

Stationnement

Le stationnement est sévèrement limité à Prague. Stationner en dehors des zones réservées ou dépasser le temps autorisé attirent immanquablement amendes ou sabot de Denver… À Prague, comme ailleurs en République tchèque, mieux vaut utiliser les parkings gardés que de laisser sa voiture dans la rue, surtout la nuit.

SE DÉPLACER EN TRAIN

Le pays possède un réseau ferré très dense. Le rail dessert toutes les villes et beaucoup de petites localités. La plupart des lignes sont électrifiées, d'autres sont desservies par des diesels ou des autorails. Les trains express *(rychlík)* vont raisonnablement vite, mais les autres *(osobní vlak)* peuvent être très lents. Les tarifs sont en augmentation, mais restent encore très bas par rapport à la moyenne européenne. Le train n'est pas toujours le meilleur choix pour les excursions au départ de Prague présentées dans ce guide, mais l'on

rejoint facilement Karlstein par le train de banlieue au départ de la gare de Smíchov.

Les horaires des trains (en anglais et allemand approximatifs) sont donnés au ✆ 224 224 200 et au 224 614 030. Vous pouvez également trouver les horaires et tarifs de trains sur le site Internet **www.idos.cz**. La plupart des grandes gares affichent les horaires principaux. Les plus faciles à lire présentent les arrivées et les départs, sur des panneaux respectivement blanc et jaune.

SE DÉPLACER EN AUTOCAR

Le réseau desservi par les autocars est encore plus dense que celui du train, touchant en principe le moindre village. Les lignes express qui relient Prague aux autres grandes villes sont généralement plus rapides et moins chères que le train. La plupart sont gérées par l'ancienne société d'État ČSAD, mais on trouve d'autres compagnies sur les lignes les plus fréquentées. Prendre une grande ligne d'autocar pour aller par exemple à Carlsbad ou à Brno est une option bien moins chère qu'un circuit organisé, mais le car est moins luxueux. La gare routière principale de Prague, Florenc, est desservie par le métro (lignes B et C).

Gare routière de Florenc
(Autobusové nádraží) – Křižíkova 6 - ✆ 900 119 041 – tlj 5h-23h. Les guichets pour les achats de billets et les différentes agences de voyage sont regroupés dans le couloir central de la gare. Les points d'information sont ouverts de 6h à 21h.

Les billets de train et de car sont également vendus dans les agences de voyages. Dans le centre, la plus importante occupe l'ancien bureau du tourisme d'État **Čedok**, Na Příkopě 18 (Nové město) - ✆ 224 197 276 - www.cedok.cz -lun.-vend. 9h-19h, sam. 9h30-13h.

Comme pour le train, vous trouverez tous les horaires et tarifs de bus sur le site Internet www.idos.cz.

Faire des achats

HORAIRES DES MAGASINS

La plupart des magasins ouvrent de 8h (ou 9h) à 18h en semaine, et jusqu'à 13h ou 14h le samedi, parfois avec une pause à midi. Beaucoup de boutiques dans les quartiers touristiques restent ouvertes le week-end et tard le soir.

QUARTIERS

Le centre de Prague, principalement les rues piétonnières (Celetná, Na Příkopě, Melantrichova, Kaprova du côté de la Vieille Ville ou Mostecká, Nerudova et U Lužického semináře du côté de Malá Strana), concentre la majorité des commerces de souvenirs. Bien sûr le plus grand nombre vend désormais des casquettes et tee-shirts à l'effigie de Kafka ou du Golem, mais en faisant le tri vous trouverez encore de nombreuses boutiques d'artisanat local de bonne qualité. On notera en premier lieu le **cristal de Bohême**, mais également les **jouets en bois**, en particulier les **marionnettes**, la **céramique** ou, en avril, les **œufs de Pâques** finement décorés selon la tradition tchèque. Et bien sûr, de très nombreux **antiquaires**, spécialisés en décoration, en instruments de musique ou en livres.

LIBRAIRIES

Les livres imprimés dans une langue autre que le tchèque font partie depuis longtemps des habitudes praguoises. La plupart des libraires proposent une honnête sélection de livres illustrés, romans traduits et autres articles en diverses langues. On trouve facilement gravures anciennes et ouvrages illustrés à des prix intéressants chez les nombreux bouquinistes et libraires d'occasion. Quelques-unes de ces boutiques ont donné naissance à des cafés à l'atmosphère chaleureuse.

GRANDS MAGASINS

Les principaux grands magasins se trouvent à la limite entre la Vieille Ville et la Nouvelle Ville, sur le boulevard Na Příkopě, dans des galeries couvertes. Ils proposent tout ce que l'on peut acheter dans les pays occidentaux, avec en particulier de nombreux magasins de luxe. Un étage est souvent réservé aux produits alimentaires.

Slovanský Dům – Na Příkopě 22 - ✆ 221 451 400 - www.SlovanskyDum.cz - tlj 10h-20h.

Myslbek – Na Příkopě 19-21 - www.myslbek.cz -lun.-sam. : 8h30-22h, dim. 9h30-22h.

Černá Růže – Na Příkopě 12 - ✆ 221 014 111 -lun.-vend. 10h-20h, sam. 10h-19h, dim. 11h-19h.

Les deux plus grands complexes commerciaux de Prague se trouvent dans les quartiers de Vinohrady et Smíchov ; il s'agit également des dernières grandes réalisations architecturales de la ville.

Palác Flóra – Vinohradská 149 (Vinohrady - Prague 3) - ✆ 255 741 700 - www.palacflora.com - tlj 8h-minuit.

Nový Smíchov centrum – Plzeňská 8 (Smíchov - Prague 5) - ✆ 257 284 111 - www.novysmichovoc.cz - tlj 7h-minuit.

Le célèbre cristal de Bohême.

R. Holzbachova/Ph. Bénet / MICHELIN

ALIMENTATION, ÉPICERIE FINE

Partout dans Prague, on trouve un bon choix de grands magasins d'alimentation et d'épiceries fines-traiteurs (*lahůdky*). Pour les légumes et fruits frais, choisissez les marchés en plein air de Havelská dans la Vieille Ville (lun.-vend. 7h30-18h, w.-end 8h30-18h) et près de la station de métro Národní třída (tlj 7h30-19h). Le marché de Havelská propose aussi toute une gamme d'articles dont beaucoup conviennent pour des souvenirs.

La vie quotidienne de A à Z

ÉLECTRICITÉ

Le courant fonctionne en 220 V alternatif. On trouve en général des prises de terre dans les salles de bains.

JOURS FÉRIÉS

1er janvier : Nouvel An

Lundi de Pâques

1er mai : Fête du Travail

8 mai : Fête de la Libération

5 juillet : Fête des saints Cyrille et Méthode

6 juillet : Anniversaire du martyre de Jan Hus

28 septembre : Anniversaire de l'État tchèque

28 octobre : Fête de l'Indépendance (Fête nationale)

17 novembre : Anniversaire de la bataille pour la liberté et la démocratie

24 décembre : Veille de Noël

25-26 décembre : Noël

JOURNAUX ET RADIO

À l'hôtel, la télévision propose habituellement plusieurs chaînes étrangères par câble ou satellite, la majorité étant allemandes ou autrichiennes.

Les kiosques du centre-ville et les grands hôtels vendent des journaux étrangers, parmi lesquels le **Prague Post**, le plus utile aux touristes, rédigé en anglais et proposant une rubrique dédiée aux sorties et à l'actualité culturelle de Prague. Cet hebdomadaire est distribué dans les kiosques tous les mercredis en début d'après-midi (informations en ligne sur le site Internet www.praguepost.cz).

Les Tchèques sont de grands lecteurs du journal, qu'ils adorent éplucher dans les cafés à toute heure de la journée. Et si vous avez la chance de comprendre le tchèque, vous trouverez dans tous les établissements un exemplaire de quelques-uns des quotidiens les plus lus à Prague.

Lidové noviny (www.lidocky.cz) – Un ancien journal dissident plutôt orienté à droite.

Právo (http://.pravo.novinky.cz) – L'ancien journal du Parti, reconverti après l'indépendance et toujours lu par une bonne partie de la gauche tchèque.

Blesk (www.blesk.cz) – Journal très populaire consacré aux scandales émaillant la vie des célébrités.

À la radio, vous capterez RFI (Radio France internationale) sur 99,3 FM.

I. Krejčí / MICHELIN

MUSÉES ET MONUMENTS

Horaires et jours d'ouverture – Ils sont variables, mais toutes les attractions touristiques, à de rares exceptions près (comme le Musée national), ferment le lundi ainsi que les jours fériés. Beaucoup de sites en province, en particulier les châteaux, sont ouverts seulement de Pâques (ou même plus tard dans la saison) à fin septembre.

Héritage de l'époque communiste, certains sites semblent plus au service du personnel qu'à celui des visiteurs, avec une longue pause à l'heure du déjeuner et l'arrêt des visites tôt l'après-midi.

Les musées, les églises et autres sites ne délivrent généralement plus de billets pendant l'heure précédant la fermeture.

Églises et de chapelles – Bon nombre d'églises et de chapelles sont fermées en dehors des services ou des concerts. Bien qu'elles ne se visitent pas pendant les offices, il est parfois possible d'y jeter un coup d'œil lorsque ceux-ci sont terminés, avant la fermeture. Il faut téléphoner ou se présenter au bureau de la paroisse (Farní úuřad) pour organiser une véritable visite. Celle-ci est ordinairement gratuite mais une contribution à l'entretien des lieux sera la bienvenue.

Demeures et châteaux de province
Beaucoup de demeures et châteaux situées à la campagne ne sont ouverts au public que dans le cadre de visites guidées. Il est recommandé de vérifier au préalable les horaires de ces visites car elles risquent d'être restreintes le jour souhaité. Le commentaire est parfois proposé uniquement en tchèque mais les dépliants et brochures sont généralement disponibles en anglais et en allemand, ou même en d'autres langues.

PHOTOGRAPHIE

Prague est une ville très photogénique : prévoyez un stock de films en conséquence si vous possédez du matériel argentique. Vous trouverez cependant à vous ravitailler dans les magasins de souvenirs ou bien, pour des produits de meilleure qualité, dans la boutique **Fotoplus** (Nové Město - Na Příkopě 17 - ✆ 224 213 121 - www. fotoplus.cz -lun.-vend. : 8h30-20h, sam.-dim. : 10h-19h).

Enfin pensez que Prague compte de nombreux monuments, parfois localisés dans des rues étroites offrant peu de recul. Un grand angle (18 à 28 mm) vous sera alors particulièrement utile.

Si vous êtes équipé d'un matériel numérique, vous pourrez trouver des cartes mémoire, ou faire graver des CD dans la même boutique **Fotoplus** mais également à la boutique **Zpracování Fotografie** (Lázeňská 15 - ✆ 257 532 687 - www.eurofoto.cz -lun.-jeu. 9h-19h, vend.-dim. : 10h-18h).

POSTE

Les bureaux de poste ouvrent en général de 8 h à 19 h du lundi au vendredi. La poste principale de Prague dans la Nouvelle Ville (Jindřišská 14 - ✆ 221 131 111/445 - tlj 14h-minuit) offre une gamme étendue de services. Vous pouvez en particulier y faire parvenir du courrier en poste restante (uložené zásilky).

Il y a par ailleurs un bureau de poste ouvert 24h/24 à la gare Masaryk (Masarykovo nádraží).

On peut acheter des timbres en principe partout où l'on vend des cartes postales, ainsi que dans nombre d'hôtels.

Depuis Prague, le courrier arrive très rapidement en France : 2 à 3 jours maximum. Un timbre vous coûtera 10Kč (0,33 € env.) pour une carte postale ou une lettre simple.

Informations concernant la poste et les différentes agences à Prague sur le site www.cpost.cz (en tchèque et en anglais).

SANTÉ

Visiter la République tchèque ne présente pas de risque particulier pour la santé, mais, à Prague, la **mauvaise qualité de l'air** peut rendre par moments la vie désagréable aux personnes souffrant de problèmes respiratoires. L'**eau du robinet** est sûre, même si elle est parfois mauvaise.

Les **pharmacies** proposent conseils et médicaments. Nous avons recensé les adresses des principaux centres hopitaliers et des pharmacies *p. 39.*

SAVOIR-VIVRE

Pourboire
La pratique du pourboire tend à se répandre avec l'essor du tourisme. La norme est de 5 à 10 % de la note. Sachez qu'en zone très touristique, dans certains restaurants de Malá Strana ou Staré Město, le pourboire sera le plus souvent inclus dans l'addition. Mais vérifiez néanmoins celle-ci, car les arnaques ne sont pas rares et le personnel chiffre parfois lui-même son pourboire à 15 %, 20 % ou plus de la note globale…

Étiquette
Si vous allez écouter un concert, si vous sortez à l'opéra ou au théâtre, sachez que les Tchèques sont restés très à cheval sur l'étiquette et qu'une tenue

correcte est toujours exigée.
Laissez vos sacs et vestes au vestiaire, il n'est pas d'usage de les garder sur un siège à côté de vous ou sur vos genoux.

Chez les particuliers

Comme en Russie et dans beaucoup d'autres pays de l'Est, il est d'usage d'ôter ses chaussures en entrant dans une maison.

Si vous êtes invité chez des Praguois, un petit cadeau pour la maîtresse de maison sera également le bienvenu. Comme en France, le bouquet de fleurs est très bien perçu.

TABAC

Les cigarettes coûtent moins cher qu'en France : il faut compter 55 à 60Kč (un peu moins de 2€) pour un paquet de blondes. Vous pouvez les acheter dans les *tabák* ou les *trafika* et la plupart des bars et restaurants revendent quelques marques américaines.

Les marques nationales les plus prisées sont les Sparta et les Petra (tabac brun).

La plupart du temps vous ne trouverez pas d'espace non-fumeur dans les lieux publics.

TÉLÉPHONE

Nous vous déconseillons l'usage des anciennes cabines à pièces, souvent hors-service. La plupart des cabines acceptent les cartes téléphoniques prépayées, en vente dans les bureaux de poste, les kiosques à journaux et de nombreux magasins de souvenirs.

Pour appeler à l'étranger, la plus répandue et la plus avantageuse est la Telecard : crédits de 150, 300 et 750Kč (5, 10 et 25 € env.). Cette dernière formule procure les tarifs les plus attractifs et offre 4h de communication environ vers un numéro fixe en France. Avec la carte à 150Kč, comptez 9Kč/min. vers une ligne fixe (0,30 €/min. env.). Informations : www.telecard.cz.

Communications internationales – Elles sont chères si vous les passez depuis un hôtel, lequel applique habituellement une surtaxe.

R. Holzbachova/Ph. Bénet / MICHELIN

Pour appeler l'international à partir de la République tchèque, composez le 00, suivi de l'indicatif du pays (France 33, Belgique 32, Suisse 41, Canada 1, Luxembourg 352), puis, selon le pays de destination, l'indicatif régional ou le numéro du correspondant sans le 0. Pour des **renseignements** en anglais sur les services internationaux, composez le 1181.

Communications nationales – Pour téléphoner en République tchèque depuis Prague ou inversement, composez simplement les neuf chiffres de votre correspondant : il n'y a pas d'indicatifs régionaux.

TOURISME ET HANDICAP

Selon une loi votée en 2004, tous les édifices publics doivent faciliter l'accès aux personnes à mobilité réduite. Beaucoup de musées modernes et les hôtels haut de gamme sont en conséquence bien équipés de ce point de vue. Mais Prague demeure une ville difficile si vous devez vous déplacer en chaise roulante, et les pavés

Handicap et métro

La ligne verte, qui dessert les principales zones touristiques est également la plus profonde et elle est malheureusement mal équipée pour les personnes à mobilité réduite. Une station sur deux est équipée sur la ligne jaune, mais avec des faiblesses au niveau du centre-ville. La ligne rouge, creusée moins en profondeur et dotée de moins d'escalators, est préférable. La station Muzeum (lignes A et C) est la mieux équipée pour accéder au centre-ville.

omniprésents, les rues en pente, les escaliers sont une entrave constante.

Le métro de Prague est plutôt bien équipé hors du centre-ville. Dans le reste du pays, les gares routières et ferroviaires sont plus en retard et vous ne trouverez que peu d'équipements adaptés.

Le site Internet de l'association des « chaises roulantes » de Prague donne les informations les plus récentes, mais n'est malheureusement pas traduit. Le bureau de l'association se trouve dans le centre-ville (Benediktská 6 - ☎ 224 827 210 - www.pov.cz -lun.-vend. 9h-16h). On pourra vous y recommander des compagnies de taxis spécialisées.

VISITES GUIDÉES ET CROISIÈRES

Excursions – Différents tour-opérateurs proposent des visites en car de Prague et des sites en dehors de la ville. Comme l'essentiel du centre historique n'est accessible qu'aux piétons, le tour de la ville en car présente un intérêt limité, mais il peut permettre de situer les principales curiosités. Les excursions classiques en dehors de la ville sont le château de Karlstein, le château de Konopiště, l'ancien ghetto de Terezín, et Karlovy Vary (Carlsbad), plus lointain. Ces circuits sont abondamment affichés dans les rues touristiques de Prague et dans les hôtels.

Visite de Prague à pied – C'est sans doute la meilleure introduction à la ville. Pour connaître les principales agences de visites guidées, *reportez-vous p. 60.*

Croisières – Une croisière sur la Vltava permet de découvrir Prague sous un jour inhabituel. La promenade simple dure environ une heure, mais il existe aussi des croisières avec repas, concert, en soirée… En été, vous serez sollicité par les revendeurs de billets en costume de matelot, postés de part et d'autre du pont Charles et proposant différentes formules de promenades.

Beaucoup moins chère, et aussi intéressante *(été seulement)*, la navette fluviale qui relie en 75mn le centre-ville et Trója (zoo et palais Trója). Une autre navette fonctionnant l'été emmène les promeneurs à la retenue et l'aire de loisirs de Slapy, en amont de Prague. Deux compagnies principales : **EVD/Evropská vodní doprava**, près du pont Čech (Čechův most) à l'extrémité nord de la Vieille Ville (☎ 283 810 030 - www.evd.cz), et **PPS/most Pražská paroplavební společnost**, sur le quai entre les ponts Palacký (Palackého most) et Jirásek (Jiráskův most) dans la Nouvelle Ville (Rašínovo nábřeží s/n - ☎ 224 931 013 et 224 930 017 - www.paroplavba.cz).

Enfin vous pouvez choisir de vous offrir une croisière-concert avec le **Bateau Jazz** (départs au pied du pont Čechův qui prolonge la rue Pařížská - ☎ 731 183 180 - www.jazzboat.cz - tlj sf lun., départ à 20h30 et retour à 23h). Ce n'est certainement ni le meilleur endroit pour se restaurer ni le meilleur pour écouter du jazz à Prague, mais il faut bien admettre que la magie d'un dîner sur la Vltava entre le Hradschin et Vyšehrad a de quoi séduire !

R. Holzbachova/Ph. Benet / MICHELIN

LOISIRS ET SPECTACLES

La scène praguoise

Les nombreuses scènes praguoises proposent une programmation très variée (opéras, ballets, comédies…). Si la dominante demeure la musique, celle-ci se décline sous toutes ses formes à travers de nombreux festivals de jazz, de musique classique, de musique religieuse… Le plus prisé de ces festivals est le **Printemps de Prague**. Celui-ci commence le 12 mai, date anniversaire de la mort du compositeur Bedřich Smetana, et s'ouvre traditionnellement à la Maison municipale avec une performance de l'Orchestre philharmonique de Prague interprétant Má Vlast (Ma Patrie). Divers concerts ont lieu à Prague jusqu'à la clôture par l'Orchestre symphonique de Prague au Rudolfinum. Il s'agit du plus grand événement musical annuel à Prague, et il est fortement recommandé de réserver les places très à l'avance. Renseignements : Hellichova 18 (Malá Strana) - ✆ 257 312 547 - www.festival.cz.

Réservations

Pour réserver des places de concert ou de théâtre, le plus facile est de s'adresser à un organisme qui s'en chargera moyennant une commission :

TicketPro – Rytířska 12 (Stare město) - ✆ 296 333 333 - www.ticketpro.cz - tlj 9h-20h. Achat de billet pour les principales manifestations et salles de spectacle à Prague ainsi que pour les événements sportifs.

Bohemia Ticket International – Na Příkopě 16 (Nové město) - ✆ 224 215 031 - www.ticketsbti.cz et www.bohemiaticket.cz -lun.-vend. : 10h-19h, sam. : 10h-17h, dim. : 10h-15h. Agence compétente délivrant des billets pour les principales sorties culturelles de la ville : Théâtre national, opéra national, Rudolfinum, etc., ainsi que pour les différents festivals tout au long de l'année.

THÉÂTRE NOIR

Très populaire à Prague, le Théâtre Noir est un spectacle composé d'un subtil mélange de mime, de pantomime, de danse, accompagné de musique et de jeux de lumière. Vêtus de noir, les artistes se déplacent sur une scène sombre, rendant invisibles certains acteurs et éléments du décor.

MUSIQUE CLASSIQUE

Les concerts sont un des aspects incontournables de la riche vie culturelle praguoise. En plus des grandes salles de la ville, de nombreux jardins (Wallenstein, jardins sous le Château…), musées (Mozart, Dvořák, musée de la Musique tchèque…) et églises (St-Thomas, St-Jacques, Ste-Ursule…) et des lieux par ailleurs inaccessibles au public, comme la chapelle des Miroirs du Clementinum, accueillent des concerts de musique classique ou religieuse.

R. Holzbachova/Ph. Bénet / MICHELIN

Concert dans la salle Smetana de la Maison municipale.

Musique dans les églises

Outre les grandes adresses devenues des références à Prague, n'oubliez pas que presque toutes les églises proposent des concerts, particulièrement en saison touristique. Les billets sont en vente devant les édifices concernés et les *flyers* abondamment distribués dans toute la ville. Faites votre petit marché en fonction de vos goûts musicaux ou des édifices religieux que vous avez prévu de visiter. Les grands classiques comme « Les quatre saisons » ou « Carmina Burana », sont souvent au programme, mais vous pourrez aussi assister à des chorales ou des concerts d'orgue.

FOLKLORE

Le folklore tchèque (notamment morave) est riche et très varié. L'un des meilleurs endroits où l'apprécier est l'auditorium de la Městská knihovna (Bibliothèque municipale) sur Mariánské náměstí, qui programme tout l'été des spectacles folkloriques avec d'excellentes troupes de toute la République tchèque, mais aussi de Slovaquie et du monde entier.

LES BALS

Les bals d'hiver sont le fruit d'une longue tradition et mobilisent chaque année les Praguois pendant de longues semaines. Il s'agit d'une véritable institution, et des cours du soir sont même organisés pour apprendre à danser, à se vêtir, se maquiller, se tenir, décorer une salle… Le plus prisé est le bal du baccalauréat, mais on en compte des dizaines entre janvier et début mars. Lycées, universités, associations, entreprises ou partis politiques rivalisent pour obtenir les salles les plus prestigieuses.

Musiciens des rues.

Si vous en avez la possibilité, nous vous conseillons de privilégier le cadre très prestigieux de la Maison municipale ou bien le bal musette organisé sur l'île Slave.

AUTRES

Le jazz et le rock sont également à l'honneur à Prague, avec de nombreux clubs dont l'AghaRTA Jazz centrum, qui organise tous les ans un très populaire festival de jazz. La ville accueille de nombreuses formations dans quelques-unes des plus belles salles de la ville, dont le palais Lucerna, près de la place Venceslas. Dans la Vieille Ville, le Roxy est un ancien théâtre transformé en salle de concerts où l'actualité du rock, mais aussi du R & B ou du funk est la plus dynamique et la plus réputée de la ville.

Principales salles de spectacle

Musique classique

Maison municipale (Obecní dům) – *Náměstí Republiky 5 (Staré město)* - ☎ 222 222 041 - www.obecnidum.cz. Siège de l'orchestre symphonique de Prague, la salle Smetana de la Maison municipale accueille également de nombreuses formations étrangères. Sessions tous les soirs à 20h30 et occasionnellement en fin d'après-midi à 18h ou 18h30.

Rudolfinum – *Alšovo nábřeží 12 (Josefov)* - ☎ 227 059 309 - www.rudolfinum.cz. Siège de l'orchestre philharmonique de Prague, le Rudolfinum est très certainement le meilleur endroit pour écouter un concert de musique classique à Prague. Achat des billets auprès des kiosques mobiles près de l'entrée, ou à l'intérieur pendant les

horaires d'ouverture du guichet (lun.- vend. 10h-18h, et de 10h à 19h30 les jours de représentation).

Concerts dans les musées

Musée de la Musique tchèque (České muzeum Hudby – *Karmelitská 2/7 (Malá Strana)* - ☎ 257 327 285 - www.nm.cz. Aménagé dans une ancienne église, le musée organise toutes les semaines en saison des concerts de très bon niveau grâce entre autres à une excellente acoustique.

Église Saint-Nicolas (Chrám Sv. Mikuláše) – *Malostranské náměstí s/n (Malá Strana)* - ☎ 224 190 191. Il n'y a pas de grande régularité dans les concerts sauf en pleine saison, mais leur qualité et la beauté de l'église baroque méritent de se renseigner. Concerts d'orgue le plus souvent.

Musée Mozart – *Mozartova 169 (Smíchov)* - ☏ *257 317 465* - *www.bertramka.cz*. Concerts à 17h plusieurs jours par semaine entre avr. et oct., donnés dans les jardins de la villa Bertramka.

Musée Dvořák – *Ke Karlovu 20 (Nové město)* - ☏ *224 918 013* - *www.nm.cz*. Concerts entre avr. et oct. les mar. et vend. à 20h.

Théâtre - opéra - ballet

Théâtre des États (Stavovské divadlo) – *Ovocný trh 6 (Staré město)* - ☏ *224 228 503* - *www.stavovskedivadlo.cz*. L'achat des billets se fait place Ovocný trh. Théâtre, opéra ou représentation de la compagnie de ballet de Prague. Deux représentations sont programmées par jour.

Théâtre national (Národní divadlo) – *Národní 2 (Nové město)* - ☏ *224 901 377/448* - *www.narodni-divadlo.cz*. Achat des billets sur place, tlj 10h-18h, tarifs selon l'emplacement et la programmation, de 1 à 30 € env. Inauguré en 1883, après près de 20 ans de travaux, le théâtre national reste l'une des grandes références culturelles de Prague. Il propose une alternance de ballets, opéras et pièces de théâtre. La plupart des représentations ont lieu à 19h ou 20h. Matinales à 11h.

Švandovo divadlo – *Štefánikova 57 (Smíchov)* - ☏ *257 318 666* - *www.svandovodivadlo.cz*. Compter 3 à 4 € selon la programmation. Une véritable institution dans le quartier depuis 1881 : ce théâtre est le troisième plus ancien théâtre de Prague. Les pièces sont données en alternance avec quelques concerts de musique.

Opéra national de Prague (Státní opera Ptraha) – *Wilsonova 4 (Nové město)* - ☏ *224 227 266* - *www.opera.cz*. Achat des billets sur place lun.-vend. : 10h-17h30, sam.-dim. : 10h-12h et 13h-17h30. Tarifs selon l'emplacement, de 1 à 38 € en soirée, et de 1 à 13,50 € l'après-midi. Des opéras et des ballets sont programmés en alternance. Le bâtiment de style néo-Renaissance, à l'image du théâtre national, fut inauguré à la même époque,

en 1888, et a été rénové dans le courant des années 1970.

Théâtre noir

Image Black Theatre – *Pařížská 4 (Josefov)* - ☏ *222 329 191* - *www.imagetheatre.cz*. Représentations tlj 20h, compter 13,50 € env. Pantomime, danseurs et acteurs, jeux de sons et lumières sont ici portés à leur apothéose. La meilleure adresse de Prague dans le genre, et l'obligation de réserver à l'avance en saison.

Spectacle du Black Theatre..

Cinéma

Kinosvětozor Arthouse – *Vodičkova 41 (Nové město)* - ☏ *222 946 824*, info@kinosvetozor.cz. Billets 3,50 € env. Orienté plutôt art et essai, ce cinéma diffuse tous ses films en VO, sous-titrés en tchèque.

Palace Cinema – *Slovanský dům, Na Příkopě 22 (Nové město)* - ☏ *257 181 212*, *www.palacecinemas.cz*. Billets 5,20 € env. Un multiplexe classique programmant de nombreux films américains, en VO le plus souvent.

Institut français – *Štepanská 35 (Nové město)* - ☏ *222 231 782 et 221 401 006*. Projections régulières de films d'auteurs en français.

Cinéma City – *Palác Flóra, Vinohradská 149* - ☏ *255 742 021/022* - *www.cinemacity.cz* - tickets 5,30 € env. Le plus grand multiplexe de Prague, aménagé dans le tout moderne centre commercial du Palác Flóra. 16 salles au total, et de nombreux films en version originale.

LE Guide Vert

Aquitaine
Bordelais Landes Béarn

LE Guide Vert

Dans la même collection, découvrez aussi :

France
- Alpes du Nord
- Alpes du Sud
- Alsace Lorraine
- Aquitaine
- Auvergne
- Bourgogne
- Bretagne
- Champagne Ardenne
- Châteaux de la Loire
- Corse
- Côte d'Azur
- France
- Franche-Comté Jura
- Île-de-France
- Languedoc Roussillon
- Limousin Berry
- Lyon Drôme Ardèche
- Midi-Pyrénées
- Nord Pas-de-Calais Picardie
- Normandie Cotentin
- Normandie Vallée de la Seine
- Paris
- Pays Basque et Navarre
- Périgord Quercy
- Poitou Charentes Vendée
- Provence

Europe
- Allemagne
- Amsterdam
- Andalousie
- Autriche
- Barcelone et la Catalogne
- Belgique Luxembourg
- Berlin
- Bruxelles
- Budapest et la Hongrie
- Bulgarie
- Croatie
- Écosse
- Espagne
- Florence et la Toscane
- Grande Bretagne
- Grèce
- Hollande
- Irlande
- Italie
- Londres
- Moscou Saint-Pétersbourg
- Pologne
- Portugal
- Prague
- Rome
- Scandinavie
- Sicile
- Suisse
- Venise
- Vienne

Thématiques

- La France sauvage
- Les plus belles îles du littoral français
- Paris Enfants
- Promenades à Paris
- Week-ends aux environs de Paris
- Week-ends dans les vignobles
- Week-ends en Provence

Paris Enfants

LE Guide Vert
LES THÉMATIQUES

Monde
- Canada
- Égypte
- Maroc
- New York

En soirée

Les quartiers centraux de Prague : **Staré město**, **Josefov**, **Nové město** et **Malá Strana** sont évidemment les plus animés. La densité de bars, restaurants et salles de spectacle y est plus importante qu'ailleurs. Dans le quartier de **Žižkov** on trouvera également une bonne ambiance nocturne, essentiellement dans les bars où il est possible d'assister régulièrement à des concerts. Žižkov passe pour être un quartier où apparaît un bar par jour.

OÙ SORTIR PRENDRE UN VERRE LE SOIR

Staré město – La place de la Vieille Ville est constamment fréquentée pour ses nombreuses terrasses de restaurants et pubs. Les tarifs y sont bien plus élevés qu'ailleurs, mais il est vrai que boire un verre à l'ombre de l'horloge astronomique ne se refuse pas. Ambiance un peu plus intimiste, mais tout aussi touristique, sur Malé náměstí (la petite place), juste derrière l'hôtel de ville. L'autre grand rendez-vous de Staré město est le petit quartier du Týn.

Josefov – Au nord de la Vieille Ville, le quartier de Josefov est également très riche en sorties. La population branchée de Prague s'affiche dans les bars et restaurants de la rue Pařížská, alors que les étudiants recherchent l'authenticité des pubs dans les ruelles situées entre la synagogue espagnole et le couvent de Saint-Agnès.

Malá strana – Les sorties de Malá Strana restent très circonscrites à Malostranské náměstí. Mais n'hésitez pas à descendre vers les rives de la Vltava, en suivant les rues U Lužického semináře et Cihelná au nord du pont Charles. Vous y trouverez des pubs et restaurants un peu plus huppés, dont beaucoup ont une terrasse en bordure du fleuve.

Nové město – La place Venceslas et les rues perpendiculaires qui en partent sont bondées en journées pour le shopping alors que les soirées sont plutôt orientées vers les boîtes de nuits et cabarets. En dessous du Théâtre national, dans le dédale de ruelles débouchant sur la Vltava, on trouvera une ambiance plus décontractée, avec de nombreux bars, brasseries et restaurants accueillant une clientèle tchèque mais aussi de touristes recherchant une ambiance plus authentique. Cafés littéraires, bars de sport, *hospodas* traditionnelles, on en trouve ici pour tous les goûts.

Žižkov – Le « quartier rouge » de Prague, qui a acquis son surnom en raison de sa forte proportion de partisans communistes à l'époque soviétique est resté très populaire et abrite en particulier une bonne partie de la population rom de la ville. On y trouve en conséquence une vie nocturne animée et de très nombreux bars ouverts une bonne partie de la nuit, où se mêle une population hétéroclite d'habitants du quartier ayant leurs habitudes, de provinciaux fuyant les bars trop touristiques du centre, ou de jeunes branchés en recherche d'univers « décalés »…

CLUBBING

La majorité des clubbers a ses propres adresses qui évoluent très vite à Prague. Nous vous conseillons la lecture du *Prague Post* pour vous tenir informé des dernières boîtes à la mode. Parmi les rendez-vous indétrônables, on citera les clubs de Novotného Lávka, à l'entrée du pont Charles côté Vieille Ville. Trois clubs rivalisant en taille et bondés tous les soirs ou presque. Sur la place Venceslas, le Duplex est un autre grand rendez-vous de la jeunesse praguoise.

JEUX ET « CABARETS »

À tous les coins de rue du centre touristique ou ailleurs, vous trouverez des établissements de jeux ouverts 24h/24. Il s'agit souvent de « bandits manchots », mais on trouve également des casinos sur la place Venceslas. On rencontre souvent la même clientèle dans les « cabarets » : il faut savoir que ces derniers sont en réalité des bars de nuit où les strip-teaseuses se succèdent sur scène comme dans les chambres à l'étage (parmi les plus grands, le Darling et l'Atlas, à proximité de la place Venceslas).

Vie nocturne

Bars et cafés

MALÁ STRANA

Jo's Bar – *Malostranské náměstí 7 -* ℰ *257 531 422 - tlj 11h-2h, et toute la nuit les vend. et sam.* Une institution dans le quartier, dans toute la ville même. Le Jo's Bar, ouvert en 1992, peu après l'indépendance, est très vite devenu un rayonnant foyer de rassemblement et de vie culturelle pour les Américains expatriés, attirant en conséquence la jeunesse étudiante praguoise aux rêves transatlantiques.

Blue light Cafe – *Josefská 1 -* ℰ *257 533 126 - tlj 18h-3h.* Ce local aux murs délabrés couverts de grafittis, où la clientèle se masse bruyamment au bar sur plusieurs rangées ou bien s'affale dans des sofas défoncés, est une adresse très prisée du quartier et peu fréquentée des touristes.

Square – *Malostranské náměstí 5 -* ℰ *257 530 109 / 110 - kontakt@ squarerestaurant.cz - tlj 7h-1h.* Le cadre de ce café, qui passe par tous les clichés de la branchitude, abritait jusque voici quelques années l'un des plus vieux cafés de Prague. Musique techno, « fusion food » et tarifs démesurés ont remplacé les débats littéraires et les discussions de comptoir entre ouvriers et habitants du quartier. Reste un très bel emplacement et une jolie terrasse pour contempler les lumières déclinantes sur les façades de la place.

U Hrocha – *Thunovská 20 -* ℰ *222 516 978 - tlj 11h-23h.* Tout se passe ici à l'ancienne, et même les barmen ont l'air d'un autre temps. L'ambiance est authentiquement tchèque, et idéale pour vider une (ou deux) pintes en bonne compagnie, en choisissant à la carte les traditionnels en-cas de Bohême : saucisses, fromage frit ou mariné… Très bonne adresse également pour vous immerger le temps d'un verre dans la vie des Tchèques : une adresse très rare dans Malá Strana !

STARÉ MĚSTO

Cafe Blatouch – *Vězeňská 4 -* ℰ *222 328 642 - www.blatouch.cz - lun.- merc. 12h-24h, jeu.-vend. 12h-3h, sam. 15h- 3h, dim. 15h-minuit.* Il flotte une excellente atmosphère dans ce café littéraire discret et doté d'une minuscule cour, fraîche et très calme, à l'arrière. Les discussions un peu intellectuelles tiennent au fait que les étudiants et professeurs de la faculté de droit toute proche en ont fait leur succursale. La petite et unique pièce de ce café est très conviviale, le temps s'y prête au remontant ou d'un rafraîchissement au son d'un vieux disque de jazz…

Marquis de Sade – *Templová 8 -* ℰ *224 817 505 - tlj 14h-2h.* Idéal pour se relaxer durant la journée dans de grands canapés démodés, ou le soir pour profiter d'une ambiance plus animée en particulier lors des concerts (rock ou blues le plus souvent) les merc., vend. et sam. La salle principale présente un impressionnant volume : il s'agissait à l'origine d'une maison close, et la tenture au plafond dissimulerait un miroir géant…

Château - L'Enfer rouge – *Jakubská 2 -* ℰ *222 316 328 - www.chateau-bar.cz - lun.-jeu. 12h-3h, vend. 12h-4h, sam. 16h- 4h, dim. 16h-2h.* L'une des légendaires « machines à sortir » de la Vieille Ville, où l'on vient parfois plus pour se montrer que pour rencontrer du monde. Soirées DJ les jeu.

Bambus – *Benediktská 12 -* ℰ *224 828 110 - lun.-vend. 9h-2h, dim. 11h-minuit.* Une clientèle de noctambules trentenaires et branchés se réunit régulièrement dans ce bar savamment isolé des circuits touristiques de la Vieille Ville. Ambiance animée à laquelle manquent cependant des sessions musicales live.

NOVÉ MĚSTO

Ultramarin – *Ostrovní 32 -* ℰ *224 932 249 - www.ultramarin.cz - tlj 11h-4h.* Des pierres apparentes, des voûtes, et pourtant un cadre ultra moderne, avec les bouteilles alignées en étages à la manière des bars américains, et une musique jazz lounge qui distille une certaine atmosphère rétro. Cette adresse très prisée des noctambules est une des meilleures du quartier. Des DJ se produisent les jeu., vend. et sam., à partir de 22h, et les cuisines restent ouvertes tard.

U Sudu – *Vodičkova 10 -* ℰ *222 232 207 - lun.-jeu. 13h-3h, vend.-sam. 14h-4h, dim. 15h-2h.* Un petit bar de quartier le jour, un antre d'étudiants à l'atmosphère enfumée le soir dans le dédale des trois caves gothiques et autour des nombreux baby-foot. Et surtout, une très bonne adresse pour aller goûter le *Burčák* en septembre, accompagné de délicieux *shlebiček*.

Salmovská Literární Kavárna – *Salmovská 16 -* ℰ *224 919 364 - lun.-sam. 14h-minuit, dim. 17h-minuit.* Dans un décor fait de bric et de broc, agrémenté de photographies des anciens présidents de la République tchécoslovaque, d'une horloge géante ou d'instruments hors d'usage mais ayant tous une histoire à raconter, ce café est surtout fréquenté pour son ambiance, et ses nombreuses manifestations culturelles. La programmation est variée, et on passe du vintage rock & roll ou du folk irlandais ou de la poésie tchèque aux improvisations théâtrales, avec une aisance déconcertante.

SMÍCHOV

V Sedmém Nebi – *Zborovská 68 - ✆ 257 318 110 -lun.-sam. 10h-1h, dim. 14h-1h.* Juste derrière le grand Café Savoy, ce petit local haut en couleur et à l'accueil sympathique capte depuis quelques années une clientèle d'artistes en herbe et d'étudiants en arts ou lettres. Les murs sont décorés de mosaïques aux couleurs chaudes, que viennent égayer encore des expositions temporaires réparties dans la salle principale, la mezzanine ou l'arrière salle qui se révèle un parfait salon de lecture. Un véritable morceau de « septième ciel » (Sedném Nebi).

Café-théâtre Kafárna – *Štefánikova 57 - ✆ 234 651 271 - www.svandovodivadlo. cz -lun.-sam. 10h-minuit, dim. 14h-minuit.* Le grand rendez-vous culturel de Smíchov, situé juste à côté du théâtre, et où les débats sont particulièrement animés à la sortie des représentations.

VINOHRADY - ŽIŽKOV

Medúza – *Belgická 17 - ✆ 222 515 107, www.meduza.cz -lun.-vend. 10h-1h, sam.-dim. 12h-1h.* On se sent presque chez soi dans ce café agréablement décoré de tonnes de vieilleries, insoupçonnable et très prisé par la jeunesse étudiante du quartier de Vinohrady.

Radost FX – *Bělehradská 120 - ✆ 224 254 776 - www.radostfx.cz -lun.-vend. 8h30-4h, sam. -dim. 11h-6h.* Tables en mosaïque, tentures, canapés, le Radost FX est depuis 10 ans une adresse mythique dans le quartier pour la clientèle branchée et noctambule. Les cuisines restent ouvertes jusqu'au bout de la nuit (plats végétariens uniquement). L'ambiance est toujours bonne et plutôt calme pour un bar de nuit. Un petit espace au sous-sol est réservé aux danseurs (3 à 4 € selon les soirs).

Kaaba café – *Mánesova 20 - ✆ 222 254 021 -lun.-sam. 8h-22h.* Impossible de rater ce café dédié aux années 50, avec ses couleurs pastels et ses sièges zébrés. Une réussite du genre. Rien

n'est trop chargé, l'accueil est toujours souriant, et l'on se retrouve aux petits soins devant un verre de vin, un chocolat chaud ou un simple café. Au bar, laissez-vous tenter par les pâtisseries ou, dans un autre style, les fromages marinés.

Shakespeare & sons – *Krymská 12 - ✆ 271 740 839 - www.shakes.cz - tlj 12h-minuit.* Un surprenant petit café où vous pourrez trouver la presse anglaise, de nombreux livres d'occasion et sans doute la plus importante collection de livres de Shakespeare à Prague ! C'est plutôt une adresse pour la journée, à moins que vous ne soyez amateur de soirées calmes passées à discuter littérature autour d'un verre en écoutant la douce musique d'artistes indépendants anglais.

Poeticka Balbínova Hospoda – *Balbínova 6 - ✆ 723 889 143 - lun.-vend. 12h-minuit, sam.-dim. 18h-minuit.* Ambiance un peu surprenante dans cet antre de l'art et de la poésie où il se passe tous les soirs quelque chose. Les étudiants s'y rassemblent autour de grandes tables en bois pour écouter des poètes en herbe ou confirmés, regarder des spectacles de mime ou toute autre fantaisie de la programmation, riche et régulière.

U Zlate Pumpa – *Belgická 11 - tlj 11h-2h.* Ce café où l'on discute entre deux accords de pop-rock en vidant pinte sur pinte est presque toujours bondé et animé. Une réussite qui tient à l'accueil sympathique et jovial et au cadre simple, sans prétention mais soigné, d'un local qui mériterait une bonne pièce supplémentaire.

Bars à cocktails

MALÁ STRANA

Zanzi Bar – *Lázeňská 6 - ✆ 602 286 657 - tlj 17h-3h.* Un bar au cadre moderne inattendu, dont les couleurs orange et lumières tamisées se prêtent très bien aux nombreux concerts qui s'y donnent. Le Zanzi Bar et ses cocktails sont devenus un grand rendez-vous du quartier, fréquenté par des étudiants praguois comme par la communauté expatriée.

STARÉ MĚSTO

Papas Bar Lounge – *Betlémské náměstí 8 - ✆ 222 222 229 - www.papasbar.cz - tlj 10h-1h.* Nouvelle adresse récemment ouverte place Bethléem. Le décor rouge chaleureux donne le ton, et la clientèle est elle aussi très branchée. Bon choix de vins en plus des nombreux cocktails. Soirées DJ les sam. à partir de 21h.

JOSEFOV

Orange Bar – *Haštalská 13 - tlj sauf dim. 11h-1h.* Pas branché pour un sou, certes, mais un coin idéal si vous êtes à la recherche d'un bar décontracté où rencontrer des Tchèques. Les cocktails sont parmi les meilleurs de la ville, sans fioritures mais efficaces. Si vous y préparez votre soirée, tentez le « Big stimulant » : un cocktail imaginatif que vous ne trouverez qu'ici, à base de vodka et d'un double espresso.

Ocean Drive – *V Kolkovně 7 - ☎ 224 819 089 - www.tretters.cz - tlj 19h-2h.* Le cadre est très américain : des tables hautes et basses, des banquettes, des lumières indirectes tamisées, des ailes d'anges au plafond, un personnel sur son 31… Assez pour en faire le tout dernier endroit à Prague où boire un cocktail. On en concocte ici plus d'une centaine avec un grand savoir-faire.

Musique live

MALÁ STRANA

Újezd 18 – *Újezd 18 - tlj 11h-4h pour le bar et 20h-4h pour le pub.* Ses grandes heures seraient paraît-il du passé, mais la fréquentation du lieu est toujours aussi importante en particulier chez les amateurs de rock.

NOVÉ MĚSTO

Dinitz Café – *Na poříčí 12 - ☎ 222 314 071, www.dinitz.cz - Entrée payante les vend. soir (4 €).* Concerts tous les soirs, avec une nette dominante jazz et musique sud-américaine. Ajoutez un restaurant de bonne qualité et un cadre spacieux à l'architecture Art déco, et vous comprendrez pourquoi ce café est devenu l'un des grands rendez-vous musicaux de la ville.

Lucerna Music Bar – *Vodičkova 36 - ☎ 224 215 957 - www.musicbar.cz - tlj 20h-3h. Prix du billet selon la programmation, à partir de 3€.* Adresse incontournable de Prague, ce bar est situé dans le sous-sol du passage Lucerna. Le club accueille dans ses labyrinthiques caves des groupes de rock ou de jazz, et organise les vendredi des soirées 80's ou 90's. Très bonne ambiance, et une fréquentation majoritairement tchèque qui change positivement des boîtes de la Vieille Ville ou de la place Venceslas.

VINOHRADY - ŽIŽKOV

Guru – *Rokycanova 29 - ☎ 222 783 463, www.michaelkyselka@centrum.cz - tlj 11h-5h.* Un bar dédié au surréalisme (notez la tête de Salvador Dalí avec les cornes de bélier près d'une fenêtre le long de la rue), devenu l'un des rendez-vous préférés de la communauté rom de Prague. Pour se poser dans les canapés du rez-de-chaussée ou bien pour bouger au rythme des concerts dans les caves (DJ invités, et musique live pop-rock ou blues la plupart du temps).

Jazz

U Malého Glena – *Karmelitská 23 (Malá Strana) - ☎ 257 531 717 - www.malyglen. cz.* Concerts de jazz tous les soirs, à partir de 21h30 en semaine et de 22h à 1h30 les vend.-sam. Billets à partir de 5€. Les voûtes gothiques du 16e s. assurent une étonnante acoustique !

Malostranská beseda – *Malostranské náměstí 21 (Malá Strana) - ☎ 257 532 092 - http://mb.muzikus.cz.* Concerts à 20h30 ou 21h30. Compter 3 à 5 € l'entrée en fonction de la programmation. Toujours indétrônable, le plus couru des clubs de Malá Strana affiche une programmation variée de bonne qualité, avec une nette préférence pour le jazz et le rock.

Ungelt Jazz & Blues Club – *Týn 2 (Staré město) - ☎ 224 895 787 et 748 - www. jazzblues.cz.* Concerts tlj à partir de 20h ou 21h. Billets 10 € env. En plein centre-ville, derrière l'église du Týn, ce petit café-jazz est l'un des plus réputés de la ville. Une partie restaurant est séparée du club de jazz.

AghaRTA Jazz centrum – *Železná 16 (Staré město) - ☎ 222 211 275 - www.agharta.cz.* Club tlj 21h-minuit, bar tlj 18h-1h. Billets à partir de 6,70 €. Une des adresses les plus courues de Prague, et des plus régulières en termes de qualité de programmation. Sessions jazz tous les soirs à partir de 21h. Des classiques quartets au latin jazz en passant par la fusion, le modern jazz ou le funk jazz, toutes les variations sont déclinées dans les magnifiques salles voûtées de ce jazz-club. À signaler dans ce dédale : une boutique de CD très bien achalandée.

Autres lieux de concerts

Roxy – *Dlouhá 33 (Staré město) - ☎ 224 826 296 - www.roxy.cz - tarifs selon la programmation, à partir de 3€ - gratuit le lun.* En terme de musique rock, tout ce qui se passe de bien à Prague se passe paraît-il au Roxy. Ce club légendaire, situé dans un ancien théâtre est la référence musicale de la ville, avec une programmation riche et variée de DJ, groupes de rock, blues ou R & B.

Akropolis – *Kubelikova 27 (Vinohrady) - ☎ 296 330 911 - www.palacakropolis.cz.*

Tarifs selon la programmation, à partir de 3€. L'autre grand rendez-vous musical de Prague après le Roxy. La programmation est moins innovante mais tout aussi efficace, et depuis la chute du mur l'Akropolis est devenu une véritable institution du quartier.

Palais Lucerna – *Vodičkova 36 (Nové město)* - ℘ *224 225 440 - www.lucpra.com. Concerts tlj à 19h ou 20h, prix du billet selon la programmation, à partir de 6€.* La magnifique salle Art nouveau du palais accueille la plupart du temps des groupes et artistes d'envergure internationale. Il peut s'avérer difficile d'acheter des billets directement au guichet, les horaires d'ouverture étant plus qu'aléatoires. Réservez à l'avance via un spécialiste comme Bohemia Ticket ou Ticket Pro *(voir p. 50)*.

Clubs et discothèques

STARÉ MĚSTO

Double Trouble – *Melantrichova 17 -* ℘ *221 632 414 - www.doubletrouble.cz - tlj 18h-4h, happy hours 19h-22h. Entrée gratuite.* Si vous en avez assez des éternelles go-go dancers et des « machines à danser », descendez faire un tour dans cette cave gothique peuplée de trentenaires qui bougent sur des sons plus pop-rock. Assez loin des codes vestimentaires et de la musique branchée, la clientèle n'est pas ici pour s'afficher mais pour s'amuser.

Karlovy Lázně – *Novotného lávka 1 - www.karlovylazne.cz - Avant 22h 50Kč, de 22h à 4h 120Kč, gratuit de 4h à 5h.* Impossible de rater cette gigantesque « usine » se targuant d'être la plus grande discothèque d'Europe centrale et située juste à côté du pont Charles. Cinq étages avec chacun son style de musique : R & B, techno, rétro-années 1980 ou bien un bar un peu plus calme. Fréquentation très jeune et dense en fin de semaine.

Klub Lávka – *Novotného Lávka 1 -* ℘ *222 222 156 - www.lavka.cz - bar tlj 24h/24,* discothèque tlj 22h-4h - 50Kč. Si vous avez toujours rêvé de danser le rock sur une terrasse au pied du pont Charles, voilà l'endroit tout indiqué. À part le cadre exceptionnel, tout le reste est très commun : go-go dancers, musique techno ou soirées 80's…

Kammený most music club & Irish pub – *Passage Karlovy Lázně s/n -* ℘ *224 097 100 et 777 336 116 - www.kamennymost.cz - tlj dancing 18h-4h, pub 10h30-minuit (happy hours 10h30-18h), restaurant 11h30-minuit.* Très catapulté et stéréotypé, mais toujours efficace grâce à la vue sur les arches du pont Charles. Le pub propose plusieurs écrans pour regarder les grands événements sportifs du moment, et la partie discothèque se divise entre les différentes salles voûtées au bord de la Vltava. Le restaurant en terrasse n'est pas à l'abri du bruit, mais il faut reconnaître que l'emplacement au pied du pont est magique. Et compte tenu du profil de l'établissement, on pourrait s'attendre à pire côté cuisine !

NOVÉ MĚSTO

Železné Lounge – *Křemencova 10 -* ℘ *224 932 052 - tlj 19h-5h. Entrée gratuite.* Quelques sofas dans un sous-sol aux pierres apparentes et des DJ se déchaînant jusqu'à l'aube ont vite fait de porter ce club au rang des plus fréquentés du quartier. Inutile d'arriver avant 1h du matin si vous souhaitez y trouver de l'ambiance !

Duplex – *Václavské náměstí 21 -* ℘ *224 232 319 - www.duplexduplex.cz- mer.-sam. 19h30-6h.* Cette boîte de nuit est littéralement prise d'assaut les vendredi et samedi soirs. De nombreux DJ se produisent ici, et l'établissement possède une agréable terrasse, bienvenue pour se reposer des rythmes disco-house (hors soirées thématiques funk ou rétro), des go-go dancers et de la foule dense… Bref, tout ce que l'on est en droit d'attendre d'une boîte de nuit !

Pour les bonnes petites adresses, suivez le guide.

Pour dénicher les meilleures petites adresses du moment, découvrez les nouveaux Bib Gourmands du Guide Michelin pour de bonnes tables à petits prix. Avec 45 000 adresses de restaurants et d'hôtels en Europe dans toutes les catégories de confort et de prix, le bon plan n'est jamais loin.

MICHELIN

Une meilleure façon d'avancer

Sports et loisirs

VISITES GUIDÉES

Prague est une ville idéale à découvrir à pied. Le centre-ville n'est pas très étendu et marcher vous permettra de profiter de toutes les merveilles architecturales de la capitale tchèque, de vous enfoncer dans les venelles et rues pavées, et d'éviter la foule par des itinéraires détournés.

L'office du tourisme de la place de la Vieille Ville pourra vous recommander quantité de guides pour des excursions pédestres. Vous pouvez choisir l'heure, la langue, mais aussi le thème de votre promenade alors n'hésitez pas à fureter. Voici quelques coordonnées d'agences parmi les plus recommandables :

Avant Garde Prague – Kaprová 13 - ✆ 242 487 553 - www.avantgarde-prague.cz - Agence très efficace proposant des circuits découverte ou thématiques en français à travers la ville. Guides de haut niveau et possibilité de réserver via Internet avant votre arrivée à Prague.

Prague Walks – Jakubská 4 - ✆ 603 271 911 - www.praguewalks. cz - 11 circuits différents pour une découverte classique ou plus approfondie de Prague, une visite détaillée du château ou des visites thématiques. Le circuit « Vie à Prague au temps du communisme » est plutôt bien réussi, de même que la découverte des « pubs de Prague ». Le « chemin fantôme » est plus axé sur l'anecdote mais permet de découvrir une foule de petites histoires relatives au quartier de la place de la Vieille-Ville.

Martin Tour – Bureau central sur Štepánská 61 (dans le Palác Lucerna) - ✆ 224 212 473 - www.martintour. cz. Circuits en bus, à pied ou combinés d'une durée de 1h15 à 3h30. Martin Tour organise également des excursions vers les principaux points d'intérêt autour de Prague : Terezín, Karlstein, Kutná Hora…

Legacy tour – Maiselova 16 - ✆ 222 321 951/954 et 602 214 088 - www.legacytours.cz - Visites guidées du quartier juif sam. et dim. à 10h30, et excursions à Terezín les sam. et dim. à 10h.

PRAGUE RÉTRO

Vous trouverez autour de l'hôtel de ville des moyens de transport plus « rustiques » pour une visite de Prague à la mode ancienne. Au choix : calèches ou vieilles Škoda décapotables. Les calèches sont réunies face à la façade est de l'hôtel de ville, et les voitures plutôt derrière, sur Malé náměstí. Des modèles plus récents se trouvent à l'angle des rues Karlova et Husova. N'espérez tout de même pas trop de commentaires historiques !

SPORT

Le sport n'est pas un vain mot en République tchèque, où chaque grande manifestation sportive est

Vivre le sport à Prague

DANS LES BARS

Tulip Lounge – Opatovická 3 - ✆ 224 930 019 - www.tulipcafe.cz -dim.-jeu. 11h-2h, vend.-sam. 11h-7h. Trois écrans géants retransmettent les différentes manifestations sportives en direct. Clientèle jeune et animée.

DANS LES STADES

Football – **AC Sparta Praha** - *Milady Horakové 98 (Holešovice- Prague 7)* - ✆ 220 570 323 - www.sparta.cz. Compter 2 à 6 € selon l'emplacement pour assister à un match de championnat tchèque, et 15 à 30 € pour les rencontres du championnat européen.

Hockey sur glace – **HC Slavia Praha** - *Stade SK Slavia Praha - Vršovice s/n (Prague 10)* - ✆ 267 311 417 - www.hc-slavia.cz. Compter 2 à 3 € pour une place.

HC Sparta Praha - *Za Elektárnou 419 (Holešovice - Prague 7)* - ✆ 266 727 443 - www.hcsparta.cz. Même gamme de prix.

ACHAT DE BILLETS

Ticketpro – *Rytířska 12 (Staré město - Prague 1)* - ✆ 296 333 333, www. ticketpro.cz - tlj 9h-20h. Bien plus pratique que de se rendre au stade.

passionnément suivie, au stade si possible, ou bien dans les bars spécialisés. Les récents succès de l'équipe nationale de football ont bien évidemment relancé l'intérêt pour ce sport, mais les Tchèques se mobilisent surtout pour le hockey sur glace, en particulier lors de la coupe NHL où évoluent la plupart des grands joueurs du pays. Les championnats nationaux suscitent moins de passion, sauf entre les deux grands clubs de Prague, le Sparta et le Slavia, ou bien entre les deux équipes nationales de Tchéquie et Slovaquie.

Activités avec les enfants

Si l'architecture et les musées sont la dominante à Prague, les activités pour les enfants ne manquent pas et vous pourrez facilement alterner avec eux entre découverte culturelle et loisirs. On retiendra évidemment, dans le quartier périphérique de Troja, le **zoo de Prague**. Après les catastrophiques inondations de 2002, les 5 millions d'euros investis dans la reconstruction ont porté leurs fruits et la promenade au pied ou au sommet de la falaise, et la découverte à flanc de colline des loups et des fauves ou d'une biosphère indonésienne sont particulièrement impressionnantes. En se rapprochant du centre-ville, dans le quartier de Letná, le **musée national de la Technique**, avec son hall consacré aux engins motorisés depuis leur apparition pourra également constituer un but de promenade avec les enfants. Juste à côté, le **Planetarium et l'aquarium géant** raviront également les friands de découverte.

Non loin de là, dans le quartier de Holešovice, se tient en mars la **fête foraine** du parc de Výstaviště, avec ses manèges et nombreuses animations bienvenues pour égayer un séjour hivernal.

Dans le centre, le **Musée national**, avec différents départements comme l'archéologie ou la minéralogie, et surtout sa grande collection d'animaux empaillés est également très recommandable.

Au premier rang des promenades, la **colline de Petřín** et celle de Letná prêteront parfaitement leur cadre et leur vue dominante sur Prague à de beaux moments en famille. À Petřín, ne manquez pas pour les chérubins la **tour** et surtout le **labyrinthe des miroirs**, toujours très appréciés des plus petits. Et aux beaux jours, pensez évidemment à une **promenade en bateau**, ou même – pourquoi pas ? – en pédalo, sur la Vltava.

Dans les environs de Prague, une excursion d'une demi-journée au **musée de l'Aviation** de Kbely peut parfaitement être envisagée avec des enfants.

≗≗ SITES OU ACTIVITÉS À FAIRE EN FAMILLE			
Chapitre du guide	Nature	Musée	Loisirs
1 - Staré město		Musée ethnographique	Excursion sur la Vltava
7 - Petřín			Tour et labyrinthe aux miroirs
8 - Nové město		Musée national	
9 - Letná	Planetarium, Aquarium géant	Musée des Techniques	Fête foraine de Výstaviště
9 - Trója	Zoo de Prague		
9 - Kbely		Musée de l'Aviation	
12 - Vinohrady		Musée de l'Armée	

Événements

Janvier

Prague : Célébration du Jour de l'an dans les rues.

Prague : fin janvier, début de la saison des bals.

Février-mars

Prague : Matějská pouť - Fin fév. - début avr. Fête foraine au parc des Expositions de Holešovice.

Mars

Prague : Festival de Jazz - Le festival a lieu tous les ans en début d'année. www.arta.cz.

Pâques

Prague : Hommes et jeunes gens poursuivent jeunes femmes et jeunes filles pour les « fouetter » avec des tiges de saule et les asperger d'eau ou de parfum. Ils reçoivent en échange des œufs de Pâques.

Avril

Páleni Čarodějnic (la Nuit des sorcières) - 30 avril. Dans l'intérieur du pays. On brûle, sur les places de villages, des effigies de sorcières.

Mai

Prague : Festival international de cinéma pour enfants.

Prague : Le printemps de Prague - 12 mai - 3 juin.

Prague : Festival mondial de l'art des marionnettes - Fin mai ou début juin. Expositions, démonstrations, artisanat… Tout sur l'art de la marionnette. www.puppetart.com.

Prague : Festival international de poésie. Du 16 au 22 mai 2007 - www.geocities.com/praguepoetryfestival.

Juin

Prague : Tanec Praha (Danse Prague) - La dernière semaine de juin, festival de danse moderne. www. tanecpha.cz

Prague : Festival d'été de la musique ancienne. Courant juillet. Concerts de musique baroque ou renaissance, en costume. Au collège Marianum : Melantrichova 19 (Staré město) - ✆ 224 229 462 - www.tynska.cuni.cz.

Mi-septembre

Prague : Festival de musique d'Automne : festival international de musique classique, deuxième en importance après celui du printemps. www.pragueautumn.cz.

Octobre

Prague : Festival de musique du 20e s.

Novembre

Prague : Jour des âmes. 2 novembre. Les tombes des cimetières sont décorées de bougies. Pour apprécier l'échelle de l'évènement, rendez-vous au cimetière d'Olšany.

Prague : Anniversaire de la révolution de velours, 17 novembre. La statue de saint Venceslas est décorée de bougies.

Prague : Festival tchèque de la photo de presse, courant novembre.

Prague : Festival de musique juive, courant novembre. Essentiellement dans le quartier de Josefov.

Décembre

République tchèque : En compagnie d'un ange et d'un diable, saint Nicolas arpente les rues à la veille de sa fête (le 5 décembre), donne des bonbons aux enfants sages et fait peur aux méchants.

Foires de Noël.

République tchèque : On vend des carpes vivantes dans la rue pour le repas de Noël, et les églises présentent des crèches ouvragées.

R. Holzbachova/Ph. Bénet / MICHELIN

Le petit chaperon rouge

Mais comme le petit chaperon rouge avait pris sa carte Local Michelin, elle ne tomba pas dans le piège. Ainsi, elle ne coupa pas par le bois, ne rencontra pas le loup et, après un parcours touristique des plus pittoresques, arriva bientôt chez sa Mère-Grand à qui elle remit son petit pot de beurre.

Fin

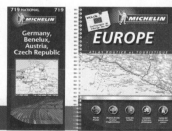

Avec les cartes Michelin, suivez votre propre chemin.

BIBLIOGRAPHIE

HISTOIRE, DOCUMENTS

Histoire de l'Empire des Habsbourg (1273-1918), Jean Béranger (Fayard, 1990).

Histoire de la Bohême, des origines à 1918, Josef Macek (Fayard, 1984). Synthèse de l'histoire du pays par un grand spécialiste tchèque.

Histoire de la littérature tchèque, Hana Voisine-Jechova (Fayard, 2001).

Histoire de Prague, Michel Bernard (Fayard, 1998).

Histoires des Habsbourg, Henri Bogdan (Perrin, 2002).

Histoire des peuples de l'Europe centrale, Georges Castellan (Fayard, 1994).

L'Empereur des alchimistes, Rodolphe II, Jacqueline Dauxois (Lattès, 1996).

Conversations avec T. G. Masaryk, Karel Čapek (L'Aube, La Tour d'Aigues, 1990). Entretiens avec le premier président de la République tchécoslovaque.

Kafka, Max Brod (éd. Gallimard). À la veille de sa mort, Franz Kafka avait demandé à son ami Max Brod de détruire tous ses écrits. Ce dernier préféra les publier, et écrivit plus tard cette biographie consacrée au grand auteur praguois.

Vivre, Milena Jesenská (Lieu commun, 1985). Chroniques sur la Tchécoslovaquie de l'Entre-deux-guerres par la journaliste, amie de Franz Kafka.

Le Goût de Prague, collectif (éd. Mercure de France). Ensemble de textes de différents auteurs et époques relatifs à Prague.

Les Petites Antilles de Prague, Olivier Poivre d'Arvor (Lattès, 1994). De l'après-guerre au « Printemps de Prague », une dénonciation ironique de la période communiste.

L'Aveu [1965], Arthur London (Folio). Le témoignage qui a inspiré le film de Costa Gavras, avec Yves Montand (1970).

L'amour et la vérité doivent triompher de la haine et du mensonge. Discours de Václav Havel présentés par Yves Barelli (L'Aube, La Tour d'Aigues, 1990).

Ph. Gajic / MICHELIN

OUVRAGES GÉNÉRAUX

Praga Magica, Angelo Mario Ripellino (Plon ; coll. Terre humaine, 1993). Remarquable introduction à Prague et à la culture tchèque.

Prague et la Bohême ou *Le Banquet des Anges*, Dominique Fernandez et Ferrante Ferranti (Stock, 1994). Voyage à travers l'Europe baroque.

Prague (Visite privée), Daniela Hodrová, Anne Garde (Chêne, 1991).

Prague, cité d'art et d'histoire, Caroline Delwahl (Décanord, 1992).

L'Europe des cafés, Gérard-Georges Lemaire (Eric Kochler-Sand, 1991).

Cubisme tchèque, Miroslav Lamač (Centre Georges-Pompidou, 1992).

Kafka à Prague, Klaus Wagenbach (Michalon, 1996). Extraits d'œuvres et itinéraires praguois de l'écrivain.

15 promenades dans Prague, Léon et Xavier De Coster (Casterman 1997). Présentation exhaustive et détaillée de l'architecture praguoise.

Prague à travers les siècles, Jiří Kropácek (Gründ, 1997).

BEAUX LIVRES

Prague, Patrick Bourdichon et Philippe Renault - photographies (Hermé 1999).

Prague et les châteaux de Bohême, Philippe Benet et Renata Holzbachova (ACR éditions, 2005).

Prague la ville dorée, Marie-France Arlon (ACR éditions, 1995).

LITTÉRATURE

Un voyage de Mozart à Prague [1856], Eduard Mörike (Ombres).

Le Passant de Prague [1901] in *l'Hérésiarque et Cie* [1910], Guillaume Apollinaire (Stock). Rencontre du poète et du Juif errant.

Le Brave Soldat Chveïk [1912 et sq.], Jaroslav Hašek (Folio). Les aventures d'un soldat faussement naïf pendant la Première Guerre mondiale. Un grand classique tchèque.

La Chevelure sacrifiée [1968], Bohumil Hrabal (L'Etrangère, Gallimard). Monologue de l'écrivain au cours d'une promenade dans Prague. Du même auteur, *Une trop bruyante solitude* (Seuil). La tragédie d'un homme amoureux des livres et dont le métier est de les détruire.

Toutes les beautés du monde, Jaroslav Seifert (P. Belfond). Dans une évocation poétique de Prague, souvenirs du prix Nobel de littérature 1984. Du même auteur, *Sonnets de Prague* [1964] (Seghers).

Le Golem [1915], Gustav Meyrink (Marabout ou Bouquins). Littérature fantastique dans les rues de Prague.

Histoires praguoises [à partir de 1899], Rainer Maria Rilke (Seuil).

La Nuit sous le pont de pierre [1953], Léo Perutz (Livre de Poche). Prague au 17e s. La ville juive et la cour de Rodolphe II.

Les Contes de Malá Strana [1877], Jan Neruda (Artia).

Œuvres complètes, Franz Kafka (Gallimard).

Traité des courtes merveilles, Václav Jamek (Grasset, 1989). Examen de conscience d'un jeune auteur tchèque. Prix Médicis étranger.

Vie de Milena, Jana Černá (Livre de Poche).

Un été d'amour, Ivan Klíma (Seuil, 1991).

L'Insoutenable légèreté de l'être, Milan Kundera (Folio). Du même auteur, *Le Livre du rire et de l'oubli* (Folio). Vision grinçante de l'impuissance des individus face à l'histoire.

La Pleurante des rues de Prague, Sylvie Germain (Gallimard, 1992). Promenade étrange et visionnaire dans les rues de Prague.

ET QUELQUES FILMS...

Amadeus (Milos Forman, 1984) – Un film sur le grand compositeur autrichien, dont quelques images furent tournées à Prague.

Kolya (Jan Sverák, 1996) – Suite à un mariage arrangé, Kolya, un enfant russe, se retrouve avec son beau-père tchèque dans la tourmente des journées précédant la Révolution de velours.

L'Aveu (Costa Gavras, 1970) – Avec Yves Montand et Simone Signoret. Inspiré du livre témoignage d'Arthur London. Prague au début des années 1950 et la persécution d'un homme forcé par le système d'avouer des crimes qu'il n'a pas commis.

L'Insoutenable légèreté de l'être (Philip Kaufmann, 1988) – Avec Daniel Day-Lewis et Juliette Binoche. L'adaptation du roman de Milan Kundera. Le printemps de Prague et l'exil pour un jeune chirurgien et sa compagne photographe.

Le Golem (Paul Wegener, 1920) – Film muet en noir et blanc inspiré de l'histoire du Golem, dans le quartier juif de Prague.

Tamavodrý Svet (Jan Sverák, 2001) – L'histoire des pilotes tchèques partis combattre les Allemands dans les rangs de la Royal Air Force en Angleterre.

CAT'S COLLECTION

« L'Insoutenable légèreté de l'être » : un film réalisé d'après le roman de M. Kundera.

LEXIQUE

La langue tchèque

Avec son éventail d'accents et ses chaînes de consonnes, le tchèque semble une langue redoutable. Le tchèque appartient au groupe des langues slaves et sa grammaire est complexe : noms et adjectifs se déclinent en sept cas différents ; les verbes ont deux aspects, perfectif et imperfectif. Cependant le tchèque emploie l'alphabet latin et non le cyrillique, il se parle pratiquement comme il s'écrit, et l'accent tonique est toujours placé sur la première syllabe des mots. Vos efforts pour parler tchèque vous rendront sympathique aux yeux des autochtones : comme partout, cela vaut la peine de mémoriser quelques phrases types et d'apprendre à reconnaître quelques mots clés.

Dans les sites touristiques, les Tchèques parlent souvent l'anglais et l'allemand. Le français est moins courant.

PRONONCIATION

Voyelles : les voyelles à accent sont plus longues

a	comme chat
á	comme âtre
e	comme tchèque
é	comme air
i, y	comme pic
í, ý	comme pire
o	comme botte
ó	comme zoo
u	comme où
ů, ú	comme roue

Consonnes

č	tch comme tchèque
ch	comme la *jota* espagnole ou le kh de Khaled
j	i mouillé comme fille
ň	gn comme signe
r	r roulé « à la russe »
š	Ch
ž	J
ř	spécifiquement tchèque, un r roulé suivi du son j, « rj », qu'on entend dans Dvořak, prononcé « Dvorjak »

VOCABULAIRE USUEL

Salut !	**Ahoj** (bonjour, au revoir informels)	Quoi ?	**Co ?**
		Où ?	**Kde ?**
Bonjour	**Dobrý den**	Où est/où sont ?	**Kde je/jsou ?**
Bonsoir	**Dobrý večer**	Quand ?	**Kdy ?**
Bonne nuit	**Dobrou noc**	Comment ? de quelle façon ?	**Jak ?**
Au revoir	**Na shledanou**		
Oui	**Ano**	Combien ?	**Kolik ?**
Non	**Ne**	Combien ça coûte ?	**Kolik stojí ?**
S'il vous plaît	**Prosím**	Je ne parle pas tchèque	**Nemluvím česky**
Merci	**Děkuji**		
Excusez-moi	**Pardon**	Parlez-vous français/anglais/allemand ?	
Au secours !	**Pomoc !**	**Mluvíte francouzsky/anglicky německy ?**	

LES NOMBRES

1	**jeden (jedna f, jedno n)**		16	**šestnáct**
2	**dva (dvě f, n)**		17	**sedmnáct**
3	**tři**		18	**osmnáct**
4	**čtyři**		19	**devatenáct**
5	**pět**		20	**dvacet**
6	**šest**		30	**třicet**
7	**sedm**		40	**čtyřicet**
8	**osm**		50	**padesát**
9	**devět**		60	**šedesát**
10	**deset**		70	**sedmdesát**
11	**jedenáct**		80	**osmdesát**
12	**dvanáct**		90	**devadesát**
13	**třináct**		100	**sto**
14	**čtrnáct**		1 000	**tisíc**
15	**patnáct**			

LES JOURS DE LA SEMAINE

lundi	**pondělí**	vendredi	**pátek**
mardi	**úterý**	samedi	**sobota**
mercredi	**středa**	dimanche	**neděle**
jeudi	**čtvrtek**		

LES MOIS DE L'ANNÉE

janvier	**leden**	juillet	**červenec**
février	**únor**	août	**srpen**
mars	**březen**	septembre	**září**
avril	**duben**	octobre	**říjen**
mai	**květen**	novembre	**listopad**
juin	**červen**	décembre	**prosinec**

EN VILLE

Město	ville	**Třída**	avenue
Dům	maison, bâtiment	**Náměstí**	place
Vila	villa	**Schody**	escalier
Dvůr	cour	**Most**	pont
Věž	tour	**Ostrov**	île
Divadlo	théâtre	**Nábřeží**	quai
Ulice	rue	**Trh/tržiště**	marché, place de marché
Ulička	ruelle, sente		

Ukončete prosím výstup a nástup !

Dans le métro de Prague, des messages enregistrés signalent d'abord d'arrêter de monter ou de descendre du wagon : *Ukončete prosím výstup a nástup !* Puis, quand les portes vont fermer : *Dveře se zavírají !* On annonce ensuite le nom de la prochaine station : *Příští stanice – Malostranská !*

Kostel	église	**Palác**	palais
Katedrála/Chrám		**Radnice**	hôtel de ville
cathédrale, grande église		**Pošta**	bureau de poste
Kaple	chapelle	**Nemocnice**	hôpital
Klášter	monastère	**Muzeum**	musée
Synagoga	synagogue	**Galerie**	galerie
Hrad	château (fortifié)	**Výstava**	exposition
Zámek	château (palais/rési-	**Zahrada, sady,**	jardin(s)
	dence de campagne)	**Koupaliště**	piscine
Brána	porte de ville	**Hřbitov**	cimetière

SUR LA ROUTE, DANS LA CAMPAGNE

Silnice	route	**Řeka**	rivière
Cesta	chemin, piste	**Potok**	petit cours d'eau
Dálnice	autoroute	**Nádrž, přehrada**	barrage, réservoir
Parkoviště	parc de	**Les**	bois, forêt
	stationnement	**Kopec**	colline
Benzin	essence	**Hora**	montagne
Objížd'ka	déviation	**Pomník,**	
Jezero	lac	**památník**	monument
Rybník	lac, étang, bassin à	**Bojiště**	champ de bataille
	poissons	**Pramen**	source

INDICATIONS, SERVICES

On trouvera le vocabulaire du restaurant *p. 30.*

Tam	poussez	**Pokladna**	guichet de
Sem	tirez		réservation, caisse
Pozor	attention, danger	**Šatna**	vestiaire, consigne
Vstup/vchod	entrée	**Občerstvení**	rafraîchissements
Výstup/východ	sortie	**Knihkupectví**	librairie
Otevřeno	ouvert	**Lahůdky**	épicerie fine, traiteur
Zavřeno	fermé	**Cukrárna**	pâtisserie
Zakázáno	interdit	**Lékárna**	pharmacie
Záchod	toilettes	**Potraviny**	épicerie, supérette
Muži, páni	hommes, messieurs	**Nádraží**	gare
Ženy, dámy	femmes, dames	**Autobusové**	
Clo	douane	**nádraží**	gare routière
Směnárna	bureau de change	**Zastávka**	arrêt de bus ou de
			tramway

NOUVEAU Guide Vert Michelin : élargissez l'horizon de vos vacances

- Nouvelle couverture
- Nouvelle présentation intérieure
- Nouvelles informations
- Nouvelles destinations

Les armes de la ville.

COMPRENDRE PRAGUE

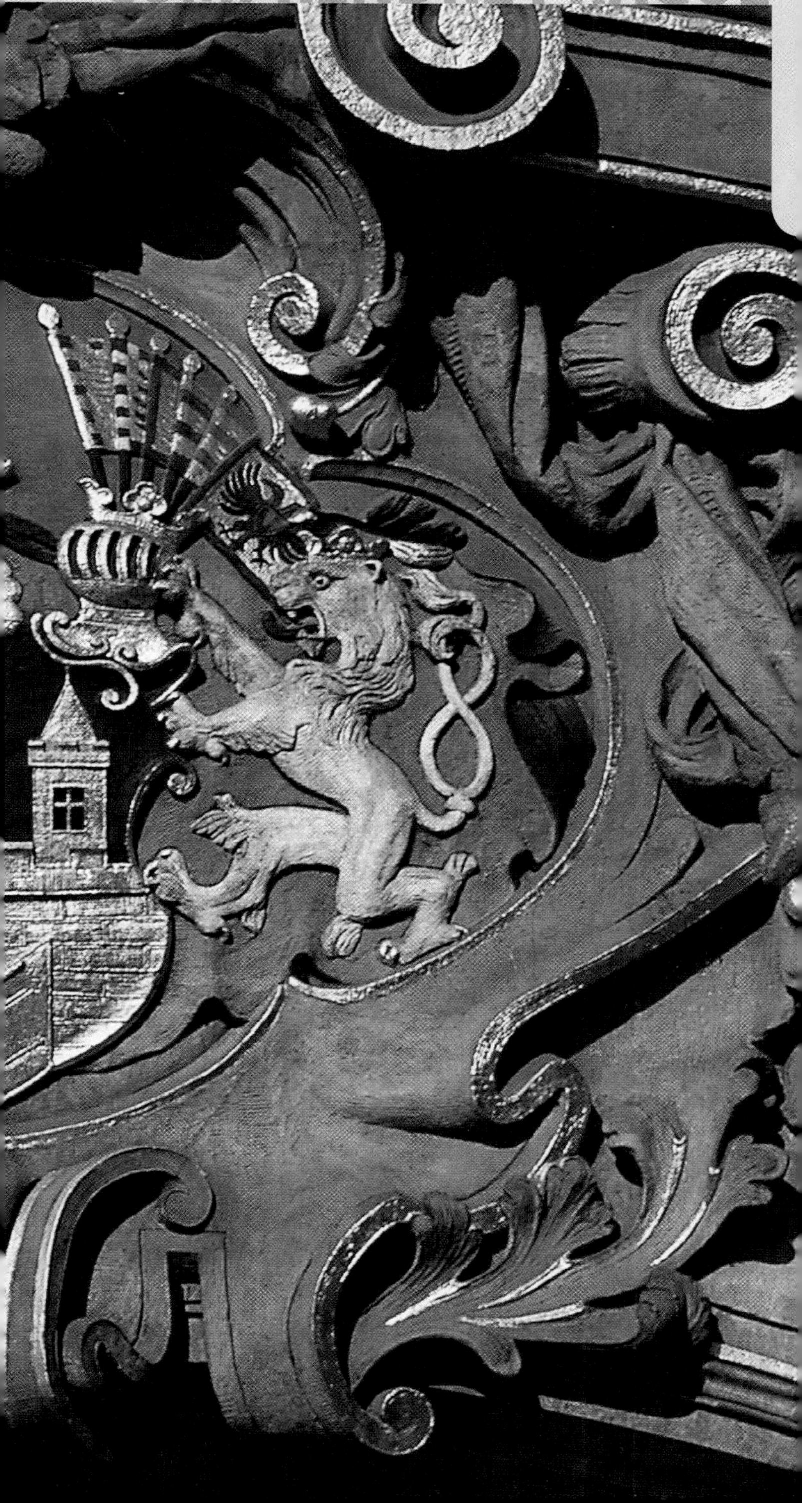

PRAGUE AUJOURD'HUI

Naguère capitale de l'un des régimes les plus durs d'Europe de l'Est, Prague a connu ces dernières années une véritable métamorphose. Le changement de gouvernement de 1989 s'est accompagné de réformes économiques radicales qui ont permis à la ville de se hisser rapidement au rang de grande métropole européenne. Avec ses rues et ses façades fraîchement rénovées, Prague, redevenue magnifique, témoigne de la réussite d'une République qui semble avoir tourné la page de ses années communistes.

La place Venceslas, au cœur de la Nouvelle Ville.

Qu'est devenue la Prague d'autrefois ? Le voyageur d'avant 1989 aurait sans doute bien du mal à reconnaître la sombre capitale des années communistes. Finies, les pannes de courant dans le métro et, dans les rues, l'odeur du charbon qu'on utilisait pour se chauffer en hiver. Disparues, les demeures baroques en ruine qu'on « empaquetait » pour ne pas voir leurs statues tomber. En l'espace de quelques années, les vieux murs gris ocre ont été restaurés et ont laissé place à des façades colorées qui ont surpris nombre de Praguois ignorant qu'il s'agissait de leurs couleurs d'origine. Le vieux centre a désormais fait peau neuve : Prague est devenue l'une des plus belles capitales européennes, une destination touristique incontournable et un véritable pôle économique international. Mais si la Prague d'aujourd'hui est une ville moderne et dynamique, celle d'hier est loin d'avoir disparu…

Portrait d'une ville

LES QUARTIERS DE PRAGUE

Le cœur historique

Autrefois, Prague n'était pas une entité unique, mais se composait de quatre villes indépendantes. Elles forment toujours des quartiers distincts, bien que réunis depuis longtemps pour constituer la ville, aujourd'hui officiellement Prague I.

Hradčany (Hradschin) se compose du **hrad** (le Château) et de son quartier, pratiquement inchangé depuis l'arrêt de son expansion au début du 18e s. Au pied du château, sur la rive gauche de la Vltava, s'étend **Malá-Strana**. Disposant de peu d'espace, ce quartier a lui aussi peu changé depuis les 17e et 18e s. En traversant le pont Charles, on rejoint sur l'autre rive **Staré Město**, la **Vieille Ville**, avec en son sein l'ancien ghetto de **Josefov**. Outre son génie marchand,

Prague, fiche d'identité

Population : 1 212 000 habitants (les Praguois).
Superficie : 496 km².
Situation géographique : 50° 5′ de latitude nord ; 14° 27′ de longitude est ; à 1 080 km de Paris.
Statut admnistratif : capitale de la République tchèque.
Devise : la couronne tchèque.
Altitude : 235 m au-dessus du niveau de la mer en moyenne.
Heure : en hiver GMT+1 ; en été : GMT+2.
Températures moyennes : température moyenne sur l'année 9°C ; en été : 19 ° ; en hiver : -0,9 °C.
Rivière : la Vltava. Elle traverse la ville sur 30 km où sa largeur maximale est de 330 m ; elle comprend 9 îles et elle est enjambée par 18 ponts.

la Vieille Ville a conservé l'essentiel de son caractère historique. Un demi-cercle de boulevards, qui suit le tracé de ses anciennes fortifications, la sépare de **Nové Mĕsto**, la **Nouvelle Ville**. La « nouveauté » de ce quartier remonte en fait au 14e s. et il a connu de nombreux changements depuis. Son cœur, la **place Venceslas**, du nom du saint patron des Tchèques, est l'endroit où le pouls de la ville bat avec le plus d'intensité. Plus de 200 000 personnes affluent chaque jour dans ce noyau historique pour travailler dans les magasins, bureaux, administrations, hôtels et restaurants.

Le centre

Autour de ce noyau s'étend une zone dix fois plus grande et plus peuplée, le **centre** praguois, dont l'urbanisation s'effectua surtout au 19e s. et au début du 20e s. Les quartiers les plus typiques de ce secteur central sont **Vinohrady** (Prague II), sur la rive droite, et **Žižkov-Karlín** (Prague III).

Les quartiers périphériques

En s'éloignant encore, on trouve la **banlieue**, qui couvre deux fois la superficie du noyau historique et du centre réunis. Ses 500 000 habitants occupent en majorité des **panelák**, hauts immeubles groupés en grands lotissements aux noms aussi peu évocateurs que Severní Mĕsto (qui se traduit Ville Nord) ou Jihozápadní mĕsto (Ville Sud-Ouest). Comme pour beaucoup de villes, les quartiers ouest sont les plus recherchés : Prague VI, qui s'étend vers l'aéroport de Ruzynĕ, possède son lot de secteurs résidentiels attractifs, surtout aux alentours de Dejvice. Les limites du **Grand Prague** s'étirent encore plus loin dans la campagne bohémienne, englobant des villes plus petites jusqu'à 20 km du centre.

LA VLTAVA AUJOURD'HUI

La Vltava demeure de nos jours, comme par le passé, une rivière industrielle. Péniches et vapeurs empruntent toujours les écluses entre l'île des Enfants et Malá-Strana , bien que l'essentiel du trafic ait lieu en aval. Prague est un port important, relié par l'Elbe au réseau fluvial du Nord de l'Allemagne et au lointain Hambourg. En amont, l'aménagement de barrages et de centrales hydroélectriques a dompté la puissance destructrice de la rivière, et converti son cours autrefois tumultueux en une suite de lacs paisibles, envahis en été de bateaux et de baigneurs.

Une économie attractive et dynamique

Les rues aujourd'hui pimpantes du centre historique témoignent des changements radicaux survenus au lendemain de la chute du régime communiste. Les réformes drastiques lancées par l'État tchèque au début des années 1990 pour établir une économie de marché (privatisations, transformations des industries, restitutions des biens nationalisés) ont porté leurs fruits dans tout le pays et plus particulièrement à Prague. La capitale affiche en effet une insolente réussite, avec un taux de chômage aux alentours de 3-4 %, de moitié inférieur à celui du reste du pays, et des salaires nettement plus élevés. Prague produit 1/5e du PIB tchèque et reste aujourd'hui encore l'une des destinations préférées des investisseurs étrangers. De nombreuses filiales d'entreprises internationales et de ban-

Prague, ses arrondissements et sa mairie

La ville est composée de 22 arrondissements administratifs regroupant 57 quartiers (*městská část*). Les organes décisionnels sont la Représentation de la Ville de Prague (*Zastupitelstvo Hlavního Města Prahy*), comprenant 70 représentants élus pour 4 ans, et le Conseil de la ville de Prague (*Rada Hlavního Města Prahy*) comprenant 11 membres élus parmi les représentants, avec à sa tête le maire (*Primátor*). Depuis les élections municipales d'octobre 2006, la majorité politique à la tête de la ville est le Parti démocratique civique (ODS, droite conservatrice).

20e s., rarement une capitale a été aussi préservée. Une grande partie du centre (866 ha !) a été classée en 1992 au Patrimoine mondial de l'Unesco.

La République tchèque a très vite compris l'intérêt de mettre en valeur ce patrimoine auprès des touristes. Avec le développement des vols discount la reliant aux grandes capitales, et son entrée dans l'Europe, Prague est en effet devenue une destination privilégiée. En 2005, on estime que plus de 6 millions de touristes ont visité la République tchèque, dont 3 à 4 millions sont passés par Prague. Leurs origines sont très variées ; en tête de peloton : l'Allemagne, puis la Grande-Bretagne et l'Italie. Inutile de dire que ceux-ci apportent des revenus plus que substantiels à la ville…

ques s'y sont installées, apportant capitaux et travail à une République tchèque dont le taux de croissance approchait les 6 % en 2005.

La manne du tourisme

« Prague dorée », « ville aux cent tours », « mère des villes », « Rome du Nord » La beauté de la ville et son intérêt architectural sont loin d'être usurpés. Avec son extraordinaire accumulation de monuments historiques érigés entre le Moyen Âge et la première moitié du

Le pont Charles, haut lieu du tourisme praguois.

R. Holzbachova/Ph. Bénet / MICHELIN

Contrastes et disparités

GOÛTS DE LUXE…

Forte de son développement économique et touristique, la ville a accueilli à bras ouverts les grandes enseignes occidentales et tout le confort moderne : marques de luxe, chaînes vestimentaires, restaurants raffinés et fast-foods côtoient désormais bâtiments historiques et musées. Au grand dam de certains intellectuels qui soulignent son manque de mémoire, le Praguois semble avoir complètement tourné le dos à son héritage socialiste. Libéral et conservateur, il a mis à la tête de sa mairie l'ODS, un parti eurosceptique de droite.

…ET RÉALITÉS QUOTIDIENNES

Pourtant, sur les 1,2 million d'habitants que compte la ville, seuls 40 000 d'entre eux vivent dans le vieux centre. Les loyers qui s'y sont envolés et les tarifs pratiqués dans les magasins restent très peu accessibles au regard du salaire moyen tchèque (20 000 Kč - 700 €). Ceux qui y vivent sont essentiellement des étrangers expatriés et de jeunes actifs travaillant dans le secteur tertiaire en plein essor. Une grande partie de la population praguoise ne profite finalement pas, ou peu, du vieux centre restauré et de ses boutiques modernes.

R. Holzbachova/Ph. Bénet / MICHELIN

Prague, où passé et présent se rejoignent.

À L'ÉCART DES GRANDS CIRCUITS TOURISTISQUES

Il n'est pas nécessaire d'aller bien loin de ce vieux centre pour trouver une tout autre Prague. Beaucoup plus humble et plus traditionnelle, elle a conservé, par exemple, ses *pivnice*, ces bars à bières typiques où le touriste et le Praguois aisé ne s'aventurent guère. Entre ces établissements et les cafés branchés du centre, les prix peuvent aller bien plus que du simple au double.

Cultures et traditions

L'AMOUR DU PATRIMOINE

Les Praguois ont généralement une conscience développée de la préservation du patrimoine. Ils sont souvent très fiers de leur ville et ils cultivent avec amour son patrimoine artistique et ses traditions. Les musées sont ainsi pléthore et tout – ou presque – peut être prétexte à en créer : superbes, inattendus ou incongrus, on en trouve pas moins de 80 à Prague et ils sont nombreux dans tout le reste du pays.

LE « CONSERVATOIRE DE L'EUROPE »

Conservateur, le Praguois n'hésite pas également à s'habiller pour se rendre dans l'une des nombreuses salles de spectacle qui perpétuent la tradition mélomane et théâtrale d'une ville jadis surnommée le « conservatoire de l'Europe » : musique classique, opéra, jazz, danse et le fameux «Théâtre Noir» sont les enfants chéris de la ville et sont joués – avec plus ou moins de talent – en de nombreux endroits.

Sites de Prague et des alentours classés par l'Unesco

Le centre historique de Prague : Vieille Ville et Josefov, Nouvelle Ville, Malá-Strana , Hradčany (quartier du Château), Vyšehrad, quartier de Vino-hrady.
Le centre historique de Kutná Hora, avec la cathédrale Ste-Barbe ;
L'abbatiale N.-D.-de-l'Assomption de l'abbaye de Sedlec.

HISTOIRE

Qu'elle soit ville fondatrice de la Bohême des origines, ou bien capitale d'une petite République aujourd'hui, Prague a souvent été au cœur des grands événements de l'histoire tchèque. Fondée au 9ᵉ s., siège de la dynastie des ducs premyslides, elle devient ville royale puis capitale d'un empire sous les Habsbourg. Mais, à l'image du destin du pays, Prague a rarement été uniquement tchèque. Au 20ᵉ s., à peine sortie du giron autrichien avec la création de la Tchécoslovaquie, elle retombe aux mains des Soviétiques. Ceux-ci ne s'y intéressent guère, sauf pour réprimer tout tentative de rébellion, et jusqu'à ce que s'amorce, en 1989, la célèbre « révolution de velours ». Ce n'est que depuis 1992, avec la création d'une République indépendante dont elle est la capitale, que Prague s'appartient enfin.

La ville de Prague en 1750 (gravure sur cuivre).

Des origines à nos jours

LES PREMIERS TEMPS

Des vestiges épars montrent que la présence humaine dans le bassin de Bohême remonte à plus de 500 000 ans. Bien plus tard, vers la fin du 6ᵉ millénaire av. J.-C., des agriculteurs néolithiques venus du Sud-Est de l'Europe s'y installent. Mais la région n'entre dans les annales historiques qu'avec l'avancée des Romains vers le nord et leur rencontre avec les **populations celtes**. Les Romains leur donnent le nom de **Boïens** (*Boii*), et nomment leur pays **Boiohaemum**, d'où viennent les noms **Bohême** et **Bohémien**. Appartenant à la culture de La Tène, les Boïens n'étaient pas loin de former un État digne de ce nom. Au 1ᵉʳ s. av. J.-C.,

soumis à la pression de tribus germaniques moins avancées, ils sont dispersés par les **Marcomans** germaniques, qui envahissent la Bohême après avoir été chassés de leurs territoires en l'an 9 av. J.-C. par le général romain Drusus.

Aux 4ᵉ et 5ᵉ s., la Bohême ne semble pas être très touchée par les premières phases des **grandes migrations**, mais le 6ᵉ s. voit l'arrivée des premiers **Slaves** dans la région. Entre 620 et 659, sous le règne de **Samo**, ils établissent un royaume et mènent des campagnes contre les invasions de nomades tels que les Avars et les Francs. À la mort de Samo, le royaume disparaît et on ne trouve plus trace d'une dynastie slave avant un siècle et demi. Il faut attendre le 9ᵉ s. pour voir émerger un **grand Empire morave** slave, comprenant une bonne partie de la Bohême, de la Moravie et de la Slovaquie actuelles. L'empereur Ratislav encourage la conversion de son peuple à la religion chrétienne, notamment par l'intermédiaire de missionnaires tels **Cyrille** et **Méthode**, qui sont envoyés par Byzance en 863.

À la fin du 9e s., la tribu tchèque supplante celle des Moraves. Le prince (ou duc) Bořivoj bâtit la forteresse de Levý Hradec en aval de Prague, puis déplace sa capitale sur la colline du Hradčany, embryon de la future Prague. Il appartient à la dynastie des **Premyslides**.

LA NAISSANCE D'UN ÉTAT MÉDIÉVAL

La jeune dynastie Premyslide se renforce et s'affirme sous le duc **Václav (Venceslas)** (923-929). Se plaçant sous la double protection de Henri Ier l'Oiseleur – le roi de Saxe – et du pape, celui-ci mène une politique en faveur du christianisme. Une église est bientôt érigée à côté du château et elle est consacrée à saint Guy, le patron de la Saxe. Mais ces choix ne sont pas sans provoquer de vives tensions et le prince s'attire l'animosité des nobles. En 929, le jeune souverain est assassiné par son frère, le païen Boleslav. Ce fratricide donne lieu à plusieurs interprétations. Venceslas a été élevé en chrétien par sa grand-mère **Ludmilla**, elle aussi assassinée par sa belle-fille, la païenne Drahomira : aurait-il été tué pour faire reculer l'avancée du christianisme ? Ou à cause de ses efforts pour nouer une alliance avec ses voisins germaniques ? L'explication la plus plausible est que sa mort résulte de rivalités au sein de la cour premyslide.

Le successeur de Venceslas, **Boleslav Ier** (v. 935-972), entame une guerre de quatorze ans contre l'empereur germanique Otton Ier qui se solde par un échec. Otton Ier conquiert la Bohême, qui passe sous la domination du Saint Empire germanique en 962. Les **princes premyslides** dirigeront le pays sous cette tutelle et devront attendre bien longtemps – 1212 – avant de pouvoir prétendre à nouveau à la royauté.

L'alliance avec le Saint-Empire germanique marque, à la fin du 10e s., la victoire du christianisme en Bohême. Un **culte de Venceslas**, notamment, se développe ; il est bientôt canonisé, en même temps que sa grand-mère **Ludmilla**. Tous deux deviennent les **premiers saints patrons de la Bohême**, sanctifiant ainsi la dynastie premyslide, et donnant au pays une place d'honneur dans l'Europe chrétienne.

En 973, **Boleslav II** (972-999) obtient du pape la fondation d'un évêché à Prague. Le Saxon Thietmar est nommé **premier évêque** de Prague. Son évêché dépend de l'archevêché de Mayence. Son successeur, à partir de 973, **Vojtěch (Adalbert)**, est un Slave de la puissante famille des Slavník de Bohême orientale, seuls véritables rivaux des Premyslides. En 993, il fonde le premier monastère d'hommes du pays à **Břevnov**. Vojtěch meurt en martyr en Prusse orientale en 997. Il est canonisé en 999, devenant le troisième saint patron de la Bohême.

En 1085, **Vratislav Ier**, déplace pour une courte période le palais royal du Hradschin à Vyšehrad ; il reviendra par la suite à son emplacement d'origine.

Le règne de **Ladislas II** (1140-1173), est marqué par la fondation de nombreux monastères, dont celui des prémontrés à Strahov. Les chevaliers de St-Jean-de-Jérusalem bâtissent à Malá-Strana une magnifique commanderie, avec l'église N.-D.-sous-la-Chaîne. C'est aussi à cette période que, sur les ordres de la reine,

« Une cité dont la gloire s'élèvera jusqu'aux étoiles »

Le chroniqueur du 11e s. Cosmas rapporte une histoire riche de symboles sur les origines de Prague et des Premyslides. Le « père de la nation », **Čech**, aurait conduit ses partisans dans ce « pays où coulent le lait et le miel ». Un de ses successeurs partagea son domaine entre ses trois filles. L'une d'entre elles, la **princesse Libuše**, s'établit sur le rocher de Vyšehrad, qui surplombe la Vltava. Un jour, alors qu'elle contemple les hauteurs de Petřín par-delà la rivière, elle est prise de transes et a la vision d'une grande cité, « dont la gloire s'élèvera jusqu'aux étoiles ». À l'intuition féminine Libuše ajoute la force masculine en épousant un fils de la terre, un laboureur nommé **Přemysl** : ils fondent ensemble la ville de Prague, à l'endroit où l'on dépose le premier seuil en pierre (*prah*, en tchèque) d'une maison.

on jette sur la Vltava un premier pont de pierre, qui portera son nom, Juditín most (pont Judith).

En 1204, **Procope**, populaire abbé qui a fondé en 1032 le monastère de rite slavon de Sázava, est canonisé. Il forme désormais avec Vojtěch, Ludmilla et Venceslas le groupe des quatre saints patrons de Bohême.

En 1212, avec la « **bulle d'or de Sicile** », l'empereur accorde à Ottokar Ier et à ses successeurs l'hérédité de la couronne de Bohême et une voix lors de l'élection de l'empereur ; ils sont désormais « princes-électeurs » du Saint Empire germanique.

Le 13e s. est marqué par le règne d'**Ottokar II** (1253-1278), « roi de l'or et du fer ». Celui-ci contribue à étendre de manière importante la souveraineté de la Bohême, dont les territoires vont désormais jusqu'à l'Autriche et, au Sud, jusqu'à l'Adriatique. Prenant part à la croisade des chevaliers Teutoniques en Prusse (1255), il fonde Königsberg (Kaliningrad) ; il entreprend également une lutte pour le trône du Saint Empire, mais en est écarté par les électeurs au profit de Rodolphe Ier de Habsbourg. Au terme de la guerre qui s'ensuit, il perd toutes ses conquêtes dans la région des Alpes avant d'être vaincu et tué par **Rodolphe de Habsbourg** à la bataille de Dürnkrut, sur la frontière austro-morave.

Sous son règne et pendant une bonne partie du siècle suivant, la Bohême connaît une période de prospérité, et Prague devient l'une des grandes cités d'Europe, foyer de littérature courtoise et d'architecture gothique.

En 1306, l'assassinat de Venceslas III (1305-1306) par un noble d'Olomouc marque la fin de la dynastie des Premyslides. Le trône reste sans héritier et la dynastie s'éteint.

Rotonde de la Ste-Croix ; couvent Ste-Agnès ; synagogue Vieille-Nouvelle ; Vyšehrad ; Tour poudrière.

SPLENDEUR DES LUXEMBOURG

En 1310, **Jean de Luxembourg** (1310-1346), fils de l'empereur Henri VII et époux de la princesse premyslide Élisabeth, est élu roi de Bohême. Monarque peu présent, il s'intéresse surtout à son royaume comme soutien financier pour ses aventures à l'étranger. Il parvient néanmoins à l'agrandir, en y adjoignant des terres de Silésie et de Lusace, ainsi que la région de l'Eger, autour de l'actuel Cheb.

En 1338, Jean de Luxembourg accorde à la ville qui fait face au château de l'autre côté de la Vltava (future « Vieille Ville »), l'autorisation de bâtir un hôtel de ville, marquant ainsi le développement et l'indépendance des bourgeois et commerçants de Prague. En 1344, c'est l'église qui se libère de la tutelle de Mayence en devenant siège d'un archevêché. Le nouvel archevêque préside à la pose de la première pierre de la nouvelle cathédrale gothique St-Guy.

En 1346, Jean de Luxembourg combat à la bataille de Crécy et meurt au sein de l'armée française. Le fils du roi, Venceslas, plus connu sous le nom de Charles parce qu'il a été éduqué en France, est élu à la fois empereur du Saint Empire et roi de Bohême sous le nom de **Charles IV** (1346-1378). Prague devient ainsi « capitale » du Saint Empire romain germanique. En 1348, Charles fonde la

---

Argent, charbon et « dollars »

L'exploitation des exceptionnelles richesses minérales de la Bohême commence très tôt. À **Kutná Hora** notamment, où l'on découvre au 13e s. des gisements d'argent extrêmement riches. Ceux-ci contribuent en grande partie à la puissance et au prestige du royaume premyslide, grâce aux « *groschen* de Prague » qui y sont frappés et qui deviennent une monnaie d'échange officielle dans une grande partie de l'Europe. Au 16e s., ce sont les riches gisements de **Jáchymov** (Joachimsthal) qui prennent le relais avec des pièces appelées plus tard « thalers » et qui sont d'ailleurs à l'origine du mot « dollars ». Au 19e s., la houille de Silésie permet le développement de la grande région industrielle qui entoure Ostrava. Au 20e s., le lignite du Nord de la Bohême alimente l'industrialisation de la Tchécoslovaquie socialiste, et l'uranium de Jáchymov soutient le programme nucléaire soviétique.

première université d'Europe centrale, le **Collegium Carolinum**. Il bâtit et fortifie une nouvelle extension de la ville, appelée **Nové Město** (la Nouvelle Ville) ; il élève églises et monastères, reconstruit la forteresse de Vyšehrad, et remplace le pont Judith, en ruine, par un superbe pont gothique (qui ne sera nommé **pont Charles** qu'en 1870, *voir p. 175*). Pour fournir du travail aux ouvriers menacés par la famine, il fait construire Hladová zed', le « **mur de la Faim** », sur la colline de Petřín. Il fait en outre édifier un grand château à **Karlštejn** (Karlstein), au sud de Prague, pour y abriter les joyaux de la Couronne et les reliques saintes qu'il collectionne avec ferveur. Polyglotte, maîtrisant le français, l'allemand, l'italien et le latin, Charles a à cœur de promouvoir sa langue maternelle : le tchèque jouit d'une grande considération sous son règne.

Charles IV, empereur du Saint Empire et roi de Bohême, qui donna son nom au plus célèbre pont de la ville.

En 1378, **Venceslas IV** (1378-1419) succède à son père Charles. C'est un souverain faible, qui laisse évêques et barons conduire le royaume tandis que le peuple est opprimé. En 1380, la peste ravage Prague. Méprisés comme « valets du roi », boucs émissaires de ces malheurs, les Juifs subissent de nombreux pogroms. Le ghetto est détruit au cours de l'un d'eux.

Nouvelle Ville ; cathédrale St-Guy ; pont Charles ; Carolinum ; château de Karstein.

LES RÉVOLTES HUSSITES

Amorcé sous les règnes de Charles IV et de Venceslas IV, un mouvement de réforme religieuse dirigé par le prédicateur Jan Hus *(voir p. 92 et 136)* prend toute son ampleur sous **Sigismond de Luxembourg** (1419-1437) et mène à une crise religieuse et sociale, puis à la guerre civile.

En 1414, l'ardent prédicateur **Jan Hus** est convoqué au concile de Constance pour répondre de l'accusation d'hérésie. En dépit de ses promesses de bonne conduite, il meurt sur le bûcher le 6 juillet 1415. Loin de l'affaiblir, sa mort donne de l'ampleur au mouvement. En 1419, des manifestants hussites font irruption dans l'hôtel de ville de la Nouvelle Ville et précipitent des conseillers catholiques par les fenêtres. C'est la **première défenestration de Prague** *(voir p. 250)* qui marque le début de la révolution des hussites. Ceux-ci exigent, dans les « quatre articles de Prague » de 1420, la communion sous les deux espèces pour les laïcs (en latin *sub utraque specie*, d'où leur appellation d'utraquistes), le retour à l'Église primitive, la liberté de sermon et la punition des péchés mortels par les autorités civiles. Au cours des affrontements, Malá-Strana est pillé, Vyšehrad détruit. Les hussites les plus fervents quittent Prague pour fonder la ville de **Tábor**.

En juillet 1420 est organisée la première croisade contre les hussites. Mais l'armée de l'empereur Sigismond est vaincue à Prague, sur la colline de Vítkov, par les troupes de **Jan Žižka**, noble de la Bohême méridionale *(voir p. 277)*. En 1434, la scission entre utraquistes modérés et taborites radicaux entraîne la bataille de Lipany, qui voit la défaite des derniers.

En 1436, la signature des *Compactata* de Bâle, compromis entre utraquistes et catholiques, permet à la paix de revenir sur un pays ravagé par la guerre, appauvri par la fuite de nombreux habitants allemands, mais dont la noblesse s'est enrichie aux dépens de l'Église. La Diète de Bohême élit roi **Georges de Podiebrad** en 1458. Ce « roi hussite » va s'efforcer de préserver l'harmonie entre les différentes tendances religieuses.

L'ARRIVÉE DES HABSBOURG

De 1471 à 1526, la Bohême est dirigée par la dynastie polonaise des **Jagellon**, qui laisse l'assemblée des **États**, regroupant nobles et villes royales, accroître son pouvoir et son influence. À la mort du dernier roi Jagellon, Louis II, tué en 1526 en combattant les Turcs à la bataille de Mohács, en Hongrie, les États insistent pour élire le souverain du pays. Parmi de nombreux candidats, ils choisissent **Ferdinand Ier d'Autriche** (1526-1564), beau-frère de Louis II et représentant des Habsbourg, seule dynastie capable, à leurs yeux, de mettre fin à l'avancée turque en Europe centrale. Mais Ferdinand a plus à cœur de consolider et centraliser le pouvoir des Habsbourg, et de rendre à l'Église catholique son statut antérieur, que de respecter les droits et privilèges historiques d'une Bohême à majorité protestante. En 1547, il réprime une rébellion des États et, humiliation supplémentaire, il prive les villes royales, dont les quatre villes de Prague, de leurs prérogatives. Il déplace sa capitale à Vienne, nommant son fils **Ferdinand du Tyrol** gouverneur de Prague. Amoureux des arts, ce dernier fait bâtir à l'ouest de Prague le **pavillon de l'Étoile**, de style maniériste, et initie la noblesse de Bohême à l'élégance de la Renaissance.

En 1556, Ferdinand Ier devient empereur du Saint Empire. Il fait venir les jésuites à Prague, qui fondent en 1562 le **Clementinum** pour faire contrepoids à l'ancienne université Carolinum, de tendance utraquiste. Leur influence se répand dans le pays. En 1575, **Maximilien II** (1562-1576) approuve la « confession de Bohême » qui accorde protection aux protestants ; elle leur sera retirée par la suite.

Sous l'empereur **Rodolphe II** (1576-1611), collectionneur passionné, protecteur des arts et des sciences, on restaure et construit églises et palais aristocratiques au Hradschin et dans Malá-Strana . Des familles nobles de tout l'empire s'établissent à Prague, redevenue capitale impériale en 1583. L'influence des catholiques grandit. En 1609, allié aux catholiques modérés appuyés par **Mathias**, frère de Rodolphe, le parti protestant contraint l'empereur à signer la **lettre de Majesté**, qui garantit la liberté de culte. Souhaitant rétablir son autorité sur les États et repousser les prétentions au trône de son frère, Rodolphe II commet la maladresse de faire envahir Prague par son neveu, l'archiduc Léopold, un aventurier à la tête d'une armée de mercenaires venus de Passau, en Bavière. Mais « l'armée de Passau » est chassée de la ville et Rodolphe contraint d'abandonner la couronne de Bohême au profit de Mathias. Toujours empereur, mais seul et malade, Rodolphe s'éteint au Hradschin en janvier 1612.

🕯 *Clementinum ; Pavillon de l'Étoile ; Malá-Strana .*

LA GUERRE DE TRENTE ANS

Née de conflits complexes, religieux et dynastiques, cette guerre qui dura de 1618 à 1648 a débuté et s'est terminée à Prague. Les affrontements, qui se sont déroulés pour beaucoup en Bohême, ont laissé le pays dévasté, dépeuplé, et vidé de ses protestants.

La guerre débute le 23 mai 1618 avec la **seconde défenestration de Prague** et une rebellion des États. Outrés par le soutien de l'empereur à la « recatholicisation », les représentants des États font irruption dans le Château et précipitent les gouverneurs impériaux Slavata et Martinic par les fenêtres *(voir p. 210)*. Un gouvernement provisoire de trente directeurs est formé, ainsi qu'une armée, sous le commandement des comtes Thurn et Mansfeld. **Ferdinand II de Habsbourg**, devenu roi en 1618, est déposé par les États et remplacé par l'Électeur palatin **Frédéric V**. Celui-ci appellera le **« roi d'un hiver »** entre dans Prague en grande cérémonie, avec son épouse, **Élisabeth Stuart**.

Mais à la **Bataille de la Montagne-Blanche** *(voir p. 266)*, le 8 novembre 1620, l'armée des États est mise en déroute par les forces impériales. Le « roi d'un hiver » s'enfuit. Les 27 meneurs de la rébellion des États, dont plusieurs catholiques, sont exécutés sur la place de la Vieille-Ville le 21 juin 1621. Les biens de ceux qui ont participé à la révolte sont confisqués et vendus à bas prix aux familles nobles, de Bohême ou étrangères, fidèles à la cause impériale : allemandes, espagnoles, italiennes, flamandes et croates. La défaite de la Montagne-Blanche reste dans les esprits tchèques comme le

« La Défenestration de Prague, 1618 » (photogravure d'après une toile de Wenzel Von Brozik, 1889).

jour le plus sombre de leur histoire. Elle marque le début de la période appelée **Temno** (les « temps obscurs »). On donne à la Bohême une nouvelle Cnstitution, qui transfère à l'empereur et roi le pouvoir législatif détenu jusqu'alors par la Diète. La langue allemande obtient le même statut officiel que le tchèque et l'archevêque Harrach impose avec rudesse la **recatholicisation**. On laisse aux protestants le choix entre la conversion ou l'exil : 150 000 d'entre eux quittent le pays.

Après deux premières tentatives, en 1639 et 1645, les **Suédois** font en 1648 le siège de Prague dans une ultime tentative de faire triompher la cause protestante, même si les combats ne semblent plus avoir que de lointaines causes religieuses. Ils pillent les trésors de Malá-Strana et du Château. Mais ils ne peuvent franchir la rivière grâce à l'héroïque défense des étudiants et de la communauté juive, qui barricadent le débouché du pont côté Vieille Ville. Ils sont finalement repoussés ; la sanglante guerre de Trente Ans prend réellement fin en 1648.

En 1650, on élève une **colonne mariale** sur la place de la Vieille-Ville en souvenir de la victoire sur les forces protestantes. La ville a perdu nombre de ses habitants, et la moitié des maisons sont vides.

📖 *La salle de la seconde défenestration dans le château de Prague ; la Montagne-Blanche.*

LA BOHÊME, TERRE AUTRICHIENNE

La période qui suit la défaite de la Montagne-Blanche voit les Habsbourg pratiquer une politique de germanisation et d'étouffement du protestantisme. C'est aussi celle où la physionomie de Prague est éclairée par les splendeurs de l'art et de l'architecture baroques.

En 1653, l'université de Prague fusionne avec le Clementinum : les jésuites contrôlent l'enseignement à tous les niveaux *(voir p. 151)*. Le censeur jésuite Antonín Koniáš promulgue son *Index des livres interdits, dangereux et suspects* ; il se targuera d'avoir fait brûler, au cours de sa carrière, plus de 30 000 volumes. En 1683, on place également sur le pont Charles une statue du chanoine **Jan Nepomucký (Jean Népomucène)**, martyrisé en 1393. En 1729, il est canonisé en grande cérémonie, et on encourage son culte. Ce nouveau saint « Jan » doit contribuer à effacer des mémoires le souvenir de Jan Hus.

L'**impératrice Marie-Thérèse** (1740-1780), héritière des États de Habsbourg, doit affronter la Prusse, la Bavière, la Saxe, la France et l'Espagne lors de la **guerre de Succession d'Autriche** (1740-1748). Prague est occupée par les troupes bavaroises et françaises. Appuyé par la plupart des États de Bohême, le duc de Bavière est couronné roi. Mais, en 1742, la ville est reprise par l'armée autrichienne, sous le commandement

Les grandes dates de Prague

Fin du 9e s. – Le duc Bořivoj, de la dynastie des Premyslides, installe sa capitale sur la colline du Hradschin.

895 – Premier témoignage sur Prague par le marchand Ibrahim ibn Jakub.

973 – Fondation de l'évêché de Prague.

1085 – Vratislav, premier roi de Bohême, déplace son palais à Vyšehrad.

Après 1230 – Fondation de la Vieille Ville.

1257 – Fondation de Malá-Strana.

Vers 1320 – Fondation de Hradschin.

1338 – Jean de Luxembourg accorde à la Vieille Ville un hôtel de ville.

1344 – Prague siège d'un archevêché libéré de la tutelle de Mayence.

1346 – Prague « capitale » du Saint Empire romain germanique sous Charles IV.

1348 – Fondation de l'université de Prague et de la Nouvelle Ville.

1357 – Début de la construction du pont Charles.

1380 – Épidémie de peste ; pogroms.

1393 – Meurtre de Jean Népomucène.

1419 – Première défenestration de Prague.

1420 – Première croisade contre les hussites.

1526 – Accession des Habsbourg au trône de Bohême.

1618 – Seconde défenestration de Prague - début de la guerre de Trente Ans.

Assassinat de Jean Népomucène.

1620 – Bataille de la Montagne-Blanche.

1650 – Érection de la colonne mariale, place de la Vieille-Ville.

1744 et 1757 – Occupations prussiennes.

1784 – Réunion des quatre villes praguoises.

1848 – Premier congrès panslave à Prague.

28 octobre 1918 – Proclamation de la République de Tchécoslovaquie.

15 mars 1939 – La Wehrmacht entre dans Prague.

1942 – Vague de terreur suite à l'assassinat du Reichsprotektor Reinhard Heydrich.

Mai 1945 – Libération de Prague.

25 février 1948 – « Coup de Prague » ; les communistes prennent le pouvoir.

1968 – « Printemps de Prague » ; Alexander Dubček promeut un « socialisme à visage humain ».

Janvier 1969 – Jan Palach s'immole par le feu sur la place Venceslas.

1987 – Visite du président soviétique Gorbatchev.

17 novembre 1989 – Début de la révolution de velours.

1er janvier 1993 – Scission de la Tchécoslovaquie naissance de la République tchèque.

2004 – Entrée de la République tchèque dans l'Union Européenne.

---

du prince de Lobkowicz. En 1744, les Prussiens occupent Prague ; Frédéric II annexe la Silésie. L'impératrice tente de récupérer ce territoire pendant la **Guerre de Sept Ans** (1756-1763), en vain. Prague subit une seconde occupation prussienne en 1757, plus dure encore.

À la mort de l'impératrice, en 1780, l'empereur **Joseph II** (1780-1790), « despote éclairé », mène une politique de centralisation, refusant d'être couronné à Prague et instaurant l'allemand comme première langue de l'empire. Il ordonne la dissolution de nombreux monastères et bannit les jésuites. Il se fait défenseur de l'enseignement et supprime une bonne part des règles discriminatoires pesant sur les Juifs, qui doivent toutefois adopter des noms allemands.

⚲ *Jardins Wallenstein; St-Nicolas de Malá-Strana ; palais Czernin.*

L'ÉVEIL D'UNE NATION

Les réformes décidées par Marie-Thérèse et Joseph II, en encourageant le commerce et l'industrie, amènent l'apparition et le développement d'une classe moyenne tchèque. On codifie et on ranime la langue tchèque, on redécouvre l'histoire du pays : on donne vie au concept d'une nation tchèque, riche de droits ancestraux, promise à un brillant avenir.

Menés par **Napoléon**, les Français remportent en 1805 une grande victoire sur les Russes et les Autrichiens à **Austerlitz** (Slavkov), en Moravie. Contrairement à la guerre de Trente Ans qui l'avait dévastée, la Bohême est pratiquement épargnée par les guerres napoléoniennes.

En 1836, **Ferdinand V**, roi de Bohême, est le dernier Habsbourg à être couronné à Prague. Adolph Fischer note que la ville possède 67 églises et 99 tours, méritant ainsi pleinement son appellation de « ville aux cent tours » *(stověžatá Praha)*.

En 1848, Vienne et Budapest se révoltent contre la politique de Metternich. Un **congrès panslave** se tient à Prague. **František Palacký** *(voir p. 123)* y développe le concept « d'austro-slavisme », qui préconise l'autonomie de la Bohême dans le cadre de l'Empire habsbourgeois, autonomie qui mettrait la Bohême à l'abri du nationalisme germanique. Un soulèvement des radicaux, des étudiants et des ouvriers est rapidement réprimé par le général Windischgrätz. L'**empereur François-Joseph** monte sur le trône à Vienne, mais ne sera pas couronné à Prague malgré ses promesses. Les grands espoirs des réformateurs et révolutionnaires de 1848 sont déçus, tandis qu'à Vienne s'instaure un régime réactionnaire. L'émancipation des paysans est la seule avancée concrète.

En 1866, les armées prussiennes entrent en Bohême et écrasent les troupes autrichiennes à **Sadowa**, près de **Hradec Králové (Königgrätz)**. Par le traité de Prague, l'Empire autrichien est écarté des affaires allemandes, soumises désormais à la Prusse.

En 1868 débute la construction du **Théâtre national**. Contrairement au Musée national, dont l'objet est de présenter la richesse d'une Bohême à la fois tchèque et allemande, c'est la première des grandes institutions dominées par l'esprit tchèque, destinée à consolider les acquis du **Réveil national**.

L'historien et homme politique František Palacký, considéré comme le « père de la Nation » (ici, vers 1870).

akg-images

La foule manifeste contre l'*Ausgleich*, compromis austro-hongrois de 1867 qui instaure la double monarchie et laisse à la Hongrie l'entier contrôle de ses affaires intérieures, douloureux contraste avec la situation des Tchèques et autres Slaves de l'empire. En 1871, à la suite de protestations de l'Allemagne et de la Hongrie, la proposition des « **articles fondamentaux** », ayant pour objet d'accorder aux Tchèques une certaine autonomie et une représentation paritaire avec leurs concitoyens allemands, est retirée.

La grande **Exposition du jubilé** s'ouvre à Prague en 1891 pour commémorer le premier événement de ce genre, un siècle plus tôt. En dépit d'un boycott par les exposants allemands, elle attire près de 2 500 000 visiteurs.

⚲ *Théâtre national ; Musée national ; Rudolfinium ; maison à la Vierge noire ; Parc des Expositions.*

LA NAISSANCE DE LA TCHÉCOSLOVAQUIE

L'espoir des Tchèques d'une fédération dans laquelle leurs aspirations nationales pourraient se réaliser devient pendant la Première Guerre mondiale revendication d'indépendance pure et simple, en union avec leur cousins slovaques. Au début des affrontements, les premiers succès russes déclenchent une vague d'enthousiasme panslave, écrasée rapidement par les autorités autrichiennes. En 1915, le 15e régiment d'infanterie de Prague passe cependant massivement dans le camp russe. Pendant la guerre, des dizaines de milliers de **légionnaires** tchèques et slovaques combattent aux côtés des Alliés, en France et en Italie comme en Russie. **Tomáš Garrigue Masaryk** *(voir p. 124)* et **Edvard Beneš** soutiennent auprès des Alliés l'idée d'une Tchécoslovaquie indépendante. En 1916, la mort de l'empereur **François-Joseph** (1848-1916) affecte réellement ses sujets tchèques, mais la montée d'un nationalisme allemand radical retourne la population contre le régime.

Le 28 octobre 1918, la **République fédérale de Tchécoslovaquie** formée de deux Républiques égales, dont **Tomáš Garrigue Masaryk** sera le premier président, est proclamée à la Maison municipale de Prague. Sur la place de la Vieille-Ville, la foule abat la colonne mariale, symbole de la domination des Habsbourg.

Prague est la capitale du nouvel État, version réduite de l'empire pluriethnique des Habsbourg, avec ses grandes minorités : les Allemands de Bohême, qui s'appellent désormais Sudètes allemands, sont plus nombreux que les Slovaques (3,1 millions contre 1,9). C'est une démocratie parlementaire. La sagesse et la droiture de Masaryk ne font aucun doute. Pourtant, le nationalisme tchèque demeure l'idéologie dominante. On idéalise l'époque hussite ; on corrige les « injustices de 1620 » en confisquant les grands domaines constitués à cette époque. La politique étrangère s'appuie sur la garantie des nouvelles frontières par la France, et sur la Petite Entente, une alliance formée avec la Roumanie et la Yougoslavie, autres États constitués sur les ruines de l'empire des Habsbourg.

Dans les années 1930, la **Grande Dépression** frappe brutalement les **Sudètes**, aggravant les tensions entre Tchèques et Allemands. Masaryk se retire en 1935 après quatre mandats présidentiels. **Edvard Beneš**, ministre des Affaires étrangères et son collaborateur de longue date, le remplace. Bien qu'il ne revendique officiellement qu'une autonomie partielle, le *Sudetendeutsche Partei*, **Parti allemand des Sudètes**, de Konrad Henlein, devient le cheval de Troie d'une Allemagne résolue à détruire la Tchécoslovaquie.

Le 29 septembre 1938, les **accords de Munich,** signés par la Grande-Bretagne, la France, l'Allemagne et l'Italie,

Retour triomphal de Masaryk à Prague, escorté par les légions tchécoslovaques (21 décembre 1918).

LA TCHÉCOSLOVAQUIE DE 1918 À NOS JOURS

La République Tchécoslovaque de 1918 à 1938

Occupation hongroise de 1938 à 1945

Protectorat de Bohême-Moravie de 1939 à 1945

La République Tchécoslovaque de 1945 à 1993

Limite actuelle de la République Tchèque

- - - - Autres frontières actuelles

contraignent la Tchécoslovaquie à céder les Sudètes à l'Allemagne et en font un pays économiquement diminué et sans défense. Renonçant à pousser ses compatriotes à la révolte, Beneš démissionne et part une seconde fois en exil, avec des dizaines de milliers de Tchécoslovaques.

👣 *Maison municipale ; magasin Bat'a (Nouvelle Ville).*

LE « PROTECTORAT DE BOHÊME-MORAVIE »

Hitler provoque la scission de la Slovaquie et, le 15 mars 1939, la Wehrmacht entre dans Prague. On instaure un « protectorat de Bohême-Moravie », sur le modèle du gouvernement colonial français de Tunisie, avec à sa tête le Reichsprotektor **Konstantin von Neurath**. On garantit aux Tchèques la liberté d'expression nationale, mais, en réalité, les nazis ont pour projet de germaniser le pays au moyen de l'immigration et de l'expulsion des « éléments indésirables sur le plan racial ». On mène, en attendant, une politique de la carotte et du bâton. On persécute les intellectuels, et des rations supplémentaires sont distribuées aux ouvriers envoyés dans les usines d'armement. Le 17 novembre 1939, après le décès d'un étudiant au cours d'une manifestation, la police allemande fait irruption dans les foyers

étudiants et déporte 1 200 jeunes gens vers les camps de concentration. Tous les établissements d'enseignement supérieur tchèques sont fermés.

En 1942, une vague de terreur suit l'assassinat du Reichsprotektor en exercice, **Reinhard Heydrich**, par des parachutistes envoyés de Grande-Bretagne. Le village de **Lidice** est anéanti. Réfugiés dans la crypte de la cathédrale orthodoxe de Prague, les parachutistes succombent après une résistance farouche.

En mai 1945, alors qu'approche l'Armée rouge, les citoyens de Prague se soulèvent contre l'occupant, avec l'appui inopiné de l'armée Vlassov *(voir p. 274)*, composée d'anciens prisonniers russes enrôlés dans l'armée allemande. Les troupes américaines, qui ont déjà pénétré en Bohême occidentale, ne sont pas autorisées à intervenir. Les Tchèques laissent les Allemands quitter la ville en échange de la promesse de la laisser intacte. À l'arrivée des forces soviétiques, Prague est libérée.

Environ 360 000 Tchèques et Slovaques ont été tués pendant la guerre. 78 000 des 118 000 Juifs qui vivaient en terre tchèque sont morts, souvent passés par la ville fortifiée de **Terezín** (Theresienstadt, *voir p. 297*), qui a été transformée à partir de 1941 en ghetto pour les juifs avant leur transfert vers les camps de la mort.

👣 *Lidice ; Terezín.*

ANNÉES COMMUNISTES, ANNÉES SOMBRES

Après la guerre, le gouvernement expulse près de 3,5 millions de germanophones, y compris ceux ayant lutté contre les nazis. Leurs biens sont confisqués et, lors de leur exil, ils sont persécutés, violés ou envoyés dans des camps de concentration. Plusieurs milliers d'entre eux meurent. Le gouvernement expulse aussi de nombreux Hongrois, qui sont échangés avec des Slovaques vivant en Hongrie. La Tchécoslovaquie est en outre amputée de sa province orientale subcarpatique de Ruthénie, annexée par l'Union soviétique. La composition du pays est complètement bouleversée.

À nouveau président, Beneš s'appuie sur l'URSS et le **Parti communiste tchécoslovaque** (KSČ), groupe parlementaire dominant, d'où est issu le premier ministre **Klement Gottwald**. Le 25 février 1948, le « **coup de Prague** » est une prise de pouvoir des communistes avec l'aval des soviétiques. Des manifestations de masse, place Venceslas et place de la Vieille-Ville, et la crainte d'un massacre ébranlent Beneš, vieillard fragile, qui laisse se former un gouvernement communiste. Le 10 mars 1948, le populaire ministre des Affaires étrangères **Jan Masaryk**, fils de l'ancien président et seul membre indépendant du gouvernement, est défenestré. Un flux d'émigration comparable à celui de 1938 commence.

Sur le modèle des procès staliniens, un « procès de Prague » est organisé. En 1952, le secrétaire du Parti, **Rudolf Slánský**, lui-même responsable de nombreuses purges politiques, est ainsi arrêté avec 13 autres dignitaires communistes accusés de mener la « conspiration sioniste internationale ». Après un **procès truqué**, 11 des accusés sont condamnés à mort. Des milliers de personnes subissent des persécutions.

LE PRINTEMPS DE PRAGUE

Dans les années 1960, on assiste à une amorce de destalinisation. Les victimes des procès truqués des années 1950 sont réhabilitées. Le Slovaque **Alexander Dubček** devient premier secrétaire du KSČ et promeut un « **socialisme à visage humain** ».

En avril 1968, ses réformes mettent en joie les Tchèques et donnent lieu à de multiples manifestations connues sous le nom de « printemps de Prague ». Mais, le 21 août, 500 000 soldats du pacte de Varsovie envahissent la Tchécoslovaquie. Dubček et d'autres membres du gouvernement sont arrêtés et emmenés, enchaînés, à Moscou, où on les contraint à mettre fin aux réformes. Le 16 janvier 1969, en protestation contre l'invasion soviétique et ses conséquences, l'étudiant **Jan Palach** s'immole par le feu. Un demi-million de personnes assiste à ses funérailles. **Gustáv Husák** remplace Dubček et préside à une « **normalisation** » excluant du Parti communiste

Manifestation sur la place Venceslas lors du « printemps de Prague ».

ceux qui ont été liés aux réformes de 1968. Les citoyens, en échange de leur non-engagement politique, sont assurés d'une vie tranquille et d'un minimum de biens de consommation.

Des intellectuels – dont **Václav Havel** – se regroupent de la **Charte 77**, qui demande au gouvernement de respecter ses propres lois et des libertés minimum. Ils sont les seuls, ou presque, à oser faire entendre leurs voix dans le silence et l'immobilisme qui règnent dans la Tchécoslovaquie des années 1970.

DE LA RÉVOLUTION DE VELOURS À LA FIN DE LA TCHÉCOSLOVAQUIE

En 1987, le président soviétique **Gorbatchev** se rend en Tchécoslovaquie. Sa politique de « perestroïka » et de « glasnost », qui affole les *apparatchiks* tchécoslovaques, va entraîner un vaste mouvement.

En novembre 1989, alors que le mur de Berlin vient de tomber, une manifestation de masse célèbre à Prague, le 17 novembre, l'anniversaire de la révolte étudiante antinazie de 1939. La répression de la police, brutale, a pour conséquence d'entraîner des manifestations encore plus importantes. La **révolution de velours** (Sametová revoluce) commence. Les manifestations s'étendent bientôt à tout le pays, culminant avec une réunion de plus de 750 000 personnes sur le plateau de Letná à Prague. Un « **Forum civique** » anticommuniste est créé. Dirigé par l'écrivain **Václav Havel**, il réunit les principaux dissidents qui vont négocier le démission du gouvernement le 3 décembre. Le 29 décembre, Havel est élu président de la Tchécoslovaquie par l'assemblée. Fait remarquable qui lui a valu son nom de « révolution de velours », ce changement de régime s'est opéré sans faire de victimes.

Les 75 000 soldats soviétiques stationnés depuis 1968 dans le pays sont bientôt évacués, et on lance, au début des années 1990, un processus de **restitution** à leurs anciens propriétaires des biens nationalisés et confisqués. Un autre processus, dit de « **lustration** », destiné à faire la lumière sur certains événements du passé, dérive parfois en accusations sauvages de coopération avec la police secrète. Un troisième, de **privatisation** cette fois, conduit à l'exportation d'une bonne partie des richesses du pays par des opérateurs peu scrupuleux, pour beaucoup anciens communistes jouissant de relations et d'accès à l'information industrielle et financière.

Alexander Dubček et Václav Havel en 1989.

En 1992, ne parvenant pas à résoudre leurs différends dans le cadre d'un État unique, le Premier ministre tchèque Klaus et le Premier ministre slovaque Mečiar s'accordent sur la division du pays. De nombreux Tchécoslovaques, dont **Václav Havel**, réclament l'organisation d'un référendum, mais, même sur ce sujet, le Parlement ne parvient pas à s'accorder. Le 1er janvier 1993, on proclame la double naissance de la **République tchèque** et de la République slovaque. La Tchécoslovaquie n'existe plus.

LA NOUVELLE RÉPUBLIQUE TCHÈQUE

Václav Havel est le premier président élu du nouvel État, qui, dès lors, se tourne résolument vers l'**économie de marché**. Grâce à une industrie solide, à de nombreux partenariats établis avec des entreprises occidentales et à l'explosion du tourisme, l'économie tchèque connaît de bons débuts. Václav Havel, très populaire, est réélu en 1998, avant de passer la main, en 2003, à Václav Klaus, son ancien premier ministre. En 2004, la République tchèque, bonne élève parmi les anciens pays de l'Est, intègre l'**Union européenne** et envisage de passer à l'Euro à l'horizon 2012.

Prague, capitale de la République tchèque

Avec près de 1 200 000 habitants, Prague est, de loin, la plus grande ville de la République tchèque. Appelée traditionnellement *Matka měst* (mère des villes) en tchèque, ou *Praga caput regni* (Prague, tête du royaume) en latin, la ville perd sa prépondérance au début du 17ᵉ s., quand les Habsbourg installent la cour à Vienne. Mais elle la recrouve en 1918 avec la proclamation de la nouvelle République de Tchécoslovaquie. En 1939, l'occupation nazie la déclasse au rang humiliant de « quatrième ville du IIIᵉ Reich » et la condamne à la germanisation. Elle renaît en 1945, et, quand les Républiques tchèque et slovaque se séparent en 1993, Prague conserve naturellement son rôle de capitale.

Mais l'ouverture économique du pays n'est pas sans conséquences : les prix ont augmenté et le chômage a fait son apparition. Le gouvernement connaît en outre depuis 2004 une instabilité chronique. Les politiques tchèques, compromis dans plusieurs scandales financiers, connaissent une crise de confiance auprès du peuple tchèque qui tend à se désintéresser de la politique. Les élections de 2006 ont ainsi tourné à la farce : avec un fort taux d'abstention et en l'absence d'une majorité claire, il a fallu plusieurs mois au gouvernement pour se former parce que personne ne voulait faire alliance avec les communistes. Car le désamour des Tchèques pour leurs politiques a, entre autres, permis aux communistes de revenir sur le devant de la scène. Fait remarquable, le Parti communiste de la République tchèque (KSCM) est le dernier Parti communiste non réformé de l'ancien bloc soviétique. Seul changement : il a troqué, sur son drapeau, les anciennes faucille et marteau par deux cerises…

Les peuples tchèques

LES BOHÉMIENS

Le nom de **Boïens**, donné par les Romains à la population celte de ce qui constitue aujourd'hui la République tchèque, a servi pendant des siècles (sous la forme **Bohémien** en français, Böhm en allemand) à désigner les habitants du pays, quelle que soit leur origine. La République tchèque est aujourd'hui homogène au plan ethnique. Les Slaves, qui forment la grande majorité de la population, se présentent comme tchèques. Les Tziganes constituent aujourd'hui la minorité la plus importante, alors qu'autrefois Juifs et Allemands formaient une part significative de la population.

LES TZIGANES

Venus du Nord de l'Inde, les Tziganes sont arrivés dans la région au cours du 13ᵉ s. Ils mènent depuis une existence souvent précaire, en marge de la société. Beaucoup se nomment eux-mêmes *rom* (au pluriel *roma*), qui veut simplement dire « être humain ». Leur existence a souvent été menacée. Sous l'occupation allemande, les Tziganes tchèques ont subi le même sort que les Juifs. Quelques centaines d'entre eux seulement ont survécu. Ils étaient dirigés sur deux camps de concentration, dont l'un, à **Lety**, dans le Sud de la Bohême, est aujourd'hui occupé par un élevage porcin, ce qui n'est pas sans susciter les réactions que l'on comprend.

Après la Seconde Guerre mondiale et l'expulsion des citoyens allemands du pays, le gouvernement tchécoslovaque s'est efforcé de repeupler les zones frontalières désertées. Il y a fait déplacer de nombreux Tziganes de **Slovaquie**. Malgré un environnement peu familier et l'éclatement des familles élargies traditionnelles, ces nouveaux Tchèques ont joué un rôle essentiel dans le repeuplement des zones frontalières, et leur action a été essentielle pour relancer l'économie. Les communistes préconisaient officiellement l'assimilation, mais cette politique, souvent appliquée sans grande conviction, a rencontré un succès limité. Avec la chute du communisme, beaucoup des travaux rudes et non qualifiés qui faisaient vivre les Tziganes ont disparu. Après l'éclatement de la Tchécoslovaquie, leur sort s'est compliqué. Sous le regard critique de la communauté internationale, le gouvernement de la nouvelle République tchèque a rendu plus difficile pour eux l'obtention de la citoyenneté tchèque, s'attachant excessivement à leur origine étrangère (en particulier slovaque), à leurs casiers judiciaires et à leur moindre maîtrise de la langue tchèque. Une discrimination subsiste largement au sein de la population : on ne compte plus les agressions par les skinheads et les cas de ségrégation sociale. Dans la ville industrielle d'Ústí nad Labem, la proposition de séparer habitations tziganes et logements « blancs » par un grand mur a donné lieu à de furieuses controverses. On ne s'étonnera donc pas que les Tziganes soient tentés de chercher refuge ailleurs. En 1997, séduits par des émissions télévisées donnant une image idéalisée de la vie en Grande-Bretagne et au Canada, beaucoup d'entre eux ont cherché à émigrer dans ces pays.

On remarque tout de même des tendances positives. Le président de la République maintient fermement son attitude contre tout préjugé ; un député tzigane siège au Parlement ; un commentateur tzigane donne les nouvelles à la télévision ; aux élections de 1998, le Parti républicain extrémiste, qui s'appuyait fortement sur les sentiments antitziganes, a perdu tous ses sièges.

On trouve des Tziganes presque partout en République tchèque. À Prague, ils se concentrent dans les banlieues industrielles de Smíchov et Žižkov.

LES ALLEMANDS

Avec l'**expulsion** de presque toute la population allemande de Bohême et de Moravie, les lendemains de la Seconde Guerre mondiale ont mis fin aux relations, riches mais souvent tendues, entre habitants d'origine germanique et Slaves de Bohême.

Souverains, hommes d'Église, bourgeois ou mineurs

Au Moyen Âge, toutes les influences culturelles venant d'Occident sont, quel que soit leur pays d'origine, relayées vers les Tchèques par leurs voisins de langue allemande. Les souverains bohémiens épousent naturellement des princesses allemandes, et ce sont des moines allemands qui animent les premiers monastères. Quand Prague devient en 973 évêché, c'est sous la tutelle de l'archevêché de Mayence. Les usages de la cour ont une coloration allemande ; et il est de bon ton de donner à son nom, ou à celui de sa résidence, une consonance germanique.

*Allemands de Bohême,
par Albert Kretschner, 1870.*

Au cours du haut Moyen Âge, époque de grande expansion dans toute l'Europe, ont lieu des bouleversements plus importants. La population rurale croissante émigre des zones déjà peuplées, fonde de nouveaux villages, défriche la forêt, draine les marais, et repousse les limites des terres cultivables. Dans le centre de la Bohême, la récupération et la colonisation des terres aux 12e et 13e s. sont l'œuvre de paysans tchèques. Mais dans les **zones frontalières**, couvertes d'épaisses forêts, peu peuplées, la population nouvelle vient surtout des terres germaniques voisines : Autriche, Bavière et Saxe. À la même époque, les rois premyslides s'efforcent de renforcer l'État tchèque en fondant des **villes** qu'ils peuplent de bourgeois et d'artisans allemands, avec un gouvernement municipal inspiré du modèle germanique. Quand débute l'extraction intensive du minerai dans des sites comme **Kutná Hora**, la main-d'œuvre qualifiée vient, pour une bonne part, d'Allemagne.

Allemands et Tchèques à Prague

À **Prague**, une communauté allemande vivait dans le quartier de **Poříčí** dès le milieu du 11e s. Derrière la place de la Vieille-Ville, la **cour de Týn**, ou **Ungelt**, était une enclave réservée aux marchands étrangers, en majorité allemands, qui pratiquaient leur culte à l'église de Týn. Une bonne partie de la Vieille Ville avait une allure allemande, avec ses belles rues bordées de maisons patriciennes, partant en étoile de la place. Les Tchèques habitaient plus à l'ouest, autour de l'actuelle place de Bethléem. Des tensions existaient entre les deux communautés, mais très éloignées des excès qui naîtront plus tard, à une époque plus nationaliste. En 1409, Venceslas IV accorde des privilèges particuliers aux étudiants et aux professeurs de la « nation de Bohême » de l'université. Bien que le terme de « bohémien » s'appliquât à toute personne née en terre de Bohême, certains de leurs collègues de langue allemande se sentirent outragés et partirent pour d'autres établissements d'enseignement par-delà la frontière.

Émigration des enseignants et des étudiants allemands de Prague, au 15e s. (Eau-forte de C. G. Geyser d'ap. Bernhard Rode, 1779).

Coll. Archiv F. Kunst & Geschichte / AKG-IMAGES

Après les guerres hussites au début du 15e s., l'influence allemande décline. Le nombre de bourgeois tchèques augmente, à Prague et dans beaucoup d'autres villes. Les Tchèques reprennent les rênes du pouvoir municipal. Pendant un temps, il semble que l'harmonie puisse durer en Bohême, car l'origine des habitants semble avoir moins d'importance que leur religion. Les gentilshommes, qui, en 1618, font irruption dans le château et défenestrent les gouverneurs impériaux catholiques *(voir p. 210)* semblent moins attachés à leur langue qu'au protestantisme (et à la défense de leurs privilèges aristocratiques contre l'ingérence impériale). Après la défaite des États protestants rebelles en 1620 à la bataille de la Montagne-Blanche *(voir p. 266)*, plusieurs des condamnés exécutés sur la place de la Vieille-Ville sont de langue allemande.

La germanisation...

La bataille de la Montagne-Blanche et la période qui suit marquent toutefois un tournant dans le statut respectif des Tchèques et des Allemands en Bohême. Avec le départ forcé des protestants, le pays perd beaucoup de ses dirigeants traditionnels. Une grande partie des biens confisqués aux protestants est distribuée à une nouvelle aristocratie, composée de ceux qui ont soutenu le pouvoir impérial et l'Église catholique. Cette nouvelle classe dominante vient de toute l'Europe (avec des noms comme Schwarzenberg ou Longueval de Bucquoy). Dépendante d'une cour qui s'est retirée à Vienne, elle se germanise rapidement. Pendant plus de deux siècles, les échanges courtois et cultivés se font en allemand, le tchèque étant laissé aux classes inférieures. Même les intellectuels tchèques qui lancent le mouvement du Réveil national dans la première moitié du 19e s. ont été éduqués en allemand : ils trouvent, du moins au début, plus commode de s'exprimer dans cette langue.

... et son déclin à Prague

Au cours du 19e s., les Tchèques et les Allemands de Bohême et de Prague se constituent de plus en plus en camps rivaux. Les Allemands regrettent amèrement la perte de leur suprématie, surtout à Prague, qui se remplit de Tchèques venus des campagnes, et une classe moyenne tchèque, de plus en plus sûre d'elle, commence à prendre les rênes du gouvernement local. En 1868, l'empereur François-Joseph déclarait avec satisfaction : « Prague a une apparence pleinement allemande. » Mais, en 1882, les derniers conseillers municipaux allemands démissionnent en bloc quand le conseil décide que, dorénavant, les noms de rues seront écrits uniquement en tchèque. La même année, l'université fondée par Charles IV en 1348 se divise en deux institutions, l'une tchèque et l'autre allemande.

Tchèque ou allemand ?

Dans les années 1920, le dirigeant du Parti social-démocrate tchèque s'appelait Němec (allemand, en tchèque), et les sociaux-démocrates allemands suivaient un certain Dr Czech… Des siècles d'unions interethniques font qu'un habitant sur cinq porte aujourd'hui un nom allemand, et qu'une proportion analogue d'Allemands de Bohême a un nom tchèque, démentant les divisions ethniques rigides qui ont empoisonné, à l'époque moderne, les relations entre les deux communautés.

Au tournant du 19e s., la communauté allemande de Prague, composée pour l'essentiel de négociants, fonctionnaires, étudiants et autres membres des classes moyennes, ne constitue plus qu'une petite fraction de la population.
Quand l'État indépendant de Tchécoslovaquie est fondé en 1918, les Allemands de Prague se sentent indésirables. Dans ce qu'on appelle désormais les **Sudètes**, leurs compatriotes échouent dans une tentative de sécession ; avec leur nationalisme croissant, ils n'acceptent la situation que contraints et forcés. Les efforts pour rapprocher les deux communautés échouent à la fin des années 1920 lors de la Grande Dépression, qui frappe de plein fouet les Allemands des zones frontalières. Cette population affaiblie ne demande qu'à écouter les sirènes d'une Allemagne transformée par Hitler en IIIe Reich. La Prague allemande vit un dernier état de grâce (mais de courte durée) avec l'accueil de réfugiés fuyant le nazisme, comme Thomas Mann. Quand, en 1938, les accords de Munich accordent les Sudètes à Hitler, la joie de la majorité allemande de Bohême occulte le sort plus sombre des autres, socialistes, communistes et Juifs, contraints de fuir.

L'Occupation et l'expulsion

Les Tchèques subiront l'occupation allemande, particulièrement brutale, entre 1938 et 1945, soit plus longtemps qu'aucun autre pays, excepté l'Autriche. Ils ne sont donc pas enclins à pardonner aux Allemands de Bohême leur adhésion enthousiaste au nazisme, ni à oublier la menace que ce mouvement représente pour la survie même de la nation tchèque. Le gouvernement en exil, avec l'appui des Alliés, programme l'expulsion de la population allemande. De la fin de la guerre à 1947, près de 2,7 millions d'habitants sont transférés en Allemagne, au départ de manière brutale et désordonnée, ensuite de façon mieux organisée. La minorité qui peut apporter la preuve de sa résistance au nazisme est autorisée à rester, mais sans aucun droit en tant que communauté. Le pays ne dispose pas de ressources humaines suffisantes pour repeupler les Sudètes désertés : des villes comme Karlovy Vary (Carlsbad) s'animent de nouveau, mais des centaines de villages disparaissent purement et simplement, dégradés, détruits ou repris par la forêt. C'est le gouvernement démocratique de Beneš qui a mené les opérations d'expulsion après la guerre, pas les communistes : les Tchèques considèrent que les expulsés n'ont pas à attendre de dédommagement. Et cette question demeure toujours d'actualité.

Grands personnages

LIBUŠE

Petite-fille de Čzech, ancêtre mythique des Tchèques, Libuše aurait été choisie au 8e s. par son père pour lui succéder à la tête de l'assemblée des chefs. Mécontents d'être dirigés par une femme, ceux-ci la poussent à se choisir un mari : ce sera Premysl le laboureur, dont le mariage avec la princesse donnera naissance à la dynastie des Premyslides. Libuše aurait prophétisé la naissance de Prague, du haut de son château situé sur la colline de Vyšehrad. La légende de Libuše prendra une importance toute particulière au 19e s. lors du Réveil national.

« La prophétesse Libuše », huile sur toile de Masek Vitezlav Karel, 1905 (détail).

SAINT VENCESLAS (V. 907-929)

Venceslas Ier (Václav en tchèque) est l'un des premiers souverains chrétiens de Bohême (dynastie des Premyslides) et l'un des saints patrons de la Bohême. Sous l'influence de sa grand-mère Ludmila, il est élevé dans la foi chrétienne. Mais sa mère, la « païenne » Drahomira, est en désaccord avec cette éducation et fait vraisemblablement étrangler Ludmila en 921. En 924, Venceslas accède au pouvoir et choisit de signer un pacte de non-agression avec Henri Ier l'Oiseleur qui menaçait d'envahir la Bohême. Roi pieux, il contribue à étendre l'influence du christiannisme en Bohême. Ses croyances et sa diplomatie sont critiquées par les nobles, y compris par son frère Boleslav, qui finit par l'assassiner en 929. Canonisé à la fin du 10e s., il est fêté le 28 septembre.

SAINTE AGNÈS DE BOHÊME (1211-1282)

Fille du roi Ottokar Ier, Agnès renonce à la vie séculaire pour se consacrer à Dieu. Profondément influencée par François d'Assise et sainte Claire, elle crée un couvent de clarisses en 1234, dont le bâtiment est l'un des premiers édifices gothiques de Prague. Celui-ci occupe une place importante dans l'histoire de la ville sous les Premyslides. La légende d'Agnès la Bienheureuse, écrite au 14e s., inspire de nombreuses chroniques médiévales. Sa canonisation, le 12 novembre 1989, quelques jours avant la « révolution de velours », a entraîné d'importantes manifestations en faveur de la liberté religieuse.

CHARLES IV (1316-1378)

Charles IV de Luxembourg, roi de Bohême, est élu empereur du Saint Empire en 1355. Roi francophile et mécène, il participe à un véritable âge d'or de la Bohême. Il fait venir des artistes de toute l'Europe, lance la construction du pont Charles et de la cathédrale St-Guy, et fait réaliser les fresques de Karlstein par Maître Théodoric. En 1356, il promulgue la bulle d'or qui codifie les élections impériales jusqu'au 19e s. dans tout l'Empire germanique.

JAN HUS (1370-1415)

Jan Hus étudie à l'Université de Prague avant de devenir lui-même professeur puis recteur de l'université en 1401. Ordonné prêtre en 1400, il est influencé par les idées de l'Anglais John Wyclif et lance un mouvement de réforme de l'Église, invitant à reconsidérer ce qu'il nomme les erreurs de l'Église. Il est excommunié en 1411 mais refuse de renier sa pensée, et la querelle avec Rome s'exacerbe autour de la vente des indulgences. Chassé de Prague, il part prêcher dans les campagnes et il réussit à faire adhérer les foules à ses thèses, entraînant un véritable mouvement populaire. En 1414, il est convoqué au concile de Constance et meurt sur le bûcher en 1415. Sa mort sera suivie de quinze années de « guerres hussites ».

Il a aussi apporté sa contribution à la langue littéraire tchèque en publiant certaines de ses œuvres cette langue et non en latin.

ANTONÍN DVOŘÁK (1841-1904)

Fils d'un aubergiste de Nelahozeves, il se révèle précocement doué pour la musique et part étudier la musique à Prague. Devenu musicien d'orchestre, il effectue ensuite de grands tournées européennes. Il démissionne en 1871 pour se consacrer à la composition, domaine dans lequel il révèle son talent et connaît rapidement le succès. Sa musique s'inspire du folklore tchèque mais montre aussi, par certains aspects romantiques, l'influence d'un Liszt ou d'un Brahms. Il est l'auteur d'une œuvre très abondante : concertos, opéras, symphonies dont la célèbre 9e Symphonie « *Du Nouveau Monde* » (1893).

ALFONS MUCHA (1860-1939)

Né à Ivančice, en Moravie, il étudie à Prague et à Munich puis s'installe à Paris où il devient l'un des plus célèbres artistes du mouvement Art nouveau. Adepte d'une ligne élégante et sinueuse – style qu'il conserve tout au long de sa carrière – , il acquiert la réputation d'un affichiste de talent, réalisant notamment des affiches pour Sarah Bernhardt. En 1910, il s'installe à Prague et débute un cycle de toiles baptisée « Épopée slave ». Il participe également à la réalisation de fresques pour la décoration intérieure de la Maison municipale. Il meurt le 14 juillet 1939 d'une pneumonie, quelques jours après avoir été interrogé par la Gestapo.

Eux aussi sont d'origine tchèque...

Tomáš Baťa – En 1894, il crée à Zlín la célèbre marque de chaussures Bata.
Emil Zátopek (1922-2000) – Coureur de fond tchécoslovaque, il fut triple champion olympique en 1952.
Milan Kundera (né en 1929) – Écrivain tchèque vivant en France, auteur, entre autres, de l'*Insoutenable légèreté de l'être*.
Madeleine Albright (née en 1937) – Ancienne secrétaire d'État des États-Unis, elle est née à Prague d'un père diplomate, Josef Korbel, qui a fui le pays après le « coup de Prague » en 1948.

FRANZ KAFKA (1883-1924)

Né et élevé à Prague sous domination austro-hongroise, dans une famille bourgeoise de commerçants juifs germanisés, Kafka est à la croisée de plusieurs cultures qui vont participer à la complexité et à la richesse de son œuvre. Après des études de droit, il travaille sans passion dans l'assurance tout en consacrant son temps libre à l'écriture. Entrecoupés de références autobiographiques, ses romans évoquent des univers irréels et absurdes, dans lesquels l'homme semble se perdre, coupé de tout. D'une nature faible, tant physique que psychique, Kafka meurt de tuberculose dans un sanatorium. Son œuvre, peu connue de son vivant et condamnée par les nazis, ne sera réellement découverte qu'après-guerre.

MILOŠ FORMAN (NÉ EN 1932)

Né à Čáslav, non loin de Prague, il se retrouve très jeune orphelin : ses parents sont déportés à Auschwitz et y meurent. Élevé par le reste de sa famille, il entre à l'école de cinéma de Prague et réalise bientôt ses premiers longs métrages : *L'As de pique* (1963) et *Les Amours d'une blonde* (1965), films de la Nouvelle Vague tchécoslovaque. Après 1968, il s'exile aux États-Unis où il asseoit sa réputation de réalisateur avec *Taking off* (1971), *Vol au dessus d'un nid de coucou* (1975) ou, plus récemment *Amadeus* (1984), en partie tourné à Prague dans le quartier de Malá-Strana , ou *Larry Flynt* (1996).

VÁCLAV HAVEL (NÉ EN 1936)

Avant de devenir l'un des hommes politiques les plus célèbres de la République tchèque, il fut l'auteur de pièces de théâtre caustiques et désespérées. Considéré comme dissident suite à sa participation au « printemps de Prague » en 1968, il passe plusieurs années en prison. En 1977, il fait partie des signataires de la Charte 77, qui demande au gouvernement de respecter ses lois. Il devient plus tard l'un des principaux leaders de la « révolution de velours » de 1989. Il est élu Président de la nouvelle République tchécoslovaque et y demeure jusqu'en 1992 ; il sera par la suite président de la République tchèque, de 1993 à 2003.

ABC d'architecture

Les dessins présentés dans les planches qui suivent offrent un aperçu visuel de l'histoire de l'architecture pragoise et de ses particularités. Les définitions des termes d'art permettent de se familiariser avec un vocabulaire spécifique et de profiter au mieux des visites des monuments religieux et civils.

Architecture romane

Rotonde de la Sainte-Croix – Vieille Ville

Datant du début du 12ᵉ s., c'est la plus ancienne des trois rotondes romanes subsistant à Prague.

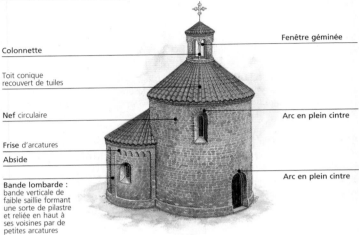

Fenêtre géminée

Colonnette

Toit conique recouvert de tuiles

Nef circulaire

Arc en plein cintre

Frise d'arcatures

Abside

Bande lombarde : bande verticale de faible saillie formant une sorte de pilastre et reliée en haut à ses voisines par de petites arcatures

Arc en plein cintre

Architecture gothique

Cathédrale Saint-Guy (à partir de 1344) – Hradschin

Le chœur, commencé en 1344 par Matthieu d'Arras et, après sa mort en 1352, magistralement achevé par Peter Parler, montre des influences française et anglaise.

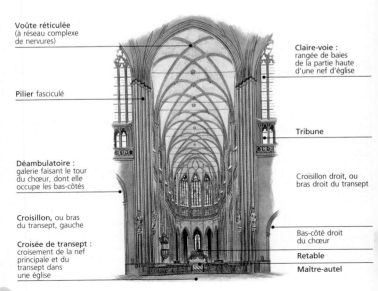

Voûte réticulée (à réseau complexe de nervures)

Claire-voie : rangée de baies de la partie haute d'une nef d'église

Pilier fasciculé

Tribune

Déambulatoire : galerie faisant le tour du chœur, dont elle occupe les bas-côtés

Croisillon droit, ou bras droit du transept

Croisillon, ou bras du transept, gauche

Bas-côté droit du chœur

Croisée de transept : croisement de la nef principale et du transept dans une église

Retable

Maître-autel

Architecture Renaissance

Palais Schwarzenberg (1545-1563) – Hradschin

Le plus beau des palais Renaissance de Prague montre d'audacieuses formes italianisantes, dont s'inspirera largement le style néo-Renaissance tchèque de la fin du 19ᵉ s.

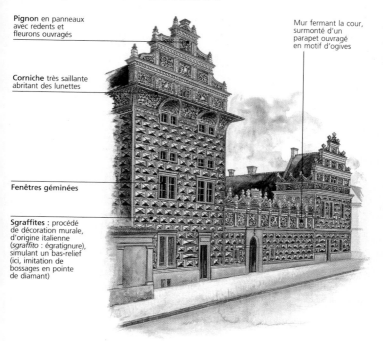

Pignon en panneaux avec redents et fleurons ouvragés

Corniche très saillante abritant des lunettes

Fenêtres géminées

Sgraffites : procédé de décoration murale, d'origine italienne (*sgraffito* : égratignure), simulant un bas-relief (ici, imitation de bossages en pointe de diamant)

Mur fermant la cour, surmonté d'un parapet ouvragé en motif d'ogives

Architecture baroque

Église Saint-Nicolas (à partir de 1702) – Malá Strana

L'articulation sobre du côté Sud de l'église contraste avec le mouvement donné à la façade Ouest par l'alternance des formes concaves et convexes.

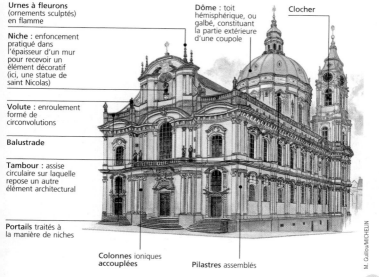

Urnes à fleurons (ornements sculptés) en flamme

Niche : enfoncement pratiqué dans l'épaisseur d'un mur pour recevoir un élément décoratif (ici, une statue de saint Nicolas)

Volute : enroulement formé de circonvolutions

Balustrade

Tambour : assise circulaire sur laquelle repose un autre élément architectural

Portails traités à la manière de niches

Dôme : toit hémisphérique, ou galbé, constituant la partie extérieure d'une coupole

Clocher

Colonnes ioniques accouplées

Pilastres assemblés

M. Guillou/MICHELIN

95

Église Saint-Nicolas : intérieur (à partir de 1703)

Fresque en trompe-l'œil

Imposte : élément d'architecture, généralement en saillie, supportant la retombée d'un arc

Pendentif : espace triangulaire concave assurant le raccord entre la surface de la coupole et les murs

Tribune

Abat-voix : dais de la chaire destiné à rabattre la voix du prédicateur vers les fidèles

Chapiteaux composites dorés

Maître-autel : autel fixe placé dans l'axe de l'abside

Pilastres disposés en biais par rapport à l'axe de la nef

Chapelle latérale

Portail du palais Clam-Gallas (1713-1719) – Vieille Ville

Bossages : saillies laissées sur des pierres taillées dans un but décoratif

Urne ornée d'un chérubin

Cartouche : ornement sculpté (ou peint), à l'origine en forme de feuille de papier enroulée aux deux extrémités, et normalement destiné à recevoir une inscription ; ici, le cartouche porte un blason

Atlantes, ou télamons : statues masculines soutenant un entablement, ou une corniche, etc. ; ces statues sont dites cariatides quand elles sont féminines

Bas-relief sculpté

Piédestal

Jardins baroques

Jardin Ledebour et petit jardin Palffy (fin 17ᵉ s., modifiés fin 18ᵉ s.)

Plusieurs jardins Renaissance, baroques et rococo de Prague furent aménagés sur des terrains en forte pente, déjà organisés en terrasses pour accueillir la vigne ou les vergers.

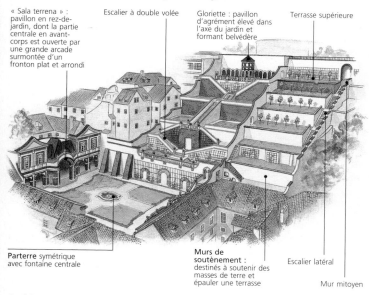

« Sala terrena » : pavillon en rez-de-jardin, dont la partie centrale en avant-corps est ouverte par une grande arcade surmontée d'un fronton plat et arrondi

Escalier à double volée

Gloriette : pavillon d'agrément élevé dans l'axe du jardin et formant belvédère

Terrasse supérieure

Parterre symétrique avec fontaine centrale

Murs de soutènement : destinés à soutenir des masses de terre et épauler une terrasse

Escalier latéral

Mur mitoyen

Architecture militaire médiévale

Château de Karlštejn (à partir de 1348)

Bien qu'un grand nombre de ses parties constitutives soient celles d'une forteresse, Karlštejn a été surtout conçu pour servir à la fois de sanctuaire pour de précieuses reliques et de retraite pour l'empereur Charles IV.

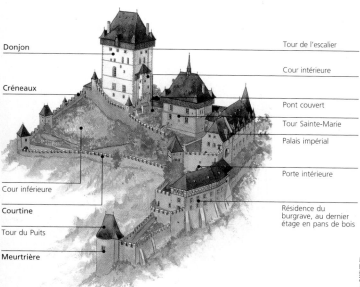

Donjon

Créneaux

Cour inférieure

Courtine

Tour du Puits

Meurtrière

Tour de l'escalier

Cour intérieure

Pont couvert

Tour Sainte-Marie

Palais impérial

Porte intérieure

Résidence du burgrave, au dernier étage en pans de bois

Style historique

Musée National (1891) – Nouvelle ville

Le musée est l'un des édifices monumentaux construits à la fin du 19ᵉ s. qui s'inspirent des styles Renaissance ou baroque pour montrer la puissance du Réveil national.

Pavillon d'angle à dôme octogonal

Tympan orné d'un bas-relief allégorique

Grand dôme vitré élevé sur une base carrée

Cours intérieures

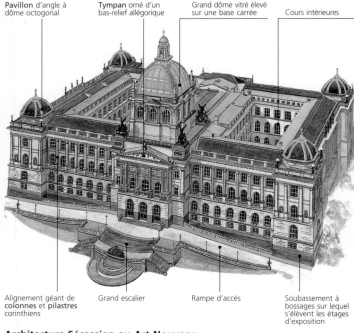

Alignement géant de **colonnes et pilastres** corinthiens

Grand escalier

Rampe d'accès

Soubassement à bossages sur lequel s'élèvent les étages d'exposition

Architecture Sécession ou Art Nouveau

Maison municipale (1919-1912) – Vieille Ville

Le plus ambitieux, le plus somptueusement décoré des édifices Sécession de Prague, la Maison municipale (Obecní dum) sera aussi le dernier. Les architectes délaisseront par la suite ce style très ornementé.

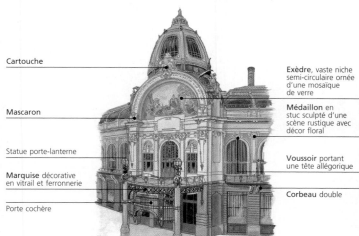

Cartouche

Mascaron

Statue porte-lanterne

Marquise décorative en vitrail et ferronnerie

Porte cochère

Exèdre, vaste niche semi-circulaire ornée d'une mosaïque de verre

Médaillon en stuc sculpté d'une scène rustique avec décor floral

Voussoir portant une tête allégorique

Corbeau double

Architecture du 20e s

Banque des Légions (Banque tchèque du Commerce) (1921-1923) – Ville Nouvelle

Création tardive du mouvement d'architecture cubiste tchèque, c'est un bel exemple de rondocubisme, style original et éphémère qui marie des formes arrondies typiquement slaves aux couleurs nationales pour créer un effet saisissant.

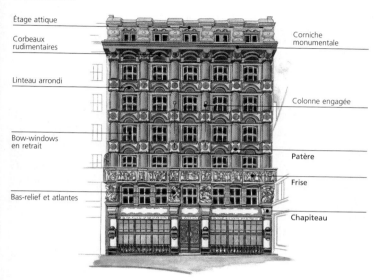

Étage attique

Corbeaux rudimentaires

Linteau arrondi

Bow-windows en retrait

Bas-relief et atlantes

Corniche monumentale

Colonne engagée

Patère

Frise

Chapiteau

Magasin Baťa (1927-1929) – Ville Nouvelle

Pour cet édifice fonctionnaliste, bâti pour un usage commercial à un emplacement clé de la ville, on abandonne toute recherche d'effets ornementaux. En revanche, on utilise de nouveaux matériaux, béton armé et panneaux de verre. La disposition en retrait du dernier étage et le doublement des barres sur ses fenêtres plus étroites donnent à l'édifice un aspect ordonné et fini.
Le mur-rideau joue un rôle de protection contre les intempéries, mais pas celui de support structurel pour le bâtiment.

Néon publicitaire

Verre blanc translucide laissant apparaître une publicité éclairée par derrière

Bandes continues de panneaux vitrés

ART ET ARCHITECTURE

Carrefour des cultures européennes, Prague possède un patrimoine artistique exceptionnel. Dans cette ville-musée où le temps semble parfois s'être arrêté, les vestiges des périodes médiévale et Renaissance abondent. Partout surgissent aussi des palais et des églises baroques, aux façades couvertes de sculptures et aux intérieurs richement peints et décorés. Mais Prague et la Bohême ont aussi été les porte-drapeaux de mouvements artistiques novateurs. Le style Sécession et le style cubiste, notamment, y ont fait des émules. Leurs créations modernes ponctuent les alentours de la Vieille Ville, créant la surprise aux détours des anciennes rues.

R. Holzbachova/Ph. Bénet / MICHELIN

D'élégants sgraffites.

Le site

Proche du centre géographique de la Bohême, le site de Prague assemble différents paysages typiques du pays. Au sud, une vallée encaissée, d'où la Vltava, mieux connue sous son nom allemand de Moldau, surgit au rocher de Vyšehrad, coulant vers le nord. Le cours de la rivière est ensuite infléchi par un éperon rocheux qui s'avance du plateau calcaire à l'ouest. Sur la rive gauche s'étendent des terrains plats et bien drainés, assez vastes pour permettre le développement de villages, sous la protection de la forteresse, qu'on allait immanquablement bâtir sur cet éperon rocheux, défendu, côté sud, par une falaise vertigineuse et, côté nord, par un grand ravin. Sur la rive droite, une plaine plus étendue, sujette aux inondations, mais offrant assez d'espace pour une ville importante, qui pourra s'étirer sur les pentes douces s'élevant à l'est et au sud. La rivière fait le lien entre tous ces éléments. Malgré son humeur vagabonde, on la passe à gué, plus tard on l'enjambe d'un pont. La Vltava permet aussi à la future capitale d'accéder aux ressources du Sud du pays et au-delà (le bois, le sel), ainsi qu'aux produits de la plaine fertile de l'Elbe, assez proche au nord. Le site est donc « prédestiné à une implantation urbaine » (Christian Norberg-Schultz), mais il possède aussi les atouts de la beauté et de la diversité, que mille ans de construction n'ont fait, pour l'essentiel, que souligner.

Le développement de la ville

LE NOYAU D'ORIGINE

Les atouts du site de Prague étaient reconnus des hommes préhistoriques. À l'époque des grandes migrations, les tribus slaves s'y intéressent : elles sont très nombreuses à s'y installer, dans des enclos fortifiés éparpillés sur presque toute l'étendue de la ville actuelle. Au 9ᵉ s., le prince premyslide **Bořivoj Iᵉʳ** bâtit, plus loin vers l'aval, **Levý Hradec** (le château sur la rive gauche), une forteresse englobant la première église chrétienne du pays. Elle consacre l'instauration de la souveraineté premyslide au cœur de la Bohême, mais le siège princier sera bientôt déplacé vers un site plus adapté, l'éperon rocheux qu'on nommera **Hradčany** (Hradschin). Là, peu avant 890, à l'intérieur des murailles de terre qui cernent les maisons de bois d'un village tout en longueur, Bořivoj fonde une duxième église en pierre, dont on voit encore les fondations aujourd'hui.

CHÂTEAU ET VILLAGES

Au 10ᵉ s., avec l'essor de la puissance premyslide, le Hradschin voit s'élever d'autres bâtiments en pierre, dont une église ronde, ancêtre de la cathédrale St-Guy, et le premier monastère bénédictin du pays, dédié à saint Georges. Au pied de la falaise du Château, à la croisée de plusieurs routes, se développe un village commerçant. Il engendre à son tour des implantations, qui s'émaillent le long de la route du Sud, embryon de la future Karmelitská (rue des Carmélites). Sur l'autre rive, trois routes partent du gué, chacune donnant naissance à son lot de constructions : la première traverse un village juif, puis se dirige vers le nord-est et Poříčí, où un quartier de marchands allemands s'implante au milieu du 11ᵉ s ; une autre gagne le site où se dresse aujourd'hui la tour Poudrière et, au-delà, la Bohême orientale ; la troisième longe la rivière vers le sud et le rocher de Vyšehrad, qui servira un temps de forteresse au lieu du Hradschin. Au 10ᵉ s., un premier **pont** de bois est jeté sur la Vltava.

STARÉ MĚSTO (LA VIEILLE VILLE) ET MALÁ-STRANA

Les implantations de la rive droite se développent rapidement. Au 11ᵉ s. un marché se tient déjà sur un site central le long de la route de l'Est, là où s'étend aujourd'hui **Staroměstské náměstí** (place de la Vieille Ville). On construit à côté la **cour de Týn** (Týnský dvůr) et l'**église** du même nom, enclave réservée aux marchands étrangers. Emporté par les crues, le pont de bois est rem-

placé vers 1170, un peu en amont, par un ouvrage de pierre, le **pont Judith**. Le réseau des rues s'adapte en conséquence, avec l'ébauche de Karlova (la rue Charles actuelle) qui relie le pont au marché. Disposant d'un vaste espace, Staré Město continue son expansion. Elle reçoit son statut de ville par charte royale vers 1230 ; dès le milieu du siècle, on l'entoure d'un superbe ensemble de **murailles** et de **tours** défensives. On résout le problème des crues, fléau qui accable depuis toujours les habitants, par un expédient radical : le niveau du sol est relevé de deux ou trois mètres ; de nombreuses caves voûtées de la Prague actuelle correspondent en réalité aux rez-de-chaussée de maisons romanes.

Au 13ᵉ s., la très importante communauté juive de la ville, auparavant dispersée, se regroupe dans le ghetto, au cœur de la Vieille Ville.

Pour équilibrer le développement de la ville, Ottokar II relance les implantations sur la rive gauche, en traçant un maillage régulier de rues et en faisant venir d'Allemagne une population industrieuse de bourgeois et d'artisans. Le quartier prend le nom de **Menší Město pražské** (« Petite Ville de Prague »), qui deviendra **Malá-Strana** (le « Petit Côté »).

L'EXPANSION MÉDIÉVALE

Au milieu du 14ᵉ s., l'empereur **Charles IV** va bouleverser le visage de Prague, y laissant une empreinte toujours visible. La grande **cathédrale gothique St-Guy** s'élève au-dessus du Hradschin ; un nouveau **pont**, magnifique, est jeté sur la Vltava ; on fonde dans la Vieille Ville la première **université** d'Europe centrale. On aménage plus loin un grand quartier, organisé autour de trois places, le marché aux bestiaux, le marché aux chevaux et le marché aux grains : c'est **Nové Město**, la **Nouvelle Ville**, disposant d'assez d'espace à l'intérieur de ses murs pour que l'expansion de la ville y soit contenue jusqu'aux Temps modernes. On prolonge les fortifications sur la rive côté Malá-Strana , autant pour combattre la misère et le chômage qu'en guise de défense : ainsi s'élève **Hladová zed'**, le « mur de la Faim », qui entoure encore aujourd'hui la colline de Petřín. Résidence du souverain du Saint

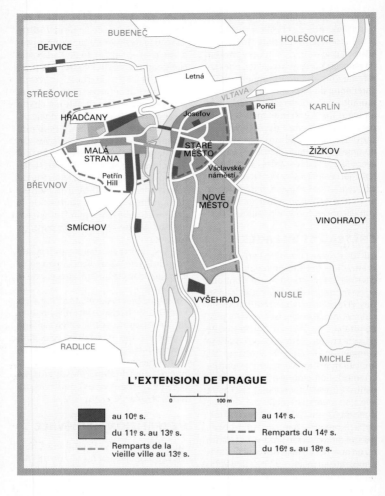

L'EXTENSION DE PRAGUE

au 10ᵉ s.

du 11ᵉ s. au 13ᵉ s.

Remparts de la vieille ville au 13ᵉ s.

au 14ᵉ s.

Remparts du 14ᵉ s.

du 16ᵉ s. au 18ᵉ s.

Empire romain germanique, Prague est l'une des plus grandes et des plus belles villes d'Europe, avec une population allant, selon les estimations, de 30 000 à 100 000 habitants.

DEMEURES RENAISSANCE ET BAROQUES

À l'époque médiévale, on bâtissait déjà de belles résidences, comme la maison des seigneurs de Kunstadt et Podiebrad ; mais c'est au 16ᵉ s., et surtout aux 17ᵉ et 18ᵉ s., que le **palais urbain** devient un élément important, voire un trait dominant, de Prague. Près du Château, sur les hauteurs du Hradschin, le palais Schwarzenberg (1563)

illustre l'exubérance architecturale de la Renaissance en Bohême. Au pied de la même colline, le grand ensemble de bâtiments construit autour d'un jardin à la française par le généralissime Wallenstein vers 1620 marque la transition entre Renaissance et baroque. Le summum de l'ostentation baroque est atteint par le palais Czernin, commencé en 1669, dont la façade monumentale fait 135 m de long. Les innombrables résidences plus modestes au long des rues de la Vieille Ville, particulièrement à Malá-Strana , sont plus représentatives. Beaucoup donnent sur de secrètes cours intérieures, mais celles qui disposent de plus d'espace se prolongent par des terrasses sur les pentes abruptes du Hradschin et de Petřín, ornées de statues et de fontaines, créant certains des **jardins** les plus enchanteurs de l'époque baroque.

Pendant cette période, la croissance de Prague connaît une certaine stagnation. L'émigration et la guerre de Trente Ans avaient fait perdre à la ville une grande partie de ses habitants. Peut-être n'étaient-ils plus alors que 25 000. Mais, au 18ᵉ s, la croissance reprend et Prague compte 78 000 habitants en 1784. La partie construite demeure dans ses limites historiques, cependant qu'on remplace la plupart des remparts de Charles IV par un système complexe de fortifications.

VERS UNE CAPITALE POUR LA NATION TCHÈQUE

Au 19ᵉ s., avec le Réveil national, la conscience tchèque s'affirme et Prague s'éveille après des siècles d'endormissement. Les nouvelles fabriques recrutent dans les campagnes et la population s'accroît rapidement. Des **faubourgs** ouvriers et de classes moyennes comme **Smíchov**, **Žižkov** et **Vinohrady** (aujourd'hui un quartier résidentiel) s'étendent au-delà de murailles qui cessent ainsi de remplir leur rôle défensif. À la fin du siècle, la zone urbaine compte un demi-million d'habitants. Le chemin de fer franchit le relief complexe de l'arrière-pays et gagne en 1845 les portes de la cité et la gare appelée aujourd'hui Masaryk, puis plus tard Smíchov et la gare centrale. À partir du milieu du siècle, on entreprend d'embellir et d'assainir la ville et de la doter de monuments dignes d'une capitale naissante. Prague avait tourné le dos à la rivière : on aménage maintenant en promenades les berges de la Vieille et de la Nouvelle Ville, où s'élèvent immeubles élégants et bâtiments administratifs. Une série de nouveaux **ponts** s'ajoutent au pont Charles, longtemps unique point de passage : en 1841 et 1868, deux ponts suspendus à chaînes, aujourd'hui disparus ; en 1876, le pont Palacký ; juste après le tournant du 20ᵉ s., deux ouvrages somptueux, le pont des Légionnaires (most Legií – 1901) et le **pont Svatopluk Čech** (Čechův most – 1908). D'imposants bâtiments, symboles des espoirs naissants du Réveil national, s'élèvent sur des emplacements de choix : le **Musée national** (1890) en haut de la place Venceslas, le **Théâtre national** (1883) et le **Rudolfinum** (1884) en bord de rivière, la **Maison municipale** (1911) près de la médiévale tour Poudrière, à la frontière de la Vieille Ville et de la Nouvelle Ville. Partout, monuments et souvenirs rappellent aux Tchèques leur histoire et leur identité nationale : la statue de saint Venceslas en est l'emblème majeur.

Tandis que Malá-Strana et le Hradschin se morfondent dans un oubli pittoresque, **Josefov**, la **ville juive** délabrée, subit la brutale opération baptisée *asanace* : on démolit ses labyrinthes de taudis pour les remplacer par des immeubles, le long

Le palais de l'Industrie, élevé en 1891, au nord de la ville, pour l'Exposition du jubilé.

R. Holzbachova/Ph. Bénet / MICHELIN

de nouvelles artères comme Pařížská (rue de Paris), qui relie les berges de la rivière au cœur de la Vieille Ville.

La première ligne de tramway est inaugurée en 1891. Au début du 20e s., la cité est sillonnée d'un réseau de tramways, qui joue toujours aujourd'hui un rôle essentiel dans les transports publics.

LA VILLE MODERNE

Choisie pour capitale du nouvel État de Tchécoslovaquie fondé en 1918, la Prague de l'Entre-deux-guerres prend progressivement l'aspect d'une métropole : le nombre d'habitants atteint 750 000 vers 1920. Déjà florissante dans les années qui précèdent la Première Guerre mondiale avec, par exemple, la maison à la Vierge noire, l'architecture progressiste ponctue le paysage praguois d'une variété d'édifices fonctionnalistes, tel le **palais des Expositions,** et de quartiers de villas modernes, comme Baba et Barrandov. Des banlieues vertes à l'anglaise sont aménagées à Dejvice et à Hanspaulka. Cinémas, théâtres, dancings et night-clubs animent le labyrinthe d'arcades (*pasáž* en tchèque) autour de la place Venceslas, un quartier qui brille la nuit de tous ses néons dernière mode. À la fin des années 1930, la population de la ville atteint le million.

L'Occupation et la guerre apportent leur lot de misère et de privations, mais peu de dégradations, même si les bombes dévastent des zones industrielles et si, en 1945, à la Libération, une bonne partie de la place de la Vieille Ville est en ruine. Au début du régime communiste, Prague passe après la province, et les ressources disponibles vont en priorité au logement. D'abord des banlieues de petites maisons, puis de « nouvelles villes » entières, en panneaux de béton préfabriqués, sur le modèle soviétique. Le plateau bohémien autour de Prague est aujourd'hui couvert par ces quartiers de grands immeubles monotones, dont certains sont reliés au centre par le **métro**, de style soviétique aussi, construit à partir de 1965. Le réseau routier, en revanche, n'a pas connu un développement en rapport avec le taux d'équipement en véhicules des habitants, l'un des plus élevés d'Europe, et

la célèbre voie express *Magistrála,* qui suit le contour de la Nouvelle Ville, en drainant la circulation de tout le centre de la Bohême, n'a fait qu'aggraver une situation par ailleurs difficile. La voiture est le moyen préféré des Praguois pour s'évader de leur ville congestionnée vers la campagne, où ils sont nombreux à posséder une petite maison de week-end.

PANORAMA DE PRAGUE

On ne peut présenter Prague sans reprendre l'image de *stověžatá Praha*, la « ville aux cent tours » ou « ville aux cent clochers ». Car le paysage praguois est ponctué en effet d'une myriade de tours et tourelles, flèches et clochers, dômes, pinacles et beffrois. L'étirement vers le ciel des toitures des églises et des palais est imité par une forêt de pignons, souvent exubérants. La ville est en même temps fermement ancrée dans le sol : sous bien des bâtiments modernes se cachent de profondes **caves** gothiques, voire romanes ; de superbes **arcades** tissent des liens entre les façades, les rues et les places.

Depuis presque toujours, on y met en valeur les façades. La plupart des bâtiments historiques déploient tous leurs ornements à l'attention des passants : **atlantes** musclés pliant sous le poids des portails, niches ornées de **statues**, étages attiques et balustrades, stucs lisses et **sgraffites** cachant la pierre brute. La couleur qui domine est un ocre chaleureux (une des raisons du qualificatif « Ville d'Or » donné à Prague), auquel vient s'ajouter toute une gamme de subtils tons pastel. La peinture était rare à l'époque communiste : le gris de cette période est en voie de disparition, parfois remplacé par des coloris qui paraissent souvent choquants.

Derrière les façades s'ouvre un univers semi-privé de cours intérieures, parfois dotées de galeries d'étage ou *pavlač*. Elles sont souvent reliées entre elles par des portes et des passages, qui permettent de traverser des quartiers entiers de la ville sans jamais déboucher sur la voie publique. L'engouement du 20e s. pour le *pasáž* a contribué à accroître ce réseau d'espaces intérieurs.

Petit glossaire d'art

Certains termes sont expliqués au moyen des illustrations figurant p. 94 à 99.

Abside : extrémité d'une église, derrière l'autel. Elle peut être arrondie ou polygonale.

Absidiole : petite chapelle s'ouvrant sur le déambulatoire d'une église romane ou gothique.

Arc : élément architectonique courbe soutenu par des colonnes ou des pilastres. Les formes de base sont l'**arc en plein cintre**, semi-circulaire, l'**arc brisé** ou **en ogive**, formé de deux segments de cercle se coupant selon un angle, l'arc **outrepassé**, composé d'un arc en plein cintre prolongé par deux segments de cercle rentrants de façon à avoir la forme d'un fer à cheval. La combinaison de ces formes de base permet la constitution d'arcs plus élaborés, l'**arc brisé outrepassé**, l'arc **lobé** ou **polylobé** (juxtaposition d'arcs en plein cintre pour composer des rosaces, par exemple), l'**arc surhaussé** (arc en plein cintre prolongé par des segments droits afin que la flèche soit plus grande que la moitié de la portée), l'**arc surbaissé** (la flèche est plus petite que la moitié de la portée ; l'arc surbaissé peut être en anse de panier), etc.

Arcade : ensemble constitué d'un arc et de ses supports, dits **jambages** (ou piédroits).

Bas-relief : sculpture se détachant d'un fond par une faible saillie.

Bossage : décoration murale obtenue en équarrissant les pierres en saillie. Le bossage peut être lisse si la découpe est uniforme et le relief léger, rustique si la première est irrégulière et le second accusé, en pointe de diamant si la pierre est taillée en forme de pyramide.

Caisson : cavité carrée ou polygonale, souvent décorée, pratiquée dans les plafonds ou sur la surface des coupoles.

Chapiteau : dernier élément d'une colonne, il se compose d'une partie moulurée convexe, dite **corbeille** ou échine, et d'une tablette saillante, l'**abaque**. Les trois ordres classiques se caractérisent par une ornementation différente de la corbeille : **dorique**, **ionique**, avec une ceinture de volutes, et **corinthien**, avec une décoration de feuilles d'acanthe. Celle-ci a été abondamment reprise dans les édifices des 16e et 17e s.

Chevet : partie extérieure du chœur d'une église.

Clef de voûte : claveau central d'un arc cintré ou pièce, souvent décoré, placé à l'intersection d'une croisée d'arcs.

Crypte : pièce souterraine ménagée sous une église pour accueillir les reliques des martyrs et des saints. Le terme s'est généralisé parfois pour désigner une église ou une chapelle.

Fresque : peinture murale exécutée sur un enduit (mortier par exemple) frais auquel les couleurs s'incorporent.

Linteau : traverse horizontale surmontant une baie, reliant deux jambages, piliers ou colonnes, et supportant le poids du mur.

Mascaron : médaillon sculpté à masque humain.

Meneau : montant ou traverse divisant une ouverture en deux ou plusieurs compartiments.

Bas-relief dans la Vieille Ville.

R. Holzbachova/Ph. Bénet / MICHELIN

Modillon : ornement saillant répété de proche en proche sous une corniche, comme s'il la soutenait.

Narthex : vestibule précédant une basilique.

Prédelle : partie inférieure d'un retable (on l'appelle aussi banc).

Les sgraffites

La technique des sgraffites a été importée par les centaines d'artisans italiens qui travaillaient à Prague pendant la Renaissance. On applique un fin revêtement de mortier au-dessus d'une couche plus sombre, puis on gratte la surface pour faire apparaître le dessin voulu. Parmi les motifs favoris, l'imitation de la pierre taillée, notamment les bossages en pointe de diamant, comme sur le palais Schwarzenberg à Hradschin, ou bien des scènes mythologiques, comme sur la maison à la Minute, place de la Vieille Ville. On apprécie aussi la peinture murale, qui trouve un nouvel essor au 19e s. avec le renouveau du style Renaissance tchèque.

Retable : tableau d'autel peint ou sculpté placé sur la partie frontale de l'autel (au-dessus ou en retrait). Il prend le nom de **triptyque** s'il comporte trois volets mobiles ou de **polyptyque** s'il est composé d'une série contiguë de tableaux.

Rinceau : motif ornemental floral formé de sarments, feuilles et grappes disposés en enroulements pour former une frise.

Rosace : fenêtre circulaire située sur la façade d'une église, enrichie d'un remplage décoratif en pierre garni de vitraux. On dit aussi **rose**.

Saillie : partie dépassant dans un alignement.

Stuc : mélange de marbre et de gypse pulvérisés, amalgamé à la colle forte et utilisé pour exécuter des motifs décoratifs qui, par extension, prennent le nom du matériau lui-même.

Travée : espace transversal de la nef compris entre deux piliers.

Trompe-l'œil : décoration peinte donnant l'illusion du relief ou de la perspective.

Voûte : ouvrage de maçonnerie cintré couvrant un espace. La **voûte en berceau** repose sur des arcs en plein cintre répartis le long d'un axe longitudinal ; la **voûte d'arêtes** est formée par l'intersection de deux voûtes en berceau ; la **voûte sur croisée d'ogives** repose sur des ogives se croisant perpendiculairement à la clef de voûte.

L'art à travers les siècles

Prague, « poème épique d'architecture » : c'est ainsi que le poète Rainer Maria Rilke décrit sa ville natale. Située au carrefour des cultures européennes, la ville hérite d'un patrimoine exceptionnel de monuments. Mais elle est aussi riche d'un héritage couvrant toutes les formes d'art.

Prague et la Bohême sont à plusieurs reprises les porte-drapeaux de mouvements artistiques novateurs. À d'autres périodes, les tendances venues de l'étranger sont adaptées au caractère praguois. Et les phases d'isolement provincial et de stagnation voient se poursuivre ou se conserver les réalisations des époques précédentes. Au 14e s., l'empereur Charles IV fait de Prague la capitale du Saint Empire romain germanique, déclenchant un formidable essor de la créativité gothique en peinture, sculpture et architecture, ainsi que dans le domaine de la planification urbaine. Ce mouvement s'interrompt brutalement avec les troubles hussites du début du 15e s. À la fin du 16e s. et au début du 17e s., l'excentrique empereur Rodolphe II attire à sa cour artistes, alchimistes et aventuriers de l'Europe tout entière, et en fait un centre brillant de la culture maniériste. En 1620, la bataille de la Montagne-Blanche est un désastre politique pour la nation bohémienne, mais la Contre-Réforme va entraîner avec elle une vague de création sans pareille en Europe, dans le style Renaissance tardif et surtout baroque. Une période plus calme s'ensuit, mais avec le 19e s. et le réveil de la conscience nationale, la fierté tchèque s'exprime dans la construction de grands monuments publics dans des styles historiques. Ce renouveau est suivi par une explosion de l'**Art nouveau** dans l'art et l'architecture, qui fait de Prague un des pôles du style **Sécession** en Europe centrale. Le **cubisme** y fleurit à son tour, avec une contribution spécifiquement tchèque en architecture. L'instauration de la Tchécoslovaquie indépendante fait de Prague un des centres du modernisme dans tous les domaines de l'art. Mais ce n'est qu'après la chute du communisme que l'héritage artistique tchèque, par exemple l'architecture fonctionnaliste et la peinture surréaliste, commence à recevoir toute l'attention et l'appréciation qu'il mérite.

LES VESTIGES DU STYLE ROMAN

Les témoignages de l'époque préromane et romane sont rares. Nous savons, par des écrits, que Prague, « comme nulle autre ville, prospère par son commerce », était construite en pierre calcaire. Au 12e s., chaque quartier possède sa petite église romane, et l'on bâtit de belles maisons. Il reste peu de vestiges de ces églises,

La basilique St-Georges.

Ph. Gajic / MICHELIN

excepté trois rotondes romanes, mais les caves voûtées de nombreuses habitations plus tardives demeurent, témoins de l'ancien niveau du sol, rehaussé au milieu du 13e s. pour limiter les risques d'inondation. Ces témoins romans se concentrent autour de la place de la Vieille Ville et de la « Petite Place ». Le plus bel exemple de cette architecture profane est le palais de la Vieille Ville appelé **maison des seigneurs de Kunstadt** *(voir p. 148)*, avec ses salles à voûtes d'arêtes. Sur la colline du Château, on retrouve d'importants vestiges de l'intérieur du palais royal d'origine, mais le monument le plus remarquable de cette période est la **basilique St-Georges**, austère chef-d'œuvre d'art roman édifié vers 920, quoiqu'une grande partie vienne d'une reconstruction du 12e s.

LA PRAGUE GOTHIQUE

La Prague de Charles IV

Sous le règne de l'empereur Charles IV (1346-1378), et dans une moindre mesure sous celui de son fils Venceslas IV (1378-1419), Prague et la Bohême atteignent un niveau d'épanouissement artistique rarement égalé depuis. Au cœur du Saint Empire romain germanique, la ville devient un pôle culturel de première importance. Tours et clochers s'élèvent nombreux vers le ciel. On bâtit une superbe cathédrale gothique sur la colline du Château. On jette sur la Vltava un pont audacieux de plus de 500 m de long, appelé plus tard **pont Charles** en hommage au souverain qui a ordonné sa construction.

Sans doute venu de Bourgogne, le gothique avait fait son apparition à Prague vers 1230, et l'un des tout premiers bâtiments élevé dans le nouveau style est le **couvent Ste-Agnès** *(voir p. 171)*, dans la Vieille Ville. Quelques décennies plus tard débute la construction de sa presque voisine, la **synagogue Vieille-Nouvelle** *(voir p. 169)*, une des plus belles et mieux préservées du genre en Europe. Son intérieur voûté montre des corbeaux magnifiquement sculptés. Ses hauts pignons de brique sont typiques de la dernière phase du style, le gothique flamboyant. Décidé à faire de Prague la plus grande ville d'Europe centrale, deuxième centre de la chrétienté après Rome, Charles IV conduit ses projets architecturaux dans le cadre d'un plan d'urbanisme visionnaire, qui permettra l'extension ordonnée de la ville et le maintien de son unité esthétique. On remplace la vieille forteresse romane, sur la colline du Château, par une imposante résidence royale gothique, au décor somptueux. En 1344, Prague devient le siège d'un archevêché. La basilique romane St-Guy est démolie, et Charles IV ordonne la construction d'une vaste **cathédrale**. Son premier architecte, **Matthieu d'Arras**, s'inspire des grandes cathédrales de son pays natal. Mais à sa mort, seule l'extrémité est est achevée. Son successeur, **Peter Parler**, poursuit l'ouvrage. Il ajoute entre 1375 et 1385 les vingt et un célèbres bustes sculptés qui ornent le triforium. C'est un des premiers exemples de portraits sculptés réalistes. De qualité remarquable, ils représentent des membres de la famille royale, mais aussi des personnages liés à la construction de la cathédrale, entre autres Parler lui-même. En 1348, la première université d'Europe centrale ouvre dans la Vieille Ville. Au-delà des anciens murs, un vaste projet d'extension commence à prendre forme. Avec ses grandes artères reliant trois places de marché, cette **Nouvelle Ville** couvre une superficie plusieurs fois supérieure à celle du noyau d'origine. C'est peut-être le projet d'urbanisme le plus ambitieux jamais entrepris à l'époque médiévale.

Voûte gothique de la cathédrale St-Guy.

R. Holzbachova/Ph. Bénet / MICHELIN

La peinture

Les peintures gothiques de cette époque sont marquées par le conflit entre idéalisme et naturalisme. Dans la seconde moitié du 14e s., l'art et la pensée s'orientent progressivement vers le réalisme, qui s'oppose à l'ancienne conception médiévale de la réalité, simple décor où des forces mystérieuses agissent miraculeusement. On s'éloigne du fantastique pour rejoindre le naturalisme et l'abstraction. Parallèlement se développent mysticisme, sorcellerie, culte des reliques. Un désir de profonde expérience mystique influence tout l'art du 14e s. Les représentations de la Passion du Christ, de la douleur de la Vierge et du martyre des saints gagnent en réalisme.

Par ailleurs, l'influence de l'Italie est prédominante, et les artistes tchèques lui empruntent éléments de composition et motifs iconographiques. Ils s'efforcent de parvenir à plus d'harmonie entre le trait et la touche colorée, et découvrent la puissance de la couleur. Le **maître du retable de Vyšší Brod** s'est beaucoup inspiré des motifs italiens, notamment dans les tons des visages et l'harmonisation des teintes, contrastant avec la tradition des images gothiques tchèques aux couleurs intenses et bigarrées. Le modelé hardi des visages et des mains et la profondeur de l'espace, caractéristiques de l'art italien, sont les premiers signes d'une évolution vers le naturalisme.

Après 1360, l'influence italienne se fait moins forte. L'art tchèque cherche progressivement à s'en détacher, et affirme son identité, puisant son inspiration dans ses propres traditions et ses propres choix de sujets. Au goût typiquement bohémien des couleurs s'ajoutent la recherche d'une tension dramatique dans l'expression des visages et celle d'un resserrement des groupes de personnages et de la complexité des compositions. Une des personnalités artistiques marquantes de l'époque est **maître Théodoric**, auteur de la superbe série de portraits commandés par Charles IV pour la **chapelle de la Ste-Croix** du château de Karlstein *(voir p. 282)*. Ses robustes personnages, aux visages vivants et expressifs, possèdent une humanité très éloignée de l'idéalisme de la tradition gothique ; le modelé harmonieux, issu du jeu de l'ombre et de la lumière, reste un trait typiquement bohémien.

À la fin du 14e s., la peinture tchèque abandonne peu à peu le réalisme de l'expression pour revenir à un idéalisme poétique et répondre à un désir de plus grande spiritualité. Cependant, les recherches techniques sur la notion d'espace et de perspective se poursuivent, superbement illustrées par les paysages et arrière-plans architecturaux du dernier des trois grands peintres gothiques de Bohême, le **maître du retable de Třeboň**.

Venceslas IV s'efforce de poursuivre l'œuvre de son père, mais se heurte à la crise religieuse qui marque la fin du 14ᵉ s. et le début du 15ᵉ s. Le mouvement initié par Jan Hus, désirant un retour aux vérités fondamentales du christianisme, et la période de violences et de troubles qu'il entraîne sous le nom de guerres hussites vont avoir des conséquences contrastées sur les arts. La construction s'arrête ; il y a beaucoup de destructions. On achève seulement le chœur de la grande église N.-D.-des-Neiges, commandée par Charles IV pour dominer la Nouvelle Ville. Mais l'enluminure fleurit, avec en particulier les **bibles tchèques** du début du 15ᵉ s., à l'ornementation libre, aux miniatures particulièrement expressives. La fin des guerres hussites permet un renouveau. La période prospère, qui s'étend de 1450 à 1550, est un âge d'or pour les villes de Bohême. Les marchands, à l'origine de l'essor économique du pays, forment une classe bourgeoise urbaine, qui, comme la cour royale, apporte son soutien financier aux arts.

Les peintures romanes de la chapelle de la Ste-Croix du château de Karlstein.

R. Holzbachova/Ph. Bénet / MICHELIN

Le style gothique fleurit une dernière fois dans l'exubérant oratoire royal de la cathédrale St-Guy, œuvre de l'architecte **Benedikt Ried**, qui est aussi l'auteur de l'extraordinaire **voûte** à entrelacs de la **salle Vladislas** dans le Château (*voir p. 209*).

LA RENAISSANCE, RODOLPHE II ET L'ÉCOLE DE PRAGUE

Fuyant Vienne menacé par l'avancée des Turcs, l'empereur Rodolphe II de Habsbourg (1576-1612) installe sa cour à Prague en 1583. Il encourage les arts, à l'égal de son prédécesseur Charles IV, mais dans un esprit tout à fait différent, faisant dire qu'il avait transformé Prague en un « second Parnasse », et on l'a souvent représenté sous les traits d'Hercule, protecteur des arts.

Architecture

Les intérêts de Rodolphe II le portent plus vers la peinture et la sculpture que vers l'architecture. Mais les constructions de Prague sont déjà sous l'influence des nouvelles idées de la Renaissance. La transition du gothique au nouveau style est frappante dans la salle Vladislas, dont les voûtes et contreforts à pinacles gothiques tardifs de Ried contrastent avec les généreuses fenêtres rectangulaires ouvertes dans les murs, de conception entièrement Renaissance. Dès 1535 commence la construction du **palais royal d'Été** ou **Belvédère** de la reine Anne, petit bâtiment harmonieux entouré d'arcades, typique de l'architecture du Nord de l'Italie. L'aristocratie adopte avec enthousiasme le nouveau style pour la construction ou la rénovation de ses palais de ville. Beaucoup de hautes façades gothiques, notamment à Malá-Strana , s'ornent de motifs Renaissance, sans forcément modifier en profondeur la structure du bâtiment. Peu à peu émerge un style Renaissance typiquement bohémien, que caractérisent hauts pignons aux volutes hardies, grandes corniches et audacieux décors de sgraffites, dont le **palais Schwarzenberg** (*voir p. 219*), bâti entre 1545 et 1563 près de l'entrée ouest du Château, est un exemple presque parfait.

L'école de Prague

La réputation de la cour de Rodolphe II y attire de toute l'Europe une foule de peintres et de sculpteurs, heureux de se voir attribuer par l'empereur un statut d'artiste et pas seulement d'artisan. Certains deviennent des proches de l'empereur et même, comme le peintre **Hans von Aachen** (1552-1615), obtiennent des charges diplomatiques. Prague, vivant foyer artistique, produit des œuvres dans le style du **maniérisme tardif**, caractérisé par la distorsion et l'élongation des formes, qui demeurent néanmoins gracieuses, comme dans le *Triomphe de la Sagesse*, de **Bartholomeus Spranger** (1546-1611).

L'influence de l'empereur est déterminante dans la constitution de l'école de Prague. Il rassemble une riche collection de peintures de grands maîtres italiens, Véronèse, le Parmesan, le Tintoret, Vinci, et de grands maîtres du Nord, Bruegel et Dürer, dont la *Fête du Rosaire* sera apportée à grand-peine de Venise par les Alpes. Rodolphe fait copier les tableaux qu'il ne peut acquérir. Ainsi, Joseph Heintz l'Ancien effectue une série de

« Vertumnus », portrait de Rodolphe II par Arcimboldo.

copies de Titien.

En 1590, l'école de Prague est établie, autour des peintres **von Aachen**, **Spranger**, **Heintz**, du sculpteur **Adriaen de Vries** (v. 1560-1626) et du Milanais **Giuseppe Arcimboldo** (1527-1593), célèbre pour ses têtes composites formées de fruits, fleurs, légumes et autres matériaux, comportant souvent des clins d'œil relatifs à la profession ou au caractère du sujet.

À cette époque, l'art sert aussi la propagande impériale. Mythologie et allégorie contribuent à promouvoir le prestige de l'empereur. De nombreux portraits et autres œuvres représentent la domination symbolique de Rodolphe II sur le monde naturel et politique, sous forme de héros ou de mythe. Dans un portrait célèbre, Arcimboldo représente l'empereur au moyen de fruits et de fleurs, qui, loin d'être frivoles, symbolisent la pérennité du règne des Habsbourg, la paix et la prospérité qu'ils apportent. En revanche, les portraits plus réalistes de l'empereur par von Aachen sont moins puissants au plan symbolique. Il arrive au peintre d'employer une touche ironique ou ludique pour exprimer une vérité dissimulée, parfois bien difficile à interpréter. Ses représentations mythologiques et allégoriques ont pour objet de divertir, avec des personnages aux poses gracieuses et élégantes, mais aussi de diffuser des leçons morales et spirituelles, comme le faisait auparavant la peinture religieuse, genre peu à la mode à la cour de Rodolphe II.

Au sein de l'école de Prague se développent aussi la **peinture de paysages**, la **nature morte** et la **peinture animalière**, encouragées par un Rodolphe II passionné d'histoire naturelle. Il appréciait particulièrement les paysages alpestres accidentés et mystérieux de **Roland Savery** (1576-1639).

L'abdication et la mort de Rodolphe II marquent la fin de l'école de Prague et la dispersion de ses talentueux artistes, qui essaiment dans toute l'Europe en quête d'autres mécènes. Les quelque 3 000 œuvres amassées par l'empereur sont dispersées à leur tour, pillées ou vendues. Il n'en subsiste à Prague qu'un petit nombre.

LE BAROQUE À PRAGUE

Le baroque s'impose tardivement en Bohême, car le style maniériste de la cour de Rodolphe II résiste. De plus, il apparaît dans un climat difficile, après la bataille de la Montagne-Blanche (1620 – *voir p. 266*) et les campagnes de la guerre de Trente Ans (1618-1648).

Associé dans les esprits à la recatholicisation forcée du pays, le style baroque est rejeté à ses débuts. Mais il trouve progressivement ses défenseurs, ravivant les traditions locales endormies qu'il fait fusionner avec les nouvelles idées, pour l'essentiel italiennes. On construit ou on remanie palais, couvents et églises. La ville se transforme, devient comme une scène de théâtre, débordant d'audace et d'inattendu. Comme par le passé, beaucoup d'artistes, architectes et artisans viennent de l'étranger (Allemagne, Pays-Bas, France, Lombardie et Tessin). Les formes dynamiques et l'expressivité de l'architecture baroque italienne, qui rencontrent un profond écho en Bohême, se transforment peu à peu : dès les années 1700, le baroque bohémien montre une forte personnalité. Les vingt premières années du 18e s. marquent l'une des plus glorieuses périodes de l'art praguois. À la fin du siècle, alors que le néoclassicisme supplante progressivement l'art rococo, qui résiste en province et dans les arts populaires, le visage de Prague a acquis le charme qui en fait la célébrité actuelle.

Architecture

Sans doute la plus importante des premières constructions baroques à Prague, l'**église St-Sauveur** du Clementinum *(voir p. 151)* a pris modèle sur l'église jésuite du Gesù à Rome. Commencée en 1578 dans le style Renaissance, sa façade ouest, sobre à l'origine, est remaniée pour en faire une des plus somptueuses vitrines du baroque. Autre monument marquant de cette première période, la monumentale **porte Matthias**, à l'entrée ouest du Château, œuvre audacieuse de 1614, a été attribuée à Vincenzo Scamozzi, mais est certainement due à Giovanni Filippi. Entre 1624 et 1630, le généralissime Albert de Wallenstein commande à des architectes italiens un grand palais au pied de la colline du Château. Restant beaucoup dans l'esprit de la Renaissance, le **palais Wallenstein** *(voir p. 186)* se tourne néanmoins vers le baroque avec sa remarquable *sala terrena*, ses plafonds peints montrant le généralissime sous les traits du dieu Mars, les statues du jardin par Adriaen de Vries. Plus monumental encore, le **palais Czernin** *(voir p. 223)* du Hradschin, réalisé par **Francisco Caratti** entre 1669 et 1677, doit son imposante harmonie à la répétition des colonnes engagées, qui s'élèvent sans interruption sur trois étages jusqu'à la corniche principale. Le puissant modelé caractéristique de la façade, lié au jeu de l'ombre et de la lumière sur les reliefs, se retrouve

dans de nombreux édifices praguois. Dans la campagne au dehors de Prague s'élève le **palais Trója** *(voir p. 261)*, bien différent, bâti entre 1679 et 1691 par le Bourguignon **Jean-Baptiste Mathey** (v. 1630-1695), auteur aussi de l'église St-François sur la place des Croisés. Ici, Mathey s'éloigne de la tradition italienne, s'inspirant plus du modèle français : un corps central de bâtiment flanqué d'ailes et de pavillons symétriques. Suivant toujours le modèle français, le palais forme un tout harmonieux avec ses grands jardins : parterres et allées s'intègrent au bâtiment au moyen d'une terrasse à balustres et d'un magnifique double escalier orné de statues somptueuses. L'**aménagement paysager** s'impose autant au cœur même de la cité que dans la campagne de Trója : à Malá-Strana , les domaines des palais deviennent de merveilleux jardins en terrasses, formant une bande de verdure presque continue sous le Château et au pied de la colline de Petřín.

À la fin du 17e s., le baroque est triomphant. À partir de 1710, de nombreuses constructions religieuses montrent une architecture fantastique, inspirée de l'œuvre des Italiens Borromini et Guarini. Murs ondulants et profusion des détails illustrent une nouvelle conception de l'espace architectural, alliée à la maîtrise des effets dramatiques. Symbole de cette phase, l'**église**

St-Havel (ou St-Gall), dont la façade baroque ondulée fut réalisée en 1722-1723.

R. Holzbachová /Ph. Bénet /MICHELIN

St-Nicolas, *(voir p. 184)* qui domine la place de Malá-Strana est une des grandes églises baroques d'Europe centrale. Œuvre de **Christoph Dientzenhofer** (1655-1722) et de son fils **Kilian Ignaz Dientzenhofer** (1689-1751), elle montre une façade concave-convexe d'une grande virtuosité et un intérieur somptueux, sous un immense dôme de 74 m. Les Dientzenhofer sont auteurs de nombreux autres bâtiments à Prague, mais les plus belles œuvres de leur contemporain **J. B. Santini-Aichel** (1677-1723) se trouvent en dehors de la ville. Chargé de restaurer ou de reconstruire couvents et églises victimes de la guerre ou de l'abandon, Santini s'inspire de modèles médiévaux, créant une synthèse unique, étrange et séduisante, du gothique et du baroque, par exemple à Sedlec près de Kutná Hora ou, plus spectaculaire, à l'église abbatiale de Kladruby, dans l'Ouest de la Bohême.

Sculpture

Dans aucune autre ville d'Europe la sculpture ne joue un rôle aussi public qu'à Prague, dont le visage se pare admirablement de la statuaire baroque des façades d'églises, des portes de palais, et, par-dessus tout, des métamorphoses du pont Charles en voie processionnelle avec son alignement de statues.

Le premier sculpteur baroque d'importance est **Johann Georg Bendl** (v. 1620-1680), qui, en compagnie du peintre Karel Škréta, est considéré comme le fondateur de la tradition réaliste bohémienne. Travaillant aussi bien le bois de tilleul que la pierre, Bendl allie à la réserve du modelé un sens baroque du dramatique inspiré de modèles romains. Ses successeurs, pour la plupart créateurs des statues du pont Charles, sont aussi influencés par la sculpture baroque romaine, et l'adaptent à la lumière plus sombre de l'Europe centrale et aux matériaux traditionnels de Bohême, comme le grès au grain grossier. Les premiers d'entre eux sont **Mathias Bernard Braun** (1684-1738) et **Ferdinand Maximilian Brokoff** (1688-1731). Ce dernier tient son savoir-faire de son père Jan (1652-1718), venu à Prague de sa Slovaquie natale. Leur atelier fournira plus de la moitié des statues du pont Charles. Le travail du fils se distingue de celui du père par la vigueur de l'expression et le traitement hardi de la forme, visibles dans les statues du pont, mais aussi dans les atlantes du palais Morzin et la tombe du seigneur de Mitrovice dans l'église St-Jacques. Appelé parfois le Bernin bohémien, Braun est au moins l'égal du jeune Brokoff dans l'expression d'émotions intenses, notamment dans la statue de sainte Luitgarde sur le pont Charles.

La tradition baroque se poursuit en sculpture jusqu'au milieu du 18e s., mais avec moins de vigueur. Lui succèdent ensuite, comme dans le reste de l'Europe, la grâce et le lyrisme du rococo. Sérénité

St-Jacques, église gothique décorée dans le style baroque en 1736-1739..

Beauté baroque par Mathias Braun.

R. Holzbachova/Ph. Bénet / MICHELIN

et raffinement remplacent dynamisme et tension dramatique. L'intérêt général se tourne alors plus vers les arts décoratifs que vers les œuvres publiques de grande taille.

Peinture

Le peintre le plus célèbre du baroque bohémien est **Karel Škréta** (1610-1674). Né dans une famille protestante qui a fui le pays en 1620 après la bataille de la Montagne-Blanche, il se forme en Italie. Converti au catholicisme, il retourne dans son pays natal, où il se fait connaître surtout pour ses peintures d'autel à dimension épique, servant une Église alors dominante. Son œuvre est remarquable de réalisme, notamment dans les portraits d'une grande finesse psychologique. Un autre converti au catholicisme, **Michael Willmann** (1630-1706), sert aussi avec dévotion son Église d'adoption, avec de nombreuses peintures d'autels où alternent réalisme cru et spiritualité contemplative. Une part de l'œuvre de son beau-fils, Jan Liška (v. 1650-1712), présente les mêmes qualités, mais ses formats plus réduits annoncent l'esprit du rococo. **Jan Kupecký** (1667-1740), un protestant qui a refusé la conversion, et a donc passé l'essentiel de sa vie à l'étranger, est un personnage fascinant, dont les attachants portraits montrent une grande finesse psychologique.

Au début du 18e s., le grand peintre du baroque tardif demeure **Peter Brandl** (1686-1735) : né à Prague, fondant son travail sur l'observation directe, il emploie couleurs vives et audacieux clairs-obscurs pour créer des effets dramatiques mais réalistes, dans ses portraits tout comme dans ses sujets religieux. Son *Autoportrait* (Galerie nationale, couvent St-Georges) est remarquable, tout comme d'autres qu'il réalise en utilisant ses doigts comme pinceaux.

Après le succès du décor en trompe l'œil de la salle d'apparat du palais Trója par les frères flamands Godyn, la **peinture de fresques** connaît une grande vogue à Prague. Son représentant le plus brillant et le plus prolifique est **Václav Vavřinec Reiner** (1689-1743), mais on trouve de beaux exemples dus à Franz Xaver Palko (1724-1767) et à Johann Lukas Kracker (1717-1779). Le grand peintre de fresques viennois **Franz Anton Maulbertsch** (1724-1796) ne réalise qu'une commande à Prague, le plafond de la **salle de Philosophie** de l'abbaye de Strahov *(voir p. 221)*, mais c'est l'une de ses plus grandes œuvres.

L'abandon en peinture des grands thèmes et de l'intensité expressive du baroque pour les sujets plus intimes du rococo est merveilleusement illustré par les nombreuses petites scènes de la vie de la cour et de la campagne peintes par **Norbert Grund** (1717-1767).

LE RÉVEIL NATIONAL ET LE 19e S.

À la fin du 18e s., l'effervescence artistique du siècle précédent s'est calmée. Adoptées par des souverains comme Joseph II, les idées anticléricales des Lumières ont mis fin au patronage de l'Église. L'aristocratie bohémienne se tourne vers la cour de Vienne. Mais une nouvelle force est en germe : le nationalisme tchèque, qui se montrera un mécène aussi influent que ses prédécesseurs dans l'histoire.

Les premières tentatives pour raviver la culture nationale sont le fait d'aristocrates éclairés de langue allemande, comme le comte Sternberg, cofondateur à la fin du 18e s. de la Société des patriotes amis des arts, organisation dont les collections formeront plus tard le fonds de la Galerie nationale. En 1818, avec le comte Kolowrat, il s'inspirera des idéaux du *Landespatriotismus*, un patriotisme bohémien mariant les tradition allemandes et tchèque du pays, pour fonder le Musée national. Mais vers le milieu du siècle, ce concept disparaît, emporté par la vague d'un nationalisme purement tchèque : dorénavant, architecture, peinture, sculpture, arts décoratifs proclament tous l'éveil de la nation tchèque. Beaucoup de monuments de l'époque s'appuient sur cet esprit nationaliste, parfois d'un poids excessif.

Architecture

À partir de 1850, la glorification de la nation se traduit en architecture par la construction de prestigieux monuments dans des styles historiques. Le **néoclassique** laisse peu d'empreintes à Prague. Ouvert en 1783, le **théâtre des États** domine le marché aux fruits dans la Vieille Ville. L'**église des Hiberniens** de 1811 est un bel exemple de style Empire, qui reste isolé. Les grands monuments publics du Réveil national élevés à partir des années 1860 suivent pour l'essentiel un style néo-Renaissance grandiloquent. Le premier est le **Théâtre national** *(voir p. 246)*, commencé en 1868 par l'architecte **Josef Zítek** (1832-1909), détruit par le feu avant d'être achevé et reconstruit par **Josef Schultz** (1840-1917). Il est somptueusement décoré, à l'extérieur comme à l'intérieur, par les grands artistes de l'époque, qui seront

appelés la « **génération du Théâtre national** » : les sculpteurs Bohuslav Schnirch, Josef Myslbek, Anton Wagner ; les peintres Mikoláš Aleš, Václav Brožík, Vojtěch Hynais et **František Ženíšek**. Schultz est aussi l'architecte du **Musée national** *(voir p. 239)*, de même style, qui, en haut de la place Venceslas, offre aux collections nationales son cadre prestigieux. Achevé en 1890, il sera décoré par la « génération du Théâtre national » d'allégories et de symboles à la gloire de la nation tchèque. L'emploi du style néo-Renaissance monumental dans les bâtiments publics se poursuit, mais dans des dimensions moindres et avec peut-être moins de conviction, comme dans le musée des Arts décoratifs de Schultz en 1900.

Patriote, le milieu des affaires adopte aussi ce style, comme le montre la **banque Živnostenská** *(voir p. 243)* d'Osvald Polívka, de 1896. On fait revivre le style Renaissance de Bohême, mélange pittoresque de pignons en gradins, d'oriels et de 0sgraffites colorés, qui anime par exemple le bâtiment Wiehl de 1895-1896 sur la place Venceslas.

Pendant ce temps, le **néogothique** suit son chemin, dans sa version bohémienne. Son représentant principal est **Josef Mocker** (1835-1899). On lui a reproché autrefois son zèle excessif dans la restauration d'innombrables bâtiments d'époque médiévale, mais on considère aujourd'hui son œuvre comme une contribution authentique au patrimoine culturel du pays. Nul ne peut imaginer Prague aujourd'hui sans les hauts toits en forme de coin dont Mocker a coiffé la tour Poudrière et les tours du pont Charles. Le château de Karlstein *(voir p. 281)*, qu'il a recréé quasiment à partir de ruines, est un des grands emblèmes du pays. Pendant des années, Mocker a travaillé à compléter la cathédrale de Matthieu d'Arras et de Peter Parler.

Peinture et sculpture

La figure dominante de la peinture tchèque du milieu du 19e s. est **Josef Mánes** (1820-1871), membre d'une dynastie d'artistes célèbres. Il exprime sa passion pour son pays, son passé et son peuple dans une œuvre variée allant du portrait au paysage. Il est aussi l'auteur d'un des ornements les plus visibles de Prague sur

L'exubérante architecture néo-Renaissance tchèque.

Ph. Gajic / MICHELIN

Les enseignes

Les enseignes de maison sont une spécificité praguoise. La plupart des bâtiments possèdent deux numéros. Le premier sur fond bleu sert à l'orientation. Le second sur fond rouge indique le numéro d'inscription au cadastre du quartier ; en clair l'ancienneté de la construction (exemple : 484 à Malá-Strana indique que l'immeuble est le quatre-cent-quatre-vingt-quatrième construit dans le quartier de Malá-Strana).

Un panneau de plâtre coloré illustrant le nom de la maison vient souvent s'y ajouter. On en trouve une superbe collection dans Nerudova (rue Neruda) à Malá-Strana , mais aussi dans tous les quartiers historiques.

Ph. Gajic / MICHELIN

l'horloge astronomique de la place de la Vieille Ville : le disque-calendrier doré, décoré de vignettes sentimentales sur les travaux de l'année, remplacé aujourd'hui par une copie. Un égal de Mánes dans l'art du portrait est Karel Purkyně (1834-1868), qui, comme Josef Navrátil (1798-1865), est aussi un maître de la nature morte. Le Réveil national encourage la création de grands tableaux à la gloire du passé, parfois mythique, de la nation ; le plus grand peintre d'œuvres de ce genre est **Václav Brožík** (1851-1901), à qui l'on doit des toiles immenses comme *La Condamnation de Jan Hus* de 1883. **Mikoláš Aleš** (1852-1913) peut peindre de semblables scènes épiques, mais il est plus connu pour ses innombrables illustrations de livres. Son amour des traditions et du folklore de son pays lui vaut l'appellation de « plus tchèque de tous les peintres ». **Jakub Schikaneder** (1855-1925) débute sa carrière par des peintures narratives réalistes et des scènes campagnardes. Mais il produit à la fin du siècle d'étranges et merveilleux paysages urbains, dont l'harmonie se teinte de mélancolie vespérale.

La sculpture bohémienne n'évolue guère dans la première partie du 19e s. Ses figures de proue sont les frères Josef (1804-1853) et Emmanuel Max (1810-1901), mais leurs raides statues académiques du pont Charles appartiennent plus à la tradition allemande qu'au génie bohémien, et n'ont pas la vitalité de leurs voisines baroques. Leur chef-

d'œuvre demeure le monument au feld-maréchal Radetzky de 1858, beaucoup plus vivant, qui montre le grand soldat porté par huit de ses hommes. Avec l'indépendance de la Tchécoslovaquie en 1918, ce monument à la gloire des succès militaires des Habsbourg devient encombrant, et on l'enlève de la place de Malá-Strana . Il est aujourd'hui au Lapidarium. À la fin du 19e s., la sculpture est dominée presque entièrement par la figure de **Josef Václav Myslbek** (1848-1922), membre de la « génération du Théâtre national ». Ses figures de héros slaves, sur le rocher de Vyšehrad, sont empreintes de la ferveur du Réveil national. Il est tout désigné pour concevoir la statue du saint patron du pays sur la place Venceslas, en 1887. *Saint Venceslas* sur son étalon va occuper le sculpteur jusqu'à sa mort. Il subit diverses transformations, et laisse de côté l'expressivité romantique pour afficher, plus sobre et plus classique, l'honneur et la dignité d'un chevalier.

SÉCESSION ET AVANT-GARDES

Dans la dernière décennie du 19e s., artistes, concepteurs et architectes tchèques sont lassés de la reprise perpétuelle des formes historiques. C'est avec enthousiasme qu'ils accueillent un nouveau mouvement, appelé Art nouveau en France et en Grande-Bretagne et **Sécession** (*Secese* en tchèque) à Prague, tout comme à Vienne et à Budapest. Bien que ses premiers promoteurs le pensent, de façon révolutionnaire, comme un art total intégrant toutes les disciplines artistiques, les motifs Sécession, aux lignes fluides, aux formes asymétriques et organiques, se prêtent rapidement à des effets purement décoratifs. Les rues de Prague, en pleine expansion à l'époque, se bordent d'immeubles à la riche ornementation Art nouveau, surtout des stucs, mais aussi des mosaïques, céramiques et ferronneries. On en a de beaux exemples avec le grand hôtel Evropa de 1903-1905, la gare principale de 1909, le

À Prague, où il revient en 1910, on le considère comme un artiste patriote, resté fidèle aux idéaux de l'Art nouveau. On doit à Mucha un cycle de peintures retraçant l'épopée des peuples slaves, des dessins de billets de banque et de timbres, mais aussi les vitraux de la nef de la cathédrale St-Guy, à peine achevée. **Max Švabinský** (1873-1962) est aussi éclectique. Ses premiers travaux sont influencés par les symbolistes français. Il crée également des vitraux colorés pour la cathédrale, ainsi que des mosaïques pour le Mémorial national sur la colline de Žižkov.

« La Création » par František Kupka.

DAGLI ORTI/ ©ADAGP, Paris 2000

casino U Nováků de 1904 et sa superbe mosaïque par Jan Preisler, et, par-dessus tout, la Maison municipale. Achevé en 1912 par les architectes Osvald Polívka et Antonín Balšánek, ce prestigieux édifice, comme le Théâtre national, rassemble les travaux de nombreux artistes reconnus de l'époque. Parmi eux, **Alfons Mucha** (1860-1939), qui a passé presque tout le début de sa carrière à Paris, et qui est mondialement célèbre pour ses affiches de théâtre sophistiquées.

La tradition des sculptures publiques monumentales se poursuit avec un élève de Myslbek, **Stanislav Sucharda** (1866-1916), notamment dans son **monument à František Palacký** de 1912 : ici, il abandonne la retenue de son maître et crée un groupe sculpté dont le dynamisme dépasse même celui de ses prédécesseurs baroques. Autre œuvre majeure, le **mémorial à Jan Hus** sur la place de la Vieille Ville est une création non conventionnelle de **Ladislav Jan Šaloun**

(1880-1946), tout à fait dans l'esprit de la Sécession praguoise, mais influencée par *Les Bourgeois de Calais* de Rodin. Cependant, le sculpteur le plus original et le moins conventionnel de l'époque reste **František Bílek** (1872-1941), remarquable aussi dans les arts graphiques. Sa vision, profondément spirituelle, se nourrit de nombreux aspects de la réflexion contemporaine, mais aussi de l'héritage chrétien et des religions orientales. Il est l'un des rares artistes européens qui parvienne à exprimer le symbolisme en sculpture. Son legs majeur est sans doute la maison qu'il a conçue pour lui-même, riche de symboles. Une autre figure se tient à l'écart des grands courants : **Jan Zrzavý** (1890-1977), « peintre de la vision intérieure », dont les images, fantaisistes mais profondes, rappellent l'œuvre de Paul Klee.

Le modernisme

Quand approche 1910, la Sécession est terminée, bien que des artistes comme Mucha poursuivent avec bonheur leur travail dans ce style. Des esprits plus avant-gardistes constituent le groupe **Osma**, ou groupe des Huit. Parmi eux, **Bohumil Kubišta** (1884-1918) et **Emil Filla** (1882-1963), attachés au rôle de la couleur dans l'expression des valeurs spirituelles. Dans son studio parisien, pareillement convaincu du rôle central de la couleur, **František Kupka** (1871-1957) s'éloigne de ses premières toiles plus ou moins figuratives, inspirées du symbolisme, et se tourne vers une abstraction croissante, qui tente de rejoindre les effets de la musique. Les idées et techniques du cubisme français rencontrent un accueil enthousiaste à Prague. Un des premiers tableaux cubistes tchèques est *Le Fumeur*, de Kubišta, au nom prédestiné.
Dans le même temps, en architecture, l'Art nouveau s'éloigne de l'excès ornemental pour une approche plus sobre et structurelle, dont le Mozarteum de 1913 dû à Jan Kotěra (1871-1923) est un exemple. Un **mouvement architectural cubiste tchèque** original se développe. On trouve peu d'exemples semblables dans le monde à la **maison à la Vierge noire**, achevée en 1912 par **Josef Gočár** (1880-1945), ou bien aux **villas et immeubles de Vyšehrad** dus à **Josef Chochol** (1880-1956). La

décomposition des surfaces planes puis leur recomposition sont plus aisées en peinture et sculpture qu'en architecture, mais ces constructeurs, et d'autres, vont réussir à créer de merveilleuses formes à facettes, parfois semblables à des diamants taillés, originales et séduisantes. Leur recherche rencontre un écho dans les arts décoratifs, avec des meubles et céramiques de style cubiste.
Peut-être le plus grand sculpteur tchèque du 20e s., **Otto Gutfreund** (1889-1927), cubiste convaincu dans ses premières œuvres, crée en 1911 des bronzes expressifs comme *Angoisse*, et un *Don Quichotte* encore plus tourmenté. Mais à la fin de la Première Guerre mondiale, Gutfreund a abandonnée le cubisme pour le **civilisme** et le **réalisme objectif**, célébration de la vie ordinaire marquée par le souhait d'une « nouvelle sculpture pour un nouveau pays ». Typiques de cette tendance, ses merveilleuses figures en bois coloré représentent des scènes quotidiennes : le travail, comme dans *Commerce et Industrie* de 1923 ; ou le groupe charmant mère, père et enfant dans *Famille*, en 1925. Gutfreund reçoit

Sculpture cubiste d'Otto Gutfreund.

Národní Galerie V Praze

avec **Jan Štursa** (1880-1925) commande de la décoration sculptée de la **Banque des Légions** de Josef Gočár. Leur travail, – pour Štursa des consoles monumentales, pour Gutfreund une frise courant sur toute la façade – célèbre le courage des légionnaires tchécoslovaques qui ont combattu aux côtés des Alliés pendant la Première Guerre mondiale.

Le palais Adria.

Certains des contemporains de Gutfreund et Štursa, dont Karel Dvořák
(1893-1950), travaillent dans le même
style. Leurs figures de personnages ordi-
naires au travail ou en détente ornent de
nombreux bâtiments de l'époque.

Le rondocubisme

La Banque des Légions, achevée en
1932, est le produit d'un deuxième style
architectural spécifique à la Bohême, le
rondocubisme, dont la durée de vie
sera aussi brève que celle du cubisme
en architecture. L'idée est d'intégrer dans
l'architecture des valeurs typiquement
slaves. On emploie le rouge et le blanc,
couleurs nationales, ainsi que des formes
massives, cylindriques, rondes, tron-
quées, faisant écho aux constructions
en rondins de bois. Un autre exemple
rondocubiste, plus monumental, est le
palais Adria *(voir p. 245)* de 1925 aux
allures de forteresse, dû à Pavel Janák
et Josef Zasche. Les édifices rondocu-
bistes sont rares. Ce style sera attaqué
par la génération suivante qui le trouve
superficiel, décoratif, inutilement nationaliste. Il laisse vite place à une nouvelle
approche, fondée sur l'appréciation de la
fonctionnalité des bâtiments et les riches
perspectives qu'offrent les matériaux
modernes, acier, verre et béton.

Le fonctionnalisme

La Tchécoslovaquie de l'Entre-deux-
guerres est, en comparaison avec ses
voisins, un État démocratique, progressiste et prospère. Le fonctionnalisme

en architecture y trouve un berceau
idéal. Prague conserve de nombreux
bâtiments de ces débuts héroïques
de l'architecture moderne, par exemple le grand **palais des Expositions**
(voir p. 256) conçu par Josef Fuchs et
Oldřich Tyl, qui impressionne Le Corbusier lors de son inauguration en 1928.
Son magnifique espace intérieur reste
un modèle admiré pour la pureté des
lignes et la perfection des volumes.
Autres constructions phares de l'époque, le **magasin Baťa** ouvert en 1929
sur la place Venceslas, et l'ensemble de
bâtiments de l'**Institut des retraites**
de la place Winston-Churchill, dans le
quartier de Žižkov proche du centre.
Recouvert de céramique pour résister
à la vapeur et aux fumées émanant de la
gare centrale voisine, il se compose de
corps de différentes hauteurs. Ses longs
bandeaux horizontaux de fenêtres mar-
queront les immeubles de bureaux des
décennies suivantes. Dans les quartiers
surgissent des lotissements de maisons
fonctionnalistes, dont le plus célèbre est
la colonie **Baba Villa**, sur un site splendide en sommet de colline au nord de la
ville. Suivant l'exemple de l'exposition
des pavillons du Werkbund à Stuttgart
en 1927, on y fait construire entre 1928
et 1940 une bonne trentaine de maisons
par les grands architectes du moment.
Les stucs sont un peu délabrés, mais ces
habitations en forme de boîte, aux grandes
des baies rectangulaires, balcons généreux et espaces intérieurs déstructurés,
représentent toujours l'idéal domesti-

que de l'architecture progressiste de l'époque. En 1931, dans le faubourg de Slivovice, l'architecte **Adolf Loos**, né en Moravie mais installé à Vienne, connu pour sa devise « L'ornement est un crime », construit une grande villa pour la famille Müller, illustrant un concept similaire d'espace intérieur, le *Raumplan*. On bâtit d'autres villas modernistes autour des grands studios de cinéma **Barrandov**, surplombant la Vltava au sud du centre de Prague, avec un restaurant panoramique et un night-club huppé doté d'une tour semblable à un phare : les **terrasses Barrandov** deviennent le dernier endroit à la mode. Mais c'est la **villa Tugendhat**, à Brno, qui fait preuve de la plus grande audace conceptuelle. Création en 1930 de l'architecte allemand **Mies van der Rohe**, elle est élevée au rang d'icône, comme l'un des plus beaux exemples de ce qu'on appellera plus tard le style International.

Indifférent à l'enthousiasme suscité par le fonctionnalisme, l'architecte slovène Josip Plečnik (1872-1857) puise son inspiration dans l'architecture classique et le contexte historique de son œuvre. Entre 1920 et 1934, il va minutieusement adapter les cours, intérieurs et jardins du Château à leur fonction contemporaine. Son œuvre personnelle la plus célèbre est l'extraordinaire **église du Très Sacré-Cœur** de Vinohrady, en banlieue.

Devětsil et le surréalisme

Certains des pionniers du fonctionnalisme sont liés au groupe d'artistes Devětsil, que préside le poète, théoricien, créateur de collages et publiciste **Karel Teige** (1900-1951). Passionné par la modernité et les expérimentations de toutes sortes, avec pour quartier général le célèbre café Arco, le groupe recrute ses membres dans toutes les disciplines artistiques, y compris la poésie. Il choisit même comme membres honoraires des personnalités représentatives du monde contemporain, tels Charlie Chaplin et Harold Lloyd. Des artistes comme Toyen (nom choisi par Marie Čermínová, 1902-1980) et Jindřich Štyrský (1899-1942) cherchent à créer une « poésie visuelle » et développent une « façon de voir le monde qui en fait un poème ». Devětsil s'affiche clairement à gauche, mais

plusieurs de ses membres sont exclus du Parti communiste tchécoslovaque pour leur comportement « incorrigiblement petit-bourgeois ».

Pendant toutes les années 1920, le groupe domine la production artistique progressiste. Même après sa dissolution, en 1931, plusieurs de ses membres comme Teige, Toyen et Štyrský continuent de jouer un rôle dominant dans le groupe des surréalistes, qui lui succède. Ce dernier ouvre sa première exposition en 1935 dans le bâtiment Mánes de 1928, ouvrage fonctionnaliste d'un blanc étincelant. Invité du groupe, le surréaliste André Breton est sous le charme de Prague, « métropole magique de la vieille Europe ». Chef de file des peintres surréalistes tchèques, **Josef Šíma** (1881-1971) brosse des paysages mythiques peuplés de torses flottants, de cristaux et d'œufs cosmiques.

Au nombre des sculpteurs surréalistes figure Ladislav Zívr (1909-1980), mais l'artiste le plus original des années 1930 est sans doute **Zdeněk Pešánek** (1896-1965). Fasciné par les potentialités de l'art cinétique et de la lumière électrique, il crée pour l'Exposition universelle de 1937 à Paris une fontaine cinétique lumineuse qui est très admirée. Mais ses autres projets pour orner Prague de grandes sculptures publiques ne voient pas le jour.

L'art sous les nazis

Avec le protectorat de Bohême-Moravie imposé en 1939 par les nazis, l'activité artistique d'avant-garde disparaît, du moins dans son rôle public. Pourtant, en 1942, des peintres et d'autres artistes créent le **Groupe 42** : les paysages urbains désolés de František Hudeček (1909-1990), Jan Smetana (1918-) et Kamil Lhoták reflètent la grisaille des années d'occupation. Les arts visuels vont aussi stagner pendant les décennies de gouvernement communiste.

L'art sous le communisme

Après le coup d'État de 1948, les communistes s'efforcent de récupérer les talents des artistes pour le compte du Parti. Un nombre surprenant d'artistes continue de prospérer sous le nouveau régime, notamment ceux dont la production respecte la bonne tonalité, patriote et populaire. Beaucoup sont honorés du titre d'« artiste national ». Max Švabinský, âgé, joue un rôle similaire à celui de Mucha pour la première République, signant des portraits de héros du Parti, dessinant affiches et timbres sur commande. L'artiste le plus proche de la tradition populaire reste **Josef Lada** (1887-1957), rendu célèbre par les gravures illustrant le roman de Jaroslav Hašek *Le Brave Soldat Chveik*. Ses scènes typiques de la vie de village et ses personnages rustiques essaiment partout. Un autre illustrateur apprécié, Adolf Zábranský (1909), crée pour le jardin du palais Ledebour un panneau de sgraffites de 35 m de long avec pour sujet la Libération de 1945. Aujourd'hui enlevé, il montrait de robustes jeunes paysannes en costume régional accueillant les soldats de l'Armée rouge. D'autres projets finiront mal. Dans les années 1920, le sculpteur « réaliste objectif » **Otakar Vávra** (1892-

1955) avait créé un chef-d'œuvre mineur avec son *Motocycliste* en pleine course. Mais la commande du monstrueux monument de Staline, sur le plateau de Letná, le conduira au suicide. Le réalisme objectif de l'Entre-deux-guerres est une sorte de précurseur du **réalisme socialiste** encouragé dans le bloc soviétique, mais l'essentiel de la peinture et de la sculpture produit sous cette appellation semble dépourvu de vie et de contenu. L'architecture réaliste socialiste connaît une courte vogue dans les années 1950, mais ne laisse qu'un unique édifice dans un style stalinien sans concession, le gratte-ciel « pièce montée » de l'**hôtel International**, aujourd'hui Holiday Inn. La plupart des bâtiments de l'époque communiste sont des variations sur le fonctionnalisme.

Les années 1970 verront cependant surgir une nouvelle forme de monumentalisme, avec des bâtiments dominateurs comme l'immeuble Koospol sur la route de l'aéroport, le Parlement tchèque, malheureusement proche du Musée national, et le palais de la Culture, à l'allure de forteresse, de Vyšehrad. Le glas du fonctionnalisme sonne avec le développement des banlieues praguoises, sous forme de grands lotissements sans âme réalisés sur le modèle soviétique à partir de panneaux d'usine préfabriqués.

L'après communisme

La chute du communisme en 1989 n'entraîne pas la naissance d'un style d'architecture spécifiquement tchèque. L'édifice qui nourrit le plus la controverse aujourd'hui est la « **Maison qui danse** » de l'architecte américain Frank Gehry, visible de loin sur les rives de la Vltava.

L'hôtel international, gratte-ciel stalinien.

R. Holzbachova/Ph. Bénet / MICHELIN

CULTURE

La culture tchèque ne se résume pas à Kafka ! Si son plus célèbre citoyen est étroitement lié à la ville qu'il a su évoquer comme nul autre, Prague a inspiré de nombreux grands noms de la vie artistique et intellectuelle tchèque. L'humanisme s'y épanouit dès la fin du Moyen Âge et marque le début d'une tradition de pensée ouverte et cosmopolite qui accueille aussi bien les idées du très sage rabbin Loew que celles de l'astronome Tycho Brahé. Capitale mélomane, Prague est aussi surnommée le « conservatoire de l'Europe » et voit s'épanouir quelques grands noms de la musique, tels Smetana et Dvořák. Enfin, plus récemment, son cinéma a produit quelques chefs-d'œuvre.

Ph. Gajic / MICHELIN

Enseigne baroque «Aux trois violons», n° 210/12 de la rue Neruda.

La vie intellectuelle

À l'époque moderne, les intellectuels ont joué un rôle important dans la définition de la nation tchèque, puis dans sa conduite. Mais longtemps auparavant, Prague était un lieu où la pensée fleurissait, un pôle intellectuel dont l'influence s'étendait bien au-delà des frontières de la Bohême.

DES ESPRITS MÉDIÉVAUX SE REBELLENT

Au Moyen Âge, faisant partie du Saint Empire romain germanique, à plusieurs reprises capitale, Prague est traversée par les courants intellectuels qui circulaient d'un bout à l'autre de l'Europe. Son université, première institution de ce genre au nord des Alpes et à l'est de Paris, est fondée en 1348 par le grand empereur Charles IV, que son éducation et son appartenance à la dynastie des Luxembourg ont familiarisé avec la France et l'Italie autant qu'avec l'Europe centrale. Un des étudiants les plus brillants de cette université est **Jan Hus** (v. 1370-1415), *(voir p. 79, 92)*, qui reçoit en 1396 son diplôme de maîtrise. Prague est depuis des années le ferment de débats théologiques, avec des prédicateurs comme **Waldhauser** ou **Milič**, qui rejettent le matérialisme de l'Église, s'appuyant sur les écrits hérétiques de l'Anglais John Wyclif. Hus n'est pas à l'origine un révolté, mais sa résolution de « vivre dans la vérité de Jésus-Christ » l'amène inévitablement à entrer en conflit avec les instances ecclésiastiques. Son excommunication, son procès à Constance et sa mort sur le bûcher en 1415 lui confèrent une stature européenne de réformateur avant la Réforme. En terre tchèque et ailleurs, il est à la source de décennies de conflits religieux destructeurs, les guerres hussites.

L'astronomeJohannes Kepler chez Rodolphe II. Gravure sur bois d'après un dessin de Josef Matthias von Trenkwald (1824-1897).

L'ÉRUDITION JUIVE

Parallèlement au développement de la pensée chrétienne, les érudits de la communauté juive de Prague poursuivent leur recherche intellectuelle. Le 13e s. voit fleurir ce genre d'activité. Des Juifs cultivés, comme **Isaac ben Moïse**, qui a étudié à Paris, en Rhénanie et à Ratisbonne, travaillent à compléter les commentaires du Talmud ; **Abraham ben Azriel** rassemble une somme de savoir juif, *Le Jardin des Épices*. Alors que Jan Hus répand ses idées révolutionnaires, **Jom tov Lipmann-Mühlhausen** se penche sur les questions métaphysiques de la foi et du libre arbitre. Un siècle plus tard, un groupe de savants praguois rédige les premiers textes hébreux publiés au nord des Alpes. Le 16e s. sera l'âge d'or de la culture et de la science juives. La figure marquante est celle du grand **rabbin Judah Loew ben Bezalel** (v. 1520-1609). Souvent considéré comme le créateur du monstrueux Golem *(voir encadré p. 167)*, le rabbin Loew était en réalité un érudit de tout premier rang, qui s'efforçait minutieusement de réconcilier les idées de la Renaissance et la tradition juive.

UNE COUR CULTIVÉE

La sagesse du rabbin Loew aurait suffisamment éveillé l'intérêt de l'empereur Rodolphe II pour que l'excentrique souverain le fasse au moins une fois amener du ghetto au palais. L'empereur s'intéresse à toutes sortes de choses, et sous son règne (1576-1612), la cour de Prague est un lieu de grande culture et aussi de grande érudition, bien que l'on trouve parmi les philosophes, médecins et astronomes rigoureux, des astrologues, alchimistes ou purs charlatans. Les tentatives des courtisans de Rodolphe pour dévoiler la face occulte de l'univers ou pour transformer en or un vil métal contribuent à forger la légende de la « Prague magique » ; on brode plus d'un récit passionnant sur la vie de l'astronome danois **Tycho Brahé** (1546-1601) et son nez de métal, du savant anglais **John Dee** (né en 1527) et de son compatriote, l'escroc Edward Kelley. Mais des recherches sérieuses aboutissent : Tycho Brahé effectue des observations précises sur le mouvement des corps célestes, que développe son collègue **Johannes Kepler** (1571-1630), ouvrant la voie aux futures découvertes d'un Isaac Newton.

LES ANNÉES SOMBRES

L'exil forcé des protestants de Bohême après la bataille de la Montagne-Blanche en 1620, le statut de Prague, ravalée au rang de ville de province, l'application stricte de la Contre-Réforme, tout cela enferme le pays dans la période que les historiens tchèques appellent **Temno**, les « années sombres », dont la nation ne sortira qu'au 19e s., avec le Réveil national. Un des grands exilés protestants est l'humaniste morave **Jan Amos Komenský** (1592-1670). Connu partout sous le nom de **Comenius**, Komenský cherche refuge en Pologne, en Angleterre, en Suède, en Hongrie, en Hollande, où il est acclamé pour sa « pansophie », système de pensée cherchant à unifier toute la chrétienté, ainsi que pour ses théories remarquablement progressistes en matière d'éducation, dont beaucoup ont dû attendre le 20e s. pour être mises en application.

LE RÉVEIL NATIONAL

Le triomphe de la Contre-Réforme et la primauté de l'allemand entraînent la disparition presque totale d'une culture spécifiquement tchèque pendant les deux siècles du *Temno*. On laisse aux classes populaires le soin de maintenir la langue en vie. Ainsi préservée, elle est redécouverte au début du 19e s. grâce aux intellectuels du Réveil national. Dans les premières années du siècle, **Josef Dobrovský** (1753-1829) publie une *Histoire de la langue et de la littérature tchèques* et un dictionnaire allemand-tchèque en deux volumes ; **Josef Jungmann** (1773-1847) démontre la puissance et la richesse du tchèque en traduisant dans cette langue des classiques anglais et allemands et en retravaillant inlassablement à son grand dictionnaire allemand-tchèque, dont les cinq volumes ouvriront en 1847 la procession de ses funérailles. Tous ces efforts ne sont pas purement académiques, comme en témoignent les six volumes de l'*Histoire de la nation tchèque en Bohême et Moravie*, dont la rédaction occupa plus de 45 années de la vie de l'historien **František Palacký** (1798-1876) : c'est grâce à son récit des guerres hussites que la figure de Jan Hus s'est définitivement installée dans la mémoire collective de ses compatriotes. Pendant l'année révolutionnaire 1848, Palacký rappelle au monde que la Bohême et les Tchèques sont autre chose que l'appendice d'une Europe centrale essentiellement germanique. Il refuse d'abord de siéger au Parlement de l'Empire germanique, à Francfort, pour organiser ensuite un congrès slave à Prague même. Son axiome le plus célèbre sur les Tchèques a une dimension prophétique : « Avant que l'Autriche soit, nous étions, et quand l'Autriche ne sera plus, nous serons ! »

L'*Histoire* de Palacký est un ouvrage patriotique, destiné à rendre aux Tchèques le sentiment de leur identité, en réveillant la conscience d'un passé ancien et souvent glorieux. Au 19e s., Prague devient une ville à forte dominante tchèque, cœur reconnu d'une nation à l'assurance croissante, à l'autonomie culturelle fermement établie, qui souhaite aussi une forme d'autonomie politique au sein de l'empire austro-hongrois. Des auteurs comme **Jan Neruda** (1834-1891) (*Contes de Malá-Strana*) et **Božena Němcová** (1820-1862) (*Babička ou Grand-Mère*) célèbrent la vie des Tchèques à la ville et à la campagne. On assiste à un dernier épanouissement de

Dernier portrait de Franz Kafka, vers 1923-1924.

la Prague de langue allemande, notamment de la culture juive allemande : le nom de **Franz Kafka** (1883-1924) est intimement lié à sa ville natale, mais il n'est qu'un des nombreux écrivains qui se sont nourris de la Prague du tournant du siècle et de son animation intense. La « société de café » s'y développe tout autant qu'à Vienne : les Tchèques et leurs fidèles fréquentent le café Union (appelé familièrement *Unionka*), les germanophones le café Arco. **Karl Kraus** (1874-1936), propriétaire et rédacteur en chef de la revue littéraire *Die Fackel* (*La Torche*), brocarde avec acidité ces derniers dans une phrase quasiment intraduisible – « *Es werfelt und brodet* *und kafkat und kischt »* – qui associe à Kafka le poète, auteur dramatique et écrivain **Franz Werfel** (1890-1945), qui épousera la veuve de Gustav Mahler et finira ses jours à Hollywood ; **Max Brod** (1884-1968), qui a sauvé de la destruction l'œuvre de l'auteur du *Procès* ; et **Egon Erwin Kisch** (1885-1948), le « reporter enragé » qui, après maintes vicissitudes, retourne à Prague au lendemain de la Seconde Guerre mondiale pour devenir conseiller municipal communiste.

« T. G. M. »

Au début du 20e s., la voix tranquille de **Tomáš Garrigue Masaryk** (1850-1937 - *voir p. 84*), se fait parfois entendre dans le brouhaha de Prague. Fils d'un cocher slovaque et d'une Morave de langue allemande, Masaryk est professeur de philosophie et de sociologie à l'université tchèque de Prague. Farouche adversaire des comportements irrationnels, il combat l'antisémitisme, le nationalisme et le cléricalisme, se faisant beaucoup d'ennemis. Membre élu du Parlement autrichien, il souhaite un gouvernement autonome tchèque au sein de l'empire ; mais une fois les circonstances modifiées par la Première Guerre mondiale, il se rend compte qu'il n'y a pas d'autre solution que l'indépendance pure et simple. Philosophe avant tout, plus vraiment jeune, il devient néanmoins le moteur d'un mouvement unissant Tchèques et Slovaques et lève une armée d'émigrés et de déserteurs pour combattre aux côtés des Alliés. En 1918, il fait une entrée triomphale à Prague et, désormais affectueusement désigné par ses initiales T. G. M., devient le premier président de la Tchécoslovaquie.

Masaryk était l'ami des frères **Josef** et **Karel Čapek** (1890-1938), ce dernier mondialement connu pour ses pièces de théâtre *Le Secret Macropoulos* et *RUR* (*Les Robots universels de Rossum*, pièce qui a introduit le mot *robot* dans les autres langues). Un cercle politique et littéraire influent appelé « le Château » se réunit régulièrement à la villa des Čapek, à Vinohrady. Trouvant son inspiration auprès de Masaryk, « le Château » donne le ton intellectuel de la première République démocratique de Tchécoslovaquie, prônant les valeurs

de libéralisme et de tolérance qui vont disparaître progressivement dans le totalitarisme des années 1930. En 1938, Karel Čapek meurt, le cœur brisé de voir les accords de Munich déchirer son pays, et Josef périt au camp d'extermination de Bergen-Belsen.

L'ATTIRANCE DE LA GAUCHE

Entre les deux guerres mondiales, de nombreux intellectuels, inspirés par une Union soviétique peu connue, embrassent le communisme. Pendant l'Occupation, les tendances prorusses ou de gauche se renforcent sous les effets de la trahison de Munich et de la résistance héroïque de l'Armée rouge aux assauts allemands. Le coup d'État communiste de 1948 rencontre peu de résistance parmi les intellectuels ; les quelques protestations sont vite étouffées. De nombreux membres de l'intelligentsia obtiennent divers postes gratifiants d'apparatchiks culturels. **Vitěslav Nezval** (1900-1958), chef de file de l'innovation poétique des années 1920 et 1930, s'adonne à un culte stalinien éhonté et devient directeur de l'industrie cinématographique nationalisée. L'écrivain **Zdeněk Nejedlý** (1878-1962), promu à un âge avancé ministre de l'Éducation et de l'Instruction nationales, ne ménage pas sa peine pour légitimer le régime en retrouvant ses racines dans l'histoire tchèque, surtout dans le hussisme.

LA DISSIDENCE

Au début des années 1960, le communisme tchécoslovaque, en échec sur les plans économique et politique, connaît une crise et brise sans ménagement toute tentative de renouveau culturel. Mais, au sein du Parti, les intellectuels réclament des réformes de fond. Leurs efforts aboutissent en 1968 au « **printemps de Prague** », soutenu par la nation tout entière, dernière chance pour le communisme de se réformer. La « normalisation » qui suit l'invasion par les troupes du pacte de Varsovie en août 1968 exclut de la direction du pays tous ceux dont la pensée est capable d'indépendance. Chassés des universités et autres institutions, poètes, dramaturges, économistes et philosophes se retrouvent laveurs de carreaux ou chauffeurs, et ne parviennent à publier, dans le meilleur des cas, que sous forme de *samizdats*.

Quand il n'est pas en prison ou harcelé par la Sécurité, l'auteur dramatique **Václav Havel** (né en 1936 - *voir p. 87*), roule les tonneaux dans une brasserie de province. Acclamé pour ses comédies de l'absurde du début des années 1960, comme *La Fête en plein air*, qui ridiculise la bureaucratie, Havel continue d'écrire dans les années 1970, bien que ses œuvres, comme la trilogie **Vaněk** (*Audience, Vernissage* et *Pétition*), ne puissent être jouées qu'en privé ou à l'étranger. En 1977, il fonde la **Charte 77** avec le philosophe Jan Patočka et l'ancien ministre des Affaires étrangères Zdeněk Mlynář. Malgré la menace réelle de la prison, près de 1 800 personnes vont signer cette charte, qui exige, sans succès, de la part du gouvernement qu'il respecte ses propres lois, ainsi que les droits de l'Homme. Peu féru de politique en tant que telle, Havel s'intéresse au fondement moral de l'action, et considère l'être moral, plutôt que le dogme, comme la pierre angulaire de toute société. En 1989, il saura donner, avec ses amis dissidents, une voix à la « révolution de velours ». Élu président à la fin de cette extraordinaire année, réélu par deux fois depuis, Havel est resté fidèle aux valeurs qui l'ont soutenu au long des années de dissidence. Il a déployé toute son énergie pour rattacher son pays à la tradition humaniste défendue avant lui par le philosophe Masaryk.

La musique

« PRAGUE, CONSERVATOIRE DE L'EUROPE »

C'est ainsi qu'en 1772 l'Anglais Charles Burnley décrit la Bohême… Tout au long de leur histoire, les Tchèques ont toujours montré un goût inné pour la musique. Pour l'écouter bien sûr, mais surtout la jouer. Comme l'affirme le dicton : « *Co Čech, to muzikant* » (« Sous chaque Tchèque, un musicien »).

Un peuple de chanteurs

Au Moyen Âge, c'est en partie par le chant que les Tchèques établissent leur identité, qu'ils glorifient par un *Kyrie*, le célèbre *Hospodine, pomiluj ny*. Un cantique à saint Venceslas devient leur hymne national. Le chant grégorien se développe au chapitre des chanoines de Vyšehrad. Le *Livre des cantiques* de l'abbaye St-Georges, au Hradschin, est renommé.

La foi des hussites dans les valeurs simples des débuts du christianisme les amène à critiquer la polyphonie et à décourager l'emploi de l'orgue dans les églises. Ils promeuvent en revanche le chant des fidèles de même que l'hymne en langue tchèque, jusque-là banni de l'Église, domaines réservés au seul latin. Avec la musique populaire, cet engouement pour la musique chorale engendre la création de sociétés musicales, qui sous-tendront la création musicale tchèque dans les siècles à venir.

Lorsqu'en 1420 l'empereur Sigismond tente de reconquérir Prague, on compose le chant *Povstaň veliké město pražské* (*Lève-toi, grande cité de Prague*). Avant chaque bataille, les hussites entonnent *Ktož jsú boží bojovníci* (*Vous qui êtes les soldats de Dieu*). Redécouvert au 19e s., ce cantique devient le symbole musical du combat de la nation tchèque pour retrouver ce que la domination autrichienne lui a enlevé.

La protection de l'Église et de l'aristocratie

Au 16e s., surtout à l'époque baroque, aristocratie et Église encouragent l'éducation musicale. Elles aident souvent des paysans doués à sortir du servage pour mener une carrière musicale. Jésuites, piaristes et frères mineurs décernent le titre de *magister musicae* à des musiciens comme Černohorský. On forme d'excel-

Ange musicien (église St-Thomas).

lents orchestres privés, ou *kapela*, entretenus par l'aristocratie. À côté de cette musique d'élite, les **chants populaires**, qui animent les processions religieuses, vivent un renouveau. Les jésuites récupèrent les airs anciens en expurgeant les paroles de tout contenu hérétique. Le **frère Stayer**, né à Prague, rassemble un livre de chants très complet, réédité six fois entre 1683 et 1764.

Associations et institutions

Grâce à cette culture musicale, illustrée par le fameux proverbe « Tous les Tchèques naissent avec un violon sous l'oreiller », la musique devient au 19ᵉ s. un vecteur puissant du Réveil national tchèque. Le prestigieux théâtre des États, qui a fait en 1787 un accueil triomphal à Mozart, résonne ainsi pour la première fois de l'hymne national *Kde domov můj (Où est ma patrie ?)*, extrait d'un opéra de **František Škroup**. Et surtout, des sociétés se créent pour rassembler et soutenir les musiciens tchèques. La **Société des interprètes** collecte des fonds pour les musiciens âgés et les orphelins dont les pères étaient musiciens. Le **conservatoire de Prague**, le premier d'Europe, est fondé en 1811. Il forme d'excellents interprètes, comme le violoniste Josef Slavík et la cantatrice Henriette Sontag. Pour mettre en valeur les talents des jeunes musiciens, on organise des concerts publics. Ceux de l'île Slave, alors île Sophie, attirent des compositeurs étrangers comme **Berlioz** ou **Liszt**, auteur d'un essai intitulé *Des Bohémiens et de leur musique en Hongrie*.

Dans la seconde moitié du siècle, les sociétés musicales, qui regroupent Tchèques et Allemands, disparaissent avec la séparation des deux communautés. Créée en 1861, la société praguoise **Hlalol**, dont la devise est « Par le chant, toucher au cœur ; par le cœur, la Nation », est dirigée par **Smetana**. Le projet d'une institution nationale où pourraient se produire compositeurs et musiciens tchèques se développe. En 1868, on pose la première pierre du **Théâtre national**. Dans le même esprit, à partir de la fin du 18ᵉ s. et encore aujourd'hui, beaucoup de chercheurs s'attachent à recueillir les **chansons populaires** et les **danses traditionnelles**, qui ont inspiré **Smetana** et **Dvořák** autant que **Janáček**.

Bedřich Smetana.

UNE VILLE FAÇONNÉE PAR LA MUSIQUE

Un cadre urbain favorable

Parmi les cloches qui sonnent aux « cent tours » de Prague, on compte des **carillons** anciens, comme celui de **Notre-Dame-de-Lorette**, mis au point en 1694 par Peter Neumann. Depuis le Moyen Âge, et notamment à l'époque baroque, des **sonneurs de trompettes** accompagnent du haut des galeries les fêtes praguoises. En 1891, à l'occasion de l'Exposition du jubilé, **Dvořák** compose pour ces mêmes fêtes des fanfares. Aujourd'hui, la fanfare des Gardes du Château maintient vivante la tradition. Note plus sombre, la tour Dalibor du Hradschin rappelle le rôle légendaire du violon pour soutenir les Tchèques aux époques troublées.

Entre tours et clochers coule la majestueuse Vltava. Son murmure, le bruissement des moulins, comme sur l'île de Kampa, inspirent plus d'une œuvre. Dès 1715, des processions musicales sont organisées sur la rivière en l'honneur de saint Jean Népomucène, précipité dans la Vltava du haut du pont Charles. Zach, Jacob et Brixi composent une *musica navalis*, essentiellement pour instruments à vent, qui sera jouée tout le siècle sur des bateaux descendant la rivière. Les églises de Prague ont toujours produit de la belle musique. L'**église des Croisés de l'Étoile rouge** est célèbre pour ses *sepolkra*, oratorios donnés pendant le Carême, chantés par deux chœurs placés sur les galeries en face de l'église. Pendant un séjour en 1787, la musique de l'abbaye de Strahov enthousiasme Mozart. Celle de l'église St-Jacques séduit Černohorský. Dans ses jeunes années, Dvořák gagne modestement sa vie en tenant l'orgue à l'église. Janáček compose aussi pour l'orgue.

Certaines enseignes de maisons anciennes montrent des liens avec la musique, comme les trois violons du n° 210/12 de la rue Neruda *(voir p. 121)*, qui a abrité de 1667 à 1748 trois générations de luthiers, dont le renommé Tomáš Edlinger. La place de la Vieille-ille rappelle un souvenir musical plus sinistre, avec le mémorial au compositeur Kryštof Harant de Polžice, exécuté le 21 juin 1621 avec les autres chefs de la rébellion des États.

Salles de concert et d'opéra

Prague est célèbre aussi pour ses salles de concert et d'opéra. Le **théâtre V Kotcích** ouvre en 1737 et accueille la première représentation d'un opéra-comique à Prague, *La Servante maîtresse* de Pergolèse. **Gluck** monte ses opéras à Prague. En 1781, le comte **Nostitz** entreprend la construction d'un théâtre qui produira trois opéras par semaine. Son directeur, Štěpánek, fera tout son possible pour promouvoir des œuvres tchèques, mais ne pourra empêcher le théâtre de prendre finalement un caractère exclusivement allemand. Les Tchèques bâtissent alors le **Théâtre provisoire**, intégré peu à peu au **Théâtre national** qui, inauguré en 1881, devient le temple de la musique tchèque. Pour concurrencer les Tchèques, les Allemands construisent en 1888 le **Nouveau Théâtre allemand**, aujourd'hui l'Opéra d'État. En principe, les deux publics s'ignorent mutuellement. Mais Mahler, très apprécié des Allemands, n'est pas rejeté par les Tchèques. Après 1918, le Nouveau Théâtre allemand ouvre ses portes aux Tchèques ; son directeur, Zemlinský, fait jouer des œuvres étrangères récentes. Construit en 1904-1907, le **théâtre de Vinohrady** concurrence le Théâtre national pour l'opéra.

Au cours du 19e s., plusieurs salles de concert ouvrent. La première est construite sur l'**île Slave** en 1837, le **Rudolfinum** est inauguré en 1884. Le **Konvikt** ou **Platýz**, près de l'église St-Martin-dans-le-Mur, offre un espace pour des concerts et autres spectacles musicaux. Durant la période communiste, comme les rassemblements sont interdits, aller au concert ou à l'opéra est un moyen de se réunir : la vie musicale prend une coloration politique.

Prague est aussi une ville de festivals musicaux. Le plus connu, créé en 1946, est le **Festival de Printemps de Prague**. Cette rencontre internationale, comportant un concours d'interprétation, s'ouvre le 12 mai, anniversaire de la mort de Smetana, par une représentation de *Má Vlast (Ma Patrie)*. Le Festival d'automne de Prague a lieu vers le 28 septembre, fête de la Saint-Venceslas. En octobre et novembre vient le tour de Musica Judaica, un festival de musique juive.

PRAGUE ET LES COMPOSITEURS

Prague a toujours eu une relation ambigüe avec ses compositeurs, laissant partir les enfants du pays et attirant de nombreux étrangers. Dès le Moyen Âge, la vie musicale praguoise s'enrichit avec la venue à la cour de musiciens allemands, français, slovènes et italiens.

Gloires du baroque

Le 18e s. est l'âge d'or de la musique tchèque. La période baroque fournit beaucoup d'exemples d'échanges culturels. De nombreux musiciens tchèques se distinguent dans divers pays européens. **Jan Dismas Zelenka** (1679-1745) a été contrebassiste pendant 35 ans au service de l'Électeur de Saxe, à la cour de Dresde. En 1723, on joue pour le couronnement de Charles IV à Prague son œuvre allégorique *Sub olea pacis et palma virtutis (Sous les rameaux de la paix et la palme de la vertu)*.

L'autre grand compositeur de l'époque, **Bohuslav Matěj Černohorský** (1684-1742), a eu l'infortune de perdre presque toute son œuvre dans l'incendie de l'église St-Jacques, dont il était l'organiste. Il ne subsiste que 15 morceaux de celui que les Italiens surnommaient *Il Padre Boemo*. En Italie, Josef Mysliveček (1737-1781) est appelé *Il Divino Boemo*, ce qui montre combien ses opéras étaient appréciés. Le violoniste **Johann Stamitz** (1717-1757), père de la sonate moderne, travaille surtout à Mannheim. **Jiří Benda** (1722-1795) passe 28 années à Berlin. Plus tard, Smetana vivra en Suède et Dvořák aux États-Unis.

Deux chefs de l'orchestre de la cathédrale se distinguent particulièrement. František Xaver Brixi (1732-1771) entre en fonction à l'âge de 17 ans : il laisse plus de 500 compositions, dont beaucoup d'oratorios de la Passion et des messes solennelles. Le second, Jan Antonín Koželuh (1738-1814), influencera l'opéra praguois avec ses œuvres dans le style italien, comme *Alessandro nella India* (1760) et *Demofoonte* (1772) qui contribuera au renouveau du théâtre Nostitz.

Deux visiteurs illustres du 18e s.

Nul n'a plus passionné les Praguois que **Wolfgang Amadeus Mozart** (1756-1791). En 1782 et 1786, *L'Enlèvement au sérail* et *Les Noces de Figaro* triomphent au théâtre Nostitz. Les chroniques de l'époque rapportent que la ville tout entière est saisie de « Figaromania ». On atteint un sommet, le 29 octobre 1787, avec la première de *Don Giovanni*, opéra terminé à la villa Bertramka, maison des amis de Mozart, le compositeur **František Xaver Dušek** et son épouse Josefa (1753-1824), cantatrice accomplie. En 1802, *La Clémence de Titus* marque la fin de l'opéra italien à Prague. Règnent dorénavant le *singspiel* allemand et l'opéra en tchèque.

Ludwig van Beethoven (1770-1827) séjourne à Prague à deux occasions, en 1796 et 1798, comme en témoigne une plaque au n° 285 de la rue Lázeňská. Invité par la comtesse Josefina Clary, elle-même musicienne, Beethoven donne des concerts privés et compose *Sonatine et variations sur un thème pour clavecin et mandoline*. Sa musique est jouée aussi au théâtre des États, sous la direction de **Carl Maria von Weber**, compositeur allemand, qui dirige de 1813 à 1816 l'Opéra allemand de Prague fondé en 1807.

Vers une musique nationale

Václav Jan Tomášek (1770-1850) assure la transition entre le « classicisme bohémien » du 18e s. et les grands maîtres du Réveil national. Musicien personnel du comte Bucquoy, il compose surtout pour le piano et contribue au développement du romantisme tchèque. Jan Vacláv Hugo Voříšek (1791-1825), l'un des fondateurs du Musée national, est une figure de premier plan du Réveil national. Il a peu écrit, mais sa musique de chambre et sa *Symphonie en ré majeur* ont connu une certaine gloire.

Le musicien qui personnifie le mieux le Réveil national est **Bedřich Smetana** (1824-1884). Ayant pris part au soulèvement de 1848, il veut aider la nation tchèque à renaître à travers sa musique. La même année, il fonde, avec l'aide de Liszt, l'École nationale de Prague, qui deviendra bientôt une institution à la mode. L'œuvre de Smetana est imprégnée de folklore, et ses compositions reflètent un fervent patriotisme, notamment ses opéras *Libuše* et *Dalibor* et son cycle de six poèmes symphoniques *Má Vlast*, dont deux sont joués souvent seuls, *Vltava (La Moldau)* et *Des prés et des bois de la Bohême*. Son amour de la Bohême n'empêche pas Smetana d'être bien accueilli à l'étranger, par exemple en Suède.

On retrouve chez **Antonín Dvořák** (1841-1904) ce mélange de patriotisme et d'ouverture aux influences étrangères. Après la mort de Smetana, il devient la figure de proue de la musique tchèque. Il n'a pas bénéficié de la longue formation classique de Smetana, et ses racines sont encore plus fermement implantées dans la culture paysanne tchèque (enfant, Smetana ne parlait que l'allemand). Il s'est nourri de musiques slaves traditionnelles, pas seulement de Bohême, mais aussi d'autres régions, comme l'Ukraine et la Pologne. Tout cela en ferait un héraut du nationalisme plus crédible encore que Smetana, mais Dvořák est plus influencé par la musique internationale. Il laisse une œuvre diversifiée, symphonies, musique de chambre, musique chorale et plusieurs opéras.

Continuité et innovation au 20e s.

Dvořák a dirigé une classe de composition au conservatoire de Prague. De là sont issus **Vítězslav Novák** (1870-1949), influencé, lui aussi, par les chansons populaires de Moravie et de Slovaquie, et Josef Suk (1874-1935). Avec **Josef**

Partition des « Danses slaves » d'Antonín Dvořák.

Bohuslav Foerster (1859-1951) et **Otakar Ostrčil** (1879-1935), qui développent un nouveau style symphonique, l'École nationale se modernise. Celle-ci bénéficie ensuite de l'inspiration créatrice du Morave **Leoš Janáček** (1854-1928). Ayant achevé sa formation d'organiste et de compositeur à l'étranger, Janáček retourne vivre et travailler à Brno. On apprécie à Prague ses œuvres aux harmonies nouvelles, à l'instrumentation haute en couleur. La « petite renarde rusée » de son opéra a sa statue dans le parc de Petřín. Après lui, **Bohuslav Martinů** (1890-1959), élève de Suk, combine folklore morave et jazz avec le néoclassicisme d'Albert Roussel, son professeur à Paris. Il compose des poèmes symphoniques, mais aussi des musiques pour le cinéma et la télévision.

Professeur de composition au conservatoire de Prague entre 1923 et 1953, **Alois Hába** effectue toute sa vie des recherches sur la musique microtonale, inspirées par la chanson populaire tchèque et slovaque, qui subdivise différemment la gamme. Durant l'ère stalinienne, la créativité musicale n'est pas encouragée. Même des compositeurs expérimentaux comme Hába produisent une musique plus orthodoxe, telle sa *Symphonie valachienne* (1952).

Les années 1960 offrent plus de liberté, de même que les années 1980, où revient dans la musique populaire tchèque un peu d'émotion et de ferveur patriotiques, dans l'esprit du 19e s. et de Smetana.

Le septième art

L'histoire complexe de la Tchécoslovaquie dans les années 1920 se reflète dans son cinéma. À partir de 1933, les grands studios Barrandov offrent aux réalisateurs des installations parmi les plus modernes du monde, mais l'occupation nazie, puis le régime communiste contraignent les créateurs soit au conformisme, soit à l'exil. Paradoxalement, le léger relâchement de la censure communiste donne au cinéma tchèque ses heures de gloire : pendant la Nouvelle Vague des années 1960, on produit des films considérés aujourd'hui comme typiquement tchèques par leur humour sous-entendu et l'observation ironique des faiblesses humaines.

LES DÉBUTS DU GRAND ÉCRAN

Le premier contact des pays tchèques avec le cinématographe date de 1896 : présentation d'images mouvantes à Carlsbad, du kinétoscope d'Edison à Prague. Dès les années 1920, on produit quelque vingt longs métrages par an. La vedette préférée des Tchèques, Anny Ondráková, aux jambes interminables, devient Anny Ondra pour tourner *Chantage* d'Alfred Hitchcock loin de son pays. À la même époque, les artistes avant-gardistes du groupe Devětsil, qui ont élu Charlie Chaplin membre honoraire, expérimentent les possibilités poétiques et surréalistes de ce nouveau moyen de communication. Avec le son, le cinéma atteint une popularité immense et remplit tous les soirs les quelque cent salles de Prague, dont l'auditorium richement décoré du complexe Lucerna, construit par le grand-père de Václav Havel. En 1933, l'oncle du futur président, Miloš, aménage à **Barrandov**, à la sortie de Prague, avec l'architecte Max Urban, les studios sans doute les plus modernes d'Europe. Avec les années, Barrandov devient synonyme d'industrie cinématographique tchèque.

Les années 1930 voient le triomphe d'idoles du public féminin comme **Oldřich Nový** (*Kristián*, 1939) et de vamps telles la Slovaque Hedwig Kiesler, connue par la suite sous le nom d'Hedy Lamarr (*Extase*, 1933), et Lída Baarová, devenue célèbre en tant que maîtresse de... Josef Goebbels.

Jiří Voskovec et **Jan Werich**, vivifiants auteurs satiriques déjà connus pour leur spectacles surréalistes du Théâtre Libéré, connaissent le même succès à l'écran avec *Le monde est à nous* (1937). La nouvelle formule du documentaire permet l'évocation lyrique de la vie traditionnelle des paysans slovaques avec *Le Chant de la terre* (1935), de Karel Plicka.

Sous l'Occupation, les nazis reprennent la direction des studios de Barrandov et améliorent ses installations, déjà remarquables. Ils y tournent avec de grands moyens une centaine de films de peu d'intérêt.

Après la guerre, on nationalise les studios de Barrandov et on les adapte aux exigences du réalisme socialiste : on y tourne des films à la gloire de la production industrielle, ou exagérément laudatifs quant au rôle des communistes tchèques pendant la Résistance, telle *La Barricade muette*, d'**Otakar Vávra** (1949). Grand survivant du cinéma tchèque, Vávra (né en 1911) fait figure de patriarche. Technicien génial, il choisit et adapte ses thèmes en fonction de l'esprit du temps. Il joue aussi un rôle clé dans la célèbre école de cinéma praguoise FAMU, créée en 1946, où il s'attire le respect de la jeune génération, qui mettra en œuvre les innovations des années 1960.

COLLECTION CHRISTOPHE L.

« The Emperor's Nightingale » de Jiří Trnka, d'après un conte d'Andersen, 1948.

LE CINÉMA D'ANIMATION

Le cinéma d'animation tchèque fait ses débuts sur la scène internationale en 1946 lorsque **Jiří Trnka** (1912-1969) gagne le grand prix du dessin animé pour *Zvířátka a Petrovští (Les Petits Animaux et les Brigands)*. Trnka devient une grande figure du dessin animé, avec des dizaines de films merveilleux qui s'inspirent des nombreuses traditions du pays, légendes ou contes de fées, et de l'œuvre de peintres et d'illustrateurs comme Josef Lada. En 1955, il se fonde, pour son film de marionnettes *Le Brave Soldat Chveik*, sur les célèbres illustrations de Lada pour le mémorable roman de Hašek. Trnka a contribué à l'exigence d'une haute qualité pour le film d'animation, toujours sensible aujourd'hui dans certains dessins animés télévisés pour enfants. Dans les années 1980 et 1990, le public découvre la vision surréaliste d'un **Jan Švankmajer** (né en 1934), qui utilise marionnettes, objets trouvés, pâte à modeler, squelettes, bric-à-brac pour créer un monde dérangeant, voire effrayant, dans *Alice* (1988), *Konec stalinismu v Čechách (la Fin du stalinisme en Bohême* – 1990) ou *Faust* (1994). Grâce à son inventivité et à la qualité de ses techniques, le savoir-faire tchèque en animation bénéficie ces dernières années d'une reconnaissance au niveau international.

NOUVELLE VAGUE ET LENDEMAINS

Dans les années 1960, les censeurs tchécoslovaques alternent répression ordinaire et périodes de vague tolérance, autorisant la création, et parfois la projection, d'une série remarquable de films, œuvres de jeunes réalisateurs comme **Miloš Forman** (*Les Amours d'une blonde* – 1965 ; *Au feu les pompiers* – 1967), **Ivan Passer** (*Éclairage intime* – 1965), Jan Němec (*Les Diamants de la nuit* – 1965), **Jiří Menzel** (*Trains étroitement surveillés* – 1966), ou **Věra Chytilová** (*Les Petites Marguerites* – 1966). L'héroïsme socialiste est bien loin de ces films, qui s'attachent à d'autres éléments du génie tchèque, comme l'ironie, l'irrévérence et le sentiment de l'absurde, et font découvrir le cinéma tchèque au monde entier.

Un tel esprit d'indépendance ne peut survivre à la répression du « printemps de Prague », en 1968, et à la « normalisation » qui s'ensuit. Le conformisme ou le silence règnent alors en maîtres, et de nombreux talents fuient le pays. Tous ne rencontrent pas le succès international de Forman, qui poursuit sa vision personnelle dans *Taking off* (1972) et *Vol au-dessus d'un nid de coucou* (1975). Resté au pays, Vávra termine sa trilogie monumentale, *Les Jours de la trahison*, *Sokolovo* et *La Libération de Prague*, qui illustre de manière assez rigide l'histoire tchécoslovaque, des accords de Munich à la fin de la Seconde Guerre mondiale.

Après 1989, les subventions de l'État sont remplacées en partie par les investissements étrangers, attirés par les ressources de Barrandov et le grand savoir-faire des techniciens tchèques. On n'assiste pas à une Nouvelle Vague, bien que des films de qualité soient encore produits, comme le drame paysan *La Vache* (1995) du réalisateur âgé Karel Kachyňa, ou *Mandragora* (1997) de Victor Grodecki, chronique sombre de la jeunesse des rues à Prague. Les frères **Svěrák** – Jan est réalisateur et Zdeněk scénariste – rencontrent un succès international avec leur film *Kolja* (1996), récit sentimental sur un homme d'âge mûr contraint d'adopter un petit garçon, qui illustre les relations entre les Tchèques et les Russes. Ce film obtient en 1997 la palme du meilleur film étranger à Cannes ainsi qu'un Oscar la même année. Cependant, malgré ces succès ponctuels à l'international, le cinéma tchèque souffre d'un manque chronique d'argent, surtout pour les longs-métrages, et son cinéma a bien du mal à émerger face aux *blockbusters* américains. Ces dernières années, une nouvelle génération de jeunes réalisateurs commence pourtant à se faire connaître, tel Jan Hřebejk qui s'est distingué avec *Pupendo* (2003), une satire drôlatique de la Prague hypocrite et morose des années 1980, écrasée sous le joug finissant du communisme.

« Les Amours d'une blonde » de Miloš Forman (1965).

CAT'S COLLECTION

Place de la Vieille-Ville.

Ph. Gajic / MICHELIN

a Vieille Ville ★★★

Staré Město

CARTE 1ᴱᴿ RABAT DE COUV. C2-D2

de la Vltava et les boulevards qui ont remplacé ses fortifications, la Vieille ville de Prague a une longue histoire, partout visible dans le dédale de ses rues et de ses places. Voisinant avec une myriade d'églises anciennes, des façades baroques se dressent au-dessus de caves qui étaient autrefois le rez-de-chaussée de maisons romanes et gothiques. C'était la ville des bourgeois, bien distincte de la citadelle des souverains et du quartier aristocratique qui la domine sur l'autre rive. Au Moyen Âge, fierté et sens civique se développent dans sa population de commerçants, de marchands et d'artisans ; ses églises produisent des rebelles de la trempe de Jan Hus, et son université son contingent d'étudiants enfiévrés, vite prêts à défier l'autorité de la cathédrale et du Château.

▸ **Se repérer** – Ⓜ Staroměstská, Můstek, Náměstí Republiky.

🅿 **Se garer** – Le stationnement est réservé aux résidents dans une grande partie de la Vieille Ville (marquage en bleu) et la circulation y est compliquée. Garez-vous de préférence dans l'un des parkings aux abords de la Vieille Ville : par exemple, au croisement Bolzanova-Wilsonova près de náměstí Republiky ou sur Ostrovní près du Théâtre national.

👁 **À ne pas manquer** – La place de la Vieille-Ville ; le quartier St-Havel.

🕑 **Organiser son temps** – On peut aisément parcourir la Vieille Ville à pied, les monuments et sites étant très proches les uns des autres.

Comprendre

Un tissu urbain d'origine médiévale – Symbole de la citoyenneté, l'**hôtel de ville** (Staroměstská radnice) domine la **Staroměstské náměstí** (place de la Vieille-Ville), vaste espace en contraste total avec l'écheveau de rues et de venelles qui l'entoure. Les voies qui rayonnent tout autour courent vers le nord-ouest en direction d'anciens gués (Kaprová), vers l'ouest (Karlova) jusqu'aux ponts médiévaux, vers le nord-est (Dlouhá) et le quartier des marchands étrangers, et vers l'est (Celetná) jusqu'à la porte qui fermait la route de Kutná Hora. Le cours étroit et sinueux de Melantrichova se

---

La place de la Vieille-Ville au fil des siècles

Staroměstské náměstí servit de cadre à certains des événements les plus marquants de l'histoire de la Bohême. Dès le 13ᵉ s., la place, bordée de confortables maisons de ville de style roman, tient déjà le rôle de marché central ; on y organise aussi des tournois. À partir du milieu du 14ᵉ s., avec la construction de l'**hôtel de ville**, la place voit s'étendre son rôle administratif et cérémoniel. En 1437, on y pend plusieurs douzaines de hussites, et, après la défaite des États protestants à la bataille de la **Montagne-Blanche** (voir p. 266), le 21 juin 1621, on y décapite sans merci 24 aristocrates « rebelles », sur un échafaud drapé de noir, tandis qu'on pend trois roturiers. En 1650 est commémorée la levée du siège des Suédois par l'érection d'une **colonne mariale** en l'honneur de la Vierge de la Victoire. Elle dominera la place jusqu'en 1915, année où est inauguré le mémorial de **Jan Hus**. En 1918, dans l'effervescence qui suit la déclaration de l'indépendance de la Tchécoslovaquie, la colonne est abattue, la foule nationaliste voyant en elle l'emblème de la domination des Habsbourg.

Les **nazis** reconnaissent la signification symbolique de la place en drapant Jan Hus de noir. Mais le gigantesque V (pour Victoire) qu'ils insèrent dans les pavés n'empêche pas leur défaite, en mai 1945. Un de leurs derniers sursauts consiste à détruire l'horloge astronomique et l'aile est de l'hôtel de ville.

À peine déblayés les décombres de la guerre, par une froide et morne journée de février 1948, 80 000 manifestants emplissent la place, pour entendre le Premier ministre communiste Gottwald annoncer la fin de la Tchécoslovaquie démocratique.

dirige au sud vers l'emplacement d'un pont qui enjambait les douves et rejoignait la campagne, depuis longtemps recouverte par les constructions de la Nouvelle Ville. Quant aux fortifications de la Vieille Ville, on les devine encore aisément sur Na Příkopě « Sur les douves », aménagée au 18e s. le long du demi-cercle formés par les anciens remparts, tours et fossés du 13e s.

Autre caractéristique de ce quartier, pour lutter contre les crues incessantes de la Vlatva, on releva à la fin du 13e s. le niveau de la Vieille Ville de deux bons mètres. C'est ainsi que les rez-de-chaussée des bâtiments romans et gothiques se trouvent aujourd'hui au niveau du sous-sol.

Une ville au développement fantaisiste – L'extension de la Vieille Ville a donné un plan urbain fait pour intriguer le visiteur, avec cependant quelques exceptions. L'une d'entre elles est **Havelské Město** (quartier St-Havel), un espace rectangulaire aménagé par des géomètres au 13e s. pour doter la cité d'une vaste place de marché et de résidences agréables. Un effort de planification bien plus tardif a également transformé le quartier au nord de la place de la Vieille-Ville. À la fin du 19e s., **Josefov** (voir p. 162), l'un des plus grands et des plus célèbres ghettos d'Europe, était devenu un dédale de ruelles et de courettes insalubres. Un ambitieux programme de réno- vation appelé « **asanace** » l'a complètement fait disparaitre, laissant les quelques **synagogues** et le **vieux cimetière juif** perdus au milieu d'immeubles élégants flambant neufs, véritable bijoux d'architecture Sécesssion. Les berges de la Vltava, jusque-là abandonnées aux moulins, scieries et décharges, sont aussi dotées d'une suite de bâtiments publics prestigieux, tels le **musée des Arts décoratifs** (voir p. 170) et la salle de concerto du **Rudolfinum** (voir p. 165).

Prague épargnée par le 20e s. – Le caractère de la Vieille Ville n'a guère été modifié par les événements modernes. Quelques bâtiments ont été insérés dans le vieux décor urbain, notamment la **maison à la Vierge noire**, dans le style cubiste tchèque si caractéristique. Le plan de la place de la Vieille-Ville a également été un peu modifié quand une aile de l'hôtel de ville a brûlé en 1945, lors de la Libération, ouvrant la perspective sur la splendide façade baroque de **St-Nicolas**. Plus tard, les dirigeants communistes, bien qu'ayant d'ambitieux projets dans le plus pur style soviétique, ne verront jamais ceux-ci se réaliser, faute de moyens. Prague n'était après tout qu'une ville de faible importance politique dans l'échiquier du bloc Est, et ne méritait pas de tels aménagements. Ce quasi-abandon a grandement contribué à épargner la Vieille Ville, ses places, ses minuscules rues médiévales et ses ponts anciens…

Se promener

DÉCOUVERTE DE LA PLACE DE LA VIEILLE-VILLE★★★

Durée : 1h30. Voir plan p. 135.

Bordée de demeures historiques que dominent deux grandes églises et la haute tour de l'hôtel de ville, la vaste place pavée **Staroměstské náměstí** (place de la Vieille-Ville) est le vrai cœur du quartier. Venant de toutes les directions, les rues tracées depuis le Moyen Âge déversent les passants sur le lieu le plus fréquenté de Prague ; les jeunes se groupent autour de l'imposant mémorial de **Jan Hus** ; toutes les heures, une foule compacte se rassemble, levant les yeux vers la célèbre horloge astronomique ; les touristes délassent leurs pieds meurtris aux tables des nombreux restaurants et cafés. Marchands de souvenirs et animateurs de rue apportent une note supplémentaire de bruit et de couleur. Cette place a quelque chose de théâtral, un aspect renforcé la nuit, lorsque vieux immeubles et églises s'illuminent.

Staroměstské náměstí★★★ (place de la Vieille-Ville)

De forme à peu près rectangulaire, la place ne semble pas suivre un plan précis, mais avoir évolué plus ou moins naturellement, comme l'hôtel de ville. Elle présentait pourtant autrefois une certaine cohérence. Bien que d'époques différentes, ses maisons se ressemblaient peu ou prou, et les ruelles, en l'abordant de biais, évitaient la fuite des perspectives. La façade de l'église St-Nicolas, conçue pour être vue de près, se cachait timidement au fond d'une rue latérale. Au cours de l'*asanace* du ghetto, dans la première décennie du 20e s., la partie nord de la place a été réaménagée et une perspective ouverte vers la rivière et le plateau de Letná, avec Pařížská třída (rue de Paris). La destruction de l'aile est de l'hôtel de ville, au cours des combats de mai 1945 a, en outre, brutalement dévoilé la façade de St-Nicolas, ouvrant une brèche qui n'a jamais été comblée en dépit de différents projets de reconstruction.

Mémorial de Jan Hus★★ (pomník Jana Husa)

Staroměstské náměstí – Sur un socle massif, le mémorial est dominé par la haute et droite figure du prédicateur Jan Hus, réformateur brûlé comme hérétique en 1415 *(voir p. 79, 92)*. Le regard fixé vers un avenir où les injustices de son temps auraient été vaincues, Hus semble le courage et l'intégrité personnifiés. Il contraste par son calme avec les figures plus animées sculptées à ses pieds : ses partisans tchèques contraints à l'exil et une mère et son enfant, symboles du Réveil national. Le groupe est sans doute la sculpture la plus ambitieuse du mouvement Sécession tchèque. Cette œuvre de **Ladislav Šaloun**, commencée en 1903, montre des similitudes avec

Le mémorial de Jan Hus.

Jan Hus

Né vers 1370 au sud de la Bohême, ce fils de fermier fait montre d'une intelligence qui lui ouvre les portes de l'université. Après sa maîtrise, il est ordonné prêtre. Son éloquence le fait apprécier de ses supérieurs, qui lui attribuent la chapelle de Bethléem. Là, il se rapproche des enseignements de l'Anglais Wyclif, condamné pour hérésie en Angleterre. Mais c'est la querelle autour des indulgences qui met Hus en avant, lors d'une protestation publique, en 1412, contre l'exécution de trois manifestants ayant ouvertement condamné cette pratique corrompue. Exilé de Prague, il continue de prêcher dans les campagnes et expose ses idées, maintenant franchement rebelles, dans une suite d'essais. Déterminée à écraser l'hérésie, l'Église le convoque devant un grand concile à Constance. Malgré son argumentation raisonnée et de nombreux soutiens de la noblesse, il est condamné à mort. On aura beau disperser ses cendres dans le Rhin, son nom survivra, déstabilisant pendant de nombreuses années l'Église et l'État.

l'œuvre monumentale d'Auguste Rodin *Les Bourgeois de Calais*, que le public praguois découvrit en 1902 lors d'une exposition très visitée. Quand, après une longue période de gestation, le monument est dévoilé le 6 juillet 1915, pour le 500e anniversaire du martyre de Hus, les autorités autrichiennes, rendues nerveuses par la marée montante du nationalisme tchèque, interdisent toute cérémonie.

Jan Hus avait une dévotion particulière pour la Vierge, et, pendant trois années, son monument cohabite sereinement avec une colonne mariale de 1650, unissant ainsi les deux grandes traditions religieuses du pays. Mais, pour les ultranationalistes, la colonne est un symbole du joug des Habsbourg. Le 3 novembre 1918, une foule entreprend de la détruire. La réaction rapide des autorités permet de sauver la statue de saint Jean Népomucène, sur le pont Charles, mais la colonne mariale est abattue. Conservées au Lapidarium du Musée national, ses pièces attendent l'issue d'une campagne pour sa restauration.

Hôtel de ville★ (Staroměstská radnice)

Staroměstské náměstí (entrée par l'office de tourisme) - ☎ 724 508 584 - avr.-oct. : tlj 9h-18h sf lun. 11h-18h ; nov.-mars : tlj 9h-17h sf lun. 11h-17h - entrée pour la visite des caves, des salles du conseil municipal et de la chapelle au 2e étage 50 Kč ; entrée pour la visite de la tour de l'horloge au 3e étage 50 Kč. La Vieille Ville se voit octroyer sa charte aux alentours de 1230, mais les habitants ne sont autorisés par Jean de Luxembourg à bâtir un **hôtel de ville** qu'en 1338. Les fonds récoltés sont insuffisants pour une nouvelle construction, une maison du siècle précédent est alors achetée à l'angle d'une rue. La ville prospérant, l'hôtel de ville est agrandi vers l'ouest par l'acquisition d'immeubles voisins et le bâtiment initial est doté, dans la seconde moitié du 14e s., d'une grande tour ainsi que d'une aile à l'est. L'ensemble est régulièrement transformé et modifié au cours des siècles. L'aile est a été complètement détruite en mai 1945.

Se placer à droite de l'horloge astronomique pour suivre la description qui va d'est en ouest.

Extérieur – La maison à l'angle comporte au premier étage une **chapelle en encorbellement★** du milieu du 14e s., dessinée par **Peter Parler**. À son pied, les 27 **croix** serties dans le pavé rappellent le souvenir de ceux qui ont été exécutés sur la place en 1621. La **tour**, haute de près de 70 m, est commencée peu de temps après l'acquisition de la maison. Sa toiture et sa galerie actuelles sont des ajouts du début du 19e s. Une avancée aménagée côté sud abrite l'**horloge astronomique,** mondialement connue. Juste à l'ouest de l'horloge, on remarque un **portail** richement sculpté dans le style gothique tardif, remontant environ à 1470-1480, sans doute œuvre de Matěj Rejsek. La fenêtre voisine porte les armes de la ville et de la province tchèque. Le bâtiment suivant est acheté dès 1360 au marchand Kříž pour accueillir les activités du conseil ; la superbe **fenêtre** Renaissance, au premier étage, avec l'inscription en latin *Praga caput regni* (« Prague, capitale du royaume »), est ajoutée aux environs de 1520. Prolongeant vers l'ouest, on adjoint en 1458 une maison qui appartenait au fourreur Mikeš : elle montre aujourd'hui une façade néo-Renaissance du 19e s. Sa voisine, maison

Empire à arcades nommée U kohouta (Au Coquelet), conserve une cave voûtée. La ville en fait l'acquisition en 1830. Pour finir, on annexe en 1896 en direction du sud **dům U minuty**★ (maison à la Minute), où la famille **Kafka** a vécu sept ans. Édifice gothique tardif à l'origine, elle est remaniée au milieu du 16e s., et dotée d'une exceptionnelle décoration de sgraffites blancs sur fond noir.

Horloge astronomique★★★ – *Les 12 apôtres apparaissent aux heures pleines, entre 9h et 21h.* Puissant emblème de la magie de Prague, l'horloge attire un flot constant d'admirateurs et rassemble une foule importante avant que l'heure ne sonne. Débute alors un spectacle qui rappelle à tous le passage inéluctable de la vie et du temps. Avec le Christ, les douze apôtres entrent dans la ronde, la Mort agite son sablier, le Turc, le Juif, la Vanité font leur petit tour, et le coq

La vengeance de l'horloger

La légende veut que les bourgeois de Prague, extrêmement fiers de leur horloge, et soucieux de protéger le secret de son mécanisme, aient fait aveugler **Hanuš** pour éviter qu'il ne le trahisse. Pour se venger, Hanuš se serait fait guider en haut de la tour et aurait plongé la main au cœur du mécanisme pour l'immobiliser. Toute personne tentant par la suite de le réparer aurait connu un destin funeste, trouvant la mort ou devenant fou. La seule réalité de la légende, c'est qu'on avait bien du mal à faire fonctionner l'horloge. Celle-ci s'arrêtait constamment, et sa plus longue panne a duré près d'un siècle, entre 1692 et 1787. Les maîtres horlogers se sont effectivement succédé au fil des années pour la réparer…

chante pour clore la parade. Ces séduisantes figurines sont assez récentes : elles on été sculptées en 1948 pour remplacer celles du 17e s., perdues lors de la destructio de l'horloge en 1945 par les nazis. On a alors arrêté la main du sculpteur, qui souhaitai donner à Judas les traits d'un collaborateur notoire !

L'horloge, installée vers 1410 par l'horloger royal **Nicolas de Kadaň** en collaboratio avec Jan Sindel, professeur de mathématiques et d'astronomie de l'université de Pra gue, a été réparée et améliorée par maître Hanuš vers 1490, et perfectionnée enfin pa Jan Táborský au milieu du 16e s. Les trois aiguilles du cadran central servent à indique avec le déroulement des heures, la position du Soleil, de la Lune et des planètes selo la cosmologie médiévale. Le cadran inférieur est un merveilleux calendrier des moi de l'année. Ces vignettes sont en fait des copies d'originaux peints en 1865 par **Jose Mánes**, aujourd'hui au musée de la Ville.

Intérieur – Remplacé au début du 20e s. par un nouveau bâtiment élevé sur Mariánské náměstí, et restauré après les dommages de 1945, l'hôtel de ville ne sert aujourd'hu que pour des expositions et des cérémonies. Le PIS (service d'information praguois a ses bureaux au rez-de-chaussée. L'entrée est ornée de mosaïques de Mikoláš Aleš illustrant la fondation légendaire de la ville. Le deuxième niveau donne accès à la **salle du Conseil**, gothique, témoin en 1458 de l'élection du roi Georges de Podiebrad, et la chapelle datant de 1381. On visite également les **salles gothiques du sous-sol**, qu étaient originellement le rez-de-chaussée de l'hôtel de ville. Au sommet de la tou une galerie offre une **vue**★★ merveilleuse sur l'ensemble de la cité, l'effervescenc de la place et l'architecture complexe des toits de la Vieille Ville.

Se diriger vers le sud-ouest de la place ; la visite se fait d'ouest en est.

Côté sud de la place

Quelques-unes des plus belles maisons bourgeoises de Prague bordent le côté sud De différentes périodes, avec des façades variées, chacune participe à la créatio d'un magnifique décor urbain.

- **À la Licorne d'or** U zlatého jednorožce – *n° 20/548*) – En 1848, le compositeu Smetana fonde une école de musique dans cette maison dotée d'un sous-sol roman d'une partie de portail gothique et d'un vestibule à voûte de style gothique tardi dû à Matěj Rejsek.

- **À l'Agneau de pierre** (U kamenného beránka – *n° 17/551*) – Elle présente un porta et un pignon Renaissance, une belle enseigne sculptée et une plaque rappelant u séjour d'Einstein.

L'horloge astronomique de l'hôtel de ville.

- **Édifice Štorch** (*n° 16/552*) – Il fut construit à la fin du 19ᵉ s. pour un éditeur célèbre, dans le style néo-Renaissance, avec des fresques de Mikoláš Aleš, dont saint Venceslas à cheval.

Côté est de la place
Les tons clairs et la taille modeste des maisons tapies devant l'église de Týn forment un premier plan saisissant sur l'imposante silhouette de pierre sombre.
- **À la Licorne blanche** (U bílého jednorožce – *n° 15/603*) – La maison natale de Josefa Dušek, cantatrice et amie de Mozart.
- **École de Týn** (Týnská škola – *n° 14/604*) – avec ses jolis pignons vénitiens, elle a fonctionné cinq siècles et compté parmi ses professeurs l'architecte Matěj Rejsek ; un passage ouvert sous ses arcades permet l'accès au portail ouest de l'**église de Týn**.
- **À la Cloche de pierre★★** (U kamenného zvonu – *n° 13/605*) – La plus remarquable maison particulière de la place. Longtemps, elle a caché sa véritable nature derrière une façade baroque. En réalité, c'est une maison forte médiévale, semblable à un palais, et il se pourrait que l'épouse de Jean de Luxembourg, la reine Élisabeth, l'ait habitée un temps. Commencée à la fin du 13ᵉ s., elle a été beaucoup agrandie au 14ᵉ s. et ornée de nombreuses sculptures, peintures murales et statues. À la fin du 17ᵉ s., tout cela a été recouvert ou détruit, et c'est seulement dans les années 1960 qu'on a mis au jour ces merveilles. On a même interrompu les travaux de restauration, tandis que les experts s'interrogeaient sur l'apparence qu'on devait redonner à ce bâtiment si remarquable. Finalement, on a éliminé la plupart des apports baroques et rendu à la maison son visage gothique, y compris un toit en appentis. Aujourd'hui restaurée, elle se dresse dans toute sa splendeur médiévale et offre son cadre prestigieux à des expositions temporaires organisées par la **Galerie de la Ville** de Prague (*☎ 222 327 677 - www.citygalleryprague.cz*).
- **Palais Kinský★** (*n° 12*) – L'un des plus beaux palais baroques de Prague. Il fut la demeure prestigieuse du comte Goltz, qui n'a pas hésité à le doter d'une avancée dépassant la limite officielle de construction sur la place. **Anselmo Lurago** l'a achevé en 1765, en s'inspirant d'un projet antérieur de **Kilian Ignaz Dientzenhofer**. Les combles sont couronnés de statues de Platzer, et, sous le double fronton, un superbe balcon relie les deux portails. C'est de ce balcon que le Premier ministre communiste Gottwald a prononcé en février 1948 son discours lourd de conséquences. Le bâtiment est aussi associé, à plusieurs titres, à **Kafka** : la boutique de son père a occupé un temps le rez-de-chaussée, l'appartement de la famille se trouvant au-dessus ; une autre partie du bâtiment abritait le lycée allemand que fréquentait le jeune Franz.

-Týn★★ (Matky Boží před Týnem)
e porche de l'immeuble Staroměstské náměstí 14. tlj 10h-16h sf dim.

isons basses qui cachent la partie inférieure de l'église N.-D.-de-
~n, ne l'empêchent pas d'être le monument le plus présent de la
...es deux tours qui dominent de 80 m le pavé, couronnées d'une forêt de
clochers et de flèches acérées. C'est le plus important sanctuaire gothique de la ville,
à l'exception de la cathédrale. Les travaux commencent à partir de 1360 environ, à
l'emplacement de l'église gothique précédente, elle-même ayant succédé à un édifice
roman qui accueillait les marchands étrangers de la cour de Týn, ou **Ungelt★** *(voir
encadré p. 153)*. Elle est pendant de longues années un pôle de la Réforme. Konrad
Waldhauser et Milíč de Kroměříž y prêchent à la fin du 14e s., et, au siècle suivant,
elle devient la cathédrale du seul archevêque hussite, Jan de Rokycany. Le roi hussite
Georges de Podiebrad la dote de l'emblème du mouvement utraquiste, un calice d'or.
Celui-ci orne la statue du roi sur le pignon séparant les tours jusqu'en 1623, année
où, dans un geste de triomphalisme catholique, il est fondu et devient l'auréole de
la Vierge que l'on substitue au roi.
L'atelier de **Peter Parler** a pris en charge une partie de la construction de l'église.
Le chef-d'œuvre incontestable de ses artisans est la *Cruxifixion* (vers 1380) sculptée
sur le **tympan du portail nord**, qui donne sur la ruelle Týnská *(l'original se trouve
aujourd'hui à la Galerie nationale).*
Intérieur – Il est décoré d'un riche mélange d'architectures gothique, baroque et
Renaissance. Les collatéraux ont conservé leurs voûtes gothiques, alors que celle
du vaisseau central a été remaniée dans le style baroque après le grand incendie
de Prague de 1679. Au nombre des éléments gothiques, on note un dais de pierre
de 1493, œuvre de Matěj Rejsek pour le tombeau de l'évêque hussite Mirandola ;
les stalles du chœur, portant des portraits de Venceslas IV et de la reine Jeanne de
Hollande ; un calvaire et une Vierge à l'Enfant (vers 1400) ; une chaire (vers 1450) ; des
fonts baptismaux en étain (1414). Le style Renaissance se retrouve dans un *Baptême
du Christ* (1520), remarquablement sculpté *(à droite du portail sud)*, et dans le tombeau
de Tycho Brahé, dont le granit rose et poli montre bien le nez (coupé lors d'un duel)
de l'infortuné astronome. L'empreinte du baroque, décisive, est sensible surtout dans
les retables de Karel Škréta, dont on remarquera l'*Ascension* au maître-autel.
Haut dans le mur du collatéral côté sud s'ouvre une petite fenêtre qui fait partie de
la maison de la rue Celetná où le jeune Kafka a vécu un temps.

Côté nord de la place

Ancien couvent des Pauliniens *(n° 7/930)*
Située au débouché de la rue Dlouhá, cette belle construction baroque de **Giovanni
Domenico Canevale** fut achevée en 1684. Toutes ses voisines baroques du côté ouest
ont été abattues au cours de l'*asanace*, l'opération de destruction du ghetto juif, pour
être remplacées par les bâtiments actuels. Celui du milieu *(n° 6/932)* a été conçu par
Osvald Polívka en 1900, dans un style fleuri très proche de celui des immeubles
prestigieux qui bordent Pařížská.

Église St-Nicolas★★ (Sv. Mikuláš)
Angle Staroměstské náměstí/Pařížská - tlj 10h-16h sf dim. 12h-16h.
La splendide **église** baroque **St-Nicolas**, terminée en 1737, semble particulièrement
monumentale. Pourtant, ce n'est qu'après la démolition des maisons qui la dérobaient
aux regards qu'elle est apparue ainsi, trouvant son rang parmi les grands monuments
de la place de la Vieille-Ville.
Confronté à la difficulté d'ériger une église dans ce qui, à l'époque, était une rue
étroite, son architecte, **Kilian Ignaz Dientzenhofer**, a construit en hauteur, prévoyant
deux tours jumelles de part et d'autre d'un dôme. Organisé autour de son centre,
l'intérieur, d'une blancheur immaculée, est une démonstration virtuose de complexité
architecturale. Les stucs de Bernard Spinetti sont extraordinaires. L'intérieur de la
coupole est recouvert de fresques peintes par P. Asam (ou K. D. Asam) illustrant la
vie de saint Nicolas.

L'église St-Nicolas de la Vieille Ville.

Tout comme les autres édifices qui l'ont précédée ici, l'église a connu des péripéties diverses. Le premier sanctuaire est élevé au début du 13ᵉ s. par des marchands allemands, qui délaissèrent leur premier établissement sur Na Poříčí. Avant l'acquisition de l'hôtel de ville, l'église servait de salle du Conseil et de paroisse pour la Vieille Ville. Pendant plus de deux siècles, c'est un bastion hussite qui est ensuite confié au couvent bénédictin voisin. Entre 1871 et 1914, elle accueille la communauté russe orthodoxe de Prague, puis sert brièvement de chapelle militaire. En 1920, elle devient le siège de la toute nouvelle Église tchécoslovaque, institution néo-hussite dont on espérait qu'elle deviendrait l'Église nationale de Tchécoslovaquie.

Exposition Franz Kafka (expozice Franze Kafky)

Franze Kafky náměstí 5 - ℘ 222 321 675 - tlj sf lun. 10h-18h (sam. 17h) - 40 Kč. À l'angle de Maiselova, jouxtant l'église St-Nicolas, se dresse la maison où est né Kafka. Reconstruite à l'époque de l'*asanace*, elle abrite aujourd'hui une petite exposition qui présente la vie et l'œuvre de l'écrivain à travers des photos et des éditions originales.

LA VOIE ROYALE : DE LA MAISON MUNICIPALE AU CLEMENTINUM★★ 1

Départ au pied de la Maison municipale. Durée : 2h. Voir plan p. 144-145.

Menant de la tour Poudrière au pont Charles, les rues Celetná et Karlova forment une partie de la célèbre Voie royale vers le château, empruntée jadis par les cortèges de couronnement. Zone piétonne très animée, envahie par les boutiques de souvenirs et parcourue chaque jour par une foule de touristes, elle est ponctuée de superbes places, de tours et de palais. À chacun de ses détours, d'autres ruelles et passages invitent le visiteur à s'aventurer plus avant dans le dédale du cœur de la Vieille Ville.

Maison municipale★★★ (Obecní dům) C1

Náměstí Republiky 1090/5 - ℘ 22 002 101 - 10h-18h - hall d'entrée et sous-sol en accès libre ; autres salles payantes, accessibles seulement lors d'une visite guidée.

La Maison municipale au fil des siècles – À la fin du 14ᵉ s., après qu'un incendie eut ravagé le Château, Venceslas IV fait construire un palais royal à cet endroit. Les rois de Bohême y résident pendant environ un siècle, avant de retourner au Hradschin. Le palais devient alors un séminaire, puis une caserne, avant d'être abandonné et finalement démoli en 1902.

L'idée d'un bâtiment polyvalent, qui accueillerait toutes sortes d'activités, renforcerait le prestige de la ville en plein essor et contrebalancerait la domination allemande sur Na Příkopě, existait déjà en germe. En 1903, les architectes **Antonín Balšánek et Osvald Polívka** reçoivent la commande du bâtiment. Comme pour le Théâtre

La Maison municipale.

R. Holzbachova/Ph. Bénet / MICHELIN

national, toute une génération d'artistes collabore au projet. Leurs talents réunis produisent, tant à l'extérieur qu'à l'intérieur, des effets d'une richesse extraordinaire. Cela dit, à l'achèvement du bâtiment, sa conception et son ornementation extravagante passent déjà pour démodées, voire décadentes. Au début du 20e s., Prague étant en pleine expansion, on n'a reculé devant aucune dépense pour faire de la Maison municipale le pôle d'attraction de la ville. Salons, salles de concerts, restaurants et pièces de réception sont aménagés pour servir une vie métropolitaine baignant dans l'esprit du nationalisme tchèque naissant. Le **28 octobre 1918**, l'indépendance de la Tchécoslovaquie y est proclamée ; à l'angle du bâtiment, une élégante plaque commémorative de Ladislav Šaloun rappelle cet événement. Laissée à l'abandon pendant les années de communisme, elle a été restaurée de fond en comble entre 1994 et 1997 et brille aujourd'hui des mille feux du style Sécession.

Extérieur – Le terrain proposé à Balšánek et Polívka, à proximité de la vénérable tour Poudrière, était plutôt biscornu. Le plan de leur bâtiment suit ainsi le tracé d'un losange de forme irrégulière, avec une façade principale composée de deux ailes de longueur inégale, qui se rejoignent par un portail on ne peut plus ostentatoire. Surmonté d'un dôme de cuivre vernissé, le bâtiment s'inspire des grands monuments néobaroques de la fin du 19e s., comme l'opéra Garnier à Paris, mais sa décoration relève presque entièrement du style Sécession praguois.

Le point remarquable du **portail** est la **mosaïque** bigarrée qui recouvre son pignon semi-circulaire. D'après une peinture de Karel Špillar, elle illustre l'*Apothéose de Prague*. Une exhortation du poète Svatopluk Čech la borde en lettres d'or : « Salut à toi, Prague ! Résiste au Temps et à la Malveillance comme tu as résisté aux orages des siècles. » De part et d'autre du pignon, des groupes de statues de **Šaloun** figurent l'*Humiliation de la Nation* et, avec l'aigle de cuivre, son *Réveil*. Au-dessous, le balcon, dont la ferronnerie est digne d'un orfèvre, est soutenu par des colonnes couronnées de statues portant des lanternes. On voit sur le reste de la façade, alliées à l'ornementation florale caractéristique du style Sécession, des figures plus allégoriques. Au nombre de celles qui scandent les fenêtres du premier étage, on distinguera l'*Automobile* et l'*Aéronautique*.

Intérieur – Sur la droite du hall d'entrée, orné d'une *Flore* et d'un *Faune* en bas relief par **Bohumil Kafka**, s'ouvre le **Francouzská restaurace** (Restaurant français - *voir p. 161*), élégant et haut de plafond, avec pour décor un mélange harmonieux de bois clair et d'aménagements étincelants. Au nombre des peintures se trouve un plaisant *Prague accueillant ses hôtes*, ainsi que des allégories de la *Culture du houblon* et de La *Viticulture*. À gauche du hall se tient le café du lieu, le **Kavárna Obecní dům** *(voir p. 161),* tout aussi spacieux, particulièrement fréquenté en été quand il déborde sur le trottoir. Sans doute la clientèle a-t-elle changé, mais le café conserve l'atmosphère typique d'un établissement des premières années du 20e s. Tout au fond, parachevant l'effet d'opulence, coule une fontaine illuminée, habitée par une nymphe.

Au pied du grand escalier à double volée s'ouvre la loge d'origine du portier, avec à l'arrière une boutique, un petit café et la billetterie.

Un autre escalier, agrémenté de panneaux de céramique décrivant des scènes du vieux Prague, mène au **sous-sol**, dont le vestibule s'orne d'une fontaine murale. Le **Bar américain**, avec son splendide lustre central, dû, comme la plupart des éclairages du bâtiment, à **F. Křižík**, est décoré de reproductions de scènes paysannes de Mikoláš Aleš. La voûte du **Plzeňská restaurace** (restaurant Pilsen) abrite, comme il se doit, le mobilier en bois sombre typique des tavernes à bières, ainsi que d'agréables peintures encadrées de céramique, par exemple *Moisson en Bohême*.

La conception et la décoration des espaces fonctionnels de la Maison municipale ont fait l'objet d'autant de soin que le reste du bâtiment. En témoigne le traitement des ascenseurs, du vestiaire, de la salle de billard, des escaliers et du hall principal au premier étage.

Salle Smetana★★ (Smetanova síň – *accès lors de la visite guidée*) – De superbes portes conduisent au cœur du prestigieux bâtiment, la salle Smetana *(voir p. 50)*, salle polyvalente de 1 300 places qui sert aux concerts, bals, réceptions et défilés de mode. C'est une superbe réalisation, embellie de stucs, de statues et de peintures, et éclairée d'en haut par une fenêtre ronde centrale et par des vitraux. De part et d'autre de l'arche de l'avant-scène, des groupes dynamiques de statues par Šaloun figurent *Vyšehrad* et les *Danses slaves*. Peintes sur les murs et le plafond, la *Musique*, la *Danse*, la *Poésie*, le *Théâtre* allégorisent comme il se doit le lieu. Un médaillon de Smetana orne le grand orgue.

Salles d'apparat★★ (*accès lors de la visite guidée*) – La splendeur ornementale du bâtiment atteint de nouveaux sommets dans cette succession de salles au premier étage. Cette « **pâtisserie** » architecturale présente un appétissant décor de miroirs, de couleurs pastel, de bois clair et de stucs proches de la meringue. Le **Bar moravo-slovaque** s'inspire de motifs décoratifs populaires de l'Est des pays tchèques ; on notera la particularité de son aquarium aux escargots. La **salle Božena-Němcová** rend hommage à cet auteur populaire avec une figure assise du personnage principal de son roman le plus connu, *Babička (La Grand-Mère)*. Le cadre exotique de la **Salle orientale** montre des tessons de verre coloré sertis dans la décoration de stuc. Avant que l'Autriche-Hongrie ne déclare la guerre en 1914, on l'appelait la Salle serbe.

La **salle Grégr** est l'une des grandes pièces dédiées aux figures illustres du Réveil national. À l'origine salle des Débats, elle est agrémentée d'une tribune de musiciens, d'un plafond peint de figures allégoriques, et de murs en faux marbre portant des tableaux de F. Ženíšek. La **salle Palacký** renferme le buste du grand homme par **Myslbek**, ainsi que des peintures de **Jan Preisler** évoquant l'*Âge d'or de l'Humanité*. Cœur de la partie cérémonielle du bâtiment, la **salle d'audience du maire** (sál primátorský) s'inspire du titre de *Primátor* porté par le maire de la ville. Sa décoration cristallise la flamme du patriotisme tchèque. Elle a été confiée à l'un des artistes Sécession les plus réputés, **Alfons Mucha** *(voir p. 116, 251)*. La fresque du plafond, qui

R. Mazin / PHOTONONSTOP

Salle d'audience du maire.

réunit un aigle mythique et des Slaves enjoués, repose sur des pendentifs illustrés de Vertus, chacune représentée par un personnage historique tchèque. Ainsi, l'Indépendance est personnifiée par le roi Georges de Podiébrad, ma Justice par Jan Hus, le Courage militaire par le général hussite borgne Jan Žižka. Le message solennel des trois peintures murales est souligné par de très élégantes inscriptions, reprenant des formules comme « Avec force vers la liberté, avec amour vers la concorde ». Mucha est aussi l'auteur des vitraux. Les rideaux aux tirettes sophistiquées ont été confectionnés sous son contrôle par des étudiants.

La **salle Riegr**, avec son panthéon d'hommes illustres, et la vaste **salle Sladkovský**, dont le papier peint imite la soie, viennent compléter cette merveilleuse série de décors Sécession. D'autres salles, moins intéressantes cependant, sont accessibles dans le cadre des expositions temporaires organisées à la Maison municipale.

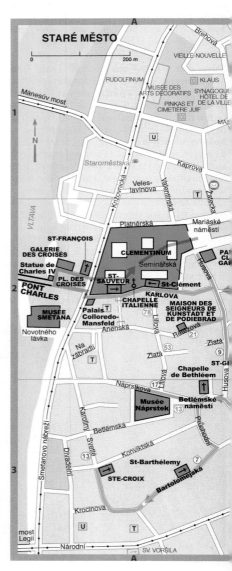

Tour Poudrière★ (Prašná brána) C2

Croisement Celetná/Na Příkopĕ - juil.-août : 10h-22h ; avr. et oct. : 10h-18h ; fermé nov.-mars - 50 Kč. La tour Poudrière, un des repères de la ville qui servait jadis à surveiller la route de Kutná Hora, est un monument gothique haut de 75 m, couronné par une caractéristique toiture aiguë en bâtière. Construite vers 1475 sur le modèle de la tour que Peter Parler avait édifiée à l'entrée du pont un siècle auparavant, elle remplaça l'une des 13 tours qui faisaient partie des défenses de la Vieille Ville. Mais l'intention était aussi de la voir, par ses dimensions, rehausser le prestige du quartier du palais royal. Hélas, peu après le début des travaux, Ladislas II prend le parti de se réinstaller au Château, si bien que la tour attend le 18e s. pour recevoir son toit définitif. L'état de décrépitude dans lequel elle tombe n'empêcha pourtant pas les Prussiens de la bombarder durant le siège de 1757. Utilisée comme magasin à poudre pendant plusieurs années, elle reçoit alors le nom qu'elle porte encore.

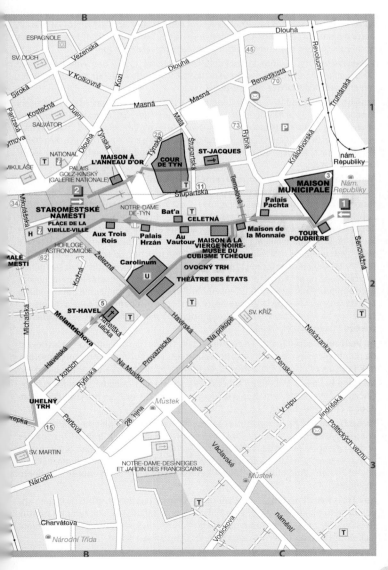

Entre 1875 et 1886, l'architecte **Josef Mocker** la restaure avec un soin passionné et lui donne l'allure néogothique, hautement romantique, qu'elle présente aujourd'hui. Il l'embellit d'une haute toiture en appentis et de tourelles d'angle effilées, et orne les quatre faces de statues d'allégories, de saints et de souverains tchèques.

Cela vaut la peine de monter au sommet jusqu'à la galerie pour admirer le **panorama★** sur la ville et observer, tout en bas, l'amorce de la Voie du Couronnement, Celetná ulice, qui se dirige vers le Hradschin, dans le lointain. Au deuxième niveau, une petite exposition sur la « ville aux cent tours » permet de passionnantes comparaisons entre les différentes tours, anciennes ou récentes.

Emprunter la rue Celetná.

Rue Celetná★ BC2

Reliant le cœur de la Vieille Ville à la tour Poudrière et à la Maison municipale, cette rue animée constitue la première partie de la Voie du Couronnement, que suivaient autrefois les processions royales se dirigeant vers le Château et la cathédrale. Elle est bordée d'une succession de belles demeures, dont beaucoup cachent des éléments gothiques ou romans derrière leurs façades à dominante baroque.

Palais Pachta – *n° 31.* Après la tour Poudrière, Celetná se poursuit vers l'ouest et la place de la Vieille-Ville, bordée à droite par le palais Pachta, que Kilián Ignáz Dientzenhofer remania vers 1740 dans le style baroque.

Maison de la Monnaie – *n° 36.* La nouvelle maison de la Monnaie, dont les ateliers fonctionnèrent jusqu'à la fin du 19e s., englobe une petite suite d'arcades. De robustes atlantes en supportent le balcon. Pendant l'année révolutionnaire 1848, ce bâtiment a servi de quartier général militaire. C'est là qu'une balle perdue tua l'épouse du général Windischgrätz, accident qui ne fut peut-être pas étranger à la dureté avec laquelle il écrasa la révolte.

Maison à la Vierge noire★ (dům U černé Matky boží) – *angle Celetná/Ovocný trh.* On sera surpris de l'harmonieux mariage de la maison à la Vierge noire, aux tons orange foncé, et de ses voisines plus anciennes. C'est l'une des premières constructions cubistes de Prague, et sans doute la plus belle. Édifiée en 1912 d'après un projet de **Josef Gočár** pour loger un grand magasin, elle affiche une modernité frappante lorsqu'on la compare à la Maison municipale, à l'aspect plus nostalgique, achevée seulement quelques mois plus tôt. L'emploi d'une structure de béton armé a permis à l'architecte de créer une façade très élaborée, intégrant beaucoup de verre. Des détails de style cubiste, portique, rambardes de balcon, fenêtres mansardées, parachèvent avec bonheur l'audacieux effet d'ensemble. Provenant de l'immeuble qui s'élevait là auparavant, la statue de la **Vierge noire** est suspendue dans une cage à l'angle.

La maison à la Vierge noire est le cadre approprié pour accueillir le **musée du Cubisme tchèque** *(voir « Visiter » p. 158).*

Au Vautour (U supa) – *n° 22.* En poursuivant vers l'ouest dans Celetná, on passe devant de nombreuses et élégantes façades baroques. Au Vautour montre une enseigne moderne avec l'inscription ancienne, en français et allemand, « Gindle, joailliers ».

Magasin Baťa – *n° 15.* Dans les années 1930, devenu plus fonctionnaliste que cubiste, Gočár, l'architecte de la maison à la Vierge noire, construisit un magasin très sobre pour le chausseur Baťa.

Palais Hrzán – *n° 12.* Parmi d'autres bâtiments majestueux, le plus imposant est sans doute le palais Hrzán, avec ses sept travées et ses atlantes, dû à Brokoff. Des porches et des passages invitent à la découverte. Au n° 17/595 s'ouvrent une belle cour et un passage vers la rue voisine, Štupartská. Le n° 11/598 possède un merveilleux *pavlač* à galerie. **Au Soleil noir** (dům U černého slunce – *n° 8/556)* montre sa célèbre enseigne.

Aux Trois Rois (U tří králů) – *n° 3.* Les dernières maisons du côté nord de la rue s'appuient contre le flanc de l'église de Týn. La famille Kafka a vécu un temps dans Aux Trois Rois. Le jeune Franz aurait occupé la chambre du fond, dont la fenêtre secrète lui permettait d'observer, en contrebas, les chrétiens en prière.

Traverser Staroměstské náměstí.

Malé náměstí★ B2

Les origines de cette belle place en forme de trapèze, dont le nom signifie « Petite Place », remontent à l'époque des rois prémyslides. Comme souvent dans cette partie de la ville, certains des bâtiments possèdent des caves voûtées, qui étaient autrefois le rez-de-chaussée, voire le premier étage, d'une habitation romane ou gothique. Une arcade court sur le côté est de la place. La plupart des façades sont aujourd'hui baroques, mais la plus remarquable est sans doute la plus récente : le n° 3/142 a été construit à l'intention de V. J. Rott à la fin du 19ᵉ s. pour y établir une quincaillerie. Audacieusement peinte de motifs par Mikoláš Aleš, elle présente dans les lunettes, au-dessus de la rangée supérieure de fenêtres, des spécimens de sa marchandise. Au Moyen Âge, la place avait au moins deux boutiques d'apothicaires, dont l'une, la maison Richter, se trouvait au n° 11/459. Sa voisine, au n° 12/458, possède la plus ancienne vitrine de la ville, qui date du 14ᵉ s. Le n° 13, U zlaté koruny, a une enseigne présentant un aigle à deux têtes et la couronne dorée de son nom.

Au milieu de la place, la margelle du **puits**★ s'orne d'une grille en fer forgé délicatement ouvragée du milieu du 16ᵉ s., couronnée d'un lion de Bohême doré et de personnages plus récents.

Deux courbes, bordées d'autres belles maisons baroques et rococo, mènent dans Husova (rue Hus), l'une des artères principales de la ville médiévale, qui conduit au nord en longeant le palais Clam-Gallas jusqu'à Mariánské náměstí et au sud vers l'église St-Gilles (Sv. Jiljí).

Emprunter la rue Karlova puis, à droite, la rue Husova.

Palais Clam-Gallas★ (Clam-Gallasovský palác) A2

Husova 20/158 (ne se visite pas, cour intérieure et grand escalier en accès libre ; autres salles accessibles lors des concerts ou des expositions). Le palais Clam-Gallas fut construit entre 1713 et 1719 par **Bernhard Fischer von Erlach** pour Johann Wenzel, comte Gallas. Cet édifice baroque ne donne que sur une rue étroite, au lieu de la place prévue à l'origine, mais il reste néanmoins l'un des plus grandioses de la Vieille Ville.

Le site était déjà prestigieux longtemps avant l'époque de Gallas, officier d'empire qui fut, au sommet de carrière, vice-roi de Naples. Une première résidence aristocratique romane avait fait place à un palais gothique, bâti pour le margrave Jean-Henri de Moravie, frère de Charles IV. Les Kinský l'avaient ensuite remanié dans le style Renaissance. En 1634, quand Wilhelm Kinský fut assassiné avec Wallenstein, généralissime révoqué pour trahison, l'empereur fit don du palais à la famille Gallas.

L'escalier du palais Clam-Gallas.

Le choix que Johann Wenzel fit de l'architecte reflétait son souci de bâtir une résidence digne de son rang social, mais aussi l'influence manifeste du baroque autrichien sur l'architecture bohémienne de son temps. Von Erlach, qui travaillait déjà à l'église St-Charles-Borromée de Vienne, élabora suffisamment son projet pour le palais Clam-Gallas jusqu'à pouvoir l'inclure dans son *Entwurf einer historischen Architektur*, une compilation sur l'architecture mondiale généreusement illustrée de gravures. Il engagea le plus grand sculpteur praguois, **Mathias Bernard Braun** *(voir p. 112)*, pour animer la façade, plutôt sévère, de différentes statues ; celles qui retiennent d'abord l'attention des passants sont les deux paires d'atlantes s'efforçant de soutenir les **portiques** jumeaux.

Passer le porche, puis entrer à gauche pour admirer l'escalier.

L'intérieur du palais est l'un des plus beaux que l'on puisse voir à Prague. Le **grand escalier★** présente d'autres œuvres de Braun, ainsi que des fresques de Carlo Carlone. Pendant de nombreuses années, le palais a été un lieu de vie culturelle, où se donnaient des concerts et des représentations théâtrales. Il abrite aujourd'hui les archives de la ville, transférées ici lorsque l'aile est de l'hôtel de ville de la Vieille Ville a été détruite en mai 1945. On donne, de temps à autre, un concert dans l'une de ses somptueuses salles et des expositions temporaires y sont régulièrement organisées.

Revenir vers la rue Karlova et prendre la rue Husova vers le sud.

Rue Husova A2

Parmi les maisons baroques qui bordent Husova se détachent les pignons jumeaux Renaissance du n° 19/229. Ce bâtiment accueille aujourd'hui des **expositions temporaires** organisées par le musée tchèque des Beaux-Arts *(Česke muzeum výtvarných umění v Praze -* ✆ *222 220 218 - www.cmvu.cz)*. Sa voisine, au n° 17/228, est l'une des tavernes les plus célèbres de Prague, **Au Tigre d'or** (U zlatého tygra), qui conserve sa bière Pilsen dans ses vieilles caves, à la température idéale. Longtemps point de ralliement des gros buveurs du quartier et de la faune littéraire, Au Tigre d'or n'est pas réputé pour son accueil des étrangers. Il a toutefois fait une exception pour un président américain, après que ce dernier eut été présenté par son homologue tchèque.

Prendre à droite Řetězová.

Georges de Podiebrad, roi tchèque et hussite

Entre 1453 et 1458, **Georges de Podiebrad** (1420-1471) est le tuteur-régent du jeune roi Ladislas le Posthume. À la mort précoce de Ladislas, en 1458, Georges, reconnu pour ses talents en matière de gouvernement, est élu roi de Bohème à l'unanimité. Seul Tchèque d'origine à avoir reçu cet hommage, il est toujours à l'honneur parmi ses compatriotes pour cela et pour être parvenu à remettre pour un temps de l'ordre dans le pays. Il est aussi le premier souverain ayant rejeté la foi catholique pour embrasser la religion de Jan Hus.

Maison des seigneurs de Kunstadt et de Podiebrad★

(dům pánů z Kunštátu a Poděbrad) A2

Řetězová 3. Fermé actuellement pour travaux. Ce palais médiéval du tout début du 13e s. donne un aperçu de la longue histoire de Prague. Le roi hussite **Georges de Podiebrad**, membre le plus célèbre de cette noble dynastie de Bohème orientale, l'a agrandi tout en conservant son rez-de-chaussée d'origine (aujourd'hui enterré), composé de trois pièces aux voûtes soutenues par un pilier central.

Revenir sur Husova et prendre à droite.

Église St-Gilles★ (Sv. Jiljí) A2

De l'autre côté de la rue, l'**église St-Gilles** (14e s.) élève ses grosses tours aux solides contreforts, qui rappellent celles de l'église de Malte à Malá Strana. C'est là que se sont installés les dominicains, contraints de quitter leur domaine, le futur Clementinum *(voir p. 151)* à l'arrivée des jésuites. L'intérieur, avec ses fresques de **Reiner** et ses belles sculptures, est un éclatant exercice de « baroquisation » d'un édifice médiéval.

Revenir vers Karlova.

Rue Karlova★★ A2

Karlova, la rue Charles, se poursuit vers l'ouest, s'élargissant pour former comme une petite place. On remarque, contrastant avec les murs sans attrait du Clementinum *(voir p. 151)*, au nord, la séduisante façade de la maison au n° 3/175, astucieusement aménagée dans l'angle de Karlova et de Seminářská. Appelée **Au Puits d'or** (U zlaté studně), la maison est d'époque Renaissance, mais sa superbe décoration de stucs est baroque ; elle célèbre les saints qui ont délivré le pays de la peste. En face, bloquant presque le débouché de Karlova, se trouve **Au Serpent d'or** (U zlatého hada), aujourd'hui un restaurant, mais autrefois le tout premier café de Prague, établi en 1713 par un négociant arménien qui avait débuté sa carrière en vendant du café dans la rue.

Poursuivre sur Karlova.

La maison « Au Puits d'or ».

Ch. Boisvieux

Église St-Clément (Sv. Klimenta) A2

Karlova. Formant bloc avec l'impressionnant mur sud du Clementinum, l'église St-Clément est l'un des trois lieux de culte qui desservaient cette grande institution. Aujourd'hui église catholique grecque, elle a été bâtie entre 1711 et 1713 sur un projet de Kilian Ignaz Dientzenhofer, et s'enorgueillit de quelques-unes des plus belles œuvres sculptées de **Mathias Bernard Braun**.

Chapelle italienne★ (Vlašská kaple) A2

Karlova. La ravissante petite Chapelle italienne, de style Renaissance, semble avoir été placée délibérément pour amener le flot des piétons autour du Clementinum. Bâtie vers 1600 sur un plan parfaitement ovale, elle est l'un des premiers bâtiments à plan central de ce genre au nord des Alpes. Elle servait à l'époque de paroisse à l'importante communauté italienne de Prague.

Palais Colloredo-Mansfeld (Colloredo-Mansfeldský palác) A2

Angle Karlova/Smetanovo nábřeží (ne se visite pas ; quelques salles accessibles dans le cadre du « musée de la Torture »). Marquant le débouché de Karlova sur le quai Smetana et la place des Croisés, le palais Colloredo-Mansfeld a été construit vers 1730 pour le prince Vincenz Paul Mansfeld-Fondi. On voit encore dans son sous-sol d'importants vestiges du bâtiment médiéval dans lequel l'Électeur palatin Frédéric, le « roi d'un hiver », fit halte en 1620 pour organiser sa fuite après le désastre de la Montagne-Blanche.

De chaque côté du splendide portail, dû à Braun, s'ouvre une arche. Celle du côté est, vitrée, accueille une boutique ; l'autre dégorge en permanence le flux de la circulation qui longe le quai. L'intérieur du palais renferme une somptueuse salle de bal ovale, surprenant décor pour les présentations dérangeantes du **musée de la Torture**.

Entre 1607 et 1612, dans le bâtiment voisin de style Renaissance, au n° 4/188, a vécu l'astronome de Rodolphe II, **Johannes Kepler** *(voir p. 122)*. Il avait là son observatoire, et c'est là qu'il a rédigé une partie de son œuvre *(Astronomia nova, Astronomia pars optica)*, posant les bases de l'astronomie et de l'optique modernes.

Traverser la rue.

Place des Croisés★★ (Křižovnické náměstí) A2

Reliant le pont Charles au dédale des rues de la Vieille Ville et formant une antichambre aux splendeurs de Malá Strana et du Château, sur l'autre rive de la rivière, cette petite place semble le résumé même de Prague : deux des plus belles églises baroques de la ville occupent ses côtés ; les abords du pont sont défendus par sa noble tour

Les Croisés de l'Étoile rouge

L'origine de cet ordre monastique charitable remonte aux environs de 1233, qui vit les franciscains installer leur hospice près du couvent établi par sainte Agnès *(voir p. 171)* dans la Vieille Ville, sur la rive nord. En 1252, ils se déplacent aux abords du pont Judith, côté Vieille Ville, et se voient accorder le droit de percevoir un péage avec la charge d'entretenir le pont en contrepartie. C'est le seul ordre d'origine tchèque qui existe toujours. Dans le passé, son influence s'étendait sur une grande partie de l'Europe centrale, et, du milieu du 16ᵉ s. à la fin du 17ᵉ s., les archevêques de Prague en étaient les grands maîtres. À la fin du 17ᵉ s., ils rénovèrent leur église pour riposter à la construction de l'église St-Sauveur du Clementinum par les jésuites, qu'ils considéraient peu ou prou comme des arrivistes. La gloire de leur ordre ne déclina que lentement ; leur institution resta longtemps un important centre de culture, et sa haute réputation en matière musicale dura jusqu'au 20ᵉ s. Glück y fut organiste, ainsi que Dvořák.

gothique ; son point central est une **statue de Charles IV**. La noblesse de la place, souvent citée comme l'une des plus belles d'Europe, souffre du rôle qu'elle joue dans les échanges urbains. De la Voie du Couronnement, qui serpente à travers la Vieille Ville, émerge un flot constant de visiteurs cheminant vers le pont, qui voient leur route barrée par la circulation tout aussi ininterrompue qui s'écoule parallèle à la rivière. Un seul feu de circulation régule, avec un bonheur surprenant, la foule des piétons et le flot de véhicules et de tramways qui surgissent brusquement par une porte au côté sud de la place. La solution qui s'imposerait, un passage souterrain, ne peut pas être retenue, puisque le sous-sol de la place cache une des arches du pont Charles, monument inviolable du passé médiéval.

Tour du pont de la Vieille Ville★★ et pont Charles★★★ *Voir p. 175.*

Statue de Charles IV A2

La statue de l'empereur se tient à l'emplacement d'un ancien octroi et poste de garde, démoli en 1847 lorsque la place a pris son aspect actuel. Elle a été élevée pour marquer le 500ᵉ anniversaire de la fondation en 1348 de l'université de Prague par Charles IV. Mais son inauguration a été retardée par les troubles révolutionnaires de 1848, auxquels de nombreux étudiants ont participé. Finalement inauguré en 1851, le monument, orné des allégories des quatre Facultés, montre l'empereur tenant les titres de l'université.

Église St-François★★ (Sv. Františka) A2

Chef-d'œuvre d'architecture religieuse baroque, l'**église St-François** fut élevée entre 1679 et 1689 par le Français **Jean-Baptiste Mathey**, avec l'aide de **Carlo Lurago**, pour les Croisés de l'Étoile rouge du couvent voisin. Le dôme de cette église à plan central semble répondre au dôme plus important de St-Nicolas, de l'autre côté de la rivière. Elle fut édifiée sur les fondations d'un sanctuaire gothique bien plus ancien, construit par les Croisés au milieu du 13ᵉ s. *(voir encadré)*. La façade à bossages de l'église, tournée vers le sud, domine la place. Pilastres doriques, fronton arrogant, attique surélevé et angles concaves lui confèrent une allure sévère. On a ajouté vers 1720 les statues de saints, dans les niches et au-dessus de l'étage attique ; celle de saint Guy, au sommet de la « colonne des marchands de vin » dans l'angle est, est due à Bendl. Le dôme, qu'on aperçoit mieux de loin, dans la ville, que de la place, est doté de nervures proéminentes et posé sur un tambour à huit fenêtres. L'authenticité de sa couleur a donné lieu à mains débats. L'intérieur, d'une merveilleuse harmonie de proportions, abrite des statues de différents sculpteurs, et un beau plafond peint par Reiner représentant le *Jugement dernier*.

Galerie des Croisés★ (galerie u Křižovniké) A2

Křižovnické náměstí (accès à gauche de l'église St-François). À son retour d'exil, après 1989, l'ordre a repris possession de sa propriété et ouvert la **galerie des Croisés**, partie du couvent où il expose ses plus beaux trésors. L'ensemble conventuel est composé de bâtiments de diverses époques : les édifices médiévaux ont été remaniés au milieu du 17ᵉ s. dans le style baroque par **Carlo Lurago** ; l'aile tournée vers la Vltava montre un étage supérieur néoclassique ; le bâtiment principal a été rénové dans le style

Sécession dans la première décennie du 20ᵉ s. Le lieu est désormais dédié à l'art et des expositions temporaires s'y tiennent régulièrement (☏ 236 033 680 - www.guk-prague. cz - 10h-17h -120 Kč). Dans l'entrée de ses salles, on peut admirer les fondations du **pont Judith**, premier pont en pierre à cet endroit et ancêtre du pont Charles.

Traverser à nouveau la rue.

Église St-Sauveur★ (Sv. Salvátora) A2

Accès visiteurs dans le Clementinum - lun.-vend. 10h-15h. Avec la Chapelle italienne et St-Clément, l'église St-Sauveur est l'une des trois églises faisant partie du Clementinum. Elle a été commencée en 1578 dans le style Renaissance, dans la lignée de l'église mère des jésuites à Rome, le Gesù. **Lurago** l'a beaucoup agrandie dans le style baroque vers 1640 ; **Caratti** lui a donné son dôme en 1649, et **Kaňka** ses tours en 1714. Avec son magnifique portique, ajouté en 1653, et sa collection de statues provenant de l'atelier de Jan Bendl, la façade ouest de l'église, fermant le paysage quand on arrive du pont Charles, forme une très belle entrée de la Vieille Ville.

À l'intérieur, richement décoré, d'autres statues dues à Bendl, représentant les apôtres, ornent les confessionnaux. L'église est le lieu de repos de l'un des combattants les plus acharnés de la Contre-Réforme, le censeur Koniáš, connu pour son zèle à brûler les livres écrits en langue tchèque. Paroisse des catholiques allemands de Prague jusqu'en 1945, St-Sauveur est devenue ensuite l'église principale des résidents slovaques de la capitale tchèque.

Entrer dans le Clementinum par le porche à gauche de l'église St Sauveur.

Clementinum★★ (Klementinum) A2

Plusieurs entrées : Křižovnické náměstí 4, Karlova 1 et Mariánské náměstí 5 - ☏ 603 231 241 - www.nkp.cz - cours en accès libre. Plus grand complexe architectural de la ville après le Château, ce grand bastion de la Contre-Réforme s'étend sur plus de 2 ha près du débouché du pont Charles, côté Vieille Ville. Le Clementinum a été construit en plusieurs étapes par les **jésuites** (*voir p. 81*). Derrière ses murs, pour l'essentiel austères, on découvre des églises, des chapelles, des cours et un observatoire, ainsi qu'une suite de splendides intérieurs baroques et rococo, dont on déplore que peu soient accessibles au grand public. La **Bibliothèque nationale tchèque** (Národní knihovna) se trouve dans ses murs. Ses collections de manuscrits comptent des trésors inestimables, tels le *Codex* de Vyšehrad (1085) et la Bible illustrée de Velislav (vers 1340). Elle possède aussi une importante collection d'écrits de John Wyclif, réformateur religieux du 14ᵉ s., rapportés par de jeunes Tchèques dont il avait dirigé les études en Angleterre ; l'un d'entre eux est annoté par Jan Hus : « Oh Wyclif, Wyclif, vous allez troubler bien des âmes ! »

Les jésuites à Prague

À l'invitation de l'empereur Ferdinand Iᵉʳ, plusieurs des membres de la Compagnie de Jésus, arrivent à Prague dans la seconde moitié du 16ᵉ s. pour mener le combat de « recatholicisation » d'une population alors à dominante protestante. Ils s'installent dans un monastère au débouché du pont Charles dans la partie nord de la Vieille Ville. Tout d'abord accueillis par des injures et des jets de pierres, brièvement exilés en 1618, les jésuites parviennent néanmoins à faire de leur collège un établissement recherché pour l'éducation des enfants de la noblesse, autant grâce à leur sens de la mise en scène et du cérémonial qu'à leur enseignement. Mais c'est après la bataille de la Montagne-Blanche qu'ils prennent leur véritable place. En 1622, on leur confie la responsabilité de l'**université Charles**, ancien foyer du mouvement hussite. Du milieu du 17ᵉ s. jusqu'au cœur du 18ᵉ s., le **Clementinum** fera l'objet d'un ambitieux programme de construction, incluant la démolition de plus de trente maisons, le détournement de plusieurs rues et l'intégration de trois églises ! Les jésuites règnent en maîtres sur l'enseignement universitaire et la formation de la pensée tchèque. En 1773, trouvant ceux-ci trop influents, Joseph II les expulse. Le Clementinum poursuit son rôle d'institution éducative, tout en hébergeant une grosse presse d'imprimerie, ainsi que la riche Bibliothèque impériale (et future Bibliothèque nationale), constituée pour partie par les fonds des bibliothèques jésuites confisqués partout en Bohême.

Extérieur – La plus impressionnante des façades offertes au monde extérieur par le Clementinum est son **aile ouest**, qui borde la rue Křižovnická. Construite par **Caratti** en 1653, elle aligne des pilastres monumentaux et des statues d'empereurs romains par Cometa, un effet malheureusement un peu gâché par la circulation incessante dans cette rue étroite. Entre cette aile du bâtiment et l'église St-Sauveur, un portail ouvre sur une série de cours. La première, à l'ouest, s'orne d'une statue de jeune homme due (1847) à Josef Max, et rappelant le rôle joué en 1648 par les étudiants du Clementinum lors de l'assaut des Suédois sur la Vieille Ville.

On accède à la Bibliothèque nationale par la cour suivante.

Galerie du Clementinum★★ – *Première porte à gauche après l'entrée côté Křižovnické náměstí - ☎ 603 231 241 - www.nkp.cz - tlj sf lun. 10h-19h - 60 Kč (les salles ne sont visibles que dans le cadre des expositons temporaires).* Cette galerie destinée aux expositions temporaires est située dans la partie la plus ancienne du Clementinum, appelée « Krizovnicka chodba ». Ses salles tout en longueur ont été construites entre 1654 et 1659 et sont décorées de fresques et stucs des débuts du baroque. Les stucs ont été créés dans les années 1660 par Domenico Galli. Quant aux peintures, elles ont été réalisées par le moine – qui n'était pas peintre de métier – Herman Schmidt. Elles illustrent la vie de saints à l'origine de l'ordre jésuite : saint Ignace de Loyola et saint François Xavier.

Bibliothèque baroque★★★ (Barokní knihovní sál) – *Entrée dans la troisième cour - visite guidée commune de la Bibliothèque baroque et de la Tour astronomique - 11h-20h (fermé janv.-fév.) - 100 Kč.* Ouverte au public en l'an 2000, à l'occasion de la désignation de Prague comme « Ville européenne de la Culture », cette grande bibliothèque constitue l'un des plus beaux espaces baroques de la ville. Dessinée entre 1721 et 1727 par **Kaňka**, cette vaste salle présente des voûtes surbaissées décorées de fresques en trompe l'œil de toute beauté, réalisées par **Johann Hiebl**. Trois thèmes sont représentés : la civilisation et la philosophie antiques ; le temple de la Sagesse ; les philosophes chrétiens et les Pères de l'Église. Des colonnes torsadées soutiennent un fin balcon en fer forgé qui court avec une grande légèreté tout autour de la salle. Sur deux étages, les bibliothèques, tout en marqueterie de chêne, sont remplies de quelque 20 000 volumes, pour la plupart des livres théologiques et philosophiques, les plus anciens datant de 1600. L'ensemble est complété au sol par une collection de globes célestes et terrestres réalisés entre 1680 et 1780. On remarquera, dans l'antichambre de la bibliothèque, une très belle horloge de Trauttmansdorf datant de la fin du 16e s. ainsi qu'un portrait du comte François Kinský, directeur de l'Académie militaire de Vienne. C'est grâce à lui que la bibliothèque est devenue accessible au public.

Tour astronomique (Hvězdárenská věž) – *Entrée dans la troisième cour - visite guidée commune de la Bibliothèque baroque et de la Tour astronomique - 11h-20h (fermé janv.-fév.) - 100 Kč.* Couronnée par une statue d'Atlas en plomb portant un globe, œuvre de Mathias Bernard Braun, la silhouette élancée de la Tour astronomique est un repère dans la Vieille Ville. Commencée en 1722, elle a servi d'observatoire à partir de 1750, grâce au jésuite Josef Stepling, directeur des études mathématiques, qui y avait installé des appareils de mesure. La tradition, qui a perduré une bonne partie du 20e s., voulait qu'on hisse le drapeau lorsque le cadran solaire de la tour indiquait midi. À ce signal, un coup de canon était tiré des remparts de Letná. Par des escaliers étroits en bois originaux, on accède à la salle du Méridien où sont présentés télescopes et appareils de mesure. Au dernier niveau, un balcon permet un beau point de **vue** sur les alentours.

Chapelle des Miroirs★ (Zrcadlová kaple) – *Entrée dans la troisième cour - accès à l'occasion des concerts (payants).* Conçue en 1724 par **Dientzenhofer** comme lieu de culte privé, la splendide **chapelle ou salle des Miroirs** s'orne de miroirs intégrés dans sa décoration de stuc. Elle accueille presque tous les soirs des concerts.

Poursuivre vers la quatrième cour et sortir par le porche vers la place Marian.

Mariánské náměstí A2

La place Marian, où s'élevait autrefois une église romane, conserve ses proportions modestes, car le projet de l'étendre vers le sud pour offrir un cadre plus ouvert au palais Clam-Gallas n'a pas abouti.

La Bibliothèque baroque du Clementinum.

En face de l'entrée du **Clementinum**, qui présente une belle façade baroque, agrémentée d'un buste de Joseph II et de symboles des Arts et des Sciences, se dresse le **nouvel hôtel de ville** (Nová radnice). Élevé en 1911 par **Osvald Polívka** afin de réserver aux cérémonies l'historique hôtel de ville de la place de la Vieille-Ville, c'est un bâtiment sombre et symétrique dans le style Sécession tardif, égayé par des statues allégoriques. De part et d'autre sont placées deux superbes statues de grès dues à Ladislav Šaloun : sur la gauche, l'*Homme de Fer* ; sur la droite, *Rabbi Loew*, qui rencontre la Mort. Celle-ci fait référence à une légende qui prétend que le savant rabbin se servait de ses pouvoirs magiques pour prolonger sa vie. La façon dont la Mort l'a vaincu, cachée dans une rose tendue par une jeune fille innocente, a inspiré Šaloun pour composer cette œuvre. Le côté nord de la place est dominé par la **bibliothèque municipale** (Městská knihovna), sobre exemple du néoclassicisme de l'Entre-deux-guerres, avec un intérieur Art déco ; elle abrite une galerie spacieuse, où l'on présente des expositions temporaires sur des thèmes variés.

Retenant plus l'attention des visiteurs qu'aucun de ces beaux édifices publics, la **fontaine** qui est encastrée dans le mur du palais Clam-Gallas montre une vivante statue de jeune femme, allégorie de la Vltava, qu'on nomme familièrement Terezka.

DE LA COUR DE TÝN À LA PLACE DE BETHLÉEM★★ 2

Départ de Staroměstské náměstí. Durée : 2h. Voir plan p. 144-145.

Aux alentours de la voie royale très animée, vous découvrirez des passages couverts, des porches secrets et des ruelles tranquilles menant à des placettes pleines de charme. De la célèbre cour des marchands du Moyen Âge à l'église qui a vu naître le mouvement hussite, petite balade dans le labyrinthe du Prague médiéval.

À partir de la Staroměstské náměstí, prendre, à droite de N.-D.-de-Týn, la ruelle Týnská.

L'« Ungelt » des marchands étrangers à la cour de Týn

Tout au début de l'activité commerciale de la Vieille Ville, au 11e s., le Týn est le quartier réservé des marchands étrangers, surtout allemands ; ils y logent, y conduisent leur négoce, sous la protection du souverain et sous leur propre juridiction. En revanche, ils n'ont pas le droit de commercer ailleurs dans la ville. Leur marchandise y est déballée, pesée, et soumise à la taxe, **Ungelt** en ancien allemand. Tout près se dressent l'église de Týn, que les marchands fréquentent, et un hôpital pour les soigner. Cet arrangement médiéval a perduré jusqu'au 18e s. Après une longue fermeture pour restauration, la cour de Týn a retrouvé, d'une certaine façon, son ancienne raison d'être, avec un hôtel et des restaurants fréquentés presque exclusivement par des visiteurs étrangers !

Maison à l'Anneau d'or★ (dům U zlatého prstenu) B1

Týnská 6. La maison à l'Anneau d'or date, pour ses parties les plus anciennes, du 13e s. Elle abrite les **collections d'art tchèque du 20e s.** de la Ville de Prague *(voir « Visiter » p. 158)*, mais possède aussi un des plus intéressants **intérieurs** praguois ouverts au public (accessible lors de la visite des salles du musée).

Passer sous le porche qui se situe à droite de la maison à l'Anneau d'or.

Cour de Týn★ (Týnský dvůr) B1

Uniquement accessible par ses portes à chaque extrémité, cette cour médiévale enclavée baigne encore dans l'atmosphère d'un autre monde. Remarquez le **palais Granovský**, une splendide résidence Renaissance, montrant à l'étage une loggia bâtie vers 1560 par Jakub Granovský de Granov. Ce dernier était directeur des douanes et cette petite cour faisait office de barrière douanière où l'on venait s'acquitter de la taxe surnommée « Ungelt » *(voir encadré p. 153)*. La loggia abrite des peintures de scènes bibliques et mythologiques *(ne se visite pas)*. Aucun des autres bâtiments de la cour pavée ne peut concurrencer cette splendeur, mais on y voit beaucoup de petites merveilles, comme les statues des saints Venceslas, Jean Népomucène et Florian, sur la **maison à l'Ours noir** (*U Černého medvěda – n° 7/642*).

Sortir de la cour par le porche opposé.

Église St-Jacques★ (Sva. Jakuba) C1

Malá Štupartská 6. L'**église St-Jacques**, un des grands édifices religieux de Prague, jouxte le monastère fondé par les frères mineurs en 1232. L'église elle-même n'a été achevée qu'à la fin du 14e s. La structure interne du bâtiment gothique demeure, sous de somptueuses couches d'ornementation baroque. Partiellement détruite lors du grand incendie qui a ravagé la Vieille Ville en 1689, l'église a été reconstruite entre 1690 et 1702 ; la restauration intérieure s'est effectuée entre 1736 et 1739.

La façade montre trois exubérants **bas-reliefs en stuc**, dus en 1695 à Ottavio Mosto. Ils décrivent *(de gauche à droite)* des épisodes de la vie des saints François, Jacques et Antoine. Ces scènes, à première vue désordonnées, se révèlent d'harmonieuses compositions centrées sur les figures sereines des saints.

À l'intérieur, l'église s'étire sur une grande longueur, souvenir de son origine gothique, seulement dépassée à Prague par la cathédrale. Sa hauteur aussi est exceptionnelle, en dépit de l'insertion d'une voûte baroque en berceau à quelques mètres au-dessous du plafond d'origine. La décoration, magnifique, culmine dans les peintures de Voget au plafond, et dans la monumentale peinture d'autel du *Martyre de saint Jacques*, par **Reiner**, dotée par Schönherr d'un cadre d'une richesse et d'une complexité extraordinaires.

La cour de Týn.

Deux œuvres symbolisent ici la gloire et la misère humaines. Le **monument à Jan Václav Vratislav de Mitrovice★**, dans l'aile nord, a été dessiné par **Fischer von Erlach**, avec des statues de Ferdinand Maximilian Brokoff. Datant de 1714, il montre le Grand Prieur de l'ordre de Malte, chancelier de Bohême, prêt à quitter ce monde, soutenu par une figure féminine. La Mort brandit son sablier, une pleureuse se lamente ; mais la renommée du grand homme, qu'un ange inscrit en hauteur dans la pierre, semble assurée pour l'éternité. Contrastant avec cette magnificence, un bras décomposé pend sur le mur ouest, en souvenir d'un voleur. La légende raconte que le misérable avait tenté de s'emparer des bijoux de la Vierge. La statue lui avait alors fermement agrippé le bras, et on n'avait pu libérer le malheureux qu'en le lui coupant. Peut-être est-ce un membre de la confrérie des bouchers qui s'en est chargé. St-Jacques était leur paroisse, et ils l'ont défendue avec vigueur à plus d'une occasion.

Longer l'église sur sa droite (Jakubská) puis, à droite, Templová. Après avoir passé le porche, continuer tout droit jusqu'à Ovocný trh.

Quartier St-Havel★ (Havelské Město) BC2

Ovocný trh★ C2
Le « marché aux fruits », fait partie, avec **Uhelný trh** (marché au charbon), un peu plus loin, d'une extension de la Vieille Ville aménagée au milieu du 13e s. Avec le ghetto juif *(voir p. 162)*, c'est l'un des rares quartiers présentant un tracé rectiligne de rues, résultat d'un effort d'aménagement urbain.

Théâtre des États★ (Stavovské divadlo) B2
Ovocný trh 1. Premier théâtre permanent de Prague fondé en 1781 par le comte Nostitz, le bâtiment néoclassique aux tons vert et crème domine la place du «marché aux fruits ». Il est inauguré le 21 avril 1783 sous le nom de son fondateur avec une représentation de la pièce de Lessing *Emilia Galotti* ; mais il restera toujours dans les mémoires pour avoir été le cadre de la première triomphale du **Don Giovanni** de Mozart, le 29 octobre 1787. Subventionné par la Diète, assemblée des **États de Bohême** (noblesse, clergé et bourgeoisie), le monument prend le nom de théâtre des États en 1799. Les spectacles s'y donnent en tchèque aussi bien qu'en allemand, mais il revient exclusivement à l'allemand en 1861, sous le nouveau nom de Théâtre royal. En 1920, lors de violents troubles anti-allemands et antisémites, les acteurs du Théâtre national s'emparent par la force de l'établissement, qui devient exclusivement tchèque. Les communistes le renomment théâtre Tyl, d'après Josef Kajetán Tyl, compositeur de *Kde domov můj ? (Où est ma patrie ?)*, l'air qui est devenu l'hymne national tchèque ; la vénérable institution a aujourd'hui repris son nom de la fin du 18e s.

Traverser la place et prendre la ruelle sur la droite du théâtre des États.

Carolinum B2
Ovocný trh 3. L'université fondée par Charles IV en 1348 et qui porte son nom était la première d'Europe centrale. À l'origine, elle ne possédait pas de locaux, mais elle fut transférée en 1383 dans le **manoir gothique** qui sert encore aujourd'hui aux cérémonies universitaires et à des expositions occasionnelles. Certains éléments du bâtiment original ont survécu aux remaniements baroques et aux dommages de la guerre : la porte médiévale appelée porte Hus, deux travées de son arcade gothique et une merveilleuse **échauguette★** gothique qui donne sur le côté du théâtre des États. L'université a pleinement partagé l'histoire tumultueuse du pays. Au départ, elle se divise en quatre « nations » aux mêmes privilèges. Cependant, en 1409, année du rectorat de **Jan Hus**, un décret royal donne priorité à la « nation de Bohême ». La plupart des membres « de Bohême » sont de langue allemande, mais leurs collègues allemands de l'étranger, se sentant indésirables, partent en nombre fonder une université rivale à Leipzig. La réputation de foyer d'hérésie du Carolinum s'éteint après la bataille de la Montagne-Blanche, en 1620 *(voir p. 266)*. Parmi les condamnés à mort de la place de la Vieille-Ville, en 1621, se trouve son recteur, Jan Jessenius, à qui on tranchera d'abord la langue. Un an plus tard, on confie l'université aux jésuites.

En 1882, les tensions nationalistes conduisent à une scission entre université tchèque et université allemande, chacune se réclamant authentiquement de Charles IV. En 1939, les nazis ferment tous les établissements d'enseignement supérieur de langue tchèque ; en 1945, la fermeture définitive de l'université allemande de Prague ne surprendra personne.

Prendre à droite, puis immédiatement à gauche dans la rue Havelská.

Église St-Havel★ (Sv. Havla) B2

Construite en 1727 par **Santini**, la belle **église** baroque **St-Havel** (ou St-Gall), à la façade ouest ondulante, montre quelques vestiges de l'église paroissiale gothique antérieure, élevée à l'intention des immigrants venus surtout de Bavière peupler le quartier nouvellement créé de St-Havel. Elle renferme le tombeau d'un des plus grands artistes du baroque praguois, Karel Škréta, mais son joyau est une *Crucifixion* de 1726, œuvre complexe sculptée dans le bois par **F.-M. Brokoff**.

Poursuivre sur la rue Havelská, puis prendre à droite Melantrichova.

Rue Melantrichova B2

Cette rue, qui porte le nom d'un célèbre imprimeur et éditeur tchèque du 16e s., Melantrich, se joue des piétons qui y fourmillent, prenant l'étroitesse d'un boyau avant de déboucher sur le vaste espace de la place de la Vieille-Ville. Au début de la rue, un petit **musée de cire** présente des reproductions de personnalités des 19e et 20e s *(Melantrichova 5 - 224 229 852 - www.waxmuseumprague.cz - tlj 9h-20h - 120 Kč)* Un peu plus loin, à l'angle de la rue Kožná, se trouve la maison natale du « reporter enragé » *(Rasender Reporter)* **Egon Erwin Kisch** ; son élément le plus remarquable est un splendide **portail Renaissance★** arborant deux ours qui donnent son nom à la maison.

Revenir sur Havelská et poursuivre vers Uhelný trh.

Uhelný trh★ B3

Cette charmante petite place où des peintres exposent et vendent leurs œuvres, est l'ancien « marché au charbon ». Elle marque la limite sud du quartier St-Havel aménagé au 13e s.

Prendre Skořepka jusqu'à la place de Bethléem (Betlémské náměstí).

Betlémské náměstí (place de Bethléem) A3

Au cœur du labyrinthe de rues de la partie sud-ouest de la Vieille Ville, cette petite place, avec ses cafés et ses restaurants, doit son nom à la chapelle de Bethléem qui, reconstruite, en constitue l'élément dominant avec ses deux imposants pignons.

Chapelle de Bethléem (Betlémská kaple) A3

Betlémské náměstí – 10h-17h30 - 40 Kč. Bien qu'elle ait été presque entièrement reconstruite au milieu du 20e s., la **chapelle de Bethléem** dégage, en raison de sa simplicité, l'esprit austère de la réforme religieuse prônée par **Jan Hus** et ses partisans. La sobriété même de l'édifice semble un reproche pour les riches demeures baroques alentour, emblèmes du pouvoir, de la richesse et du prestige d'une Église catholique que Hus et ses adeptes souhaitaient tant réformer – et qui a fini par briser leurs idées par la force.

À la fin du 14e s., contrairement au quartier plus aisé de la place de la Vieille-Ville, dominé par les Allemands, cette partie de la ville était habitée presque exclusivement par des Tchèques ouverts aux idées réformistes, que répandaient de jeunes clercs, suffisamment inspirés pour braver le courroux de la Cour et de l'Église. Afin de leur offrir un lieu de prêche, nobles et bourgeois s'unirent pour fournir des fonds et un emplacement : une ancienne malterie.

Achevée en l'espace de trois ans (1391-1394), la chapelle était un édifice simple mais spacieux, prévu pour accueillir la plus grande assemblée possible au cours des sermons, délivrés en tchèque et non en latin. Les prédicateurs mettaient l'accent sur la nécessité de suivre la parole de Dieu, sans laquelle « ce serait Sodome et Gomorrhe ». Suivant cette déclaration des fondateurs, les murs ont été ornés plus tard de textes de Jan Hus et de son collègue Jakoubek ze Stříbra. Jan Hus a prêché

R. Holzbachova/Ph. Bénet / MICHELIN

La place Uhelný trh.

ici pendant dix ans. Il habitait à l'étage de la sacristie voisine, ce qui lui permettait d'accéder directement à la chaire. Ce lieu abrite aujourd'hui un petit musée. Pendant plus d'un siècle, la chapelle fut un des grands bastions du mouvement hussite utraquiste, mais après la bataille de la Montagne-Blanche (1620), elle tomba aux mains des jésuites, les plus farouches adversaires de la Réforme. En 1786, elle fut partiellement démolie, et certains de ses murs furent incorporés plus tard dans de nouveaux bâtiments d'habitation.

À partir du milieu du 19e s., l'essor du sentiment national tchèque et le culte de Jan Hus ont fait naître le désir de reconstruire la chapelle. Une recherche opiniâtre a permis de retrouver des vestiges de murs et le plan ancien du bâtiment. Mais la reconstruction proprement dite n'a débuté qu'en 1948, sous le régime communiste, pour lequel Jan Hus incarnait la figure du héros populaire par excellence. La chapelle a été achevée en 1952.

Musée Náprstek (Náprstkovo muzeum) A3

Betlémské náměstí 1. Voir « Visiter » p. 159.

Fondé en 1862 par l'industriel Vojtěch Náprstek (1826-1894), le musée Náprstek est le musée d'Ethnographie de Prague. Il se consacre aux cultures indigènes d'Australasie, d'Océanie et des Amériques, et compense par son charme et son abord facile son manque d'exhaustivité.

Quitter la place de Bethléem et prendre Průchodní. A3

Rue Bartolomějská A3

À l'angle de Bartolomějská et de Na Perštýně se dresse, massif, le **bâtiment de la police**, terminé en 1925. De caractère fortement cubiste, il est orné de sculptures et de statues sur le thème du travail, qui rappellent sa fonction antérieure de Maison des syndicats. À l'époque communiste, Bartolomějská était synonyme de la célèbre STB (Sécurité nationale), dont certaines des cellules étaient installées dans l'**ancien couvent** situé du côté nord de la rue. C'est ici qu'autrefois Václav Havel et nombre de dissidents subirent des interrogatoires parfois musclés. Une fois le couvent restitué à ses précédents propriétaires, ceux-ci en ont transformé une partie en hôtel et en pension.

Église du couvent St-Barthélemy (Sv. Bartoloměj) A3

Bartolomějská 9. La petite église du couvent **St-Barthélemy** est discrète sur la rue, mais l'intérieur, orné de peintures murales de Reiner, se révèle être un superbe exemple, minutieusement restauré, du travail exquis de **Kilián Ignáz Dientzenhofer**.

Poursuivre sur Bartolomějská, puis prendre à droite Karoliny Světlé.

La rotonde romane de la chapelle de la Ste-Croix.

R. Holzbachova/Ph. Bénet / MICHELIN

Chapelle de la Ste-Croix★★
(Sv. Kříže) A3

Angle Karoliny Světlé/Konviktská - fermé ; visite possible lun.-vend. après réserv. au 212 221 676 - gratuit. Datant du début du 12ᵉ s., la minuscule **chapelle de la Ste-Croix** est l'une des trois rotondes romanes qui subsistent dans la ville. Élevée sur le bord de la route reliant Vyšehrad aux gués de la rivière, au pied du Château, aujourd'hui quelque peu perdue au milieu de bâtiments modernes sans véritable charme, elle demeure un fascinant témoin des débuts historiques de Prague. Sa toiture conique est couronnée d'une lanterne ; ses murs circulaires portent des vestiges de peintures du 14ᵉ s. Les grilles du 19ᵉ s., magnifique exemple d'intégration harmonieuse, sont dues à **Josef Mánes**.

Visiter

Galerie nationale - collections d'art du paysage tchèque du 17ᵉ au 20ᵉ s. B1

Palais Kinský, Staroměstské náměstí 12 - ℘ 222 321 459 - www.ngprague.cz - ♿ - tlj sf lun. 10h-18h - 100 Kč.

Le palais Kinský abrite les collections d'art du paysage de la Galerie nationale. L'exposition débute avec le paysage baroque en Bohème, représenté notamment par des artistes comme Jan Rudolf Bys, Jan Jakub et František Antonín Hartmanns. Elle se poursuit avec l'école du paysage tchèque du 19ᵉ s. ; remarquez particulièrement les œuvres des chefs de file de cette école, notamment Max Haushofer, Antonín Chittussi et Antonín Slavíček. Le second étage est réservé au 20ᵉ s. : Pravoslav Kotík, Bedřich Piskač, Karel Šlengr ou Jan Mlčoch se sont illustrés dans le genre du paysage et sont réputés pour leurs superbes essais et innovations. L'exposition est accompagnée d'intéressants clichés de paysages des débuts de la photographie et du 20ᵉ s., ainsi que d'un cabinet d'art graphique.

Musée du Cubisme tchèque★ C2

Ovocný trh 19 - www.ngprague.cz - ♿ - tlj sf lun. 10h-18h - 100 Kč.

Ce célèbre immeuble cubiste de **Josef Gočár** rassemble divers objets sur ce mouvement qui a connu un succès important en République tchèque. Sur trois niveaux sont présentés des tableaux, dessins, céramiques, meubles ou encore dessins d'artistes incontournables du mouvements tels Otto Gutfreund ou Emil Filla. Lors de votre passage, ne manquez pas d'admirer au premier étage l'intérieur reconstitué du « café cubiste » créé par l'architecte.

Galerie de la Ville de Prague, maison à l'Anneau d'or - collections d'art tchèque du 20ᵉ s. B1

Týnská 6 - ℘ 224 827 022 - www.citygalleryprague.cz - tlj sf lun. 10h-18h - 90 Kč (accès à l'exposition permanente et aux expositions temporaires).

L'origine du bâtiment remonte au 13ᵉ s., et son dédale de pièces conserve des éléments de la plupart des périodes de son histoire complexe, et, notamment de beaux ensembles de poutres décorées Renaissance. Sur un plan tout en longueur, le bâtiment s'adosse au mur qui entoure, telle une fortification, la cour de Týn. Certaines de ses fenêtres offrent la vision étrange et fugitive des tours de l'église de Týn.

Le musée du Cubisme tchèque.

Organisées thématiquement sur trois niveaux, les collections donnent un aperçu général sur l'évolution de l'art tchèque à l'époque moderne, complétant les remarquables présentations du palais des Expositions, également consacré au 20e s. (Veletržní palác – *voir p. 256*). La plupart des artistes connus sont représentés : **Max Švabinský, Antonín Hudeček** et **Jan Zrzavý**, pour les premières années du siècle ; les **surréalistes** des années 1930 ; les membres du **Groupe 42** des années 1940 ; et des peintres, sculpteurs et artistes plus récents. Le sous-sol est consacré aux expositions temporaires.

Musée Náprstek (Náprstkovo muzeum) A3

Betlémské náměstí 1 - ℘ 224 497 500 - www.aconet.cz/npm - tlj sf lun. 10h-18h - 80 Kč (ou 160 Kč le billet, valable trois jours, permettant de visiter tous les musées nationaux : Musée national place Venceslas, musée Dvořák, musée Smetana, etc.).

Le musée Náprstek est le musée d'Ethnographie de la Ville.

Vojtěch Náprstek, homme énergique dont le nom signifie « dé à coudre », fut l'un des phares de la société praguoise du 19e s. Sa demeure était le salon de l'intelligentsia littéraire et scientifique. Son intérêt pour l'innovation et le progrès industriels a été stimulé par son exil aux États-Unis après son engagement lors de la révolution de 1848. À son retour, il fait la promotion d'inventions comme le réfrigérateur et la machine à coudre, se montre un fervent partisan de l'émancipation des femmes, et rassemble une formidable bibliothèque. Il reste en contact avec de nombreux voyageurs et explorateurs tchèques, et leurs dons forment maintenant le fonds des présentations du musée, aujourd'hui annexe du Musée national.

Le musée puise dans les vastes collections nationales pour monter des expositions temporaires, parfois assez éloignées des thèmes ethnographiques. Les collections principales sont exposées au **1er niveau (cultures indigènes d'Amérique du Nord et du Sud)** et au **3e niveau (Australasie et Océanie)**. Les notices sont presque partout uniquement en tchèque. Mais nombreuses sont les pièces qui parlent d'elles-mêmes, comme les figures et inquiétants masques rituels de Nouvelle-Guinée ou des îles Salomon, les outils ingénieux des Inuits de l'Arctique, ou les séduisantes figurines et céramiques d'Amérique du Sud.

Musée Smetana★ (Muzeum Bedřicha Smetany) A2

Novotného lávka 1 - ℘ 222 220 082 - www.nm.cz - tlj sf mar. 10h-12h, 12h30-17h - 50 Kč (ou 160 Kč le billet, valable trois jours, permettant de visiter tous les musées nationaux : Musée national place Venceslas, musée Dvořák, musée Náprstek, etc.).

Tout au bout de la Novotného lávka, jetée qui s'avance dans la Vltava juste en amont du pont Charles, cet élégant édifice néo-Renaissance est aujourd'hui consacré au compositeur **Bedřich Smetana** (1824-1884). Dessiné par Antonín Wiehl, terminé

Bedřich Smetana

Smetana (1824-1884) fut le premier compositeur à utiliser des éléments spécifiquement tchèques dans sa musique. Ses opéras, *La Fiancée vendue* (1866-1870), *Dalibor* (1868) ou encore *Libuše* (1881), sont fondés sur des thèmes tchèques, et il utilisa beaucoup de rythmes et de mélodies du folklore dans ses compositions. *Les Brandebourgeois en Bohême* (1866) est le premier opéra entièrement écrit en tchèque. Il influença considérablement Antonín Dvořák.

en 1887, il abritait autrefois la machinerie qui pompait l'eau de la rivière pour la distribuer dans la ville. On l'a transformé en bureaux pour le service des eaux puis, en 1936, en musée. Il a été entièrement remanié à la fin des années 1990. Les abondants **sgraffites** de la façade illustrent, dans une grande richesse de détails, la vaillante résistance de la Vieille Ville face aux Suédois en 1648.

La 1re section du musée raconte la vie du compositeur avant d'aborder, dans la 2e section, la place importante de Smetana dans l'établissement d'une tradition musicale typiquement tchèque. On présente son rôle dans divers groupes musicaux, comme le **chœur Hlahol** et l'**Umělecká beseda**, et sa participation au grand concert qui a accompagné la pose de la première pierre du Théâtre national. La dernière section présente des instruments de musique et des illustrations d'opéras.

La Vieille Ville pratique

Se loger

Voir p. 30.

Se restaurer

⊖ **Havelská koruna** – *Havelská 23 -* ☏ *242 35 57 - lun.-vend. 9h30-17h, w.-end 9h-20h -* 🚇 *- 150/250 Kč.* Idéal pour déjeuner vite, bien, pour pas cher. Entre la place Venceslas et la place de la Vieille-Ville, en face du petit marché aux fruits et légumes Havelská, un buffet-restaurant praguois où l'on peut commander des plats typiques et bien préparés, mais aussi salades et pâtisseries. Il faut absolument goûter aux *ovocné knedlíky* (délicieuses boulettes chaudes fourrées à la crème et aux fruits).

⊖ **Konvikt** – *Bartolomějská 11-* ☏ *226 211 970 - tlj 11h-0h (dim. 23h) -* 🚇 *- 150/250 Kč.* Les amateurs de bière connaissent bien cet endroit convivial, non loin de la place de Bethléem, où l'on sert aussi des Guinness. Choisissez la deuxième salle, plus en retrait. On recommandera les fromages panés.

⊖⊜ **U Dvou koček (Aux Deux Chattes)** – *Uhelný trh 10 -* ☏ *224 221 692 - tlj 11h-23h - 250/400 Kč.* L'odeur du houblon vous saisit à l'entrée de cette taverne, dont les salles à manger voûtées et basses ainsi que le mobilier campagnard renforcent l'aspect rustique. On oublie le service un peu sec quand l'accordéoniste entame ses rengaines moraves, tous les soirs vers 19h. Cuisine tchèque typique.

⊖⊜ **Století** – *Karolíny Světlé 21 -* ☏ *222 220 008 - tlj 12h-0h - 150/300 Kč.* Non loin de la chapelle de Bethléem, ce restaurant aux allures de taverne a su moderniser avec talent les spécialités tchèques. Les viandes rôties, les plats à la crème et les *knedlíky* sont toujours au menu, mais renouvelés et mariés à de nouveaux goûts, et un soin tout particulier est apporté à la présentation. Une cuisine honnête et dépaysante, d'un très bon rapport qualité-prix.

⊖⊜ **La Provence** – *Štupartská 9 -* ☏ *224 816 692 - tlj 12h-23h - 500/700 Kč (menu à 295 Kč le midi).* Un restaurant qui n'a rien de vraiment typiquement provençal, mais qui propose une cuisine française de bonne qualité. À la carte, huîtres et escargots en entrée, bœuf bourguignon, lapin provençal et même un cassoulet ! Également une belle sélection de poissons et crustacés. Les desserts penchent plutôt vers la cuisine tchèque. Service agréable et souriant ; cadre chaleureux et élégant.

⊖⊜⊜ **V Zátiší (À la Nature morte)** – *Liliová 1 -* ☏ *222 221 155 - 12h15-15h, 17h30-23h - menus entre 700 et 1 400 Kč.* Un cadre élégant, un service diligent, et une excellente cuisine font la réputation du lieu. Au menu : des spécialités tchèques, italiennes et françaises, raffinées et inventives, et mitonnées par un grand chef.

⊖⊜⊜ **La Flambée** – *Husova 5 -* ☏ *224 248 512 - tlj 12h-0h - 800/1 000 Kč.* Ces caves voûtées du 13e s. servent de cadre à l'une des meilleures tables de Prague. Ambiance intime, service soigné, cuisine tchèque pleine d'imagination. Les amateurs de bon vin apprécieront.

Franzouská restaurace - Maison municipale – *Námĕstí Republiky 5 - ℘ 222 002 770 - 12h-16h, 18h-0h - 1 500/2 000 Kč.* Cet établissement situé à l'intérieur de la célèbre Maison municipale est l'un des plus jolis restaurants Art nouveau de la ville. Cuisine raffinée, proposant des plats tchèques traditionnels et modernes (goûtez l'inévitable canard rôti) et cuisine internationale à dominante française.

Faire une pause

Grand Café Orient – *Ovocný trh 19 – ℘ 224 224 240 -lun.-vend. 9h-22h ; w.-end 10h-22h.* Au premier étage de la maison à la Vierge noire, ne manquez pas ce superbe café créé au début du siècle. L'intérieur a été décoré dans le style cubiste par Josef Gočár, l'architecte de l'immeuble. Idéal pour faire une pause, à l'intérieur ou sur le petit balcon, avec une jolie vue sur la Celetná et la tour Poudrière.

Café Montmartre – *Řetĕzová 7 - ℘ 222 221 244 -lun.-vend. 9h-23h, w.-end 12h-23h.* Malgré son nom, c'est un bar tout ce qu'il y a de plus tchèque, situé à deux pas de la Karlova. Ce lieu chaleureux, souvent fréquenté par les étudiants, est idéal pour faire une halte loin de la foule, autour d'un café ou d'une bière.

Kavárna Obecní dům - maison municipale – *Námĕstí Republiky 5 - ℘ 222 002 763 - 7h30-23h.* Le cadre à lui seul mérite le détour : c'est l'une des superbes salles Art nouveau de la Maison municipale. Le lieu est presque exclusivement fréquenté par les touristes, qui apprécient également la grande terrasse les jours de soleil. Beau choix de gâteaux et possibilité de manger sur le pouce ou de prendre le petit-déjeuner.

Týnská Literární kavárna – *Týnska 6 - ℘ 224 827 807 - lun.-vend. 9h-23h (w.-end à partir de 10h).* Situé derrière la maison à l'Anneau d'or, ce café littéraire a aussi une petite terrasse en arrière-cour. Le lieu organise régulièrement des manifestations autour de la littérature, mais on peut aussi se contenter d'un café et apprécier l'atmosphère tranquille et le cadre de ce lieu charmant et discret.

Achats

CRISTAL ET GRENAT DE BOHÊME

Bohemia Crystal – *Celetná 5 et Pařížská 12 - ℘ 224 813 154 - 9h-19h.* Très grand choix d'objets en cristal faits main.

Cel[...] ℘ 222 324 [...] étages, très gran[...] grenat et services en p[...]

ARTISANAT TCHÈQUE

Manufaktura – *Melantrichova 17 - ℘ 221 632 480 - 10h-19h.* L'une des plus grandes boutiques à Prague de cette enseigne qui propose artisanat et souvenirs de qualité. Sur plusieurs étages, de nombreux objets de l'artisanat tchèque : marionnettes en bois, céramiques, papier artisanal ou encore cosmétiques et savons. Autre adresse dans la Vieille Ville : Karlova 26.

Kubista – *Ovocný trh 19 - ℘ 224 236 378 - mar.-dim. 10h-18h.* Située dans la maison à la Vierge noire, cette galerie-boutique propose des répliques des plus beaux objets réalisés par le mouvement cubiste tchèque.

LIBRAIRIES

U Černé Matky Boží – *Celetná 34 - ℘ 224 211 275 -lun.-sam. 10h-18h.* Le rez-de-chaussée et le sous-sol de la maison à la Vierge noire abritent l'une des librairies les plus riches en livres de photographies sur Prague et la République tchèque.

ANTIQUITÉS

Antikvariát Karel Křenek – *U Obecního domu 2 - ℘ 222 314 734 - www.karelkrenek. com -lun.-vend. 10h-18h, sam. 11h-18h.* Ce bouquiniste offre dans une atmosphère studieuse un beau choix de gravures anciennes et de vieux livres.

Dorotheum – *Ovocný trh 2 - ℘ 224 222 001 - www.dorotheum.cz -lun.-jeu. 9h30-16h30 (mar. 18h30).* Juste à côté du théâtre des États, cette succursale de la célèbre institution viennoise de ventes aux enchères propose des articles à la vente sur commission.

Internet

Bohemia Bagel – *Masná 2 - ℘ 224 812 560 -lun.-vend. 7h-0h, w.-end 8h-0h.* Plusieurs salles avec des ordinateurs reliés au réseau haut débit ainsi que quelques postes téléphoniques offrant des tarifs intéressants pour les appels à l'étranger. C'est aussi un restaurant proposant sandwichs et hamburgers dans une ambiance bon enfant. Le lieu est très apprécié de la communauté anglo-saxonne.

...uve un petit quartier de synagogues,
...ales de guingois. Baignés de mystère et
...toire, ce ne sont là que les ultimes témoins
...tes communautés juives d'Europe, noyau de
...e.

...ká.

...na Palacha, près du Rudolfinum.

À ... Le cimetière juif ; le couvent Ste-Agnès.

Compre...

Une communauté très ancienne à Prague – Le premier grand récit sur Prague, rédigé en arabe vers 895 pour le calife de Cordoue, est le fait d'Ibrahim ibn Yacub, un marchand juif de Tortosa en Espagne. Prague y est décrite comme une ville « plus prospère, grâce au commerce, que les autres ». Les coreligionnaires d'Ibrahim ibn Yacub peuvent avoir joué un rôle dans cette richesse, étant en effet déjà présents à Prague depuis un siècle.

Naissance d'un ghetto – Au 13e s., alors que le quartier autour de la place de la Vieille-Ville est en passe d'accéder au rang de ville, on isole quelques rues, au nord, où se concentrent les Juifs : une ville juive indépendante, enclose derrière ses propres murs et portes, se forme ainsi peu à peu à l'intérieur de la Vieille Ville fortifiée. Les activités de ses habitants sont réglementées par toutes sortes de mesures discriminatoires. Alors que les Juifs pratiquaient autrefois tous les métiers, on ne leur autorise plus que celui de prêteur, profession interdite aux chrétiens et que les Juifs eux-mêmes méprisaient. Le Moyen Âge est ainsi marqué par des persécutions récurrentes à l'encontre de la communauté juive, et si quelques monarques éclairés défendent parfois ses droits, tel Ottokar II qui publie un « Statuta Judaeoru » lui octroyant en 1254 un statut d'autonomie administrative, d'autres, moins ouverts, suivent les partis pris populaires et n'interviennent guère pour enrayer les pillages ou les pogroms. Un des pires massacres a lieu en 1389, lorsque la fête chrétienne de Pâques et la Pâque juive tombent à la même date. Échauffées par des sermons enflammés, des foules de chrétiens se saisissent de cognées et de hachettes et se répandent dans les rues, pillent maisons et synagogues et massacrent plus de trois mille Juifs.

16e-19e s. : d'âges d'or en expulsions – Le ghetto s'agrandissant, certains souverains cherchent à limiter son expansion. Ainsi Ferdinand Ier tente-t-il tout d'abord d'expulser la communauté juive avant de lui imposer, en 1551, le port d'un cercle jaune afin de mieux la contrôler. Les choses changent grâce à l'empereur Rodolphe II (1576-1612) qui lui accorde sa protection. Sous son règne, la ville juive connaît un âge d'or qui voit s'épanouir la vie intellectuelle. La communauté est dirigée par de grands hommes comme le savant et chroniqueur **David Gans** (1541-1613), des entrepreneurs éclairés tel **Marcus Mordecai Maisel** (1528-1601), et des érudits comme Judah ben Bezabel, plus connu sous le nom de **Rabbi Loew** (v. 1520-1609), créateur légendaire du **Golem** *(voir encadré p. 167)*. En 1648, les Juifs participent à la défense du pont Charles contre les Suédois, et l'empereur **Ferdinand III** récompense leur héroïsme en leur faisant don d'une bannière, exposée aujourd'hui à la synagogue Vieille-Nouvelle. Un siècle plus tard, le vent tourne de nouveau… En 1744, les Juifs sont accusés de collaboration avec l'envahisseur prussien et sont expulsés.

Autorisée à revenir quelques années plus tard, la communauté connaît une seconde période faste, et ce grâce à l'empereur **Joseph II** et son **édit de Tolérance** (1781), qui abolit presque toutes les anciennes lois limitant le rôle des Juifs dans la vie publique et économique. Ceux-ci peuvent désormais se vêtir librement et embrasser pratiquement n'importe quelle profession. En l'honneur de l'empereur, le ghetto devient Josephstadt, ou **Josefov**.

La synagogue Vieille Nouvelle.

R. Holzbachova/Ph. Bénet/MICHELIN

Germanisation de la communauté juive – En contrepartie de l'édit de Tolérance, l'empereur Joseph II, qui cherche à promouvoir l'allemand, contraint les Juifs de Prague à prendre des noms allemands et leur interdit l'usage de l'hébreu et du yiddish en dehors des synagogues. Conséquence de cette politique de germanisation, vers le milieu du 19e s., la communauté juive praguoise se confond presque avec la communauté allemande de la ville.

Les Juifs participent alors de manière importante au développement économique et industriel de la Bohême, et le dernier épanouissement de la littérature allemande praguoise doit beaucoup à des écrivains de cette confession comme **Franz Kafka** (qui naît en 1883 à la limite de Josefov), Max Brod, Franz Werfel et Johannes Urzidil.

La disparition du ghetto au 20e s. – À la fin du 19e s., le ghetto est devenu un lieu surpeuplé et insalubre. Les habitants les plus honorables ont quitté la ville juive pour des habitations dans les faubourgs, abandonnant le quartier aux pauvres et aux Juifs orthodoxes. Devenu les bas-fonds de Prague, Josefov est un objet de fascination pour les premiers touristes, et d'inspiration pour les auteurs de récits fantastiques ou d'horreur. Entre 1895 et 1913, le conseil municipal lance l'**asanace**, « assainissement », visant à raser les cours insalubres, les ruelles trop sombres et les logements surpeuplés pour les remplacer par des immeubles élégants et de larges avenues telle Pařížská třída. À la suite de cette opération, il ne reste plus rien, ou presque, du ghetto juif. Les synagogues, l'hôtel de ville de la ville juive et le cimetière ont cependant été épargnés, et le sont également pendant la période du protectorat allemand, entre 1939 et 1945. Objets religieux et autres richesses spoliées sont en effet apportés et stockés ici, futures pièces du projet nazi de « **musée d'une race disparue** ». Des Juifs érudits sont temporairement autorisés à rester, pour travailler à l'inventaire et au classement de ces objets. Leur minutieux travail a posé les bases du Musée juif actuel. La communauté juive, quant à elle, fut cruellement touchée en ces sombres années : ses membres furent envoyés par milliers au camp de transit de Terezín, situé à quelques dizaines de kilomètres de Prague *(voir p. 297)*, et seuls 6 000 d'entre eux – sur les 40 000 que la ville comptait avant-guerre – survécurent aux plans d'anéantissement nazis.

Se promener

Départ de la place de la Vieille-Ville (Staroměstské nam.). Durée : 2h.

Pařížská třída★★ (rue de Paris) AB2

Il ne peut y avoir de plus grand contraste entre l'obscurité mystérieuse du ghetto et l'élégance 1900 des magasins et des immeubles de part et d'autre de la rue de Paris, large artère aménagée dans les premières années du 20e s.,

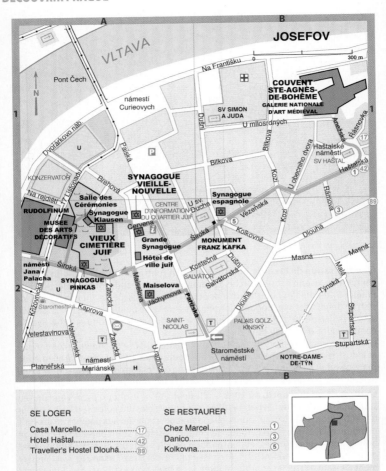

SE LOGER

Casa Marcello........................(17)
Hotel Haštal...........................(42)
Traveller's Hostel Dlouhá........(89)

SE RESTAURER

Chez Marcel...........................(1)
Danico...................................(3)
Kolkovna................................(5)

entre la place de la Vieille-Ville et le pont Čech sur la Vltava. Les architectes ont combiné les styles néo-Renaissance, néobaroque et Sécession pour créer une suite de bâtiments début de siècle sans équivalent à Prague. Encorbellements et balcons richement décorés ornent les façades, ainsi que toutes sortes de moulures sophistiquées, de bustes, de généreuses figures féminines, de volutes végétales, et même de devises interpellant le passant. Au-dessus des avant-toits s'élèvent pignons, attiques, tours et tourelles, aussi ornementés les uns que les autres.

Cette avenue est le projet le plus ambitieux de l'*asanace* pour l'amélioration du paysage urbain de Prague. On n'a fait aucun cas de l'ancien tracé du ghetto. Appelée au départ Mikulášská (rue St-Nicolas) du fait de la présence de l'église St-Nicolas à son extrémité, côté Vieille Ville, elle reçoit en 1926 son nom actuel, moins pour sa ressemblance avec un boulevard parisien qu'en reconnaissance du rôle joué par la France dans la libération des Tchèques de la tutelle austro-hongroise après la Première Guerre mondiale.

Considérée dès son percement comme l'une des adresses les plus prestigieuses de Prague, Pařížská est aujourd'hui bordée de boutiques élégantes.

Prendre à gauche Jáchymova puis, à droite, Maiselova.

Synagogue Maisel (Maiselova synagoga) A2

Maiselova 8-10 – ✆ 221 711 511 - www.jewishmuseum.cz - tlj sf. sam. 9h30-17h30 - 290 Kč (ou 490 Kč le billet permettant de visiter toutes les synagogues et le vieux cimetière). Édifiée en 1592 par le maire Mordecai Meisel pour son usage personnel, la synagogue Maisel a été deux fois endommagée par le feu et reconstruite, pour être finalement rebâtie en 1905 dans le style néo-gothique. Elle abrite une superbe collection d'objets en argent et une exposition sur l'évolution de la communauté juive jusqu'à son émancipation, au 18e s.

Prendre à gauche Siroká jusqu'à Jana Palacha.

Náměstí Jana Palacha (place Jan-Palach) A2

Pendant des années, la Vieille Ville a tourné le dos à la Vltava. En 1847, un revirement a lieu avec l'aménagement du **Smetanovo nabřeží** (quai Smetana), première étape dans l'amélioration des berges. À la fin du 19e s., on a édifié une suite de bâtiments publics prestigieux. Le **Rudolfinum** domine le côté nord de la place tandis qu'au sud, dans le même style néo-Renaissance, mais bien moins imposant, s'élève le **musée des Arts décoratifs** *(voir « Visiter » p. 170)* ; à l'est, la faculté de philosophie de l'université est bâtie en 1929 dans un style traditionnel qui tranche curieusement avec le modernisme dominant à l'époque ; à l'ouest coule la Vltava, enjambée depuis 1914 par le Mánesův most (pont Mánes), aux lignes sobres et élégantes.

Rudolfinum★ A2

Entrées : náměstí Jana Palacha et Alšovo nábřeží – ouvert lors des concerts et des expositions temporaires.

Le Rudolfinum – baptisé ainsi en l'honneur du prince héritier d'Autriche Rodolphe, bien que les Praguois préfèrent l'associer à un Rodolphe plus étroitement lié à la ville, l'ami des arts Rodolphe II (1576-1612) – est l'œuvre de Josef Zítek et Josef Schultz. Il fut achevé en 1884. À l'origine, deux bâtiments étaient envisagés, mais les architectes surent astucieusement combiner les fonctions de salle de concerts et de salle d'expositions au sein d'un même édifice. En 1896, le Rudolfinum accueille la première de *La Symphonie du Nouveau Monde* de Dvořák,

> ## On s'est trompé de nez !
>
> Les nazis ne pouvaient accepter que, parmi les statues des compositeurs ornant la toiture du Rudolfinum, figure celle du musicien juif Mendelssohn. L'ordre est donc donné d'enlever le provocant objet, mais on a du mal à l'identifier. On fait appel aux « scientifiques » : la statue au nez le plus proéminent est retirée… Consternation ! C'est celle de Richard Wagner ! (D'après *Mendelssohn est sur le toit*, de Jiří Weill, 1960.)

sous la direction du compositeur. Il devient par la suite le foyer du Philharmonique de Prague. Après la Première Guerre mondiale, il est reconverti pour loger le premier Parlement de la nouvelle république de Tchécoslovaquie, puis le quartier général de l'administration allemande sous l'Occupation. Entièrement restauré dans les années 1990, il a retrouvé ses fonctions d'origine en accueillant l'Orchestre philharmonique tchèque ainsi que de grandes expositions temporaires.

Extérieur – La façade principale rappelle celle d'un autre monument élevé au bord de la rivière à la fin du 19e s., le Théâtre national. Le bâtiment arbore une belle collection de statues : les figures assises sont d'Antonín Wagner, les lions et les sphinx qui ornent les entrées latérales de Bohuslav Schnirch. Sur la toiture, les statues réalisées par différents sculpteurs représentent des compositeurs.

Intérieur – La salle Dvořák (1 200 places), décorée de colonnes corinthiennes, présente une acoustique exceptionnelle. Notez qu'un petit café a été également ouvert à l'intérieur du Rudolfinum, offrant un cadre agréable pour faire une pause *(voir p. 174)*.

Musée des Arts décoratifs★ (Uměleckoprůmyslové muzeum) A2

(Voir « Visiter » p. 170).

Revenir sur la rue Siroká.

Synagogue Pinkas★★ (Pinkasova synagoga) A2

Siroká 23/3 (entrée commune pour la synagogue Pinkas, le vieux cimetière et la salle des Cérémonies) - ✆ 221 711 511 - www.jewishmuseum.cz - tlj sf. sam. 9h30-17h30 - 290 Kč (ou 490 Kč le billet permettant de visiter toutes les synagogues et le vieux cimetière). Fondée en 1535, la synagogue Pinkas, l'une des plus vieilles de la ville juive, s'élève sur des fondations plus anciennes encore. Des fouilles menées dans les années 1970 ont mis au jour des vestiges de puits et de bains rituels. Le bâtiment avait été commandé, pour son usage privé, par Aaron Meshulam Horowitz, membre de l'une des familles les plus riches du ghetto. Très modifié au milieu du 19e s., l'édifice est aujourd'hui un lieu ouvert au public, dédié aux 77 297 Juifs de Bohême et de Moravie victimes de l'Holocauste. De 1954 à 1959, chacun de leurs noms avait été inscrit sur les murs. Le bâtiment fut fermé en 1968, officiellement en raison d'infiltrations auxquelles il fallait remédier (mais le régime communiste, volontiers antisémite, retarda les travaux et la réouverture), et les noms effacés. Ce n'est qu'en 1989 qu'ils furent un à un réinscrits, faisant de la synagogue l'un des plus poignants lieux du souvenir consacrés aux Juifs d'Europe.

Vieux cimetière juif★★★ (Starý židovský hřbitov) A2

Široká 23/3 (entrée commune pour la synagogue Pinkas, le vieux cimetière et la salle des Cérémonies) - ℘ 221 711 511 - www.jewishmuseum.cz - tlj sf. sam. 9h30-17h30 - 290 Kč (ou 490 Kč le billet permettant de visiter toutes les synagogues et le vieux cimetière).

Écrasé par les hauts murs qui le cernent, avec son enchevêtrement de 12 000 pierres tombales qui semblent se chevaucher, le vieux cimetière juif dégage une angoissante sensation d'oppression. De grands arbres s'étirent vers la lumière, projetant des ombres mouvantes sur sa surface bosselée. La plus ancienne nécropole juive d'Europe accueille, parmi des milliers d'anonymes, de grands noms de l'histoire du ghetto. La tombe la plus ancienne date de 1439, du temps où il était interdit aux Juifs d'enterrer leurs morts au-delà de leur enceinte ; et la dernière inhumation eut lieu en 1787, avant qu'un décret impérial ne mette fin aux enterrements en zone urbanisée. Entre ces deux dates, on a dû enterrer ici près de 80 000 personnes, creusant maintes et maintes fois le sol, et plaçant jusqu'à douze corps les uns au-dessus des autres. La tombe de 1439, une simple stèle, est celle du rabbin **Abigdor Karo**, qui avait assisté au pogrom de 1389 ; le témoignage écrit qu'il en laissa était lu dans chaque synagogue de Prague le jour du Grand Pardon *(Yom Kippour)*. Avec le temps, les pierres tombales furent plus élaborées, et le nom du défunt ou des symboles concernant sa profession y furent gravés (mains ébauchant un geste de bénédiction pour les Cohen, famille de religieux ; renard pour la famille Fuchs ; souris pour les Maisel). Les tombes de style baroque portent de longues descriptions laudatives rappelant les hauts faits et les qualités du défunt.

De nombreux visiteurs cherchent la **tombe du rabbin Loew**, proche du mur qui fait face à l'entrée du cimetière. Des souhaits formulés sur des papiers maintenus par des cailloux y sont déposés, rituel également en vigueur pour d'autres tombes. D'autres

Le vieux cimetière juif.

C. Bouiller / MICHELIN

Le Golem

Les venelles tortueuses et les étranges habitants du ghetto disparu de Prague ont suscité un éventail de légendes. La plus connue met en scène le rabbin Loew et son Golem (« matière informe » en hébreu), un monstre modelé dans la boue des berges de la Vltava. **Rabbi Loew** (v. 1520-1609) n'est pas imaginaire : c'était le grand rabbin de Moravie et l'un des plus grands érudits juifs de Prague. Au milieu du 19e s., le mouvement romantique l'associe au Golem et à sa légende :

« De nuit, sur les berges de la Vltava, le rabbin modèle une figure d'argile à partir de la boue du fleuve, avant de glisser dans la bouche de la Créature une amulette portant le nom indicible de Dieu. Elle prend prend vie et devient son serviteur, aidant aux travaux de la synagogue et protège aussi les juifs des persécutions. Le jour du Sabbat, durant lequel on ne doit pas travailler, l'amulette est enlevée et le Golem s'immobilise. Mais, un vendredi soir, préoccupé par la maladie de sa fille, le rabbin oublie. Pris de furie, le Golem brise tout ce qui l'entoure et sort dans les rues du ghetto, terrorisant la population. Le rabbin court arracher l'amulette de la bouche du Golem. Pacifié, le monstre redevient argile : ses restes, ramassés à la pelle, sont déposés dans le grenier de la synagogue, où ils demeureraient encore. Quiconque oserait les déranger risque d'être ensorcelé pour le reste de ses jours. La légende du Golem, dont on trouve d'ailleurs des variantes dans d'autres ghettos, a inspiré de nombreux artistes au cours des 19e et 20e s. dont l'autrichien Gustav Meyrink dans son roman *Le Golem* de 1915. Le film expressionniste allemand *Der Golem* (1920) de Paul Wegener et Carl Boese l'immortalise, sous la forme d'un géant monstrueux, tel qu'on l'imagine encore aujourd'hui.

Vision du Golem dans le film muet de Wegener.

grands personnages sont enterrés ici, tels le maire Mordecai Maisel, le savant David Gans et le rabbin David Oppenheim (1664-1736), dont l'incomparable collection de manuscrits juifs a été léguée à la Bibliothèque bodléienne d'Oxford.

En 1787, la fermeture du vieux cimetière amena la communauté à élire un autre lieu de sépulture à Olšany, aujourd'hui partie du faubourg de Vinohrady *(voir p. 274)*.

Salle des Cérémonies (Obřadní síň) A2

Široká 23/3 (entrée commune pour la synagogue Pinkas, le vieux cimetière et la salle des Cérémonies) - 🕿 221 711 511 - www.jewishmuseum.cz - tlj sf. sam. 9h30-17h30 - 290 Kč *(ou 490 Kč le billet permettant de visiter toutes les synagogues et le vieux cimetière)*.
Dans un coin du cimetière, ce bâtiment à présent dédié à une exposition sur la maladie, la mort et les cimetières dans la tradition juive faisait autrefois office de salle de cérémonies et de dépôt mortuaire. Avec la synagogue Klausen *(voir ci-dessous)*, c'était l'un des bâtiments de la confrérie du Dernier Devoir, un ordre créé en 1564 par des notables juifs de Josefov, chargé notamment des rites funéraires et de l'assistance aux plus faibles. Il ne reste plus rien de l'ancienne salle fondée au 16e s., qui a été remplacée par un bâtiment de style néo roman érigé en 1911-1912 d'après un projet de l'architecte J. Gerstl.

Synagogue Klausen (Klausová synagoga) A2

U starého hřbitova - 🕿 221 711 511 - www.jewishmuseum.cz - tlj sf. sam. 9h30-17h30 - 290 Kč *(ou 490 Kč le billet permettant de visiter toutes les synagogues et le vieux cimetière)*.
Près de la sortie du cimetière, l'ancienne synagogue Klausen, l'une des plus grandes du

L'horloge municipale, celle qui défie le sens commun

ghetto et était réservée aux membres de la Confrérie du Dernier Devoir. La synagogue actuelle, originellement de la fin du 17e s. mais très reconstruite en 1880, a remplacé trois édifices – *Klausen* en allemand, d'où son nom – de 1573. Elle fait aujourd'hui partie du Musée juif et renferme une belle collection d'objets illustrant les traditions et coutumes juives. À l'intérieur, remarquez la voûte en berceau aux stucs sophistiqués, qui a échappé aux remaniements de la fin du 19e s.

Emprunter U starého hřbitova vers l'est ; l'hôtel de ville juif se trouve sur votre droite, et les synagogues Vieille Nouvelle et Vysoká en face, dans la ruelle Červená.

Hôtel de ville juif (Židovská radnice) A2

Maiselova 18/250 (ne se visite pas). Avec sa tour et sa célèbre horloge, l'hôtel de ville juif est un aimable édifice rococo reconstruit au 18e s. sur un premier bâtiment datant de 1 580. Être pourvu d'une tour était un grand privilège pour un édifice juif, accordé peut-être en raison du rôle joué par la communauté lors de la lutte contre les Suédois. Couronnée d'une étoile de David, la tour est dotée d'une horloge conventionnelle à quatre cadrans, mais au-dessous, sur le pignon, on peut voir un cadran avec des caractères hébreux. Pour respecter le sens de lecture de l'hébreu, les aiguilles tournent à contresens, fait déroutant et surréaliste fort apprécié par le poète Apollinaire lors de sa visite à Prague en 1902.

L'édifice précédent était l'un des bâtiments financés par **Mordecai Maisel**, maire de la ville juive et l'homme le plus riche de Prague, l'un des trois sages qui conduisaient les affaires de la communauté durant son âge d'or, à la fin du 16e s. De même qu'il apportait un soutien individuel aux pauvres et aux érudits, Maisel dota le ghetto de biens communs : nouvelle synagogue, hôpital, bains rituels et plusieurs écoles. Il entretenait de bonnes relations avec la noblesse de Bohême et avec **Rodolphe II**, dont il avait, pour partie, financé les campagnes contre les Turcs. Mais il ne put empêcher l'empereur de briser la promesse solennelle qu'il lui avait faite de le laisser disposer librement de son héritage. À la mort de Maisel, Rodolphe fit confisquer ses biens et traduire ses héritiers en justice.

Grande Synagogue (Vysoká synagoga) A2

Červená - ne se visite pas. La **Grande Synagogue** partage l'histoire de l'hôtel de ville voisin, dont elle a fait partie jusqu'au 19e s. Autrefois utilisée pour les présentations du Musée juif, elle est aujourd'hui retournée à la communauté israélite, et n'est pas ouverte au public.

Synagogue Vieille-Nouvelle★★★ (Staronová synagoga) A2

Červená 2 – ☎ 221 711 511 - www.jewishmuseum.cz - tlj sf. sam. 9h30-18h (vend. 17h) - 200 Kč (ou 490 Kč le billet permettant de visiter toutes les synagogues et le vieux cimetière). La synagogue Vieille-Nouvelle nourrit mythes et légendes autour de son origine et de la signification de son nom. Avec ses hauts pignons et l'ambiance où baigne son intérieur, elle semble diffuser l'essence même de la Prague juive.

La plus pittoresque des constructions du ghetto a été commencée autour de 1270, ce qui en fait l'un des plus vieux édifices gothiques de Bohême, et l'une des plus anciennes synagogues où l'on célèbre encore le culte. Sa maçonnerie porte la marque des tailleurs de pierre qui travaillaient au couvent Ste-Agnès, non loin de là.

Extérieur – Bien au-dessous du niveau du trottoir actuel, le sol de la synagogue correspond sans doute au niveau initial de la Vieille Ville, avant qu'on ne le relève pour la protéger des inondations *(voir p. 101).* Autre explication : le sol aurait été rabaissé de façon que le haut pignon en gradins prévu pour le bâtiment ne domine aucun édifice chrétien, une telle prétention étant rigoureusement interdite. Quelle qu'en soit la raison, les visiteurs doivent descendre pour pénétrer dans l'antichambre à la voûte en berceau.

Intérieur – L'entrée de la synagogue proprement dite est surmontée d'un tympan portant une vigne sculptée en bas relief, dont les douze racines représentent les douze tribus d'Israël, et les quatre ceps les quatre fleuves de la Création. Ensuite s'ouvre une salle à deux nefs qui surprend par sa hauteur, et dont les voûtes, supportées par des piliers hexagonaux, présentent cinq nervures au lieu des quatre habituelles. Les corbeaux portent de beaux feuillages sculptés. Au centre, entourée d'une grille gothique, se trouve la *bimah* ou *almemar,* estrade utilisée lors de la lecture de la Torah, que surplombent de magnifiques lustres réalisés du 16e au 19e s. Près du mur est se dresse l'arche contenant la Torah. On découvre aussi la bannière offerte par l'empereur : son motif central représente le casque des Suédois vaincus. À l'occasion des visites royales au ghetto, plutôt rares, huit hommes la portaient fièrement en procession. Des ouvertures permettaient aux femmes de suivre la prière depuis une pièce adjacente.

Pendant une bonne part de son existence, la synagogue a été un lieu de culte, un lieu de vie pour la communauté, mais aussi un tribunal dispensant la justice dans la ville juive, au gouvernement largement autonome. Son rabbin le plus célèbre fut **Judah Loew ben Bezabel**, créateur légendaire du Golem, le colosse de boue dont les restes pourraient encore être cachés dans les soupentes…

> ## Une synagogue « Vieille-Nouvelle » ?
>
> La légende veut que ses pierres proviennent des ruines du temple de Jérusalem et que le nom de la synagogue dérive de l'hébreu *Al tnai,* qui signifie « provisoire », car la synagogue devait être transportée à Jérusalem pour l'avènement du Messie. Le mot détourné en allemand donnait alors *alt-neu,* littéralement « vieux-neuf ». Selon d'autres récits, un devin avait indiqué aux anciens de la communauté de dégager la terre d'une butte, et on y avait trouvé la synagogue déjà construite. Une explication plus prosaïque – et certainement plus probable – est qu'on l'a appelée à l'origine « nouvelle » parce qu'elle remplaçait un bâtiment plus ancien, et qu'on a ajouté « vieille » au 16e s., lorsque fut édifiée une nouvelle synagogue dans la rue Široká voisine.

Prendre Pařížská třída à droite puis, à gauche, Siroká.

Monument Franz Kafka★ B2

Croisement Dusní/Vězeňská. Cet intriguant bronze de 3,75 m de haut a été élevé en 2003 à l'occasion du 120e anniversaire de la naissance de Kafka. Le sculpteur, Jaroslav Róna, s'est inspiré d'une nouvelle de l'auteur, *Description d'un combat,* contant la flânerie à Prague d'un homme perché sur les épaules d'un autre. Le sculpteur a choisi de représenter Kafka lui-même sur les épaules d'un géant dépourvu de tête et de bras, mystérieuse image pouvant évoquer aussi bien le Golem que le déchirement et le désarroi propres à l'œuvre kafkaïenne.

Synagogue espagnole (Španělská synagoga) B2

Dusní 12/Vězeňská 1 - ☎ 221 711 511 - www.jewishmuseum.cz - tlj sf. sam. 9h30-18h
(vend. 17h) - 290 Kč (ou 490 Kč le billet permettant de visiter toutes les synagogues et le
vieux cimetière). Construite en 1868 par l'architecte Vojtěch Ignác Ullman, la Synagogue
espagnole est la seule contribution relativement moderne au ghetto qui ait précédé
l'*asanace*. Son style exotique néo mauresque était très prisé des concepteurs de
synagogues de l'époque. Dans son intérieur opulent, les nombreux ors ressortent
sur un décor de rouges, de verts et de bruns sombres. La synagogue renferme des
présentations sur l'histoire des communautés juives de Bohême à partir de la fin du
18e s., qui constituent une suite à l'exposition de la synagogue Maisel.

Si vous le souhaitez, vous pouvez poursuivre la promenade par de petites rues paisibles
jusqu'au couvent Ste-Agnès (klaster sv. Anežky). Empruntez Vězeňská puis Haštalská
jusqu'à Haštalské náměstí. Le couvent se trouve au nord de la place, dans U milosrdných.
Il abrite la Galerie nationale d'art médiéval.

Visiter

Musée des Arts décoratifs★ (Uměleckoprůmyslové muzeum) A2

17 Listopadu 2 - ☎ 251 093 111 - www.upm.cz - tlj sf. lun. 10h-18h (mar. 19h) -
exposition permanente 80 Kč ; exposition temporaire 60 Kč ; ticket combiné 120 Kč .
Ouvert en 1900, dernier d'une série de bâtiments publics « néo-historiques » de
prestige destinés à embellir les rues de Prague à la fin du 19e s., le palais servant de
cadre au musée a été conçu par Josef Schulz, architecte du Musée national, pour
loger une partie des collections d'arts décoratifs du pays.

Histoire – L'origine du musée remonte à la fin du 19e s., époque au cours de laquelle
de grands efforts sont faits pour promouvoir les arts appliqués. Les premières expositions du musée, présentées d'abord au Rudolfinum voisin, avaient essentiellement
pour but d'encourager la qualité de la production contemporaine, plutôt que de
créer un inventaire historique. Mais, avec le temps, donations et acquisitions sont
venues enrichir les collections, à tel point que ce musée est aujourd'hui l'un des plus
complets de son genre en Europe centrale. Les œuvres exposées donnent un aperçu
exhaustif des **arts appliqués de l'Antiquité tardive au 20e s**. L'accent est mis sur la
production des pays tchèques, mais y figurent aussi des pièces françaises, italiennes
et d'autres pays. L'espace d'exposition reste cependant un problème et l'on regrettera
que les présentations permanentes ne permettent pas d'exposer de manière plus
large les vastes collections du musée.
Le musée organise aussi d'intéressantes expositions temporaires.

Collections – La **salle 1**, dite votive, présente un **aperçu historique du musée**,
insistant sur l'histoire de l'institution et des fondateurs. Le buste de l'empereur
François-Joseph rappelle que ses bureaux se trouvaient dans cette partie du
bâtiment.
La **salle 2** est consacrée à l'**histoire du textile et de la mode**, du 18e s. aux années
1950. Les murs sont recouverts par quelques belles tapisseries, dont une d'Aubusson
du 17e s. De petits meubles à tiroirs sont garnis de dentelles anciennes. À l'intérieur
des vitrines a été disposée une intéressante collection de robes du jour et du soir, de
dentelles, d'éventails, de chaussures qui ont marqué la mode féminine à travers les
temps et à travers l'Europe. L'étage a été aménagé pour une présentation d'habits
religieux anciens : chasubles, mitres, tissus.
La **salle 3** a été baptisée salle des **Arts du feu** à travers les âges : outre des carafes,
vases, verres, porcelaines des origines à nos jours, on peut aussi admirer de très beaux
meubles baroques destinés à recevoir la vaisselle.
Les imprimés et les photos ont été installés dans la **salle 4**. On y découvre des **livres
et impressions du 13e s. au 18e s.** ; des **livres et expressions graphiques des
19e et 20e s.** (affiches de publicité et de théâtre), des photos en noir et blanc, dont
celles de Josef Sudek. La **salle 5**, salle du « Trésor », abrite un ensemble très riche de
bijoux et pièces d'orfèvrerie : services à café et à thé, médailles, pendentifs, bagues,
montres, vases Art nouveau, objets religieux (calices, ciboires…).

Au musée des Arts décoratifs.

Couvent Ste-Agnès-de-Bohême (klášter sv. Anežky České) - Galerie nationale d'art médiéval★★★ (Národní galerie) B1

U milosrdných 17 - ℘ 224 810 628 - www.ngprague.cz - ᵺ tlj sf lun. 10h-18h - 100 Kč.
Le couvent, fondé par la princesse prémyslide Agnès (Anežka) offre un cadre magnifique à l'exposition permanente d'art médiéval de Bohême et d'Europe centrale. C'est l'un des plus beaux exemples d'architecture gothique en terre tchèque.

Couvent – L'édification du couvent a débuté vers 1230, avec la construction de l'église St-François et d'une interminable aile à l'est, qui s'étirait jusqu'à rejoindre les remparts nouvellement construits de la Vieille Ville. Pour cette toute première construction gothique dans la Vieille Ville, les bâtisseurs furent très influencés par les développements récents de l'architecture cistercienne en Bourgogne. Vers le milieu du siècle, le cloître est achevé, ainsi que la chapelle de la Vierge, derrière laquelle se dresse l'élément architectural le plus remarquable, le presbytère de l'église St-Sauveur, bâti vers 1270.

Malgré les inondations périodiques dues aux caprices de la Vltava, le couvent connaît une période florissante sous les Prémyslides, jusqu'au règne de l'empereur Charles IV. Mais dès le tournant du 15ᵉ s., il périclite. En 1420, les hussites expulsent les religieuses. Ils fondent l'argenterie du couvent et installent un arsenal dans ses murs. En 1556, après avoir abandonné aux jésuites leur domaine près du pont

---

Sainte Agnès de Bohême

Fille du roi Ottokar Iᵉʳ et sœur du futur roi Venceslas Iᵉʳ, Agnès naît en 1211. Elle rejette une succession de prétendants pour s'adonner à la vie contemplative. Vers vingt ans, attirée par l'enseignement de saint François d'Assise, Agnès fonde un couvent de disciples de sainte Claire, les **Clarisses**, un ordre féminin équivalent à celui des Franciscains. Son couvent est bientôt au cœur de la vie dynastique et les reliques les plus précieuses du pays y sont apportées. Agnès devient pendant sa vie un objet de vénération populaire, ferveur qui s'accroît encore après sa mort, en 1282. Mais toutes les tentatives pour la faire canoniser restent vaines jusqu'à la fin du 20ᵉ s., le régime communiste considérant l'Église comme un ennemi du peuple. Agnès n'est canonisée que le 12 novembre 1989. Une messe est célébrée à la cathédrale St-Guy à Prague quelques jours plus tard. Dans le contexte difficile de 1989, l'événement prend une importance particulière et la messe donne lieu à d'importantes manifestations. Beaucoup le considèrent comme l'un des préludes de la « révolution de velours » qui éclata peu de temps après.

Charles (le futur Clementinum), les dominicains prennent la relève. Ils installent, semble-t-il, une brasserie, une scierie et une fonderie de verre. Ils divisent aussi le couvent voisin des frères mineurs en logements bon marché, attachant par là même au quartier une réputation douteuse de taudis qui perdurera pendant des siècles. Les religieuses reprennent possession des lieux après la bataille de la Montagne-Blanche (1620), mais l'institution ne retrouvera plus sa gloire passée. Premier couvent de Prague à être fermé en 1782 après les réformes de Joseph II, il est à son tour divisé par les aménageurs de logements à bas prix. À la fin du 19e s., avec le programme de rénovation complète de la Vieille Ville, sa démolition semble inévitable, mais la protestation du public lui permet d'échapper à la destruction. Fouilles archéologiques et restaurations se succèdent de façon intermittente au long du 20e s., jusqu'à ce que le complexe soit racheté en 1963 par la Galerie nationale.

Collections – La sobriété des lignes du couvent Ste-Agnès-de-Bohême se prête admirablement bien à l'exposition permanente d'art médiéval de Bohême et d'Europe centrale (entre 1200 et 1550). Des éclairages appropriés, une présentation originale sur des fonds colorés mêlés à la pierre mettent bien en valeur plus de 270 œuvres d'art, retables, statues en bois et en pierre, vitraux, panneaux, objets d'arts décoratifs, dont certains sont de provenance sud-allemande, saxonne, silésienne, autrichienne ou slovaque. L'exposition disposée dans 15 salles au premier étage du couvent, se présente en quatre sections chronologiques.

Le couvent St-Agnès.

Salles A, B, C et D (1200 à 1378) – C'est sous le règne des derniers membres de la dynastie des Prémyslides, Venceslas Ier et Ottokar II, que le gothique pénètre depuis la France en Bohême, propagé par les ordres religieux et les membres de la cour royale. L'ouverture artistique, sur le monde extérieur comme sur les territoires de Rhénanie, se retrouve dans les Madones de Strakonice, Rouchovany et Žinkovy. On notera la pureté des représentations des *Vierges de Zbraslav* (1350-1360) et des *Vierges de Veveí* (1350). L'éclairage atténué met bien en valeur la série de 9 panneaux merveilleusement détaillés sur la vie du Christ, comme l'*Annonciation*, la *Nativité*, l'*Adoration des Mages* ou la *Résurrection*, attribués à celui qu'on surnomme le **maître du retable de Vyšší Brod** (1350). Une partie de l'œuvre de **maître Théodoric**, peintre en titre de Charles IV le roi mécène, est aussi présentée ici. Loin des conventions, ses portraits sont éclatants de vitalité. Ses descriptions de personnages, comme celles de saint Charlemagne ou sainte Catherine, sont tenues pour être les premiers véritables essais dans l'art du portrait réaliste.

Les Madones sont plus expressives les unes que les autres : celle de Zahražny portant l'Enfant avec infiniment de grâce (1370) ; la *Pietà de Lásenice* (1380) supportant le corps de Jésus ; la *Madone de Konopiště* (1365-1370) donnant le sein. Le style de celui que l'on nomme le **maître du retable de Třeboň** marque la fin du règne de Charles IV. Le cycle qu'il construit autour du *Christ au mont des Oliviers*, de la *Mise au Tombeau* et de la *Résurrection* combine une vision profondément religieuse et des détails réalistes dans le traitement des personnages et de la nature.

Salles E, F, G, H et I (1378 à 1437) – Le beau style se propage dans toute l'Europe. Mais, aux projets monumentaux on préfère désormais les sculptures plus intimistes, plus charmantes, destinées à la dévotion personnelle. On s'agenouille devant la peinture de la *Madone de la cathédrale Saint-Guy* (1400). On s'apitoie devant la posture cambrée à l'extrême de la *Madone enceinte* de Dubany. On s'abandonne devant l'élégance de la **Madone de Český Krumlov** retenant avec douceur et tendresse son Enfant turbulent. Le *Retable de la Crucifixion de Rajhrad* est une œuvre majeure.

Salles J et K (1437-1490) – Les guerres hussites (1419-1437) provoquent le saccage de couvents et d'églises vont isoler la Bohême du reste du monde. Alors que sous **Georges de Podiebrad** (1458-1471) le royaume commence à redevenir prospère, le rayonnement artistique de la ville de Nuremberg est incontournable (sculptures de sainte Catherine et de Madones). Au détour d'une allée, il faut s'attarder sur l'un des seuls portraits existant de sainte Agnès ; elle y est représentée en train de soigner un malade. Le règne de **Vladislas Jagellon** (1471-1516) coïncide avec un retour au culte des saints patrons de la Bohême (bustes-reliquaires d'orfèvrerie de saint Venceslas et de saint Adalbert du trésor de St-Guy).

Salles L, M et N (1490-1526) – Les guerres hussites achevées, on assiste à un nouvel échange artistique, peintres et sculpteurs allant de cour en cour, venant parfois d'Allemagne du Sud, de la vallée du Danube, de Saxe ou de Hongrie. On remarque, bien évidemment, les travaux de **Lucas Cranach l'Ancien**. Des foyers de création s'affirment au début du 16e s. Le Nord et le Nord-Ouest de la Bohême s'imprègnent de l'influence de la Saxe, comme en témoigne la peinture de maître I. W. (panneau votif de la famille Kašpárek de Plzeňň). La Bohême centrale s'imprègne, pour sa part, des inspirations sud-allemandes, saxonnes et danubiennes dans les panneaux faits par le maître du retable de Litoměřice. La Bohême du Sud offre au public une petite merveille de finesse : **La Déploration de Žebrák** (1500-1510), dont le sculpteur de génie devait avoir son atelier dans les environs de České Budějovice.

Pour bien terminer ce voyage dans la beauté médiévale, on ne saurait trop recommander de pénétrer dans les parties restaurées du couvent et de l'église, au rez-de-chaussée, et de s'asseoir dans les jardins du couvent. À noter, les 12 copies de sculptures ou bustes que les non-voyants peuvent toucher, avec explications en braille.

Musée de la Poste (Poštovní muzeum) Hors plan B2

Nové mlýny 2/1239 - ☏ *222 312 006 - tlj sf lun. 9h-12h, 3h-17h - 25 Kč.*

Cette résidence du 16e s. accueille une belle collection de timbres et autres objets relatifs à la poste. La collection met naturellement l'accent sur la Tchécoslovaquie, la République tchèque et la Slovaquie, illustrant le cours, souvent tourmenté, de l'histoire tchécoslovaque. On voit des timbres autrichiens réimprimés en tchèque à la naissance de la première République ; des timbres du protectorat hitlérien de Bohême-Moravie et de la république fantoche de Slovaquie ; d'autres qui illustrent la construction du socialisme. Les timbres sont conservés et exposés au rez-de-chaussée, avec toutes sortes d'objets utilisés par la poste : uniformes, souvenirs et œuvres d'art. Les pièces de l'étage servent pour des expositions temporaires, mais l'essentiel de leur attrait est dû aux merveilleuses peintures des murs et des plafonds, réalisées en 1847 par Josef Navrátil pour le riche propriétaire de la demeure, le minotier Václav Michalovic. Les peintures murales de la Salle alpine déroulent un panorama de paysages romantiques, et la salle du Théâtre, de style rococo, montre de jolies scènes tirées de pièces ou d'opéras.

Josefov pratique

Se loger
Voir p. 31-32.

Se restaurer

Kolkovna – *V Kolkovně 8 (en face de la Synagogue espagnole)* - ℘ *224 819 701* - *11h-0h - 150/300 Kč.* Une brasserie praguoise « nouvelle génération » qui a tant de succès qu'il en existe plusieurs à Prague. La salle en enfilade décorée de cuves à bière, celle en sous-sol et la belle terrasse l'été ne désemplissent pas grâce à une carte inventive proposant tous les classiques de la cuisine tchèque, mais aussi des salades et d'autres spécialités. Menu en anglais ; clientèle jeune et très cosmopolite.

Chez Marcel – *Haštalská 12* - ℘ *222 315 676* - *lun.-vend. 8h-1h, w.-end 9h-1h - 300/500 Kč.* Évidemment, ça n'est pas d'un très grand dépaysement car, comme son nom l'indique, Chez Marcel est un restaurant français. Mais c'est une valeur sûre pour ceux qui veulent déguster de bons petits plats (terrine, steak, quiches maison, tartes ou fondant au chocolat…). Menu en français.

Danico – *Dlouhá 21* - ℘ *222 311 807* - *11h-1h - 250/500 Kč.* Un peu à l'écart du brouhaha des touristes visitant le quartier juif, un restaurant discret dédié à une cuisine italienne de qualité avec une carte essentiellement composée de plats du jour. Petite terrasse tranquille et plusieurs salles joliment décorées, dont certaines sont climatisées en été. Service agréable ; menu en anglais.

Faire une pause

Café Rudolfinum – *Alsovo nábrezí 79/12* - ℘ *227 059 111* - *tlj sf lun. 10h-18h.*

Détail d'un immeuble de Josefov.

Caché à l'intérieur du Rudolfinum, ce café charmant et tranquille est le lieu idéal pour faire une pause après la visite d'une exposition ou du cimetière juif. Également quelques gâteaux et en-cas pour les petites faims.

Nostresscafé – *Dušni 10* - ℘ *222 317 007* - *lun.-vend. 8h-23h, w.-end 10h-23h.* Un joli café, moderne et chic, juste en face de la Synagogue espagnole. Une petite terrasse agréable et une décoration très tendance, avec une boutique associée qui vend des objets design. La carte propose quelques petits plats et desserts raffinés.

Achats

Granát Turnov – *Dlouhá 30* - ℘ *222 315 612* - *lun.-vend. 10h-18h, sam. 10h-13h.* Pendentifs, bagues, bracelets et colliers en grenat de Bohême, en provenance directe de la coopérative artisanale de Turnov.

Le **pont Charles** ★★★

Karlův most

CARTE 1ᵉʳ RABAT DE COUV. B2-C2

Depuis six siècles et demi, ce miracle de technologie médiévale ... reliant la Vieille Ville à Malá-Strana et au Château. Gardé à chaque extrémité par des tours, cet ouvrage gothique est à la fois image d'élégance, de puissance et de pérennité. À l'époque baroque, on l'a embelli de deux superbes alignements de statues religieuses, faisant de chaque traversée de la rivière une sorte de pèlerinage.

▶ **Se repérer** – Ⓜ Staroměstská.

Le pont Charles et le Château de Prague, en 1618 (gravure sur cuivre du 17ᵉ s.).

Comprendre

Pendant des siècles, le grand ouvrage gothique est resté l'unique pont de la ville, appelé simplement « pont de Prague » ou « pont de pierre ». Il faut attendre 1870 pour qu'il soit rebaptisé en prenant le nom de l'empereur Charles IV qui en avait ordonné la construction au 14ᵉ s.

Du pont Judith au pont Charles – Le pont Charles a eu des prédécesseurs. Le premier, en usage dès le 10ᵉ s., était un ouvrage en bois qui fut détruit lors de la grande crue de 1157. Le deuxième fut appelé **pont Judith** en l'honneur de l'épouse du roi Vladislav, Judith de Thuringe. Terminé vers 1160, c'était une solide construction de pierre, bâtie sur le modèle d'un pont récemment jeté sur le Danube à Ratisbonne. Merveille de style roman, il était défendu à chaque extrémité par des tours. Mais lui aussi tomba en 1342 sous les assauts de la Vltava charriant les blocs de glace et les débris des crues de février. Peu de temps après, **Charles IV** décida de jeter un nouveau pont sur la rivière, dans le cadre d'un programme de rénovation urbaine visant à faire de la ville une capitale digne du Saint Empire romain germanique. Le 13 juillet 1357, date que les astres donnaient comme favorable, l'empereur pose la première pierre du pont. On utilise comme matériau des blocs de grès, maintenus en place par du mortier lié avec du vin et des œufs, technique qui confère à l'ouvrage une telle solidité qu'il fallut, à la fin du 19ᵉ s., recourir à la dynamite lors de travaux de réparation. **Peter Parler**, architecte de la cathédrale gothique du Hradschin, supervise les travaux. Il est aussi le concepteur de la tour du pont de la Vieille Ville, dont Charles souhaitait qu'elle n'ait pas son pareil dans le monde chrétien.

Jean Népomucène, le saint patron des ponts

..n Nepomucký, l'un des saints les plus vénérés de Prague, a pourtant mis près de trois siècles à se faire connaître ! Victime d'une querelle obscure entre le roi et l'archevêque, ce modeste chanoine avait été enlevé en 1393 par un groupe d'hommes de main à la solde du roi, traîné de nuit sur le pont et précipité dans les eaux noires de la Vltava. L'épisode fut rapidement oublié par l'Histoire avant que ne naisse, au 17ᵉ s., la légende selon laquelle il aurait été assassiné pour avoir refusé au roi de trahir le secret de la confession de la reine. Au moment où le pauvre homme disparaissait dans les eaux, des étoiles – ô miracle ! – seraient apparues au dessus des flots. La Contre-Réforme battait son plein et se cherchait un saint, et de préférence un Jan, pour lutter contre l'emprise toujours puissante d'un autre Jan, Jan Hus. Dès 1683, on installe sur le pont la statue en bronze de Jean Népomucène par **Brokoff**, mais ce n'est qu'en 1719 qu'on exhumera son corps, pour découvrir que, autre miracle, sa langue est restée saine et rouge. Népomucène est canonisé en grande pompe dix ans plus tard, au cours d'une semaine entière de festivités tournant autour du pont. Pendant de nombreuses années, la fête du saint est marquée par une grande procession qui traverse la ville jusqu'au lieu du martyre. La popularité de Jean Népomucène est illustrée par ses innombrables statues gardiennes de ponts dans toute l'Europe centrale catholique.

R. Holzbachova/Ph. Bénet / MICHELIN

Au cœur de l'histoire praguoise – Le pont n'est pas achevé, mais suffisamment avancé pour porter en 1378 le cortège funèbre de l'empereur qui l'avait commandé. Quelques années plus tard, en 1393, il est témoin de l'assassinat du chanoine **Jean Népomucène** (Jan Nepomucký), enfermé dans un sac et précipité dans la rivière parce que, dit la légende, il aurait refusé de révéler au roi Venceslas IV le secret de la confession de la reine. Subissant régulièrement les assauts des crues et de la débâcle, le pont est gravement endommagé à plusieurs occasions, le pire étant advenu en 1890, quand trois de ses arches furent emportées. Témoin de la violence des hommes comme de celle de la nature, le pont fut aussi le théâtre de combats acharnés, d'abord à l'époque des hussites, puis en 1648 à la fin de la guerre de Trente Ans, lorsque les troupes suédoises qui s'étaient emparées de Malá-Strana furent arrêtées à la tour du pont de la Vieille Ville par une milice hétéroclite d'étudiants et de Juifs menés par des jésuites. Deux siècles plus tard exactement, en juin 1848, un autre groupe conduit par des étudiants barricade le pont et défie le canon du général Windischgrätz (scène puissamment reprise par le diorama de Petřín – *voir Bludiště p. 231*) ; d'autres barricades s'y élèvent à nouveau à la Libération, en mai 1945.

Un cortège de 30 statues – Très tôt, un calvaire de bois se dresse sur le pont. Au tout début du 16ᵉ s. vient s'y ajouter le chevalier Bruncvík, symbole des libertés publiques. Mais c'est à la fin du 17ᵉ s. et au début du 18ᵉ s. que la silhouette du pont est transformée, étape par étape, par l'installation de statues. En 1683, la dévotion à saint Jean Népomucène fait installer au-dessus d'une pile centrale la statue aujourd'hui familière du saint à l'auréole étoilée. D'autres groupes religieux suivent, dont une douzaine en provenance d'un atelier dirigé d'abord par Jan Brokoff, puis par son fils, **Ferdinand Maximilian**, beaucoup plus talentueux. Les autres superbes statues de cette époque sont dues à Braun, Jäckel et Mayer. Leur énergie vitale et leur puissance ne seront pas égalées par les figures, plutôt académiques, placées au 19ᵉ s. sur le pont après qu'il eut subi les outrages des crues et des tirs d'artillerie. Le tout dernier apport, le groupe des saints Cyrille et Méthode de Karel Dvořák, a eu lieu en 1938 à l'occasion du 20ᵉ anniversaire de la Tchécoslovaquie. Une bonne partie des statues exposées aujourd'hui sont des copies, car la plupart des sculptures originales sont à l'abri des intempéries au Lapidarium national (*voir p. 260*).

Se promener

La promenade se fait de la Vieille Ville vers Malá-Strana. Durée : 1/2 h.

La première arche du pont se cache sous Křižovnické náměstí (place des Croisés – *voir p. 149*), et sa première pile supporte la magnifique tour du pont de la Vieille Ville. À partir de là, quinze autres arches soutiennent la chaussée large de 9,5 m jusqu'aux deux tours qui marquent le débouché sur Malá-Strana. Le pont enjambe la Vltava, mais aussi la pointe nord de l'île de Kampa et la Čertovka, ou ruisseau du Diable. Ses 516 m. suivent un tracé qui n'est pas droit, mais subtilement incurvé en S.

Tour du pont de la Vieille Ville★★ (Staroměstská mostecká věž)

À l'extrémité est du pont - juin-sept. : tlj 10h-22h ; avr., mai et oct. : 10h-19h ; mars : 10h-18h ; nov.-fév. : 10h-17h - 50 Kč.

Achevée vers 1380 par **Peter Parler,** la tour du pont de la Vieille Ville, qui en défend la sortie est, a eu de multiples usages, tant cérémoniels et symboliques que défensifs. Au-dessous de sa haute toiture en bâtière et de sa galerie à tourelles d'angle pointues, rajouts de l'infatigable restaurateur du 19ᵉ s. **Josef Mocker,** la face tournée vers la ville a conservé les détails de sa décoration médiévale, quoique les statues soient des copies. On y voit les armes des domaines qui formaient le royaume de Bohême et, au niveau du premier étage, avec pour piédestal deux arches du pont, la statue de saint Guy. À sa gauche, Venceslas IV ; à sa droite, l'empereur Charles IV vieillissant. Plus haut figurent les saints Adalbert et Sigismond, au-dessus d'un lion sculpté de manière réaliste. Un aspect plus trivial de l'existence est représenté au niveau inférieur du passage par un chevalier paillard lutinant une fille.

L'arche elle-même présente une voûte dont le motif des arêtes ressemble à celui de la cathédrale. De l'autre côté, la face ouest de la tour a perdu sa décoration au cours du siège de 1648.

La tour, dont le sous-sol servait de prison et le premier étage de salle des gardes, est bâtie sur une pile du pont. La galerie au sommet de la tour commande un superbe **panorama★★** sur le pont et une vue rapprochée sur les tours de la Vieille Ville. Durant toute la décennie qui a suivi l'exécution des chefs protestants rebelles de 1621, les passants du pont ont dû endurer le pénible spectacle de leurs têtes fichées sur des piques, exposées au sommet de la tour.

Statues★★

Beaucoup sont en elles-mêmes des chefs-d'œuvre, mais c'est dans leur perspective d'ensemble que les 30 sculptures et groupes de statues produisent le meilleur effet, comme une voie processionnelle jetée sur la vaste rivière pour relier les quartiers historiques de la ville.

Placées à intervalles réguliers sur leur piédestal de part et d'autre du pont, les statues font partie intégrante de sa structure, couronnant les piles massives mais élégamment dessinées, à la forme soulignée par des défenses de bois.

Saint Jean Népomucène – La place d'honneur au milieu du pont, côté aval, lui est bien sûr réservée. La statue a été placée ici en 1683, à l'occasion du tricentenaire supposé de son martyre. Paisible et retenue, comparée à beaucoup d'autres, la statue de saint Jean Népomucène est l'œuvre de plusieurs artistes ; un original en argile du Viennois Matthias Rauchmüller a servi de base à un modèle en bois de Jan Brokoff ; le moule a été réalisé dans l'atelier de Wolfgang Herold à Nuremberg. Autrefois, les cinq étoiles dorées de l'auréole du saint étaient fréquemment la proie des chasseurs de souvenirs, mais les visiteurs moins téméraires se contenteront de toucher le panneau qui illustre sur le socle le martyre du saint, geste censé porter bonheur.

Dans les premières années du 18ᵉ s. ont été installées sur le pont plusieurs autres œuvres de l'atelier Brokoff, la plupart attribuées au fils de Jan, **Ferdinand Maximilian Brokoff**. On retiendra les plus remarquables :

Saint François Xavier *(5ᵉ à gauche à partir de la tour du pont de la Vieille Ville)* – Procédant au baptême d'un prince païen, le saint est soutenu par quatre dignitaires nouvellement convertis. Le personnage qui porte une Bible pourrait être Brokoff lui-même ;

Saint Procope *(10ᵉ à gauche au départ à partir de la tour du pont de la Vieille Ville)* – Il foule aux pieds le démon tandis que saint Vincent ressuscite un mort. Les panneaux inférieurs exaltent les œuvres des deux saints, au nombre desquelles la conversion d'un nombre prodigieux de Turcs et de Juifs et l'écrasement de multiples démons. Plus bas sur la même

Le pont Charles en hiver.

pile de pont se dresse la figure du chevalier Bruncvík (Roland, gardien des libertés publiques). Son épée dégainée a été, peut-être de manière prophétique, remplacée juste avant que n'advienne la « révolution de velour » ;

Saints Jean de Matha, **Félix de Valois et Ivan-le-Bienheureux** *(14ᵉ à gauche à partir de la tour du pont de la Vieille Ville)* – Voici l'un des groupes les plus complexes et les plus populaires. On a cherché ici à rendre hommage à l'œuvre de ces saints, venus au secours de chrétiens tombés aux mains des infidèles. Au-dessous, on voit plusieurs de ces prisonniers languissant dans une caverne, sous la superbe indifférence d'un garde turc à la remarquable bedaine et de son molosse ;

Sainte Luitgarde★ *(12ᵉ à gauche à partir de la tour du pont de la Vieille Ville)* – Un esprit assez différent règne autour de cette figure de **Mathias Bernard Braun** *(voir p. 112)*, sans doute l'œuvre la plus marquante de cette grande galerie en plein air et celle qui illustre avec le plus de force la recherche de l'intensité émotionnelle caractéristique du baroque. Religieuse cistercienne aveugle, Luitgarde reçut au cours d'une vision la permission du Christ mourant de baiser ses blessures ; on la voit ici embrasser les genoux du Christ, qui, miraculeusement, se détache de la Croix pour l'attirer à lui : au-dessus, les lettres INRI ondulent sous un souffle divin.

Tours du pont de Malá-Strana (Malostranské mostecké věže)

À l'extrémité est du pont - avr.-nov. : tlj 10h-18h fermé déc.-mars - 50 Kč.

La plus petite est la plus ancienne : élevée vers 1130 comme maillon de la défense de Malá-Strana, elle a été adaptée pour défendre l'accès du **pont Judith** ; sa maçonnerie a conservé des traits romans, mais on l'a beaucoup modifiée vers la fin du 16ᵉ s. en y ajoutant un pignon Renaissance et divers autres éléments.

Une porte fortifiée la relie à la **Tour haute**, élevée vers 1464 et manifestement inspirée de la tour du pont de la Vieille Ville, quoique la statuaire prévue pour son ornementation n'ait jamais vu le jour. Sa galerie aussi offre des **vues★★** merveilleuses ; à l'intérieur, une annexe de l'office de tourisme.

Malá-Strana ★★★

CARTE 1ᴱᴿ RABAT DE COUV. A2-B1-B2

Bordé par la Vltava et les pentes vertes de Petřín, protégé par le Château sur la colline, le quartier historique de Prague le plus admirablement conservé semble à peine avoir changé depuis le milieu du 18ᵉ s. Ses églises, ses demeures bourgeoises et ses palais baroques bordent des rues et des places dont le tracé remonte au Moyen Âge. Leurs portes ouvrent sur des passages et des cours cachés ainsi que des escaliers qui mènent à de magnifiques jardins en terrasses.

- **Se repérer** – 🄼 Malostranská.

- **Se garer** – Très peu de possibilités de stationnement ; éventuellement sur Malostranské náměstí, au pied de St-Nicolas.

- **À ne pas manquer** – Les jardins sous le Château ; l'église St-Nicolas ; l'île de Kampa.

- **Organiser son temps** – Prévoyez une journée, voire deux, pour visiter tout le quartier.

R. Holzbachova/Ph. Benet / MICHELIN

Une vue générale sur le quartier de Malá-Strana.

Comprendre

Cette partie de Prague est depuis toujours dominée par le Château. Dès le 9ᵉ s., les chemins reliant les hauteurs aux bords de la rivière et au gué menant à la Vieille Ville voient s'implanter une ligne irrégulière de constructions, maisons de marchands et autres logis. L'habitat se densifie vers 1160, après la construction du pont Judith sur la rivière. L'évêque quitte les hauteurs du Château pour un nouveau palais, proche de la tour du pont. Les chevaliers de Malte élèvent leur monastère sur la rive opposée.

Naissance de la « Petite Ville » – Au milieu du 13ᵉ s., pour faire contrepoids au quartier de commerce (aujourd'hui la Vieille Ville) en plein essor sur l'autre rive, le roi Ottokar II décide de coordonner les projets de construction jusque-là disparates afin de bien contrôler les implantations. On élève un rectangle de fortifications pour relier la tête du pont au Château. On contraint les habitants d'alors, au nombre desquels les Juifs, à quitter les lieux, pour installer à leur place des artisans et des marchands, qu'on fait venir du Nord de l'Allemagne. On aménage une place de marché centrale, avec pour monument principal une église, l'ancêtre gothique de l'actuelle St-Nicolas. En 1338, le quartier devient une commune autonome. Un siècle plus tard, l'empereur Charles IV ferme un secteur encore plus vaste de ce qui s'appelle désormais la « Petite

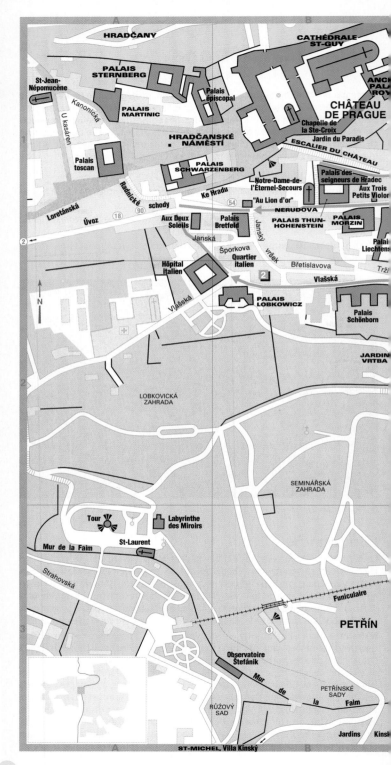

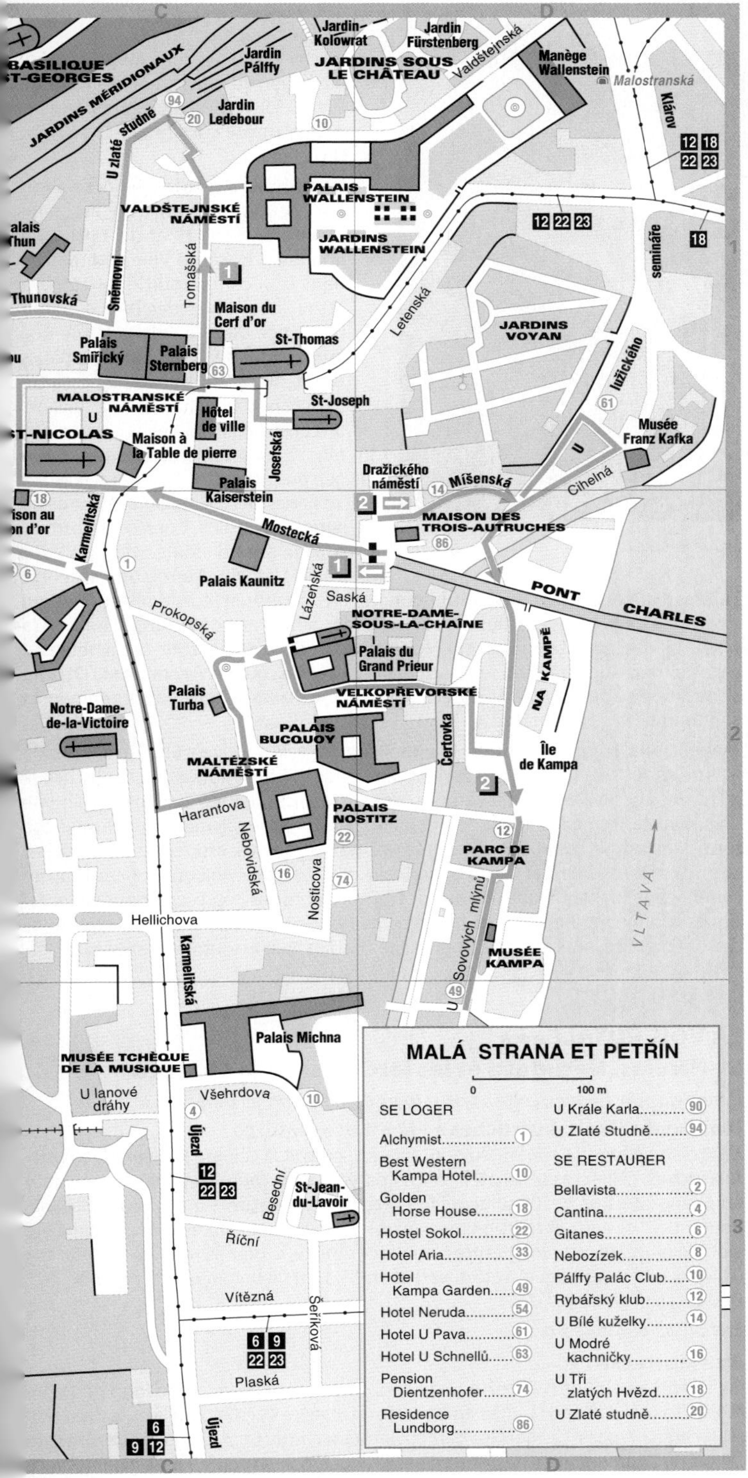
BASILIQUE ST-GEORGES
JARDINS MÉRIDIONAUX
Jardin Pálffy
Jardin Kolowrat
Jardin Fürstenberg
JARDINS SOUS LE CHÂTEAU
Valdštejnská
Manège Wallenstein
Malostranská
Klárov
Jardin Ledebour
U zlaté studně
PALAIS WALLENSTEIN
JARDINS WALLENSTEIN
VALDŠTEJNSKÉ NÁMĚSTÍ
Palais Thun
Thunovská
Sněmovní
Tomašská
Maison du Cerf d'or
St-Thomas
Letenská
JARDINS VOYAN
lužického semináře
Palais Smiřický
Palais Sternberg
MALOSTRANSKÉ NÁMĚSTÍ
U ST-NICOLAS
Hôtel de ville
Maison à la Table de pierre
St-Joseph
Josefská
Palais Kaiserstein
Musée Franz Kafka
Cihelná
U
Dražického náměstí
Míšenská
MAISON DES TROIS-AUTRUCHES
Maison au ... d'or
Karmelitská
Mostecká
Palais Kaunitz
Lázeňská
Saská
PONT CHARLES
Prokopská
NOTRE-DAME-SOUS-LA-CHAÎNE
Palais du Grand Prieur
NA KAMPĚ
Palais Turba
VELKOPŘEVORSKÉ NÁMĚSTÍ
Notre-Dame-de-la-Victoire
PALAIS BUCQUOY
Čertovka
Île de Kampa
MALTÉZSKÉ NÁMĚSTÍ
Harantova
PALAIS NOSTITZ
Nebovidská
Nosticova
PARC DE KAMPA
VLTAVA
Hellichova
U Sovových mlýnů
MUSÉE KAMPA
Palais Michna
MUSÉE TCHÈQUE DE LA MUSIQUE
U lanové dráhy
Všehrdova
Újezd
Besední
St-Jean-du-Lavoir
Říční
Vítězná
Šeříková
Plaská
MALÁ STRANA ET PETŘÍN
0 100 m
SE LOGER
Alchymist 1
Best Western Kampa Hotel 10
Golden Horse House 18
Hostel Sokol 22
Hotel Aria 33
Hotel Kampa Garden 49
Hotel Neruda 54
Hotel U Pava 61
Hotel U Schnellů 63
Pension Dientzenhofer 74
Residence Lundborg 86
U Krále Karla 90
U Zlaté Studně 94
SE RESTAURER
Bellavista 2
Cantina 4
Gitanes 6
Nebozízek 8
Pálffy Palác Club 10
Rybářský klub 12
U Bílé kuželky 14
U Modré kachničky 16
U Tří zlatých Hvězd 18
U Zlaté studně 20

La rue Nerudova.

Ville de Prague » (Menší Město pražské) au moyen du « mur de la Faim », érigé entre 1358 et 1360, qui permit de donner du travail aux Praguois souffrant de la famine.

La ville des nobles – Après avoir survécu tant bien que mal aux incendies de 1419 et de 1541, et à la guerre, la Petite Ville commence, dans la seconde moitié du 16e s., à attirer des nobles désireux d'établir résidence dans la ville, à faible distance du Château. De superbes palais Renaissance jaillissent de terre. Cette démarche s'amplifie au siècle suivant : on construit de nouveaux palais ou on rénove les anciens, dans le style baroque puis, plus tard, le style rococo. Sur les flancs des collines, on aménage de superbes jardins. Connue désormais sous le nom de Malá-Strana (« Petit Côté »), la ville perd son caractère commerçant et devient un quartier pour les aristocrates et leurs domestiques qui y côtoient bâtisseurs, artisans et artistes, venus nombreux du Nord de l'Italie. À la fin du 18e s. et au 19e s., on assiste cependant au déclin du quartier, car la noblesse reporte toute son attention sur ses domaines et sur la cour de Vienne. **Malá-Strana** s'endort peu à peu dans la nostalgie de son passé. Palais et autres belles demeures sont morcelés en logements.

Malá-Strana, tourisme et ambassades – Certains palais trouvent un nouveau souffle à partir de 1918, lorsque Prague devient capitale de la Tchécoslovaquie. Les plus beaux d'entre eux accueillent alors les **ambassades** et les institutions d'État. Avec la période communiste, le morcellement en logements se poursuit également. Pressée par une forte demande, la commune entasse ses locataires dans des résidences expropriées, ce qui confère au quartier une extraordinaire mixité sociale. Aujourd'hui, cette mixité semble cependant quelque peu menacée. De nombreuses représentations diplomatiques continuent d'investir les belles demeures de Malá-Strana et des restitutions des bâtiments à leurs anciens propriétaires nobles sont en outre envisagées.

Se promener

LA VOIE ROYALE★★★ 1
St-Nicolas, Nerudova et les jardins sous le Château
Départ du pont Charles, entre les deux tours de Malá-Strana. Durée : 1h30

Maison des Trois-Autruches★ (dům U tří pštrosů) D2
Dražického náměstí n° 12/76. Du pont Charles, on voit la célèbre **maison des Trois-Autruches**. Celle-ci a été achetée en 1597 par Jan Fuchs, fournisseur officiel de la cour en plumes d'autruche. C'est lui qui fit exécuter les **peintures** qui ornent la façade, figurant ces oiseaux et leurs plumes, mais la note baroque du double pignon a été ajoutée plus tard, vers 1657. Autre commerce de luxe, le premier café de Malá-Strana (et le deuxième de Prague) a été ouvert ici en 1714 par un homme d'affaires arménien, Déodat Damajan.

Prendre la rue Mostecká.

Rue Mostecká C2
On imagine volontiers le cortège du couronnement s'avançant le long de la rue Mostecká (rue du Pont) : la meilleure entrée en matière qui soit pour la découverte de Malá-Strana. À partir de tours qui gardent le débouché du pont Charles, cette partie de la Voie du Couronnement descend en pente douce, puis remonte vers la magnificence

Maisons baroques.

de l'église St-Nicolas, en passant devant une succession de maisons baroques et rococo. On remarque le **palais Kaunitz** *(n° 15/277)*, aujourd'hui ambassade de Serbie, un splendide édifice à sept travées, orné d'une statuaire classique par Platzer.

Continuer sur Mostecká jusqu'à la place de Malá-Strana.

Malostranské náměstí★ (place de Malá-Strana) C1

La place de Malá-Strana, en pente, est coupée en deux parties, basse et haute, par l'**église St-Nicolas★★★** *(voir ci-dessous)*. Ce splendide édifice baroque domine la place sans pourtant l'écraser, grâce aux constructions qui partagent sa position centrale et contribuent ainsi à atténuer sa masse imposante, entre autres la **maison à la Table de pierre** (dům U kamenného stolu – *n° 28/5*), dont le rez-de-chaussée est occupé par l'un des plus anciens cafés de la ville. Moins attirant que ce joli bâtiment rococo, son voisin, le très austère **Collège jésuite** de 1691, fait aujourd'hui partie de l'université.

Sud de la place – Tout autour, les palais aristocratiques fournissent la touche dominante, mais la place conserve un peu de sa bonhomie d'antan du côté sud, composé en majeure partie de maisons bourgeoises, avec, au n° 1/272, un bel exemple de *pavlač*, cour à galeries. Une maison cubiste sans prétention proche du début de la rue Karmelitská a été élargie il y a un siècle, au milieu de furieuses controverses, pour le passage du tramway. En remontant la place, on rencontre la **maison au Lion d'or** (dům U zlatého Iva – n° 10/262), splendide exemple d'une authentique maison de ville Renaissance qui abrite au rez-de-chaussée l'un des meilleurs restaurants de l'ancien régime : U mecenáše (Au Mécène).

Ouest de la place – Autrefois, de semblables maisons ornaient le côté ouest de la place ; mais elles ont disparu au profit du **palais Liechtenstein**, majestueuse demeure bâtie pour **Karl von Liechtenstein**, catholique converti qui présida à l'exécution, en 1621, des rebelles protestants sur la place de la Vieille-Ville. Remanié en 1791 dans le style néoclassique, le palais abrite aujourd'hui l'Académie européenne de musique.

Nord de la place – Parmi les propriétés confisquées après 1621 se trouve le **palais Smiřický**, bâtiment mi-Renaissance, mi-baroque. C'est là, en 1618, que les nobles protestants ont fomenté la seconde défenestration de Prague, dont le principal instigateur était leur hôte, Jan Albrecht Smiřický, en qui ils voyaient le futur souverain de Bohême une fois vaincus les Habsbourg exécrés. À côté, le **palais Sternberg**, commencé en 1684, était la demeure du comte **Kaspar Maria von Sternberg** (1761-1838). Ami de Goethe, ce parfait représentant de l'aristocratie patriote de Bohême ouvrait sa maison à l'élite intellectuelle de l'époque. Il fut à l'origine de la création du

Musée national en 1818. Sa maison servait de dépôt aux œuvres d'art rassemblée par la Société patriotique des amis des arts, œuvres qui constituent aujourd'hui le fonds des collections de la Galerie nationale.

Est de la place – L'**hôtel de ville de Malá-Strana (Malostranská radnice)**, de style Renaissance, a cessé ses fonctions en 1784 lors de l'unification de Prague. Quelques années plus tard, il a perdu les trois tours baroques qui faisaient son ornement principal. Il abrite aujourd'hui le centre culturel du quartier (Malostranská beseda). Également d'époque Renaissance, le **palais Kaiserstein** (n° 23/37) tire gloire de la présence en ses murs, entre 1908 et 1914, de la cantatrice Ema Destinnová (Emmy Destinn).

Dirigez-vous vers le centre de la place pour entrer dans l'église St-Nicolas.

Église St-Nicolas★★★ (Sv. Mikuláše) C1

Malostranské námestí 25 - ☎ 257 534 215 - mars-oct. : 9h-17h ; nov.-fév. : 9h-16h (fermeture des portes 15mn avant) - 60 Kč.

Grande œuvre de l'architecture religieuse du baroque tardif, St-Nicolas se dresse fièrement au centre de la place de Malá-Strana. Son architecture est remarquable en tout point, et son intérieur présente l'un des plus somptueux décors que puisse offrir la ville.

Histoire – Le centre de la place de Malá-Strana a toujours été occupé par divers bâtiments – habitations, marché, maison du Conseil, école, églises (St-Venceslas la romane et St-Nicolas la gothique). Après la bataille de la Montagne-Blanche en 1620, les jésuites obtiennent un terrain au centre de la place et démolissent la plupart des structures existantes. Ils maintiennent le culte dans l'ancienne église gothique St-Nicolas jusqu'à l'achèvement des travaux de sa grandiose remplaçante, qui prendront des années et occuperont plusieurs générations d'architectes. Dès 1673, la première pierre est posée, mais l'architecte Giovanni Domenico Orsi meurt en 1679. Carlo Lurago lui succède, puis, en 1703, le projet est confié à la dynastie des Dientzenhofer. Cette même année, Christoph Dientzenhofer commence les travaux de la nef, que son fils Kilian Ignaz terminera. Ce dernier construit aussi, entre 1737 et sa mort en 1751, le chœur et le dôme. Enfin, le gendre de Kilian, Anselmo Lurago, ajoute le clocher en 1755. La décoration de l'intérieur se poursuit jusqu'en 1775, deux ans seulement avant que l'empereur Joseph II n'ordonne la dissolution de l'ordre des Jésuites.

Mozart s'est assis aux superbes orgues de cette église, et c'est ici que, quelques jours après sa mort, le 14 décembre 1791, une messe de requiem a été dite en son honneur, en présence d'une foule se pressant jusque sur la place.

L'église St-Nicolas.

Extérieur – Jumeaux par la hauteur avec leurs 74 m, le dôme de Dientz↗ clocher de Lurago forment une merveille de composition asymétriqu↗ ux différents points de la ville des aspects multiples et constammer↗ La convexité du dôme et de son tambour, et les faces concaves du cloche↗ le contraste fondamental de leurs silhouettes.

Tournée vers la partie haute de la place, dont trois volées de marches négocient stucieusement la pente, la façade principale se caractérise par un autre jeu entre le concave et le convexe, produisant une impression d'ondulation que soulignent es balustrades et rebords de fenêtre nettement dessinés, les frontons rompus, les pilastres et les colonnes obliques. Cette composition, complexe mais harmonieuse, est ornée de statues de **Johann Friedrich Kohl** ; on y voit les Pères de l'Église, les saints jésuites Ignace et François Xavier, saint Pierre et saint Paul et, sur le pignon, u-dessus de l'aigle des Habsbourg, saint Nicolas lui-même avec la devise IHS, *Jesus Habemus Socium*, « Jésus est notre allié ».

On peut monter au **clocher** pour voir de plus près les statues ornant la toiture et le splendide **panorama★★★** sur Malá-Strana et la ville.

Intérieur – Les jésuites choisissent de stimuler la foi par le biais du spectaculaire : l'intérieur de St-Nicolas a quelque chose de théâtral, épuisant les ressources de la umière, de la couleur et du mouvement pour produire un effet presque oppressant. Dans la nef, le rythme des colonnes de **Christoph Dientzenhofer**, animé par un lignement de saints très expressifs, attire inévitablement le regard vers le vaste espace central, sous le dôme conçu par son fils. Tout en haut, l'architecture de la voûte se perd dans l'*Apothéose de saint Nicolas*, œuvre de J**ohann Lukas Kracker**, qui, avec près de 1 500 m^2, est l'une des plus grandes peintures sur plafond de ce genre au monde. Kracker est aussi l'auteur des moulures, ajoutant ainsi aux effets de trompe-l'œil. Sur la gauche s'ouvre la chapelle Ste-Barbe, qui abrite une belle Crucifixion de **Karel Škréta**, et des fresques, dont l'une montre un jeune frère jésuite semblant regarder par une fenêtre à l'intérieur de l'église. Sur la droite, la chapelle Ste-Anne abrite le caveau de la famille Kolowrat, qui a financé la majeure partie de la construction de l'église.

En hauteur trône un orgue magnifique, avec des anges musiciens sous une autre peinture en trompe-l'œil, représentant cette fois sainte Cécile.

La croisée du transept est dominée par quatre figures géantes des Pères de l'Église dues à **Platzer** : l'un d'eux terrasse un diable avec sa crosse. Au-dessus des Pères, des figures plus petites représentent les Vertus. Platzer est aussi l'auteur de la statue dorée de saint Nicolas, qui trône au maître-autel. L'élément singulier le plus remarquable reste toutefois la **chaire**, œuvre en 1765 de **Richard Georg Prachner** : vaisseau en rocaille et dorures semblables à des coraux, on la dirait prête à être emportée par ses *putti* sur une nuée céleste. Tout en haut, la lumière entre à flots par les grandes fenêtres sous la coupole, dont la fresque de Palko, achevée en 1752, représente une *Célébration de la Ste-Trinité*.

Se diriger vers l'est de la place, emprunter Letenská.

Église St-Thomas★ (Sva. Tomáše) C1

Josefská 8/28 (ouv. lors des messes). L'**église** et le monastère **St-Thomas** ont été fondés au 13ᵉ s. par les augustins. Incendiée par les hussites en 1420, l'église reconstruite connut ensuite la faveur de la cour : aristocrates et artistes y sont enterrés. Fort remaniée en 1723-1731 par **Kilian Ignaz Dientzenhofer**, elle conserve néanmoins les proportions d'une grande église gothique sous ses riches apparences baroques. La façade, aux immenses volutes et aux frontons brisés, montre toute l'intensité dramatique dont Dientzenhofer était capable. L'intérieur, magnifique, est l'œuvre de certains des plus grands artistes du baroque praguois, comme **Reiner** (peintures du plafond), **Karel Škréta** (tableau de la sainte Trinité), **Brokoff** et Quittainer. Dientzenhofer a lui-même dessiné le maître-autel, orné de peintures de saint Thomas et saint Augustin par **Rubens** (les originaux se trouvent à la Galerie nationale). Parmi les défunts qui reposent ici, on trouve le sculpteur Adriaen de Vries et le conseiller catholique défenestré Jaroslav Bořita Martinic.

Traverser Letenská et emprunter Josefská.

.glise St-Joseph (Sv. Josefa) C1

Josefská (ouv. lors des messes). L'**église St-Joseph** est le seul monument de Prague à présenter une façade baroque de style flamand, avec des colonnes à bossages à tambours encadrant une impressionnante séquence verticale d'ouvertures et de fenêtres, ponctuée de statues. En retrait de la rue, l'église a été bâtie entre 1683 et 1691 pour les carmélites, probablement par un membre de l'ordre venu de Louvain. Sous sa coupole ovale, on est surpris par la sobriété de l'intérieur, organisé autour de son centre. Il y a pourtant des peintures de Peter Brandl et des sculptures de Matěj Václav Jäckel.

Revenir sur la place de Malá-Strana et, tout de suite à droite, prendre Tomášská.

Maison du Cerf d'or (U zlatého jelena) C1

Tomášská n° 26/4. Deux grands artistes ont collaboré à la réalisation du **Cerf d'or**, très belle demeure bourgeoise baroque achevée en 1726. Elle a eu pour architecte le célèbre **Kilian Ignaz Dientzenhofer**, et **Ferdinand Maximilian Brokoff** est l'auteur de la **sculpture** magnifiquement évocatrice qui fait revivre la rencontre de saint Hubert avec le cerf.

Poursuivre dans la rue Tomášská jusqu'à Valdštejnské náměstí.

Valdštejnské náměstí★★ (place Wallenstein) C1

Autrefois accès principal au Château par le sud, c'est aujourd'hui un petit quartier tranquille, autour d'une place minuscule appelée jadis Fünfkirchenplatz/Pětikostelní náměstí, comme l'indique un panneau (exceptionnellement) en allemand et tchèque. C'est là que se tenaient les marchés, avant que l'essor de la ville ne les déplace vers la place Malostranské, au 13e s.

Palais Wallenstein★ (Valdštejnský palác) CD1

Valdštejnské náměstí 4/17 (ne se visite pas). Les bénéficiaires de l'expulsion de la noblesse protestante de Bohême après la bataille de la Montagne-Blanche, en 1620, ont construit au pied du Château des palais baroques, dont cet immense édifice (entre 1624 et 1630), le premier et le plus grand. Pour ménager l'espace nécessaire à la construction du palais, on dut abattre deux douzaines de maisons, une briqueterie et une des portes de la ville. Cachées pour une bonne part derrière de hauts murs, ses vastes dimensions, l'ostentation de ses jardins à la française, la richesse de son intérieur évoquent la personnalité complexe de son propriétaire. Énigmatique, ambitieux, immensément riche, le généralissime Wallenstein commandait les armées de l'empire ; mais il complota contre son souverain et caressa même l'idée d'accéder au trône de Bohême.

Andrea Spezza, Niccolo Sebregondi et Giovanni Pieroni ont conçu ce vaste ensemble de bâtiments, groupés autour d'une suite de cours et d'un jardin à la française. La façade principale du palais domine sur 60 m la place ; les lucarnes de la seconde Renaissance et trois portails maniéristes interrompent à peine l'alignement de ses nombreuses fenêtres. Les Wallenstein y ont vécu jusqu'à leur fuite en 1945 (à l'excep-

Albrecht von Wallenstein (1583-1634)

Rejeton d'une noble famille du Nord de la Bohême, Wallenstein (ou Waldstein, en tchèque Albrecht Václav Eusebius z Valdštejna) mène une carrière militaire et politique éblouissante. Son ascension commence par un mariage avec une veuve âgée et riche, et se poursuit par le rachat astucieux, à très bas prix, de domaines protestants confisqués. En 1624, l'empereur confère à ce brillant chef d'armée le titre nobiliaire le plus élevé : le nouveau duc de Friedland règne en monarque sur sa capitale de Jičín, au cœur de ses immenses domaines dans le Nord-Est de la Bohême. Il se fait construire une nouvelle résidence urbaine à Malá-Strana, aux dimensions sans précédent, qui devient le théâtre de réceptions somptueuses. Informé des intrigues de Wallenstein avec les ennemis de l'empire, Ferdinand II persiste longtemps à le trouver indispensable, mais finit par ordonner son exécution. Ainsi sa carrière s'achève-t-elle tragiquement à Cheb (anciennement Eger, dans l'Ouest de la Bohême), où il est surpris dans son sommeil : il est transpercé par la hallebarde du capitaine Walter Devereux, et l'on emporte son corps, roulé dans un tapis.

Les jardins du palais Wallenstein.

tion d'une tante âgée, dont le régime communiste a toléré la présence, et qui a même été nommée citoyenne d'honneur de Prague, avant de s'éteindre à l'âge de 104 ans). Le palais abrite aujourd'hui le **Sénat tchèque**. Rares sont ceux qui ont accès à l'imposante **salle d'apparat**, magnifiquement ornée de stucs et d'un plafond peint par Baccio di Bianco, montrant Wallenstein en Mars, dieu de la Guerre. En revanche, en passant sous le porche d'entrée pour accéder aux jardins Wallenstein *(voir ci-dessous)*, vous pourrez peut-être admirer la magnifique petite **chapelle St-Venceslas★**, décorée par Baccio di Bianco au cours du 17e s.

Jardins Wallenstein★★ (Valdstejnská zahrada) CD1

Valdštejnská 3 et Klárov - 🕿 *257 072 759 - avr.-oct. : 10h-18h - gratuit.*
Leur disposition astucieuse, aux parterres géométriques et aux allées soulignées de haies, les fait apparaître plus vaste dans l'enceinte de leurs murs. La vue superbe qui englobe, vers le haut, Château et cathédrale, ouvre encore plus l'espace, reflétant peut-être l'ampleur des ambitions de Wallenstein. Les jardins s'étendent vers l'est avec un grand bassin paisible orné d'une fontaine d'Hercule. L'extrémité ouest présente le plus grand intérêt, avec la superbe **sala terrena★★** de **Pieroni**, qui réalise l'union entre palais et jardins. Sous un toit bombé à lucarnes, ses trois grandes arches ouvrent sur un intérieur spacieux ; sur la voûte, de riches encadrements de stuc entourent des peintures où dominent armes et armures. Égalant en noblesse et élégance ses homologues italiennes, la loggia donne sur un petit jardin où coule une fontaine ornée d'une charmante Vénus. Au-delà s'étire une avenue formée de deux alignements superbes de **bronzes★★**, chefs-d'œuvre de dynamisme dus à **Adriaen de Vries**, sculpteur à la cour de Rodolphe II : ce ne sont que des copies, les originaux ayant été emportés par les Suédois en 1648. On voit sur un côté une volière et une grotte, qui cache dans ses replis de pierre sculptée des faces grotesques et grimaçantes.

Manège Wallenstein (Valdštejnská jízdárna) D1

Klárov - 🕿 *257 073 136 - www.ngprague.cz.* Ce vaste édifice au fond des jardins Wallenstein (accès côté Klárov) accueille d'importantes expositions temporaires organisées par la Galerie nationale.

Revenir sur Valdštejnské náměstí.

Jardins sous le Château★★★ (zahrady pod Pražským hradem) CD1

Valdštejnské náměstí 3/162 et par les jardins méridionaux du Château - 🕿 *257 010 401 - www.palacovezahrady.cz - juin.-juil. : 10h-21h ; août : 10h-20h ; mai et sept. : 10h-19h ; avr. et oct. : 10h-18h - 79 Kč.*
Serpentant vers l'est à partir de Klárov, la rue Valdštejnská est bordée d'un côté par les murs aveugles des jardins Wallenstein et de l'autre par une succession de beaux palais baroques. Les palais, qui hébergent aujourd'hui ambassades

, ministères, sont sans doute moins remarquables que leurs splendides jardins en terrasses, dits « jardins sous le Château ».

Histoire – Pendant des siècles, le talus escarpé au sud du Château est resté vierge de constructions pour ménager un espace coupe-feu. On y planta vignes et vergers. Plus tard, des habitations et des échoppes poussèrent le long de l'actuelle rue Valdštejnská, alors route principale vers l'est. Ces constructions disparurent lors du grand incendie de 1541, laissant place aux aristocratiques résidences qui ont précédé les palais actuels. Vers la fin du 16ᵉ s., on entreprit d'embellir le talus en aménageant des jardins Renaissance assez modestes. Mais, tout à la fin du 17ᵉ s. et au début du 18ᵉ s., on remodela peu à peu tout le flanc de la colline, en aménageant, avec un savoir-faire prodigieux, une succes-

Le jardin Ledebour.

sion de terrasses où toute la panoplie de l'époque baroque, murs de soutènement, degrés et escaliers, fontaines et statues, gloriettes et loggias, se mêla aux plantes. Les jardins furent négligés dès le 19ᵉ s., et un premier effort de restauration, dans les années 1950, fut compromis par des malfaçons et l'affaissement des terrains. Il fallut les fermer à nouveau et se priver de l'accès alternatif au Château qu'ils constituaient. De récents travaux de restauration, achevés en 1999 et effectués dans un grand souci du détail, ont inévitablement effacé beaucoup de la patine du temps qui contribuait au charme des jardins.

Jardins – Le **jardin Ledebour** a pour principal atout architectural une splendide **sala terrena**, rez-de-jardin de la fin du 17ᵉ s. attribué à F. M. Kaňka. Ornée de peintures murales de Reiner, elle accueille parfois des concerts. Une autre œuvre de Reiner, décrivant une bataille contre les Turcs, couvrait autrefois l'imposant mur de soutènement. Le régime marxiste la fit recouvrir dans les années 1950 par un mural réaliste représentant la Libération de 1945, qui a laissé à son tour la place à des plantes grimpantes, moins sujettes à controverse. Un double escalier gravit les terrasses jusqu'à un petit pavillon, situé au pied du mur du Château. De là, on a une vue magnifique sur les toits de tuiles rouges de Malá-Strana et les cent clochers de Prague. En continuant vers l'est, on découvre d'autres merveilles baroques : le **jardin Pálffy** avec son escalier central et son tunnel, puis le **jardin Kolowrat** et sa ravissante gloriette ; enfin, le **jardin Fürstenberg** *(fermé au public)*, traité de façon naturaliste, avec ses grands arbres et ses buissons, présente un contraste en matière d'art paysager.

Revenir sur la place Valdštejnské et se diriger vers l'ouest de la place pour prendre Sněmovní.

Sněmovní C1
Sněmovní (ruelle du Parlement) doit son nom au palais *(n° 4/176)* construit par la famille Thun qui devint le siège de l'assemblée de Bohême sous l'Empire austrohongrois. Il a ensuite abrité le Sénat de Tchécoslovaquie entre les deux guerres, puis le Conseil communiste de la République tchèque.

Prendre à droite dans Thunovská. On n'emprunte pas l'escalier menant au Château, mais on peut l'admirer d'en bas.

Escalier du Château★★ (Zámecké schody) B1
Parallèle à Nerudova, une rue étroite, prolongée d'une série de rampes et de degrés, conduit de façon parfois abrupte jusqu'au Château. Nommée autrefois **nouvel escalier du Château** (Nové zámecké schody), la partie haute du chemin a été aménagée en

R. Holzbachova/Ph. Béhet / MICHELIN

1674. Un projet prévoyait de l'intégrer à la Voie du Couronnement entre la Vieille Ville et le Château, en l'embellissant de statues comme celles du pont Charles, mais il n'a pas été réalisé. Tel le une falaise dominant la rue pavée, le **palais Thun**, de style Renaissance, abrite depuis 1920 l'ambassade de Grande-Bretagne. Construit à flanc de coteau, il possède un jardin en terrasses, que l'on rejoint par les étages et sur lequel donne le Château. On raconte que, dans les années 1920, le président Masaryk, âgé mais toujours alerte, serait descendu par une échelle apposée au mur du Château pour venir conférer avec l'ambassadeur. Au nombre des autres beaux édifices Renaissance et baroques qui bordent la rue et les

Jan Neruda (183...

Si la rue Nerudova a été col... boutiques de souvenirs, elle conserve un peu de l'atmosphère décrite par son habitant le plus célèbre, l'écrivain et poète tchèque Jan Neruda. Celui-ci a longtemps vécu dans le quartier, qu'il décrit dans son œuvre la plus connue *Contes de Malá-Strana* (*Povídky malostranské* (1878-1885). Écrivain majeur de la littérature tchèque de la seconde moitié du 19e s., Neruda, parfois comparé à Dickens, est célèbre pour ses récits peuplés de personnages peints avec humour et acuité. C'est après la lecture de ses *Contes* que le poète chilien Pablo Neruda a choisi son pseudonyme.

escaliers, on découvre le splendide **palais des seigneurs de Hradec** (Palác pánů z Hradce). Aujourd'hui relié à l'ambassade d'Italie, dont l'entrée principale s'ouvre sur la rue Neruda, il offre la silhouette hautement décorative de ses nombreux pignons.

Rejoindre Nerudova en prenant Zámecká.

Rue Nerudova★★ B1

Les escaliers sont sans doute le chemin le plus court pour parvenir au Château, mais on ne sera pas surpris du choix fait par les cortèges cérémoniels d'emprunter la superbe **rue Neruda**, ultime tronçon de la Voie du Couronnement reliant la Vieille Ville aux hauteurs du Hradschin. La rue a été baptisée en 1895 d'après le nom de son habitant le plus célèbre, l'écrivain **Jan Neruda**.

Nerudova rassemble de beaux exemples de palais baroques et de maisons bourgeoises et de multiples détails pittoresques : enseignes de maison, médaillons, sculptures et porches magnifiques.

Au Matou (U kocoura *n° 2*) – Le rez-de-chaussée est occupé par l'une des tavernes les plus anciennes de Prague.

Aux Trois Petits Violons (U tří housliček *n° 12*) – Une dynastie de luthiers y avait son atelier aux 17e et 18e s.

Palais Morzin★ *(n° 5)* – Aujourd'hui ambassade de Roumanie, il a été construit en 1713-1714 par **Johann Blasius Santini-Aichel**. Ses portails jumeaux présentent La *Nuit* et Le *Jour*, sa balustrade des statues allégoriques des Continents, et le balcon est soutenu par de magnifiques statues de Maures (un jeu de mot sur le nom des propriétaires), œuvres de **Ferdinand Maximilian Brokoff**.

Palais Thun-Hohenstein★ *(n° 20)* – Accueillant l'ambassade d'Italie, ce palais achevé vers 1725 a été érigé par le même architecte que le palais Morzin, **Johann Blasius Santini-Aichel,** pour le comte Kolowrat. Ce dernier avait commandé à Santini une résidence qui « rehausserait la beauté de la ville autant que [s]on propre confort ». Le portail montre des aigles immenses, œuvres de **Mathias Bernard Braun**, qui ont, à leur manière, autant de présence que les Maures de Brokoff.

Les atlantes du palais Morzin.

R. Holzbachova/Ph. Bénet / MICHELIN

La Vltava

La Vltava (Moldau, en allemand) prend sa source en altitude, parmi les pins sombres des forêts bohémiennes, puis coule vers le nord avant de s'unir à l'Elbe près de Mělník, à 40 km en aval de Prague. Tout son cours s'inscrit dans le pays, et elle est la plus chère des rivières au cœur des Tchèques. Sa beauté, a été célébrée par l'hymne lyrique du deuxième mouvement de *Ma Patrie* de Smetana. Les **moulins**, apparus dès le 10ᵉ s., étaient groupés autour des retenues ou alimentés par des biefs comme le ruisseau du Diable (Čertovka) de l'île de Kampa. Certains servaient à alimenter des châteaux d'eau et, de là, les bâtiments importants et les fontaines publiques. Jusqu'au 19ᵉ s., les bords de rivière demeurent cependant une zone strictement utilitaire, domaine des professions nécessitant de l'eau en permanence (teinturiers, tanneurs, équarrisseurs, etc.). De grands dépotoirs d'ordures s'y amoncellent. À partir des années 1840, avec l'achèvement du quai Smetana (Smetanovo nábřeží), les berges sont progressivement nettoyées. Mais **Malá-Strana** conserve encore certaines sections où l'aspect naturel des rives a été préservé, chose rare pour une métropole européenne.

Église N.-D.-de-l'Éternel-Secours (Panny Marie ustavičné pomoci u Kajetánů *n° 22*) – Édifiée au début du 18ᵉ s., elle est aussi appelée église des Théatins. Sa conception est due à des architectes différents, mais l'empreinte dominante est celle de Santini, particulièrement dans l'audace de la façade.

Pharmacie historique « Au Lion d'or » *(expozice historických lékáren - Národní muzeum - Nerudova 32 - ☎ 257 531 502 - www.nm.cz - avr.-sept. : tlj sf lun. 11h-18h : oct.-mars : tlj sf lun. 11h-17h - 20 kč)* – La première **pharmacie** de Malá-Strana appartient aujourd'hui au Musée national qui a ouvert ses portes à la visite.

Palais Bretfeld *(à l'angle de Jánský vršek)* – Cette résidence était, à la fin du 18ᵉ s., le centre d'une vie brillante, accueillant des hôtes comme Casanova et Mozart.

Aux Deux Soleils (U dvou slunců – *n° 47*) – Jan Neruda passa ici son enfance, au-dessus de la boutique de son père, marchand de tabac. À noter, l'enseigne Sécession.

Ici la rue s'élargit et propose plusieurs directions. Partant légèrement vers la gauche, **Úvoz** est l'antique route de Strahov, qui menait vers la campagne. Presque droit devant, l'escalier de l'hôtel de ville Radnické schody monte entre les maisons jusqu'à la partie haute de la place du Hradschin. La plupart des visiteurs optent pour le chemin que suivaient jadis les cortèges du couronnement, empruntant le virage en épingle à cheveux et gravissant Ke Hradu, rampe taillée dans le roc en 1663 pour faciliter l'accès au **Château**.

Le ruisseau du Diable et l'île de Kampa vus du pont Charles.

DE L'ÎLE DE KAMPA AU QUARTIER ITALIEN★★★ 2

Cette promenade au gré des ruelles et recoins secrets de Malá-Strana part de Drázického náměstí, près des deux tours du pont Charles. Durée : 2h30.

Séminaire lusacien (U lužického semináře) D1

Angle U lužického semináře/Míšeňská. Achevé en 1728 par Kilian Ignaz Dientzenhofer, le **Séminaire lusacien** a été construit pour les étudiants en théologie originaires de la région allemande de Lusace. Les Tchèques se sont toujours senti des affinités avec cette région orientale de l'Allemagne et sa minorité slave de Sorabes lusaciens. Une statue par **Jäckel** de saint Pierre, patron de la Lusace, veille à l'angle du bâtiment.

Longer U lužického semináře ; l'entrée des jardins se situe un peu plus loin à gauche.

Jardins Voyan★ (Vojanovy sady) D1

U lužického semináře. Arbres exotiques et buissons s'épanouissent sous le micro-climat favorable créé par les hauts murs qui encerclent ce jardin. Partie intégrante du domaine épiscopal médiéval, ils devinrent ensuite propriété des carmélites de St-Joseph, dont ils longent le monastère. Aujourd'hui parc public, ils incluent la **chapelle St-Elias** en forme de grotte, une autre chapelle consacrée à sainte Thérèse, et une statue de Jean Népomucène encastrée dans un mur.

Revenir sur ses pas ; le musée Kafka se situe dans une ruelle de l'autre côté de la place.

Musée Franz-Kafka (Franz Kafka Museum) D1

Cihelná 2b - ℘ 221 451 333 - www.kafkamuseum.cz - 10h-18h - 120 Kč.
Intitulée « La ville de Franz Kafka », cette exposition permanente présente l'œuvre du célèbre écrivain tchèque, mais aussi son rapport à la ville de Prague et l'influence que celle-ci eut sur son œuvre. La **première partie** évoque le quotidien et l'environnement de Kafka : son lieu de naissance, à deux pas du quartier juif de Prague, illustré par de nombreuses photos de la Vieille Ville ; ses liens avec sa famille, et notamment ses relations avec son père, dont témoigne une lettre rageuse que Kafka ne lui a jamais envoyée ; l'influence des cercles littéraires juifs et germanophones. La **seconde partie** met en avant l'élaboration de son œuvre : les balbutiements, l'influence de son travail quotidien, très administratif, ses œuvres écrites à ses heures perdues ; ses relations avec ses différentes compagnes, etc. Le tout est illustré par des lettres autographes, des photographies anciennes et des éditions originales.

Revenir sur U lužického semináře et poursuivre tout droit ; passer sous l'arche du pont Charles.

Île de Kampa★★ et Na Kampě★★ D2

De forme indéfinissable, en partie ovale, la charmante place **Na Kampě** marque le début de l'île de Kampa. L'île est séparée de Malá-Strana par la Čertovka (ruisseau du Diable), un bief aménagé au Moyen Âge pour entraîner les roues des moulins. La petite place Na Kampě est bordée de maisons baroques et rococo ravissantes, dont **Au Renard bleu** (U modré lišky - n° 1/498), aujourd'hui ambassade d'Estonie.

Traverser la place.

Parc de Kampa★ D2

Résidence des passeurs et des tailleurs de pierre qui travaillaient au pont Charles, Kampa est restée relativement vierge de constructions en raison du risque permanent d'inondation. La majeure partie du terrain a été aménagée en jardins et vergers pour les palais sur l'autre berge du ruisseau. En 1940, on les a réunis pour constituer un parc public, et c'est depuis un lieu de détente pour les habitants du centre de Prague qui viennent s'y promener et profiter des vues merveilleuses sur la Vltava, le pont Charles et la Vieille Ville.

Traverser le parc en empruntant U Sovových mlýnu.

Musée Kampa - fondation Jan-et-Meda-Mládek★★ (museum Kampa - nadace Jana a Medy Mládkových) D2

U Sovových mlýnů 503/2 - ℘ 257 286 147 - www.museumkampa.cz - 10h-18h - 120 Kč.
À partir des États-Unis où ils ont vécu exilés pendant les années de régime commu-niste, Jan et Meda Mládek ont réuni d'importantes collections d'art tchèque du 20e s. Soutenant la jeune création, ils ont notamment aidé, en acquérant leurs œuvres, de

jeunes artistes tchèques persécutés par le régime et qui ne pouvaient exposer. Le couple a ainsi réuni un ensemble d'art contemporain de qualité, qu'il a légué à la ville de Prague et qui est désormais présenté au musée Kampa. L'accent est mis sur l'art tchèque actuel avec une sélection très intéressante d'œuvres d'**artistes vivants**. Des salles sont aussi dédiées à deux artistes tchèques incontournables du 20e s. *(voir p. 117)* : le sculpteur **Otto Gutfreund** (1889-1927) et le peintre **František Kupka** (1871-1957).

Revenir vers Na Kampě et prendre à gauche Hroznová jusque Velkopřevorské náměstí.

Bronze cubiste de Otto Gutfreund, 1913-1914 (musée Kampa).

Palais du Grand Prieur
(Velkopřevorský palác) CD2

Velkopřevorské náměstí 4. **Velkopřevorské náměstí★★**, la place du Grand-Prieur, est dominée par le palais qui lui a donné son nom. Achevé en 1728 par Giuseppe Scotti, c'est la résidence du Grand Prieur des chevaliers de l'ordre de Malte, ordre qui possédait une partie de ce quartier *(voir ci-dessous Maltézské náměstí)*. Devenu pendant la période communiste le musée national des Instruments de musique, il a été restitué à l'ordre et il est redevenu territoire souverain.

Palais Bucquoy★ CD2

Velkopřevorské náměstí 2. De l'autre côté de la place, ce palais a été dessiné par **Jean-Baptiste Mathey** aux alentours de 1632 et remanié en 1719 par František Maximilián Kaňka. À l'époque autrichienne, Prague avait assez d'importance pour se voir doter d'un consulat de France, logé dans ce palais. Depuis 1919 s'y trouve l'ambassade de France. En face, remarquez le mur couvert de graffitis dédié à Lennon.

Traverser la place, puis tourner à droite sur Lázeňská.

Église N.-D.-sous-la-Chaîne★ (Panny Marie pod řetězem) C2

Lázeňská. La grande basilique romane élevée par les chevaliers de Malte a été presque entièrement démolie au 14e s. pour laisser place au sanctuaire gothique de N.-D.-sous-la-Chaîne. Mais la révolte hussite est survenue, et l'église n'a jamais

---

Le mur Lennon

En face du palais Bucquoy, un mur couvert de graffitis a de quoi surprendre dans le très chic quartier des ambassades. Laissé volontairement en l'état, il s'agit d'un monument de résistance et de culture hippie. Le premier graffiti est apparu en décembre 1980, lorsque l'assassinat de John Lennon bouleversa ses fans de tous pays. Mais, dans le contexte politique difficile de la Tchécoslovaquie communiste, ce graffiti prend figure d'acte de provocation : non seulement Lennon militait pour la paix et la liberté, mais les chansons pop rock occidentales étaient interdites par le régime. Le graffiti est bientôt suivi de nombreux autres. Les autorités tentent maintes fois de tout effacer, mais le mur se recouvre de nouveau, se transformant en un mouvement spontané de défi dans les dernières années du communisme. Le mur est aujourd'hui devenu une attraction pour les touristes, qui continuent d'y inscrire messages et graffitis en faveur de la paix… Mais ceux-ci sont rarement aussi beaux que les dessins disparus des années 1980.

C. Boulier / MICHELIN

été achevée. Demeurent cependant les bases de ses tours jumelles, avec leurs contreforts et leur maçonnerie massive, témoins de temps plus austères au cœur du charme 18e s. de Malá-Strana. Plus loin, un espace dégagé qui porte les vestiges d'arcades romanes mène vers ce qui était le chœur de l'église gothique, entièrement remanié dans le style baroque au milieu du 18e s. Sur le maître-autel, une peinture de **Škréta** célèbre le rôle des chevaliers dans la défaite des Turcs à la bataille navale de Lépante, en 1571.

Se diriger vers Maltézské náměstí.

Maltézské náměstí★★ (place de Malte) C2

Le nom de cette place rappelle la durable présence des chevaliers de l'**ordre de Malte** dans cette partie de Malá-Strana. L'enclave autonome fortifiée de cet ordre souverain de croisés, établie dès 1169 à proximité du débouché du pont, est restée sous la juridiction du Grand Prieur de l'ordre bien après le début du 19e s. L'ordre était aussi connu sous le nom de chevaliers de St-Jean, d'après le nom de leur saint patron. La **statue du saint**, autrefois placée sur une fontaine, se trouve à l'extrémité nord de la place. À l'écart du flot de la circulation, avec son grand nombre de bâtiments baroques et rococo bien conservés, l'endroit a offert un décor idéal pour le film de Miloš Forman *Amadeus*.

La place de Malte.

Ancienne poste de Prague *(n° 8)* – Elle se situait ici ; la place voyant arriver nombre de diligences, cette partie de Malá-Strana était autrefois le quartier des hôtels. Au nombre des célébrités qui y sont venues figure Beethoven, dont le séjour, en 1789, à l'hôtel de la Licorne d'or est commémoré par une plaque au n° 11/285 de la rue Lázeňská.

Palais Turba *(n° 6)* – De style rococo, c'est un très bel exemple du travail de l'architecte Josef Jáger. C'est aujourd'hui l'ambassade du Japon.

Palais Nostitz★ *(n° 1)* – La partie sud de la place est dominée par cette immense demeure construite entre 1660 et 1670 autour d'une cour, dans le premier style baroque, sans doute par l'architecte du palais Czernin, Francesco Caratti. Les statues qui ornent la balustrade sont des copies d'œuvres de Brokoff ; le magnifique portail est un ajout rococo plus tardif. Ce palais accueille régulièrement des concerts de musique de chambre, perpétuant la tradition culturelle établie par la famille Nostitz. Leur bibliothèque ainsi que leurs collections d'art étaient connues du monde entier. **Anton Nostitz** (1725-1794) fut le bâtisseur du théâtre des États. Le palais Nostitz abrite aujourd'hui l'ambassade des Pays-Bas.

Revenir au nord de la place, emprunter Harantova, puis traverser Karmelitská.

Église N.-D.-de-la-Victoire - Enfant Jésus de Prague
(Panna Marie Vítezná - Prazské Jezulátko) C2

Karmelitská 9 - 𝒫 257 533 646 - www.pragjesu.info - 8h30-19h (dim. 20h).
Dans une ville où l'art et l'architecture baroques et la Contre-Réforme sont si intimement liés, on est surpris de constater que la première église construite dans le nouveau style l'ait été, à l'origine, pour une congrégation de luthériens allemands. Commencée en 1611 et alors consacrée à la sainte Trinité, l'église N.-D.-de-la-Victoire a été rebaptisée en 1620 après la bataille de la Montagne-Blanche, quand elle fut confiée aux carmélites espagnoles. Entre 1636 et 1644, l'église a été beaucoup remaniée. On a complètement inversé son plan. L'autel a été transféré à l'extrémité ouest pour permettre à la façade principale d'ouvrir sur la rue.

Exemple classique des débuts de l'architecture baroque, l'église jouit d'une renommée internationale, notamment dans la péninsule ibérique et en Amérique latine, car elle abrite l'**Enfant Jésus de Prague★**. En 1628, Polyxena von Pernstein, princesse de Lobkowicz, fait don aux carmélites de cette figurine de cire qu'elle tient de sa mère, d'origine espagnole. Très vite, on attribue à l'Enfant des pouvoirs miraculeux. On dit qu'il aurait protégé la ville de la peste et de la destruction pendant la guerre de Sept Ans, exauçant les prières et guérissant les malades. Poèmes et récits glorieux font la renommée de la figurine portant couronne et dont on change régulièrement la tenue. Il est vrai qu'elle n'en manque pas : l'impératrice Marie-Thérèse n'aurait-elle pas cousu elle-même une parure sophistiquée ? Et ne dit-on pas que le gouvernement communiste du Vietnam du Nord lui aurait aussi offert un costume…

Intérieur – L'Enfant Jésus de Prague règne dans un somptueux écrin d'argent, sur un autel situé dans la travée nord, au milieu de personnages sculptés par Peter Prachner. Dans la crypte de l'église, on découvre un macabre parallèle à cette figure figée : la température, alliée à une ventilation adéquate, a permis de momifier les corps de plusieurs carmélites et bienfaiteurs de l'ordre.

Prendre la rue Karmelitská vers le nord, ou bien vers le sud si vous souhaitez auparavant visiter le musée tchèque de la Musique (voir « Visiter » p. 196).

Rue Karmelitská C2-C3
Très animés, **Karmelitská** (rue des Carmélites) et **Újezd** son prolongement, , suivent le tracé de l'ancienne route qui reliait Malá-Strana à d'autres implantations sur la rive gauche de la Vltava et dans le Sud de la Bohême. Toutes deux se trouvaient à l'extérieur des murs d'enceinte romans de Malá-Strana. La rue Újezd (nom également donné au quartier) a été coupée en deux au 14e s., quand l'empereur Charles IV a édifié le « mur de la Faim » et une nouvelle porte pour la ville. Aux 17e et 18e s., le secteur était très recherché par les familles nobles pour y construire des palais ; certains demeurent aujourd'hui, tels les palais **Thun-Hohenstein** *(n° 18/379)*, **Muscon** *(n° 16/380)*, et **Špork** *(n° 14/382)*.

Jardin Vrtba★★ (Vrtbovská zahrada) B2
Karmelitská 25 - 𝒫 257 531 480 - www.vrtbovska.cz - avr.-oct. : 10h-18h - 40 Kč. Un porche modeste sur le côté ouest de la rue Karmelitská donne accès à une cour, qui précède le **jardin Vrtba**, l'un des plus beaux jardins baroques de Prague.

En 1631, le noble espagnol Sezima de Vrtba a réuni deux maisons de ville pour en faire un palais. L'une d'entre elles avait été confisquée à Kryštof Harant de Polžice et Bezdružice, exécuté en 1621 avec les autres rebelles protestants sur la place de la Vieille-Ville. Un siècle plus tard, l'architecte **František Maximilián Kaňka** a transformé le bâtiment. Mais il a surtout créé un chef-d'œuvre avec ce jardin en terrasses sur l'abrupte pente méridionale. Fermé et laissé à l'abandon pendant des années, puis entièrement restauré, le jardin n'a plus le charme des parcs fréquentés et entretenus depuis des lustres, mais il demeure l'expression suprême de l'art paysager baroque en Europe centrale.

On y accède par une arche que couronne un Hercule sculpté par **Mathias Bernard Braun**, dont l'atelier a fourni toute la **statuaire** qui peuple admirablement le jardin. Le niveau inférieur se compose d'un parterre, agrémenté d'une volière et d'une **sala terrena**, ornée de peintures murales de Reiner. Un escalier discret rejoint le niveau

Le jardin Vrtba.

suivant, un **parterre** sophistiqué à partir duquel un escalier bien plus majestueux s'élève de part et d'autre de l'axe médian. La plus importante collection de statues s'aligne le long d'une balustrade, formant un premier plan merveilleux pour l'une des plus belles **vues**★★ de Malá-Strana et de la ville qui s'étend derrière. Toujours plus haut, le terrain organisé de façon géométrique remonte doucement jusqu'à un belvédère en forme de grotte, qui offre, de son niveau supérieur, un panorama encore plus remarquable de la ville, ainsi qu'une vue rapprochée du pavillon de jardin du palais Schönborn.

Prendre à gauche la rue Třiště.

Palais Schönborn (Schönbornský palác) B2

Tržiště 15. Commencé en 1643, le palais Schönborn est l'un des premiers palais baroques de Prague. Il servit de résidence au comte Rudolf Colloredo, qui commanda les troupes impériales après la trahison et l'assassinat de Wallenstein. Remanié par Santini entre 1715 et 1718, le palais a par la suite subi le sort de nombre de belles demeures de Malá-Strana et a été divisé en appartements. En 1917, l'un d'entre eux a brièvement hébergé Franz Kafka. Le palais abrite aujourd'hui l'ambassade des États-Unis.

Des jardins en terrasses gravissent la pente de la colline au sud, dominés par un ravissant pavillon qui servait autrefois de cave à vins.

Continuer tout droit.

Palais Lobkowicz★ (Lobkovický palác) B2

Vlašská 19. Aujourd'hui ambassade d'Allemagne, le palais Lobkowicz, du tout début du 18ᵉ s., est l'œuvre de **Giovanni Battista Alliprandi** ; en 1769, Ignazio Palliardi l'a doté d'un étage supplémentaire. La façade nord, qui donne sur la rue, est plutôt sobre, mais, pour l'impressionnante façade **côté jardin** *(fermé au public, mais visible de la colline de Pétrin, à l'arrière du palais)*, Alliprandi s'est inspiré d'un projet jamais réalisé du Bernin pour le Louvre : une avancée ovale haute de trois étages, dotée au rez-de-chaussée d'une magnifique *sala terrena* ou rez-de-jardin, flanquée d'audacieuses ailes concaves.

Palais Lobkowicz, territoire libre

Le palais Lobkowicz a été le témoin d'une scène peu commune au cours de l'été 1989, lorsque des centaines d'Allemands de l'Est ont abandonné leurs Trabant et leurs Wartburg dans les rues avoisinantes pour trouver asile sur le territoire de l'ambassade. Leur situation a soulevé un immense intérêt parmi la population tchèque, et leur expédition jusqu'en Allemagne de l'Ouest, à travers la RDA, par un train spécial verrouillé, a amorcé la chute du communisme.

Emprunter Jánský Vršek.

Quartier italien B1-B2

Un charmant petit quartier tranquille dont le désordre de ses rues, venelles et culs-de-sac montre son origine ancienne. Intégré à Malá-Strana seulement au milieu du 17ᵉ s., il s'appelait l'**Obora** et possédait son propre hôtel de ville et ses églises paroissiales. À partir de la fin du 16ᵉ s., il devint le **centre de la communauté italienne** : formée de peintres, architectes et artisans, elle régna pendant de nombreuses années sur les métiers du bâtiment à Prague. Le centre de l'Obora se situait au carrefour de Jansky vršek et de la rue Šporkova. Les églises ont disparu, mais **U tří zlatých korun** (Aux Trois Couronnes – nᵒ 1/323), l'ancien hôtel de ville, est toujours debout, bien que reconstruit à la fin du 18ᵉ s. Parmi les nombreux bâtiments intéressants, le **nᵒ 10/320**, tout au bout de Šporkova, est une magnifique maison baroque ornée de stucs remarquablement travaillés. Cœur de ce qui était le quartier italien, l'**Hôpital italien** (Vlašský špitál), du début du baroque, marque l'angle de Šporkova et Vlašská (rue Italienne).

Poursuivre sur Jánský Vršek ; vous arrivez sur Nerudova qui mène, à gauche, vers le Château et, à droite, vers St-Nicolas.

Visiter

Musée tchèque de la Musique - musée des Instruments de musique★ (Ceské muzeum hudby - muzeum hudebnich nástroju) C3

Karmelitská 2/4 - ☏ 257 327 285 - www. nm.cz - tlj sf mar. 10h-18h - 100 Kč, gratuit chaque 1ᵉʳ jeudi du mois.

Avec le dernier-né des musées praguois, Prague la mélomane a désormais un musée à la mesure de son goût pour la musique. Logée dans un somptueux palais baroque construit par l'architecte italien Francesco Caratti au 17ᵉ s., l'exposition présente l'histoire de la musique et des instruments du 16ᵉ au 21ᵉ s. Les pièces exposées sont de très grande qualité et sont accompagnées de bandes sonores permettant d'écouter la plupart d'entre elles. Certains instruments sont rares, précieux ou encore insolites, tel ce synthétiseur datant de… 1956 ! Si une attention particulière est portée aux ins-

Au musée tchèque de la Musique.

truments anciens et à leur fabrication – lutherie, artisanat, etc. –, les mouvements musicaux plus récents, notamment le rock et le jazz, ne sont pas oubliés.

Musée Tyrš de la Culture physique et du Sport - palais Michna
(Tyršovo muzeum tělesné výchovy a sportu - palác Michnů z Vacínova) C3

Újezd 40. Actuellement fermé. Plusieurs familles nobles, dont les Kinskí et les Thun, ont habité le **palais Michna** depuis sa construction. En 1580, c'était une villa Renaissance, mais, au milieu du 17ᵉ s., Pavel Michna de Vacínov la reconstruisit dans le style baroque. Le palais a par la suite servi d'arsenal et d'hôpital militaire, jusqu'à ce qu'il soit racheté par l'organisation **Sokol** en 1918 et rebaptisé **bâtiment Tyrš** (Tyršův dům), du nom du fondateur du mouvement. Une des pierres angulaires de l'identité tchèque moderne, le Sokol était à la fin du 19ᵉ s. et au début du 20ᵉ s. une association de gymnastes activement nationaliste et proslave, qui fut interdite tant par les Autrichiens que par les nazis. Le bâtiment abrite le musée Tyrš de la Culture physique et du Sport. Presque en face, U lanové dráhy (la sente du funiculaire) monte à la station inférieure du lanovka, le funiculaire de Petřín *(voir p. 231).*

Malá-Strana pratique

Se loger

Voir p. 32-33.

Se restaurer

U Bílé kuželky – *Mišeňská 12 -* ℰ *257 014 800 - 11h-23h - 200/400 Kč.* Au détour d'une ruelle tortueuse de Malá-Strana, on tombe sur la « quille blanche », presque sous le pont Charles, côté aval. Le cadre est rustique et sans prétention, la cuisine assez typique : canard, porc et choucroute…

Cantina – *Újezd 38 - ℰ 257 317 173 - 11h-23h - 200/400 Kč.* Un peu à l'écart des circuits touristiques, ce restaurant mexicain offre un dépaysement garanti et une cuisine d'un excellent rapport qualité-prix. Carte épicée et colorée proposant un vaste choix de spécialités : *tortillas, enchiladas, fajitas*… et aussi de copieuses et délicieuses salades.

U Tří zlatých Hvězd – *Malostranské náměstí 8 - ℰ 257 531 636 - 11h30-23h30 - 350/500 Kč.* Au pied de l'église St-Nicolas, de grandes salles voûtées où l'on goûte les classiques de la cuisine tchèque : canard grillé, plats de poissons, etc.

Gitanes – *Tržiště 7 - ℰ 257 530 163 - 11h-23h - 300/500 Kč.* Un restaurant de spécialités « méditerranéennes », au sens très large, puisqu'elles vont de la cuisine hongroise à celle de l'Italie ! Ce bric-à-brac offre cependant un cadre chaleureux – décoration inspirée des Balkans – et une cuisine agréable, sans prétention et variée.

Rybářský klub (Au Club des Pêcheurs) – *U Sovových mlýnů 1 - ℰ 257 534 200 - 12h-23h - 400/600 Kč.* Sur l'île de Kampa, une petite maison avec une jolie terrasse donnant sur le fleuve. Le patron prépare lui-même les poissons pêchés dans les étangs de Bohême. Au choix, anguille, brochet, perche et carpe panée ou fumée.

U Modré kachničky – *Nebovidská 6 - ℰ 257 320 308 - 12h-16h, 18h30-23h - 600/900 Kč.* Caché dans une petite rue tranquille à deux pas de la place de Malte, ce restaurant réputé offre l'une des meilleures cuisines tchèques de la ville : les classiques mais aussi des inventions maison. Autre adresse dans la Vieille Ville : Michalská 1.

U Zlaté studně – *U Zlaté studně 166/4 - ℰ 257 011 213 - 7h-23h - 1 200/2 000 Kč.* Caché au fond d'une ruelle de Malá-Strana, cet hôtel-restaurant possède une terrasse offrant l'une des plus jolies vues de Prague. Cuisine raffinée internationale et française, mitonnée par un grand chef.

Pálffy Palác Club – *Valdštejnská 14 - ℰ 257 530 522 - 11h-0h - 700/900 Kč.* Imaginez un dîner aux chandelles dans un vrai palais, dont les jardins s'élèvent vers le Château. Vous gravissez un fastueux escalier de pierre pour pénétrer dans une vaste salle, haute comme une cathédrale. Stucs, dorures, cheminées… La cuisine est de qualité, raffinée et à tendance internationale. En été, on peut dîner sur la terrasse qui donne sur les jardins.

Les restaurants **Nebozizek** *et* **Bellavista** *sont décrits p. 232.*

Faire une pause

John & George Café – *Velkopřevorské náměstí 4 - ℰ 257 217 736* . Baptisé d'après les prénoms des propriétaires, ce café mérite le détour pour son joli cadre, un petit jardin à l'arrière du palais du Grand Prieur, et pour le raffinement de ses boissons, petits plats et gâteaux.

Vinný bistrot vivo – *Maltézské náměstí 3 - ℰ 257 531 472 - lun.-vend. 11h-21h, w.-end 14h-21h.* Une toute petite boutique de vins sur la place de Malte, où l'on saura vous donner quelques conseils pour vos achats de vins tchèques. La boutique est aussi un bistrot où l'on peut déguster quelques bons vins. Terrasse en été.

Ph. Gajic / MICHELIN

Enseigne ancienne de restaurant.

5 Le **Château de Prague**★★★

Pražský Hrad

CARTE 1ER RABAT DE COUV. B1-B2

Couronnant le long éperon qui surplombe la Vltava et les toits rouges de Malá Strana, la silhouette du Château évoque l'histoire de la Bohême et l'image du pouvoir temporel et religieux qui y a régné pendant plus de mille ans. Petits princes tchèques, souverains du Saint Empire romain germanique ou tyrans totalitaires du 20e s., tous ont laissé leur marque sur le Hradschin. À l'intérieur de son enceinte se trouvent certains des plus grands trésors du pays : la cathédrale St-Guy, le couvent St-Georges et la galerie du Château. Les jardins autrefois interdits accueillent en été les visiteurs, les expositions succèdent aux concerts, et la foule se rassemble pour assister à la cérémonie mi-sérieuse, mi-comique, de la relève de la garde.

- ▸ **Se repérer** – Ⓜ Hradčanská pour arriver directement devant le Château ; 🚋 22 ou 23, arrêts Pražský hrad ou Královský letohrádek pour arriver par le nord, à travers les Jardins royaux ; Ⓜ Malostranská, puis comptez ensuite 10-15mn de montée via l'Ancien escalier du Château (Staré zámecké schody) ou via le nouvel escalier du Château (Nové zámecké schody).

- 🅿 **Se garer** – Peu de places. Préférez le nord du Château ; un parking payant et surveillé se trouve dans la rue U Prašného mostu.

- 👁 **À ne pas manquer** – La cathédrale St-Guy ; la salle Vladislas dans l'ancien palais royal ; la basilique St-Georges ; les collections d'art baroque et maniériste de la Galerie nationale.

- 🕐 **Organiser son temps** – Les billets-forfaits comprenant la visite de plusieurs sites du Château sont valables deux jours.

- 👪 **Avec les enfants** – Le musée du Jouet ; l'exposition « Histoire du Château de Prague ».

Comprendre

Une ancienne citadelle slave – Le premier chef tchèque à avoir fortifié l'éperon rocheux dominant la Vltava est le prince **Bořivoj Ier** (vers 852-884), qui, dans les dernières années du 9e s., y a transféré sa résidence depuis une première forteresse à Levý Hradec, quelques kilomètres en aval. À sa mort, l'**église de la Vierge-Marie**, second sanctuaire chrétien établi en terre tchèque, était construite. On a mis au jour ses vestiges, qu'on aperçoit dans le passage qui mène au jardin du Bastion. La forteresse de Bořivoj, protégée par un remblai de terre et une palissade en bois, couvrait pratiquement tout le domaine du Château actuel. L'église était le seul bâtiment en pierre ; le prince et sa garde logeaient dans un édifice en bois, ancêtre du palais royal, et sa suite dans des habitations à demi enterrées. On ajouta bientôt d'autres églises en pierre : vers 920, celle qui a précédé la basilique St-Georges, la rotonde St-Guy dix ans plus tard. En 973, le Château devient le siège de l'évêché de Prague nouvellement créé : la rotonde est élevée au rang de cathédrale, St-Georges est dotée d'un couvent. Au milieu du 11e s., on remplace les défenses primitives par des murailles de 5 m de haut, ponctuées de plusieurs portes-tours. Un siècle plus tard, on les rehausse jusqu'à 14 m, et l'on construit un beau palais, long de 50 m, en pierre calcaire aux tons clairs.

Résidence impériale – L'énergique **Ottokar II** (1228-1278) poursuit la fortification du Château et étend le palais royal. Mais quand le futur **Charles IV** (1316-1378) décide de s'installer à Prague, le Château est en partie délabré ; on lui trouve un logement temporaire dans la Vieille Ville. Avant même son accession au trône, en 1346, Charles entreprend de faire du Château une résidence digne d'un souverain. Au nombre de ses améliorations, un somptueux **palais** de style gothique français remplace celui d'Ottokar, détruit en 1303 par un incendie. On ajoute une chapelle à ce projet de Peter Parler, et la dorure dont on recouvre les toits de ses tours proclame au loin la gloire du Château. Son rôle comme centre spirituel et politique du pays se concrétise en 1344 par le début des travaux d'une nouvelle grande cathédrale gothique.

Une première période de déclin – Les aménagements du Châte
avec le fils de Charles IV, **Venceslas IV** (1361-1419), bien que ce dern
la **Cour royale**, dans la Vieille Ville, dont l'emplacement est oc
par la Maison municipale. Le Château souffre beaucoup des dés
hussites. Les souverains suivants continuent d'habiter la Cour royale jus
quand **Vladislas II** (1456-1516), craignant les émeutes des habitants de la Vieille
Ville, choisit de retrouver la sécurité des hauteurs du Hradschin. Vladislas nomme le
talentueux **Benedikt Ried** architecte du Château, et fait remplacer les fortifications,
depuis longtemps à l'abandon, par des défenses modernes, dont la **Daliborka**, la
tour Blanche et la massive **tour Poudrière**, ou Mihulka. On donne au palais royal
sa forme définitive, autour de la splendide **salle du Trône** conçue par Ried, appelée
ensuite salle Vladislas.

Une vue générale du château.

Une citadelle culturelle sous Rodolphe II – Une période haute en couleur
s'ouvre avec le règne de l'empereur **Rodolphe II** de Habsbourg (1552-1612).
Ses prédécesseurs ont déjà entamé le processus de transformation qui fera du
château gothique un palais de la Renaissance. **Ferdinand Ier** (1503-1564) aménage
de vastes jardins de l'autre côté des profondes douves du fossé aux Cerfs et les
couronne du Belvédère, élégant **palais d'Été** de style italianisant. L'archiduc
Ferdinand du Tyrol (1529-1595) et son architecte **Bonifaz Wohlmut** y ajoutent
le magnifique **Jeu de Paume** et, après le grand incendie de 1541, procèdent à de
nombreuses reconstructions. Sous Rodolphe, on construit beaucoup à l'extrémité
ouest du Château, surtout pour accueillir les collections sans cesse grandissantes
de l'empereur, composées d'objets et de curiosités de toutes sortes. Cependant,
son règne ne se remarque pas tant pour son œuvre architecturale que pour le
rôle du Château comme centre culturel. Autour de l'empereur, qui sortait peu
du palais, se rassemble une foule cosmopolite de peintres, sculpteurs, érudits,
savants, artisans, aventuriers et alchimistes, toujours prêts à satisfaire son insa-
tiable curiosité à propos de la nature des choses et à flatter ses goûts parfois
discutables.

Une seconde période de déclin – Après la retraite forcée de Rodolphe, en 1611, le
Château perd son rôle de résidence royale. C'est là pourtant qu'a lieu la dramatique
défenestration *(voir p. 80)* qui va entraîner la guerre de Trente Ans. Mais le Château
connaît aussi un intermède brillant durant le court règne (1619-1620) de **Frédéric**,
le **« roi d'un hiver »**, et de son épouse, **Élisabeth Stuart**, qui scandalise et fascine
l'Europe centrale par ses décolletés et son audace. En 1631, l'armée saxonne y prend
ses quartiers. En 1648, les Suédois repartent avec plusieurs de ses trésors. Les canons

199

LE CHÂTEAU DE PRAGUE

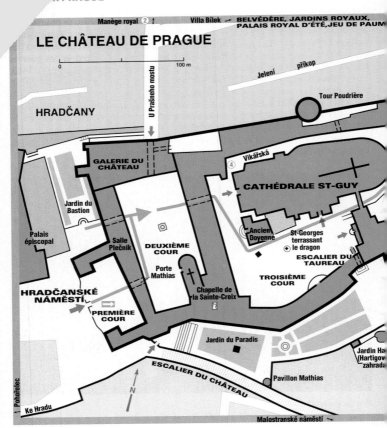

Manège royal ② | Villa Bílek ← BELVÉDÈRE, JARDINS ROYAUX, PALAIS ROYAL D'ÉTÉ, JEU DE PAUM

U Prašného mostu

Jeleni   příkop

Tour Poudrière

HRADČANY

GALERIE DU CHÂTEAU

Vikářská ④

CATHÉDRALE ST-GUY

Jardin du Bastion

Palais épiscopal

Salle Plečnik

DEUXIÈME COUR

Ancien Doyenné

St-Georges terrassant le dragon

ESCALIER DU TAUREAU

HRADČANSKÉ NÁMĚSTÍ

Porte Mathias

TROISIÈME COUR

PREMIÈRE COUR

Chapelle de la Sainte-Croix

Jardin du Paradis

Jardin Ha (Hartigov zahrada

Pohořelec

ESCALIER DU CHÂTEAU

Pavillon Mathias

Ke Hradu

Malostranské náměstí →

prussiens le martèlent pendant le siège de 1757. Son fonctionnement et son entretien posent de délicats et multiples problèmes ; ainsi, quand les souverains y résident, ce qu'ils ne font qu'occasionnellement, on doit emprunter meubles et matériel pour les accueillir dignement. Après le siège prussien, l'impératrice **Marie-Thérèse** (1717-1780) demande à **Nicola Pacassi** de donner au bâtiment un aspect plus conforme à l'ordonnancement cher au 18e s. L'architecte arase la silhouette postmédiévale que lui donnaient tours, tourelles, chiens-assis, pignons et coupoles, et remplace ce désordre pittoresque par une suite de façades plutôt neutres, dans le style baroque tardif. Ce faisant, il parvient à réorganiser l'ensemble du complexe et donne au Château l'essentiel de son aspect actuel. Mais à Marie-Thérèse succède son fils **Joseph II** (1741-1790), qui n'a cure de symboles, et ne trouve pas mieux que de faire du Château une caserne d'artillerie.

C'est en 1836 que se déroule au Hradschin la dernière cérémonie de couronnement : l'empereur Ferdinand V est sacré roi de Bohême dans la cathédrale.

Résidence du président de la République – À partir du milieu du 19e s., le Réveil national tchèque insuffle une vie nouvelle au complexe abandonné. Des travaux sont entrepris pour achever la cathédrale. En 1918, les fondateurs de la Tchécoslovaquie voient dans le Château un symbole national, seule résidence acceptable pour le président de la jeune République. Le premier à remplir cette charge, **Tomáš Garrigue Masaryk** (1850-1937 *voir p. 84*) se montre un successeur plus que digne des souverains. Il engage **Josip Plečnik**, un architecte de génie, pour adapter le Château à sa nouvelle vocation de symbole d'un État moderne et démocratique. De 1939 à 1945, sous le protectorat allemand de Bohême-Moravie, le Château reste la résidence d'un

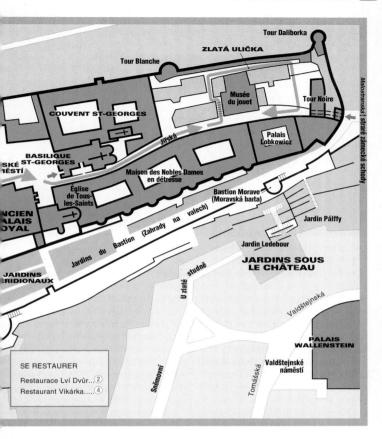

ZLATÁ ULIČKA

Tour Daliborka

Tour Blanche

Musée du jouet

Tour Noire

COUVENT ST-GEORGES

Palais Lobkowicz

Jiřská

BASILIQUE ST-GEORGES SKÉ MĚSTÍ

Maison des Nobles Dames en détresse

Église de Tous-les-Saints

Malostranská / staré zámecké schody

NCIEN ALAIS OYAL

Bastion Morave (Moravská barta)

Jardin Pálffy

Bastion (Zahrady na valech)

Jardin Ledebour

Jardins du Bastion

JARDINS SOUS LE CHÂTEAU

JARDINS ÉRIDIONAUX

U zlaté studně

Valdštejnská

Sněmovní

Tomášská

PALAIS WALLENSTEIN

Valdštejnské náměstí

SE RESTAURER

Restaurace Lví Dvůr...②
Restaurant Vikárka.....④

président sans pouvoir, Hácha ; mais les nazis exploitent sa signification symbolique et cérémonielle en toute occasion : en 1941, l'infortuné Hácha se voit contraint de remettre au Reichsprotektor Heydrich les sept clefs qui ouvrent l'accès à la couronne de saint Venceslas et au trésor de la cathédrale. Pendant la période 1948-1989, les murs sans fantaisie du Château semblent une métaphore de l'inhumanité et de la froideur du système communiste. Mais beaucoup de ses salles restent ouvertes au public, et l'on y procède avec ferveur à de nombreuses restaurations et recherches archéologiques. Depuis 1989, l'objectif des autorités est de restaurer la continuité symbolique du Château avec son passé, et de l'ouvrir largement au public.

Se promener

LE CHÂTEAU★★

Durée : 2h.

Enceinte du château : avr.-oct. : 5h-0h ; nov. -mars : 6h-23h. L'accès à l'enceinte du Château est gratuit, mais, une fois à l'intérieur, l'entrée de la plupart des monuments est payante. Les billets sont en vente au centre d'information touristique, à la chapelle de la Ste-Croix dans la deuxième cour – ☎ 224 373 368 - www.hrad.cz - 9h-17h - différents forfaits entre 50 et 350 Kč, la plupart valables 2 jours.

Entrée du Château - première cour★

Cette cour d'honneur, devancée par ses deux célèbres **combats de géants**, qui font paraître petits les gardes en uniforme bleu, est le point de départ habituel de la visite du Château. La pente pavée qui descend de la place du Hradschin et

Des combats de géants ouvrent sur la première cour.

le revêtement lisse de la cour font oublier qu'autrefois ce lieu était protégé par un ravin naturel, des douves et des ponts, modifiés depuis longtemps pour laisser place à une accueillante entrée cérémonielle. Le portail est surmonté d'une grille rococo portant les initiales de Marie-Thérèse et de Joseph II. Les géants sont des copies de statues sculptées en 1771 par Ignaz Platzer. **Platzer** est aussi l'auteur des trophées martiaux qui décorent les pignons de l'étage attique des façades de style baroque tardif, dont N. **Pacassi** a bordé les trois côtés de la cour en 1760. Dans la partie centrale s'ouvre la **porte Mathias** (Matyášova brána), du début du baroque, une construction en grès d'allure assez théâtrale, achevée en 1614, qui s'inspire des arcs de triomphe de l'Antiquité. Plečnik a fait installer les hampes de drapeaux en pin de Moravie, hautes de 25 m. Il a percé deux ouvertures audacieuses dans le passage qui mène à la deuxième cour. Sur la droite, un escalier de cérémonie monte aux **salles des États**, somptueusement meublées ; sur la gauche s'ouvre la monumentale **salle des Colonnes** (Sloupová síň), ou **salle Plečnik**, un haut espace avec trois rangées superposées de colonnes en granit clair, où règne un calme reposant *(ne se visitent pas ou rarement)*.

Entrer dans la deuxième cour.

Deuxième cour★

L'harmonie, la monotonie peut-être, de cette cour spacieuse, originellement du 16e s., est due entièrement aux remaniements de **Pacassi**, au 18e s. Au centre, une imposante **fontaine baroque** créée en 1686 par Hieronymus Kohl, où figurent Hercule et d'autres divinités, un puits également baroque, et la fontaine au Lion, moderne. Le bâtiment central qui sépare la deuxième cour de la troisième renferme des bureaux. Il s'élève à l'emplacement du rempart en terre qui séparait de la muraille la partie principale de l'ancienne forteresse slave ; un dais postmoderne récent, orné d'une merveilleuse sculpture de léopard ailé, marque son entrée cérémonielle.

L'aile nord est percée d'un passage menant à la chaussée qui franchit le ravin appelé fossé aux Cerfs, lequel défendait ce flanc du Château, et conduit aux Jardins royaux *(voir p. 214)*. La façade de Pacassi occulte l'histoire complexe de ce bâtiment, qui a débuté avec la construction d'**écuries royales**, et s'est poursuivie à l'époque de Rodolphe II avec l'ajout de magnifiques galeries pour accueillir ses immenses collections. La galerie Rodolphe et la **Salle espagnole**, longue de 48 m, sont utilisées aujourd'hui pour des cérémonies *(ne se visitent pas sauf lors d'événements)*. À l'étage inférieur, **la galerie du Château** a été joliment transformée en salles d'exposition *(voir ci-dessous)*.

Chapelle de la Ste-Croix (kaple svatého Kříže)

Pacassi a aussi rénové la chapelle de la Ste-Croix (elle abrite le bureau de vente des billets), transformée en 1852 en chapelle privée par l'ancien empereur d'Autriche Ferdinand Ier, souverain charmant mais incapable de gouverner par lui-même. Contraint d'abdiquer en 1848 en faveur de son neveu François-Joseph, il choisit de se retirer au Château de Prague.

Galerie du Château★ (Obrazárna Pražského hradu)

Deuxième cour – ☏ *224 373 531 - www.obrazarna-hradu.cz - 10h-18h - 150 Kč.*

Outre des expositions temporaires, la galerie du Château propose une sélection d'œuvres parmi les 4 000 pièces de sa collection. Celles-ci sont exposées dans d'anciennes écuries aménagées à la fin du 16e s. pour **Rodolphe II**, empereur ami des arts qui fut le premier à constituer une collection, malheureusement aujourd'hui en grande partie disparue *(voir encadré)*. Parmi les chefs-d'œuvre qui ont appartenu à l'empereur, remarquez notamment une délicate *Tête de jeune fille* par **Hans van Aachen**, peintre à la cour de Rodolphe II ; un *Portrait de Frau Schreyvogel*, finement ironique, de Jan Kupecký ; plusieurs toiles de **Cranach l'Ancien**, **Bartholomeus Spranger**, du **Tintoret** et de **Véronèse** ; un *Portrait de lady Vaux* par **Holbein le Jeune** ; *L'Enlèvement de Déjanire par le centaure Nessus*, de **Guido Reni**, et une *Jeune femme à sa toilette* de **Titien**.

Passez sous le porche est de la cour, situé à côté du porche par lequel vous venez d'entrer.

Jardin du Bastion (Zahrada na baště)

Le jardin du Bastion a été redessiné à la française par Plečnik dans les années 1920. La partie vitrée du mur nord permet de voir les fondations du 9e s. de l'**église de la Vierge**.

Revenir dans la deuxième cour, entrer dans la troisième.

Cathédrale St-Guy★★★ (Svatý Vít - chrám sv. Víta)

Troisième cour - ☏ *224 373 368 - avr.-oct. : 9h-17h ; nov.-mars : 9h-16h (fermé à la visite pendant les messes le dimanche matin à 9h30 et 11h) - nef en accès libre ; accès tour, chœur, crypte et oratoire avec l'un des forfaits proposés à l'accueil du Château.* Bâtie sur les vestiges de ses ancêtres romanes, la glorieuse cathédrale, dont les tours et les pinacles s'élèvent bien au-dessus des murs d'enceinte du Château, est la plus grande église du pays : église du couronnement, mausolée des rois et des reines, écrin des joyaux de la couronne de Bohême, si chargés de symboles.

La première pierre de la cathédrale est posée en 1344, mais il s'écoulera plus de cinq siècles avant l'achèvement officiel des travaux, en 1929. Parfois austère, parfois très inventive, son architecture s'enrichit d'une multitude d'éléments décoratifs, allant des somptueux tombeaux Renaissance et baroques aux extraordinaires vitraux du début du 20e s. L'ornementation du bâtiment se poursuit même à la période communiste. Pourtant, le régime est hostile à l'Église : au début des années 1950,

---

Rodolphe II - la collection fantôme

Passionné de peinture, l'empereur **Rodolphe II** (1552-1612) employa à la cour une myriade d'artistes et fut toujours à la recherche, dans toute l'Europe, de beaux tableaux pour enrichir sa collection sans cesse croissante. À la fin de sa vie, il possédait près de 3 000 tableaux et autres œuvres d'art, ainsi qu'une extraordinaire sélection de curiosités. Mais ce formidable héritage sera rapidement dispersé par ses successeurs. Beaucoup de ces objets sont partis pour Vienne, ont fait le bonheur de courtisans malhonnêtes ou ont été pillés, notamment en 1648 par les soldats suédois, qui n'ont laissé que des cadres vides et un squelette de rhinocéros. À la fin du 17e s. et au début du 18e s., on commence à reconstituer les collections, mais le Trésor impérial, impécunieux, est en permanence tenté de les vendre. En 1782, lors d'une fameuse vente aux enchères, les derniers objets sont dispersés. Dans les années 1920, on reconstitue les collections, notamment grâce à une fondation instaurée par le président Masaryk.

La cathédrale St-Guy.

Ph. Gajic / MICHELIN

le futur archevêque de la cathédrale, **František Tomášek** (1899-1992), est interné plusieurs années dans un camp de travail ; à l'époque de la « normalisation », il reste en contact avec les groupes d'opposition. En 1989, à la veille de la révolution de velour, il joue un rôle important dans la canonisation de sainte Agnès de Bohême *(voir encadré p. 171)* ; il célèbre le triomphe de la révolution de velour par une messe spéciale en la cathédrale ; en 1990, c'est lui qui accueille le pape Jean-Paul II à Prague.

La cathédrale au fil des siècles – C'est **Charles IV** (1316-1378) qui est à l'origine de l'édification de la cathédrale ; on perçoit son influence dans le style même de l'édifice, et il y est même représenté à plusieurs reprises. Il n'est encore que prince lorsqu'il assiste, en 1344, à la pose de la première pierre par Ernest de Pardubice, premier archevêque de Prague, nommé par le pape, qui confirme ainsi l'essor de cette cité tournée vers l'Occident. Devenu roi, puis, à partir de 1355, empereur du Saint Empire, Charles s'engage dans l'expansion et l'embellissement de sa capitale, dont la nouvelle cathédrale forme le centre spirituel. D'éducation française, il choisit **Matthieu d'Arras** comme architecte. À la mort de Matthieu d'Arras en 1352, l'extrémité est de la cathédrale est pratiquement achevée, suivant un plan et un style qui rappellent le gothique français, vieux d'un demi-siècle. Charles désigne pour le remplacer **Peter Parler**, âgé de 23 ans, membre de la dynastie des maîtres maçons responsables de la nouvelle cathédrale de Cologne. Original, énergique et inventif, Parler termine le chœur de Matthieu d'Arras, le couvrant d'une voûte de concept nouveau, dont le réseau de nervures aériennes intègre l'espace plutôt qu'il ne le divise. Il clôt également l'extrémité ouest du chœur avec un mur temporaire, solution « provisoire » qui durera presque un demi-millénaire.

Les travaux de la cathédrale se poursuivent après la mort de Parler en 1399, mais de façon très sporadique. En 1421, les hussites font irruption dans l'édifice avec la ferme intention d'en piller le mobilier et le décor somptueux ; mais ils ne peuvent que constater que leur adversaire, l'empereur Sigismond, les a en partie devancés, faisant fondre le trésor de la cathédrale pour payer ses soldats. En 1619, deux siècles plus tard, les calvinistes opèrent une semblable destruction. En 1757, la cathédrale est fortement endommagée pendant le siège prussien. Peut-être est-ce une chance que les projets d'achèvement de la cathédrale dans le style baroque n'aient jamais abouti. Ce n'est qu'au milieu du 19e s., avec un engouement nouveau pour le gothique, qu'un effort concerté a vu le jour, avec la fondation, en 1859, d'une association pour l'achèvement de la cathédrale. On commence par enlever les éléments baroques du chœur. **Josef Mocker** (1835-1899), le plus éminent promoteur du néogothique dans le pays, supervise une bonne part des travaux. La voûte de la grande nef est achevée en 1903, après quoi on s'intéresse aux ornements et au mobilier, auxquels contribuent de nombreux grands artistes de l'époque. En 1929, on célèbre le millénaire du martyre de Venceslas, saint patron du pays, et la cathédrale St-Guy est consacrée en grande cérémonie.

Façade ouest – Au débouché du passage qui relie la deuxième et la troisième cour du Château, les visiteurs découvrent soudain la **façade ouest** de la cathédrale, qui dresse, vertigineuses, ses tours jumelles. Cette partie du bâtiment est du 20e s., bien qu'au premier abord l'illusion gothique soit totale, tant était grand le respect de Mocker et de ses collègues pour le style de leurs prédécesseurs médiévaux. En s'approchant, on découvre d'intéressants détails comme, sur les trois portes, les **bas-reliefs** en bronze de 1929 d'**Otakar Španiel**, illustrant des scènes de la construction de la cathédrale *(milieu)* et les vies des saints Adalbert *(gauche)* et Venceslas *(droite)*.

Façade sud – La cour est dominée par la superbe **tour sud** de la cathédrale, haute de 96,5 m. Elle fut commencée par les successeurs de Parler ; puis on lui ajouta, au milieu du 16e s., une galerie Renaissance et un dôme triple, remanié en 1770, qui lui conféra sa forme actuelle caractéristique. Il est surmonté d'un lion de Bohême doré.

À l'est du pied de la tour s'ouvrent les trois arcs de la célèbre **porte d'Or** (Zlatá brána), achevée en 1367 par Parler pour servir d'entrée cérémonielle à la cathédrale. On voit au-dessus une superbe **mosaïque vénitienne**★★ du *Jugement dernier* ; dans une mandorle, le Christ procède au jugement : à sa droite les justes, à sa gauche les damnés, que des démons entraînent dans les feux de l'enfer. Les écoinçons de l'arc du milieu portent les figures de Charles IV et de son épouse. À l'intérieur, l'entrée est protégée par une grille présentant des **bas-reliefs en bronze**★, œuvre en 1955 du célèbre décorateur Jaroslav Horejc, qui illustre de manière prosaïque les travaux des saisons et les signes du zodiaque.

Entrer dans la cathédrale.

Nef – Une fois terminée, cette nef néogothique a été critiquée pour sa froideur académique, mais on la considère aujourd'hui comme une partie intégrante du monument, au même titre que les autres apports du 19e et du 20e s., tous empreints d'un authentique respect pour l'œuvre des anciens bâtisseurs médiévaux. La nef reprend fidèlement le schéma établi par Peter Parler pour le chœur, par exemple dans les **nervures de la voûte** ou la disposition en hauteur des **portraits sculptés** sur la galerie ; au nombre des bustes qui honorent les derniers bienfaiteurs de la cathédrale figure celui de Josef Mocker par Jan Štursa. Mais l'élément le plus remarquable de cette partie de l'édifice demeure sans conteste ses **vitraux**★★ modernes. **František Kysela** fut un pionnier dans ce domaine. Avec 25 000 pièces de verre, sa **rosace ouest (1)** de 1928 illustre la *Création du monde*. Kysela est aussi l'auteur du vitrail de la **chapelle de Thun (4)** illustrant le psaume 126 *Qui sème dans les larmes récolte dans la joie*, et de celui de la **chapelle Ste-Agnès (3)** décrivant les huit Béatitudes. D'autres chapelles possèdent d'intéressants vitraux modernes, telle la chapelle Ste-Ludmilla **(2)**, avec une *Pentecôte* de Max Švabinský. Mais le vitrail le plus admiré, qui montre des épisodes de la vie des saints Cyrille et Méthode, se trouve dans la **chapelle du Nouvel-Archevêque**★ **(5)**, où est inhumé l'archevêque Tomášek : achevé en 1931 par **Alfons Mucha**, il conserve le style Sécession abandonné depuis longtemps par les autres artistes.

Dans un esprit très différent de celui de Mucha, le **retable (6)** sculpté dans différents bois par **František Bílek** est un exposé passionné sur la souffrance et la rédemption. Le Christ en Croix date de 1899, les autres éléments de 1927.

Transept et croisée – La tribune de l'orgue Renaissance, créée en 1561 par l'architecte de la cathédrale Bonifaz Wohlmut, barre presque entièrement le croisillon nord. Elle fermait à l'origine l'extrémité ouest du chœur, et a été

Ph. Gajic / MICHELIN

Vitrail de Mucha à l'intérieur de la cathédrale.

déplacée en 1924. L'orgue rococo est de 1763. De magnifiques statues des saints patrons de Bohême ornent les colonnes de la croisée du transept et réapparaissent, spectaculaires, sur la plus grande fenêtre de la cathédrale, dans le croisillon sud ; au-dessus de l'entrée cérémonielle *(habituellement fermée)* et de la **porte d'Or** (Zlatá brána), on voit une autre version du *Jugement dernier*, un vitrail de Max Švabinský.

Chœur *(accès avec billet)* – Noyau de l'édifice médiéval construit par Matthieu d'Arras et Peter Parler, c'est le lieu où ce dernier a tenté d'audacieuses expériences, en traitant l'espace de la voûte comme une unité plutôt qu'en le divisant en différents quartiers, comme le voudrait normalement l'architecture. Le réseau en diagonales des nervures laisse le regard courir librement. Parler fait aussi montre d'originalité dans l'**ancienne sacristie**, où une section de la voûte s'épanouit à partir d'un bossage sculpté suspendu dans l'espace. Difficiles à voir en haut de la galerie, les **bustes★★** de l'atelier de Parler sont d'un réalisme inhabituel pour des sculptures médiévales. Parmi eux, Charles IV, ainsi que Parler lui-même et Matthieu d'Arras, remarquables.

Ceint d'une grille ouvragée, le **mausolée royal★** (Královské Mausoleum) en marbre clair domine le milieu de cette extrémité du chœur. Cette œuvre du Flamand Alexandre Colin a été commandée en 1566 par Maximilien II pour honorer ses parents, Ferdinand Ier et Anne Jagellon, mais aussi pour relier la dynastie des Habsbourg, d'assez fraîche date, aux anciens rois de Bohême. On voit ainsi sur le tombeau les gisants de Ferdinand, Anne et Maximilien, et sur les panneaux latéraux les souverains précédents, parmi lesquels Charles IV et ses quatre épouses, dont les dépouilles ont été transférées dans la crypte sous le mausolée.

La chapelle Ste-Anne (**7**) inaugure le demi-cercle de chapelles qui entoure l'extrémité est de la cathédrale, partie achevée par Matthieu d'Arras. Des **panneaux de bois sculpté★** ornent les arcs du chœur, montrant la fuite du « roi d'un hiver », l'Électeur palatin Frédéric, et de son épouse, Élisabeth Stuart, après la défaite de son armée à la bataille de la Montagne-Blanche, en 1620 ; on a là l'une des plus passionnantes vues anciennes de Prague en suivant l'interminable défilé des chariots de la suite du roi, qui se frayent un chemin par les rues de Malá Strana, traversent la Vltava, et sortent par la porte est de la Vieille Ville. À côté se trouve la majestueuse figure agenouillée du cardinal-archevêque Friedrich Schwarzenberg, œuvre en 1895 de Josef Myslbek.

Plusieurs chapelles abritent les **pierres tombales gothiques** des premiers souverains de Bohême, sculptées dans l'atelier de Parler ; les princes Bořivoj II et Břetislav II sont inhumés dans la chapelle St-Jean-Baptiste (**8**) ; les princes Spytihněv II et Břetislav Ier dans celle de la Vierge (**9**) ; les plus remarquables demeurent les figures des puissants rois prémyslides Ottokar Ier et Ottokar II (**10**). Ils sont néanmoins détrônés par le

Le tombeau de Jean Népomucène.

tombeau baroque★★ en argent massif, extraordinairement ostentatoire, **de saint Jean Népomucène** (náhrobek sv. Jana Nepomuckého), qui occupe une bonne partie du déambulatoire. Achevé en 1736 suivant un projet de **Fischer von Erlach**, il présente le saint sur son cercueil, soutenu par des anges. On dit qu'il aurait nécessité deux tonnes du précieux métal. L'impératrice Marie-Thérèse a fait don du baldaquin qui le surmonte.

Juste après ce déploiement de luxe, on retrouve des panneaux de bois sculpté de l'autre côté du chœur, décrivant cette fois la destruction des ornements de la cathédrale par des calvinistes iconoclastes en 1619.

L'**oratoire royal★** (**11**) a été terminé peu après 1490 par l'architecte de la cathédrale, **Benedikt Ried** ; on y voit une ornementation de branchages rustique, ainsi que de joyeux personnages de mineurs, rappel des sources de la richesse du pays. Dans la chapelle voisine, des marches descendent à la **crypte**, espace mystérieux où l'on découvre les sinistres cylindres de granit poli contenant les reliques des souverains, au nombre desquelles celles de Charles IV, mais aussi des vestiges des églises qui ont précédé la cathédrale à cet endroit, la rotonde préromane et la basilique.

Chapelle St-Venceslas★★ (kaple Sv. Václava) – *Accès interdit, elle est visible simplement de l'entrée.* Peter Parler a édifié cette chapelle en 1365 à l'emplacement de la tombe de Venceslas, prince prémyslide et saint, que Charles IV souhaitait honorer en tant que prédécesseur, raffermissant ainsi le pouvoir de sa propre dynastie sur la Bohême.

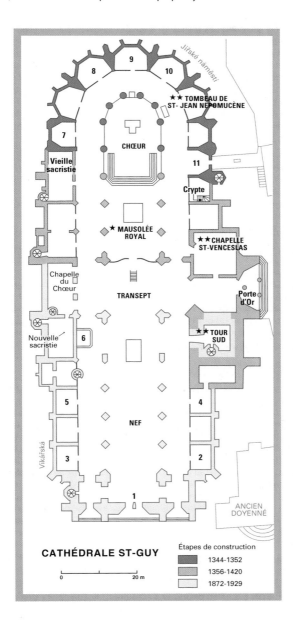

CATHÉDRALE ST-GUY

0   20 m

Étapes de construction
- 1344-1352
- 1356-1420
- 1872-1929

L'entrée nord de la chapelle montre un heurtoir en bronze en forme de lion, qu'aurait agrippé Venceslas agonisant, tandis que son frère félon le frappait à mort. Le fait qu'il date du 14e s. vient contredire la légende. L'espace rectangulaire qui s'étend après la porte, bien plus vaste que celui des autres chapelles, est couvert d'une remarquable voûte en étoile. Mais c'est la décoration somptueuse de la chapelle qui illustre le mieux la grande vénération que l'empereur avait pour le saint, et qui fait de ce lieu l'endroit le plus sacré de la cathédrale.

Les murs sont ornés de deux séries de **peintures**. Celles qui illustrent la *Passion du Christ*, sous la corniche, remontent à la construction de la chapelle. Elles sont serties dans de luxueux cadres de pierres semi-précieuses et de stuc doré. On voit au pied de la Croix les figures agenouillées de Charles IV et de sa quatrième épouse, Élisabeth de Poméranie. Illustrant des scènes de la vie de saint Venceslas, la série supérieure (vers 1509) est attribuée à l'atelier du maître de Litoměřice. Œuvre d'un membre de la famille Parler, une élégante **statue** du saint en pierre calcaire, entourée de deux anges peints, domine l'autel. La châsse de saint Venceslas est presque entièrement une reconstitution.

Une petite porte donne accès à l'escalier de la **salle de la Couronne** qui renferme les **joyaux** de Bohême, parmi lesquels la splendide couronne de saint Venceslas, créée pour Charles IV. Les joyaux sont rarement présentés et font alors l'objet d'une grande vénération. Ils sont protégés par sept serrures, dont les clefs sont confiées à différents hauts personnages de l'Église, de l'État et de la Ville.

Tour *(accès avec billet)* – En gravissant 287 marches, on accède à la galerie panoramique de la tour sud de la cathédrale, d'où l'on a une vue spectaculaire du monument lui-même, ainsi qu'un merveilleux **panorama★★** sur le Château et l'ensemble de la ville.

Dans une petite ruelle au nord de la cathédrale se trouve la tour Poudrière (sur la droite en sortant).

Tour Poudrière Mihulka - exposition de l'Institut historique militaire (Prasná vez Mihulka - expozice Vojenského historického ústavu)

☎ 224 373 368 - www.hrad.cz - avr.-oct. : 9h-17h ; nov.-mars : 9h-16h - accès avec l'un des forfaits proposés à l'accueil du Château ou 50 Kč.

Un porche conduit à l'imposante tour Poudrière (Prašná věž), appelée aussi Mihulka, élevée à la fin du 15e s. par Benedikt Ried pour y placer des canons. Comme son nom le suggère, elle a servi de magasin à poudre. Elle a survécu aux dommages importants causés en 1648 par l'explosion de son contenu, due à la négligence des soldats suédois. Elle abrite aujourd'hui une exposition d'armes de l'Institut historique militaire.

Repasser devant l'entrée de la cathédrale et passer dans la troisième cour.

Troisième cour★★

L'**aile sud** de Pacassi présente un superbe portique, surmonté d'un balcon où se tient le président pour saluer la foule à l'occasion des cérémonies. Mais **Plečnik** est pour beaucoup dans l'aspect actuel de la troisième cour. Il a supprimé les anciennes différences de niveau en aménageant le revêtement actuel, a élevé le dais qui protège les fondations de la basilique romane, ancêtre de la cathédrale, et a dressé (non sans difficulté, car son sommet a été cassé) le grand obélisque de granit, monument aux morts de la Première Guerre mondiale. Dans l'angle sud-est, l'**escalier du Taureau★** (Býčí schodiště) est aussi l'œuvre de Plečnik. Il est formé de plusieurs volées de marches, qui descendent au travers de l'aile sud jusqu'aux **jardins méridionaux** en contrebas. On y pénètre sous un magnifique **dais**, inspiré de l'architecture et de la mythologie de la Crète préclassique. L'élégant **Saint Georges terrassant le dragon** est une copie de la statue originale exposée à la Galerie nationale. À l'angle sud-ouest de la cathédrale se dresse l'édifice baroque de l'**Ancien Doyenné** (Staré Proboštství), qui montre des vestiges du palais roman de l'évêque et, dans un angle, un *Saint Venceslas* de Bendl.

Ancien palais royal★★★ (Starý Královský palác)

Troisième cour – ☎ 224 373 368 - www.hrad.cz - avr.-oct. : 9h-17h ; nov.-mars : 9h-16h - accès avec l'un des forfaits proposés à l'accueil du Château (220/350 Kč). Autrefois centre de la vie de la cour, l'ancien palais royal est aujourd'hui une pièce de musée ; tous les bureaux de la présidence et autres administrations ont depuis longtemps été transférés dans les bâtiments ouest du Château. En découvrant les constructions successives du palais, on a une idée de l'ancienneté du Château.

Vestibule – Sur la gauche s'ouvre la **Chambre verte (Zelená světnice)**, où l'on voit des armoiries et une fresque baroque illustrant le *Jugement de Salomon*, puis ce qu'on appelle la **chambre à coucher de Vladislas**, à la voûte gothique vivement colorée, ornée aussi d'armoiries.

Entrer dans la salle Vladislas.

Salle Vladislas★★★ (Vladislavský sál) – En son temps la plus grande salle voûtée à usage non religieux d'Europe centrale. Édifiée entre 1492 et 1502, fusion sublime du gothique tardif, tout en fantaisie, et de la nouvelle Renaissance, c'est le chef-d'œuvre de **Benedikt Ried**, l'architecte du Château de Vladislas II. Les murs et les grandes fenêtres rectangulaires sont tout à fait d'esprit Renaissance, surtout vus de l'extérieur. Mais ils voisinent, sur la façade nord, avec des arcs gothiques et de hauts contreforts à pinacles fuselés. À l'intérieur, les nervures de la **voûte de Ried** sinuent, légères, dans l'espace, formant de splendides motifs en rosace ou en étoile à leur jonction, à 13 m au-dessus du sol. On croirait que l'architecte souhaitait simplement se faire plaisir, mais cette légère constellation de pierre contribue efficacement à soutenir le toit. La grande salle, longue de 62 m et large de 16 m, a remplacé la salle du trône, gothique, de Charles IV. Elle a abrité toutes sortes d'événements, assemblées, bals, fêtes du couronnement, audiences royales, et même des tournois. L'**escalier des Chevaliers** permettait aux participants d'y accéder à cheval. Une célèbre gravure d'Aegidius Sadeler, graveur de la cour de Rodolphe II, y montre le déploiement d'une foire aux antiquités : marchands à leurs étals, groupes de courtisans et d'amateurs, et, à l'arrière-plan, l'empereur en personne, tenté par une acquisition. Au 20e s., la salle a trouvé une nouvelle fonction en offrant toute la solennité voulue à l'élection du président de la République. La façade sud de la salle Vladislas est longée par une **terrasse extérieure** offrant de belles vues de Prague.

Revenir dans la salle Vladislas.

Aile Louis (Ludvíkův palác) – Un passage dans l'angle sud-ouest de la salle Vladislas conduit à cette aile ajoutée dans la première décennie du 16e s. par Ried. Là se réunissaient les officiers de la chancellerie de Bohême : les officiers de rang inférieur occupaient la première salle, le conseil des gouverneurs la seconde (c'est de ses fenêtres que furent précipités deux d'entre eux en 1618, lors de la **seconde défenestration de Prague**). Un escalier en colimaçon à voûte gothique monte à la

La salle Vladislas.

Ph. Gajic / MICHELIN

Chambre du conseil impérial, témoin des suites de la défenestration : c'est ici qu'en 1621 les 27 gentilshommes qui avaient pris part à la rébellion des États de Bohême contre l'autorité impériale furent condamnés à mort.

Revenir dans la salle Vladislas.

Église de Tous-les-Saints (Všech svatých) – À l'extrémité est de la salle Venceslas, des marches montent par un portail Renaissance à la galerie de cette église construite à l'origine par Peter Parler pour Charles IV, mais reconstruite après le grand incendie de 1541, avec une voûte Renaissance peu convaincante. On y voit un retable très sombre de Reiner. La chapelle nord abrite le tombeau de saint Procope, l'un des saints patrons du pays.

La seconde défenestration de Prague

Les tensions opposant, au début du 17e s., protestants et catholiques de Bohême trouvent leur point culminant en 1618. Convaincu que l'empereur Mathias, à Vienne, soutient les tentatives des catholiques pour ôter leurs privilèges aux protestants et affaiblir l'autorité traditionnelle des États de Bohême, le bouillant comte Thurn monte au Château à la tête d'une délégation et fait irruption dans l'aile Louis, où les gouverneurs catholiques siègent en l'absence de l'empereur. Le débat, très vif, tourne mal : on traîne jusqu'aux fenêtres les gouverneurs **Vilém Slavata de Chlum** et **Jaroslav Bořita de Martinic**, réputés pour leur catholicisme intransigeant, et on les jette dans le vide. Contre toute attente, les deux hommes survivent à l'impressionnante chute. Ils échappent aux coups de feu tirés au hasard des fenêtres et disparaissent dans la nature. La version catholique de l'événement les montre miraculeusement soutenus par une Vierge magnanime. Celle des protestants, plus plausible peut-être, affirme que leur chute a été amortie par l'épaisse couche d'ordures accumulée dans les douves. Saisissant l'opportunité de l'événement, la population de la Vieille Ville se soulève, brûle les églises catholiques et pille la ville juive, annonçant les horreurs plus épouvantables encore de la **guerre de Trente Ans**, dont la défenestration marque le début. *Voir p. 80.*

Revenir dans la salle Vladislas.

Une série de passages dans le mur nord de la salle conduisent à la salle de la Diète, aux salles des Registres des nouvelles terres et à l'escalier des Chevaliers.

Salle de la Diète (Stará sněmovna) – Après l'incendie de 1541, Wohlmut a reconstruit cette salle, en reproduisant, en hommage à Ried, son ancienne voûte gothique. La pièce est organisée comme pour une assemblée de la Diète : un trône pour le souverain, des sièges pour la noblesse et le clergé, et une sorte d'enclos pour les représentants des villes, qui n'avaient qu'une seule voix. Le secrétaire s'installait dans la splendide galerie Renaissance.

Salles des Registres des nouvelles terres – On y consignait les délibérations de la Diète, qui avaient force de loi. On rejoint par un escalier les salles qui renfermaient ces registres, dont les murs et les voûtes sont magnifiquement ornés des armes des fonctionnaires des registres.

Escalier des Chevaliers (Jezdecké schody) – Une voûte Renaissance en couvre la première partie, mais la dernière, plus abrupte, montre une **voûte gothique★** de Ried, plus remarquable encore que celle de la salle Vladislas.

En sortant, notez que dans le sous-sol gothique de l'ancien Palais royal se trouve une exposition permanente sur l'histoire du Château. Entrée dans une petite cour en contrebas.

Histoire du Château de Prague - exposition permanente★★
(Příběh Pražského hradu)
Sous-sol de l'ancien palais royal - 📞 *224 371 111 - www.hrad.cz -* ♿ *- 9h-17h - 140 Kč.*

L'histoire du Château des origines jusqu'à nos jours est retracée dans les salles voûtées du sous-sol gothique de l'ancien palais royal. L'exposition est à la hauteur de ce cadre magnifique avec une vingtaine de salles présentant des objets archéologiques, manuscrits, armes, mobilier, vêtements… qui plongent le visiteur dans le passé glorieux du Château. Les salles organisées chronologiquement, « période romane », « règne des Prémyslides »…, sont ponctuées de **salles thématiques** qui éclairent certains aspects de la vie du Château : « Les banquets », avec de la vaisselle retrouvée lors de fouilles archéologiques, « Les couronnements » où sont présentés de superbes bijoux, couronnes et sceptres. Interactive et ludique, l'exposition se met aussi à la portée des enfants avec un parcours qui leur est spécialement dédié. En parcourant les salles, remarquez la **salle dite « de Charles »**, du 14e s., ainsi que la **salle à Colonnes de Venceslas II** et son élégante voûte (vers 1400).

Aller jusqu'à la place St-Georges.

Place St-Georges★★ (Jiřské náměstí)

Le grossier pavé de la place St-Georges contraste avec les dallages sophistiqués posés par Plečnik dans les autres cours du Château. Elle offre une vue extraordinaire du chevet de la cathédrale, avec son demi-cercle de chapelles rayonnantes et son système complexe de contreforts soutenant la toiture du chœur de Parler.

Basilique St-Georges★★ (bazilika sv. jiří)

Jiřské náměstí - ℘ *224 373 368 - www.hrad.cz - avr.-oct. : 9h-17h ; nov.-mars : 9h-16h - accès avec l'un des forfaits proposés à l'accueil du Château ou 50 Kč.*

En dépit de nombreux remaniements et travaux de restauration, la **basilique St-Georges** est le plus bel édifice roman encore debout dans le pays. Sa fondation vers 920 par le prince Vratislav Ier remonte aux débuts du christianisme en terre tchèque. Elle a été consacrée officiellement en 925, quand on y a déposé les reliques de **sainte Ludmilla**, grand-mère de saint Venceslas, l'une des saintes patronnes de Bohême. L'essentiel de l'édifice actuel date de la construction qui a suivi le siège destructeur de 1142.

Façade – L'audacieuse façade baroque rouge sang, de style baroque primitif, a été ajoutée entre 1657 et 1680 sur la basilique romane. Des statues de Vratislav et de Ludmilla couronnent les pilastres principaux. Des obélisques répondent en écho aux deux fines **tours romanes** en pierre calcaire claire, si essentielles à l'horizon du Hradchin. Saint Georges et le dragon, en stuc, figurent sur le fronton de la façade ouest. On les retrouve au côté sud de la basilique, sculptés avec brio sur le tympan du **portail première Renaissance**, ajouté vers 1515 par l'architecte du Château Benedikt Ried.

Intérieur – Les sobres murs de pierre de la **nef**, haute et étroite, sont supportés par des colonnes et des piliers massifs. Ils sont percés, au niveau de la tribune, d'une série d'ouvertures au-dessus desquelles des fenêtres plus petites apportent la lumière. Les **souverains prémyslides** reposent sous le dallage, à l'extrémité est de la nef,

L. Boegly / ARCHPRESS

Le couvent St-Georges, doté de tours romanes et d'une façade baroque.

à l'exception de Vratislav Ier, dont la dépouille est conservée dans un extraordinaire cabinet du 14e s. présentant l'aspect d'une maison de poupées gothique.

On rejoint le **chœur** et l'abside semi-circulaire par un élégant escalier baroque double. Des vestiges de fresques de styles roman et gothique tardif décrivent la ville sainte et le couronnement de la Vierge. La **crypte** qui s'ouvre sous le chœur est d'une émouvante sobriété, avec ses colonnes simples à chapiteaux cubiques. Un tympan roman y présente la Vierge sur un trône, entourée d'abbesses (l'original se trouve au couvent St-Georges). Une allégorie baroque de la Vanité montre un corps féminin dans un choquant état de décomposition. Au sud du chœur s'ouvre la **chapelle Ste-Ludmilla**, avec le tombeau de la sainte, commandé au 14e s. à l'atelier de Peter Parler par Charles IV. Dans l'angle sud-ouest de la basilique, la **chapelle St-Jean-Népomucène**, au plafond peint en trompe l'œil, est un ajout de Ferdinand Maximilian Kaňka en 1722.

Couvent St-Georges★ - maniérisme et baroque en Bohême★★
(Galerie nationale)

Jiřské náměstí - 🕿 *222 321 459 - www.ngprague.cz - 9h-17h - 100* Kč.

Histoire du couvent St-Georges (Jiřský klášter) – L'abbesse fondatrice du couvent St-Georges est la **princesse Milada**, fille du prince Boleslav Ier et nièce de saint Venceslas. Élevée au couvent de Ratisbonne, Milada revint en 973 d'un séjour à Rome avec la permission, octroyée par le pape, d'établir le premier couvent de bénédictines de Prague. Nombre de celles qui lui succéderont dans la fonction d'abbesse seront des princesses de la dynastie přemyslide. Le couvent acquiert une prestigieuse réputation comme établissement d'éducation pour jeunes filles de noble naissance, ainsi qu'une grande renommée pour ses manuscrits enluminés. La période baroque verra le remaniement successif de nombreux bâtiments, mais en 1782, comme nombre d'institutions de ce genre, le couvent est pris dans la vague de fermetures ordonnées par l'empereur Joseph II. Transformé en caserne d'artillerie, puis en lieu de détention pour membres du clergé, il sera finalement restauré par le régime communiste et échappera à un projet de musée du Peuple tchécoslovaque. Depuis 1975, le couvent appartient à la Galerie nationale qui y expose actuellement ses collections d'art baroque et maniériste.

Maniérisme et Baroque en Bohême – Situées au premier étage du couvent, les collections d'art Baroque et maniériste offrent un excellent aperçu de l'art en Bohême du 16e s. à la fin du 18e s. Les collections fabuleuses rassemblées entre la fin du 16e s. et le début du 17e s. par l'empereur Rodolphe II, amoureux des arts, sont depuis longtemps dispersées, mais l'ambiance de sa cour est bien évoquée par les nombreuses œuvres maniéristes exposées ici. On y voit *Saint Venceslas et saint Guy*, plutôt empruntés, de

La ruelle d'Or.

Bartolomaeus Spranger (1546-1611), un *Suicide de Lucrèce* chargé d'érotisme, de Hans van Aachen (1551/2-1615), et de lointains paysages de bosquets peints par Roland Savery (1576-1631). L'entrée est marquée par un remarquable ensemble de petites études de scènes galantes d'époque rococo dues à Norbert Grund (1717-1767). Un espace est réservé au fondateur de la peinture baroque en Bohême, l'aristocrate **Karel Škréta** (1610-1674), représenté par une quinzaine de belles œuvres, dont un grand **Saint Charles Borromée visitant les pestiférés de Milan★**. On voit aussi des tableaux de ses contemporains, dont Michael Leopold Willmann. Parmi les sculptures du baroque tardif exposées se trouvent de nombreux chefs-d'œuvre : au nombre des travaux de **Ferdinand Maximilian Brokoff** (1688-1731), on remarque deux magnifiques **Maures★** ; **Mathias Bernard Braun** (1684-1738) est représenté par plusieurs pièces, dont deux imposants **Jupiter** et **Vénus**. **Peter Brandl** (1668-1735) est l'auteur de nombreuses toiles superbes, dont un remarquable **Autoportrait★** des environs de 1697. Brandl aurait peint avec les doigts, en guise de pinceaux, le *Saint Antoine de Padoue et l'Enfant Jésus* (vers 1730), plein de tendresse. Les portraits de **Jan Kupecký** (1667-1740) égalent ceux de Brandl, avec son **Portrait du miniaturiste Karl Bruni★** et son *Autoportrait au travail*. **Václav Vavřinec Reiner** (1689-1743), prolifique peintre de fresques et expert des cieux mouvementés, signe une impressionnante *Bataille avec les Turcs* (1708). L'exposition se termine sur les belles salles du rez-de-chaussée dans lesquelles se déroulent des expositions temporaires.

Emprunter Jiřská.

Maison des Nobles Dames en détresse (Ústav šlechtičen)

Jiřská 1 (ne se visite pas). Avec son beau portique à colonnes donnant sur la place St-Georges, la maison des Nobles Dames en détresse occupe une bonne partie du côté sud de Jiřská (ruelle St-Georges). Ce palais appartenait autrefois à la puissante famille Rožmberk, ou Rosenberg, et les premières vues que l'on en a du Château sont ses quatre imposantes tours. Il a été remanié en 1755 dans le style sobre de Pacassi pour accueillir les dames de l'aristocratie ayant subi des revers de fortune.

Poursuivre dans Jiřská puis tourner à gauche.

Zlatá ulička★ (ruelle d'Or)

Cette ruelle comporte des maisons minuscules à pans de bois accolées les unes aux autres qui abritent aujourd'hui des boutiques de souvenirs. Le nom de la rue est sans doute lié à la présence d'orfèvres autrefois. Kafka, qui y a demeuré un moment, en appréciait l'ambiance.

Emprunter le chemin de ronde.

Ouvrages de défense

Au-dessus de la ruelle d'Or court un chemin de ronde ; à l'ouest se dresse la **Tour blanche** (Bílá věž – fin du 15e s.), contribution de Benedikt Ried aux défenses nord du Château ; l'alchimiste anglais Edward Kelley s'y est morfondu jadis. À l'est, la **tour Daliborka**, due aussi à Ried, où l'on raconte qu'un autre prisonnier, le chevalier Dalibor, jouait du violon avec tant de grâce que les foules s'y rassemblaient pour l'écouter (mais l'instrument a été inventé longtemps après sa mort). La **Tour noire** (Černá věž), édifice roman qui achève les fortifications, en défendait autrefois l'entrée, mais on la contourne aujourd'hui. Gardée par deux sentinelles en uniforme bleu, l'entrée actuelle à l'emplacement de la barbacane médiévale offre un point de vue magnifique.

Ruelle d'Or, quartier malfamé…

Les légendes qui courent sur la ruelle d'Or sont aussi nombreuses que les touristes qui s'y promènent. On dit que les petites maisons pittoresques hébergeaient des alchimistes qui cherchaient à fabriquer de l'or. Cette légende, qui date de l'époque romantique, ne correspond en rien à une réalité qui est bien plus prosaïque. Le Château avait sa juridiction propre, et en son enceinte, boutiquiers, revendeurs et artisans nonreconnus par la profession pouvaient travailler sans encourir les foudres des puissantes corporations. Le Château n'a pas cherché à déloger ces artisans, qui se sont installés dans de petites maisons faites de bric et de broc. Du fait de ces commerces illégaux, mais aussi de la présence des prisons dans les tours de part et d'autre de la ruelle (les commerçants vendaient aussi aux prisonniers), le quartier avait plutôt mauvaise réputation…

Josip Plečnik (1872-1957)

Avec la naissance de la Tchécoslovaquie en 1918, on décide de faire du Château de Prague la résidence de la toute jeune République démocratique et progressiste. Pendant les années 1920-1930, l'architecte slovène **Josip Plečnik** collabore avec **Tomáš Masaryk** pour faire transformer le Château. Le choix de Plečnik peut surprendre : profondément religieux, il œuvre pour un État essentiellement laïc ; amoureux du passé classique, il n'est ni traditionaliste ni sympathisant des idées avant-gardistes de la plupart de ses collègues tchèques. Son parcours singulier le fait reconnaître comme un précurseur du postmodernisme, mais Plečnik résiste à toute étiquette. Son œuvre au Château comprend le remaniement des appartements présidentiels et la création de la monumentale **salle des Colonnes** (Sloupová síň). Mais ce sont sans doute les **cours et les jardins** qui révèlent le mieux son modeste génie : l'astucieux aménagement des niveaux de la troisième cour, qui aplanit une pente incommode et met au jour les fondations de la basilique romane ; l'escalier du Taureau, qui relie la cour aux jardins sud ; et les jardins eux-mêmes, y compris le jardin du Bastion. Ni les nazis ni les communistes n'appréciaient le style de Plečnik, mais ses subtiles modifications du Château sont aujourd'hui un modèle d'adaptation d'un ensemble historique aux besoins de son temps.

Aller jusqu'au bout du chemin de ronde et reprendre Jiřská.

Palais Lobkowicz (Lobkovický palác)

Jiřská 3 - 𝒫 257 535 121 - ouv. lors des expositions et des concerts. Au bas de la ruelle St-Georges, juste à l'intérieur de l'enceinte du Château, un palais baroque, le **palais Lobkowicz,** abrite de petites expositions temporaires et un café, et propose chaque jour des concerts. Les intérieurs d'origine, très intéressants, peuvent être vus à ces occasions.

Musée du Jouet (muzeum hraček)

Jiřská 6 - 𝒫 224 372 294 - www.barbiemuseum.cz - 9h30-17h30 - 60 Kč. Le musée du Jouet a succédé à la maison des Enfants tchécoslovaques, de l'époque communiste, dans les salles du **palais du Grand Burgrave** (Nejvyšší purkrabství), le plus haut dignitaire du Château. Son apparence actuelle, avec des sgraffites imitant la pierre de taille, date d'un remaniement du milieu du 16e s. Le musée présente une importante collection de jouets anciens, provenant en partie de la collection du cinéaste et caricaturiste Ivan Steiger : jouets en bois et en fer-blanc, salons de poupées. Une salle est également consacrée aux Barbie.

LES JARDINS DU CHÂTEAU★★

Dès le 16e s., les lourdes murailles du Château voit peu à peu s'étendre à leur pied des jardins. Créés vers 1540, les **Jardins royaux** au nord concrétisent le souhait de Ferdinand Ier d'offrir à la cour, au-delà de l'enclave médiévale du Hrad, un horizon ouvert sur le vaste plateau ensoleillé qui s'étendait au nord du **fossé aux Cerfs**. Plus secrets et cachés, les **jardins méridionaux** datent aussi du 16e s. mais étaient plutôt à l'usage privé des princes et rois. Jardins nord et sud ont longtemps été réservés au roi, puis au président et à l'élite politique communiste. Depuis 1989, ils sont entièrement accessibles au public.

Jardins royaux★★ (Královská zahrada)

Entrées : dans le Château par la deuxième cour ; au nord par U Prašného mostu ; à l'est par Mariánské hradby - 𝒫 224 371 111 - ww.hrad.cz - avr. : 10h-18h ; mai : 10h-19h ; juin-juil. : 10h-21h ; août : 10h-20h ; sept. : 10h-19h ; oct. 10h-18h - fermé en hiver - gratuit.
Les jardins se sont développés sous les règnes de Ferdinand et surtout de Rodolphe II, accueillant des plantes fragiles comme le figuier, l'amandier et l'ananas, des animaux exotiques comme le léopard et le tigre, et même un orang-outang. On y voyait des perroquets attachés aux branches par des chaînettes d'or, et même un dodo. C'est ici qu'ont éclos les premières tulipes d'Europe, à partir de bulbes rapportés de Constantinople. Les jardins ont subi de fréquentes modifications, soit pour suivre la mode, soit après les dégradations dues à la guerre. À l'origine aménagés à la française, ils ont été remaniés au 19e s. pour suivre un dessin plus naturel.

Fossé aux Cerfs

La profonde faille du fossé aux Cerfs est un ravin naturel, remarquable protection du flanc nord du Château. Une premier pont à deux niveaux l'enjambe en 1540 : le passage supérieur est réservé à la promenade de Ferdinand Ier. En 1770, on le remplace par la passerelle actuelle. Les cerfs qui occupaient autrefois le fossé ont terminé dans les chaudrons des troupes françaises d'occupation en 1743.

Manège royal (Královská jízdárna)

U Prašného mostu 55 - ☏ 224 373 232 - ouv. lors des expositions. Bel exemple d'architecture utilitaire d'époque baroque, dû en 1695 à **Jean-Baptiste Mathey,** on n'y dresse plus les chevaux, mais le bâtiment offre un espace idéal pour des expositions temporaires.

Jeu de Paume★ (Míčovna)

☏ 224 373 579 - www.hrad.cz - ouv. lors des expositions. Édifié entre 1565 et 1569 par Bonifaz Wohlmut, le **Jeu de Paume** est un superbe pavillon Renaissance sans étage, décoré de sgraffites et construit pour permettre aux courtisans d' « exercer vigoureusement leurs corps ». Incendié à la libération de Prague en 1945, il fut reconstruit dans les premières années du régime communiste, ce qui explique la subtile insertion de la faucille et du marteau dans le dessin recréé des sgraffites ! À proximité se trouve une fort belle statue baroque de l'atelier de Braun, la *Nuit*. Le Jeu de Paume sert pour des réceptions présidentielles et des expositions temporaires. Juste derrière le Jeu de Paume, remarquez l'**Orangeraie**, structure moderne et audacieuse contruite par l'architecte Eva Jiřišná.

Belvédère - palais royal d'Été★★ (Belveder - Královský letohrádek)

Mariánské hradby - ☏ 224 372 327 - www.hrad.cz - ouv. lors des expositions temporaires. Annonçant l'arrivée des idées de la Renaissance italienne au cœur de l'Europe centrale, le petit palais d'Été a été construit par Ferdinand Ier pour son épouse, la reine Anne. Le nom de « Belvédère » lui fut donné plus tard, mais ce pavillon à arcades a toujours joui d'une des plus belles vues sur la ville et le Château. Sa construction occupa deux architectes principaux et une armée d'artisans, pour l'essentiel italiens. Le dessin original est dû à **Paolo della Stella**, qui y travailla de 1537 jusqu'à sa mort, en 1552. À partir de 1557, le nouvel architecte du Château, **Bonifaz Wohlmut**, prit la relève, contribuant surtout au premier étage et à l'extraordinaire toiture de cuivre, en carène de bateau renversée. Le bâtiment fut achevé en 1563.

Un détail de la décoration du Jeu de Paume.

Ph. Gajic / MICHELIN

Ph. Galic / MICHELIN

La Fontaine chantante.

Palais – Une arcade fine et légère court autour du pavillon. Ses délicates colonnes portent des chapiteaux ioniques. Parmi les riches bas-reliefs à sujets mythologiques ou historiques, on voit Ferdinand offrant des figues à Anne. Les portes et les fenêtres montrent l'influence des toutes récentes *Règles générales d'architecture* de Serlio, qui ont joué un rôle majeur dans la propagation au nord des Alpes des concepts décoratifs de la seconde Renaissance. Au-dessus des arcades, un balcon à balustres offre un panorama plus vaste encore. On le rejoint par l'étage, qui devait servir de salle de bal et de galerie. Le palais d'Été semble avoir bien rendu son office comme partie intégrante des Jardins royaux. C'était l'une des retraites favorites de l'empereur Rodolphe II, qui autorisait ses astronomes à l'utiliser comme observatoire. Le palais royal d'Été a été rattaché à la galerie du Château et offre aujourd'hui son cadre séduisant à différentes expositions temporaires.

Fontaine chantante★ (Zpívající fontána)

Au milieu des années 1950, on a soigneusement reconstitué ici un jardin Renaissance à la française, au dessin régulier d'allées et de parterres bordés de petites haies, formant un cadre parfait au palais d'Été. Son centre est marqué par la célèbre « Fontaine chantante », coulée dans le bronze par le fondeur de la cloche Sigismond de la cathédrale, et installée ici en 1568. Surmontée d'un petit joueur de cornemuse, la fontaine doit son nom à la musique de l'eau retombant dans sa vasque.

Jardins méridionaux★ (jižní zahrady)

Entrées : dans le Château par la troisième cour (escalier du Taureau) ; à l'ouest par le nouvel escalier du Château (Nové zámecké schody) ; à l'est par l'ancien escalier du Château (Staré zámecké schody) - ℰ 224 371 111 - www.hrad.cz - avr. : 10h-18h ; mai : 10h-19h ; juin-juill. : 10h-21h ; août : 10h-20h ; sept. : 10h-19h ; oct. : 10h-18h - fermé en hiver - gratuit.

Tout le long du Château, la succession des **jardins méridionaux**, très différents, offre des vues splendides. Dans les années 1920, Josip Plečnik *(voir p. 214)*, l'architecte du Château, leur a donné une unité par de subtiles modifications, mises en valeur par les beaux arbres qu'il a pris soin d'épargner.

Jardins (d'ouest en est) – Le **jardin du Paradis** (Rajská zahrada) a été aménagé en 1562 pour son usage privé par l'archiduc Ferdinand. Au milieu s'ouvre une gigantesque **vasque** en granit, symbole pour **Plečnik** du principe féminin, contrepartie du principe masculin que représente un monolithe dans la troisième cour. Le charmant **pavillon Mathias** et son toit pointu datent de 1617. Ensuite s'étendent les **jardins du Bastion** (Zahrady na valech). De l'autre côté d'un petit belvédère à colonnade, une pyramide élancée domine un escalier, qui descend au **jardin Hartig** (Hartigovská zahrada) qu'occupe un kiosque à musique baroque. L'espace gravillonné au pied de l'escalier du Taureau accueille parfois des concerts. Sous l'aile Louis de l'ancien palais royal, des colonnes en grès marquent l'endroit où un amas d'ordures a amorti la chute des gouverneurs Slavata et Martinic, lors de la seconde défenestration de Prague *(voir encadré p. 210)*. Près de l'entrée est des jardins, une fine colonne surmontée d'une sphère dorée zébrée d'éclairs domine le **Bastion morave** (Moravská bašta). Un escalier descend vers une table ovale en pierre, recoin paisible qui était fort apprécié du président Masaryk ; de là, on peut accéder aux terrasses des **jardins baroques** à Mala Straná, en contrebas du Château.

Aux alentours

Villa Bílek (Bílkova vila)

Mickiewiczova 1 - ☏ 224 322 021 - www. citygalleryprague.cz - 15 mai-15 oct. : tlj sf lun. 10h-18h ; 16 oct.-14 mai : w.-end 10h-17h - 50 Kč.

En 1910, le sculpteur symboliste **František Bílek** (1872-1941) a conçu cet extraordinaire bâtiment, ressortant à l'angle d'une rue dans le quartier des jardins du Hradschin, pour en faire sa demeure et son atelier. Restaurée, la maison abrite de nombreuses œuvres de l'artiste, mais c'est le bâtiment qui laisse l'impression la plus forte ; c'est une œuvre d'art à part entière, avec son mobilier, ses aménagements intérieurs, et même son système de chauffage, conçu aussi par Bílek.

De plan curviligne, elle est précédée de colonnes égyptiennes figurant des gerbes de blé ; ses murs rouge brique symbolisent la fertilité de la terre. L'intention originale de Bílek était d'installer son *Moïse* en bonne place devant la maison, mais on l'a remplacé par une figure tout aussi expressive, *Comenius faisant ses adieux à son pays*. À l'intérieur, les dessins et les statues, mais aussi l'environnement quotidien de l'artiste révèlent sa fascination pour le sacré.

Le jardin du Paradis.

M. Ivory / MICHELIN

Le Château de Prague pratique

Se restaurer

👁 Très peu de restaurants dans l'enceinte du Château. On trouvera de meilleures adresses dans les alentours immédiats, que ce soit dans le quartier de Hradčany ou celui de Mala Straná *(voir p. 197 et 229)*.

🍴 **Restaurant Vikárka** – *Vikářská 39 - ☏ 233 311 962 - 11h-21h - 250/300 Kč.* Situé dans une ruelle au nord de la cathédrale St-Guy, ce café-restaurant a une terrasse agréable en arrière-cour et une immense et belle salle voutée au sous-sol. On se rappellera que, dans l'enceinte du Château, les restaurants sont plutôt rares et on ne fera pas trop la fine bouche sur la cuisine, vraiment pas extraordinaire.

🍴🍴 **Restaurace Lví Dvůr** – *U Prašného mostu 6/51 - ☏ 257 530 226 -11h-0h - 600/900 Kč.* À deux pas de l'enceinte du Château, ce restaurant propose une cuisine variée et de qualité : plats typiques de la cuisine tchèque, mais aussi des poissons et viandes grillées. Spécialité de la maison : le cochon rôti à la broche.

Faire une pause

Lobkowicz Palace – *Jiřrská 3 - ☏ 602 595 998 - 10h-18h.* À l'intérieur du palais Lobkowicz, ce café offre une magnifique terrasse avec vue panoramique sur Prague. Propose aussi de la petite restauration : salades, sandwichs…

Achats

La ruelle d'Or, dans l'enceinte du Château, abrite dans ses minuscules maisons de nombreuses petites boutiques de souvenirs de qualité.

Le **quartier du Château**★★★
Hradčany (Hradschin)

CARTE 1ᴱᴿ RABAT DE COUV. A1-A2-B1-B2

Ce quartier appelé Hradčany, le plus petit des quatre bourgs historiques de Prague, s'étend vers l'ouest à partir du Château, le long d'un éperon dominant Malá Strana au sud et le fossé aux Cerfs au nord. Il n'a jamais connu de développement intensif et n'a pratiquement pas été modifié depuis le 18ᵉ s. Flâner dans le Hradschin, réservé aux piétons et libre de toute prolifération commerciale, emporte le visiteur plus de deux siècles en arrière, au cœur d'une Prague nostalgique et provinciale.

▶ **Se repérer** – 🚋 22, arrêt Pohořelec ; Ⓜ Hradčanská.

🅿 **Se garer** – Le quartier est en grande partie piéton ; possibilité de se garer sur la place Pohořelec.

👁 **À ne pas manquer** – L'abbaye de Strahov ; le sanctuaire N.-D.-de-Lorette ; le Nouveau Monde.

C. Bouillier / MICHELIN

Le sanctuaire de Lorette.

Comprendre

Avant la fondation du bourg, en 1321, c'était un secteur boisé, traversé par la route qui reliait la forteresse à l'Ouest de la Bohême et à Nuremberg, en passant devant le monastère de Strahov. Le site qu'occupe approximativement aujourd'hui Hradčanské náměstí (place du Hradschin) ne manqua pas d'attirer une population intéressée par la proximité du Château. Très tôt, un marché s'installa, qui ne put toutefois rivaliser avec celui de Malá Strana, beaucoup plus actif et favorablement situé au débouché du gué. Le quartier se développa lentement, à l'intérieur des murs élevés au Moyen Âge par Charles IV, puis des fortifications de l'époque baroque, lourds bastions et murailles en brique dont on voit encore les vestiges. Peu à peu, les artisans du quartier furent évincés par des personnages de rang plus élevé. Après le grand incendie de 1541, qui détruisit presque toutes les maisons, surgit un premier groupe de belles demeures. Après la bataille de la Montagne-Blanche en 1620, ceux qui, par perspicacité ou par chance, se retrouvèrent du côté des vainqueurs y firent construire d'autres belles résidences.

DE LA PLACE DU HRADSCHIN AU NOUVEAU MONDE★★★

Durée : 2h30 sans les visites. Voir plan p. 220-221.

Hradčanské náměstí★★ (Place du Hradschin) B2

Bordée au Moyen Âge par les modestes logements des habitants du quartier du Hradschin, la place du même nom élève aujourd'hui sa grande esplanade pavée derrière les portes ouest du Château. Son vaste espace accueille des foules de visiteurs, qui s'y pressent notamment à l'occasion de la relève de la garde pour voir défiler les uniformes bleus entre la place et la caserne Loretánská. De forme évasée, la place s'élargit en allant vers l'ouest, où les pavés se divisent pour entourer un petit parc en forme de triangle. Sur ce fond de verdure, la **colonne de la Peste**, couronnée d'une statue de la Vierge, est une œuvre tardive de Brokoff, commencée en 1726. Le côté nord de la place est bordé par les anciens logements des chanoines de la cathédrale, le côté sud par un couvent qui englobe l'ancienne église paroissiale de Hradschin, St-Benoît.

Dirigez-vous vers le sud de la place.

Palais Schwarzenberg★ (Schwarzenberský palác) B2

Le palais a été construit au milieu du 16e s. par l'architecte italien Agostino Galli pour le burgrave du Château, le comte Lobkowicz. Il tient son nom d'une famille de la petite aristocratie bavaroise qui se fit remarquer au 17e s. par sa loyauté envers l'empereur et s'éleva rapidement au rang des plus gros propriétaires terriens de Bohême. Reliées entre elles par un mur plein de fantaisie qui cache une cour, les deux ailes du palais qui donnent sur la place sont couronnées de splendides pignons à redents. L'aile est montre une corniche à l'italienne magnifiquement incurvée, ornée de lunettes. L'élément le plus remarquable demeure la décoration de **sgraffites noirs et blancs**, avec ses frises et ses panneaux sophistiqués imitant des bossages en pointe de diamant.

Traversez la place vers le nord.

Palais épiscopal (Arcibiskupský palác) B1

Hradčanské náměstí 16 (ne se visite pas). De l'autre côté de la place et faisant pendant au palais Schwarzenberg, le **palais de l'archevêché** est la prestigieuse résidence du primat des pays tchèques. Au milieu du 18e s., dans le cadre du réaménagement général de la place et des abords du Château, on l'agrandit et on lui donna sa remarquable façade rococo, tout en conservant une partie de l'œuvre antérieure de **Jean-Baptiste Mathey**, comme le portail. La décoration de l'intérieur *(rarement ouvert au public)* est encore plus somptueuse que la façade. Au 18e s., l'archevêque Příchovský fit exécuter les superbes tapisseries françaises, autour du thème exotique des Nouvelles Indes. On voit aussi des collections de porcelaine de Delft et de Vienne, et de superbes bustes de saint Pierre et saint Paul, du haut Moyen Âge.

Palais Sternberg★ (Šternberský palác) - **collections nationales d'art européen de l'Antiquité au Baroque★★** B1

Hradčanské náměstí 15 (passez sous le porche, entrée au fond de la ruelle). Voir dans la partie « Visiter » p. 227.

Palais toscan (Toskánský palác) B2

Hradčanské náměstí 5 (ne se visite pas). L'extrémité ouest de la place est fermée par le **Palais toscan**, monumental édifice élevé vers 1690 sur un projet de Jean-Baptiste Mathey pour le comte Michel Thun-Hohenstein. Occupé aujourd'hui par le ministère des Affaires étrangères, il présente une architecture inhabituelle, avec deux avancées symétriques et des portails jumeaux. Sa balustrade s'orne de statues allégoriques. Il est précédé d'une série de bornes modernes en pierre. Une belle figure de saint Michel marque l'angle de la rue Loretánská.

Palais Martinic★ (Martinický palác) B1

Hradčanské náměstí 8 (ne se visite pas). L'angle nord-ouest de la place est occupé par le **palais Martinic**, famille dont l'un des membres fut l'un des conseillers impériaux défenestrés en 1618 *(voir p. 210)*. Subdivisé en nombreux logements, il a échappé

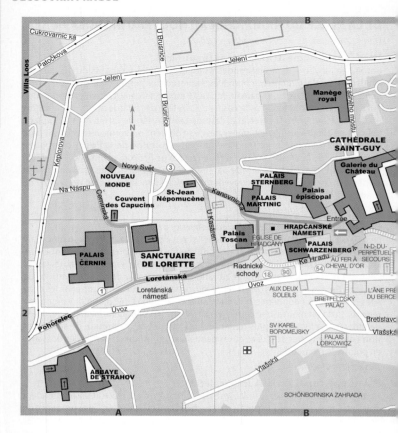

au délabrement qui le guettait lorsqu'il est devenu le siège de l'agence pour la planification urbaine. Ses motifs de sgraffites s'inspirent de scènes de l'Ancien Testament.

Empruntez Loretánská.

Rue Loretánská★★ A2

Cette rue qui monte vers N.-D.-de-Lorette forme une petite place ornée des **réverbères** les plus extraordinairement sophistiqués du quartier. Au sud, l'**escalier de l'hôtel de ville** (Radnické schody) dévale la pente qui descend à Malá Strana. Au premier palier, on découvre l'ancien **hôtel de ville du Hradschin**, agréable petit bâtiment Renaissance, dont la façade ornée de sgraffites porte les armes du quartier et de l'empire. En remontant et en poursuivant sur la rue, remarquez les jolies façades 18ᵉ s. du nᵒ 7, le **palais Dietrichstein**, et du nᵒ 9, le **palais Hrzán**.

Poursuivez jusqu'à Pohořelec.

Place Pohořelec★ A2

Cette charmante place pavée, partiellement entourée d'arcades, dont la pente douce invite les visiteurs à descendre vers le Château, a été aménagée à la fin du 14ᵉ s. Son style actuel serait plutôt baroque et rococo, mais un certain nombre de constructions plus anciennes ont survécu. Pohořelec signifie « place des Incendies » : au cours de sa longue histoire, le feu a dévasté plus d'une fois le quartier. Il a été incendié en 1420 par les hussites, ravagé par le grand incendie de 1541, et a beaucoup souffert aussi en 1742 sous l'occupation française. Au milieu de la place se dresse une statue de saint Jean Népomucène (18ᵉ s.).

HRADCĂNY

0   200 m

SE LOGER

Golden Horse House......................⑱
Hotel Neruda....................................⑭
U Krále Karla...................................⑨⑩
U Zlaté Studně................................⑨④

SE RESTAURER

U Ševce Matouše............................①
U Zlaté hrušky................................③

Prenez le passage et l'escalier situés sous un porche au n° 8 de Pohořelec pour aller visiter l'abbaye de Strahov .

Abbaye de Strahov★★ (Strahovský klášter)
Voir dans la partie Visiter p. 225.

Revenez sur Pohořelec, reprendre Loretánská jusqu'à Loretánské náměstí.

Loretánské náměstí (Place de Lorette) A2
La place de Lorette n'a de place que le nom. Elle est coupée en deux et dominée par le grand mur de soutènement qui sépare le **sanctuaire de Lorette** du **palais Czernin**. Au nord, entre les charmantes sentes entourées de murs qui descendent vers Nový Svět, s'étend le modeste **couvent des Capucins**, dont l'église est dépourvue de tour, conformément à la règle stricte de l'ordre.

Palais Černin★ (Černínský palác) A2
Loretánské náměstí 5 (ne se visite pas ; jardins ouverts ponctuellement, lors d'événements).
En 1669, Jan Humprecht, comte Czernin, fit élever les murs imposants du palais Černin dans l'intention de bâtir la plus prestigieuse résidence de Prague. La façade, longue de 150 m, s'articule autour d'un colossal alignement de 30 colonnes engagées, au-dessus d'un rez-de-chaussée dont les bossages rustiques semblent annoncer la fascination des architectes cubistes tchèques pour les formes anguleuses. Les profits que Czernin accumula au cours de la guerre de Trente Ans firent sa fortune, l'ambassade qu'il effectua auprès de la république de Venise lui donna le goût de l'Italie, mais son palais, devenu un gouffre sans fond, engloutit la fortune familiale pour plusieurs générations. Malgré les efforts conjugués des meilleurs architectes et concepteurs

Jan Masaryk

Fils du fondateur et premier président de la Tchécoslovaquie, Jan Masaryk (1886-1948) est sans doute l'homme politique le plus populaire de son pays. Charmant, cosmopolite, d'un humour teinté de mélancolie, il maintient vivant l'esprit de la nation pendant la Seconde Guerre mondiale grâce à ses émissions radiophoniques en provenance d'Angleterre. Ministre sans étiquette des Affaires étrangères, il est maintenu en fonction après le coup d'État communiste de février 1948, manœuvre destinée à faciliter la transition vers une dictature effective. Les circonstances entourant sa mort demeurent controversées.

et d'une armée d'artisans, le grand édifice ne fut jamais en mesure d'être habité, et Czernin mourut bien avant son achèvement. L'empereur Léopold Ier n'en parlait qu'en l'appelant « la grosse grange » Les Français le malmenèrent en 1742, les Prussiens en 1757. En désespoir de cause, la famille le vendit à l'État en 1851. Le bâtiment devint une caserne et la troupe faisait l'exercice dans le beau jardin à la française. Les années 1930 le virent renaître : il fut soigneusement restauré pour loger le ministère des Affaires étrangères de Tchécoslovaquie, mais les travaux s'achevèrent malheureusement juste à temps pour accueillir le Reichsprotektor nazi et son successeur, « Heydrich le bourreau ». Heydrich sera assassiné en 1942. En 1948, on découvrit dans la cour du palais le corps de **Jan Masaryk**, très populaire ministre des Affaires étrangères, qui, accablé de voir son pays sous occupation communiste, s'y serait suicidé…

Sanctuaire de Lorette★★★ (Loreta) A2

Loretánské náměstí 7 6 ℘ 220 516 740 - www.loreta.cz - tlj sf lun. 9h-12h15, 13h-16h30 - 90 Kč.

On trouve à Prague peu de contrastes aussi frappants que celui qui oppose la solennité massive du palais Černin et l'animation joyeuse du lieu de pèlerinage qui lui fait face, de l'autre côté de la place. Un des meilleurs moments pour visiter le complexe baroque de Lorette est après le tintement du carillon de la grande tour, lorsque les touristes s'engagent en foule dans la cour, comme les pieux pèlerins de jadis, impatients d'admirer les curiosités qui s'y trouvent, et par-dessus tout la *santa casa*, réplique de la maison de la Vierge à Nazareth.

Le sanctuaire au fil des siècles – La légende de Lorette débute au 13e s. en Italie. On raconte que des anges emportèrent l'humble maison natale de Marie pour la soustraire à l'avance des Infidèles. Ils l'auraient apportée par les airs jusqu'à la côte dalmate, puis? de là, jusqu'à un bois de lauriers, en Italie. En réalité, c'est la famille Ange qui, en 1294, fit transporter des vestiges de la maison de la Vierge jusqu'à Loreto, dont la situation dans les États pontificaux était une garantie de sécurité pour les précieuses reliques.

La « sainte demeure » devient très vite un objet de culte. Le sanctuaire élevé ensuite par Bramante, est reproduit dans toute l'Europe catholique à de multiples exemplaires, dont quelques dizaines pour la seule Bohême. La plus populaire est la *santa casa* de Prague, qui attire les pèlerins en grand nombre. Elle a sans doute été construite par **Giovanni Battista Orsi** entre 1626 et 1631, à l'initiative et grâce aux fonds de **Katerina Benigna Kolowrat**, pieuse épouse d'un comte Lobkowicz. On confie le saint lieu aux moines du couvent voisin, fondé en 1600, premier monastère capucin en terre tchèque. Au milieu du siècle, on ajoute la cour à arcades, puis, au début du 18e s., une autre génération de Lobkowicz engage les architectes **Dientzenhofer** pour achever le complexe, en élevant un étage supérieur sur la cour, en dessinant la magnifique façade ouest, et en construisant l'église de la Nativité.

Extérieur – Nullement altéré par le grand mur de soutènement qui sépare la place en deux parties, supérieure et inférieure, le sanctuaire de Lorette offre au monde un visage accueillant et son air de gaieté festive. Dominée par la haute tour du carillon, et ornée d'une profusion de statues, la **façade★★**, achevée en 1721-1724 par Kilian Ignaz Dientzenhofer, fait penser à un retable. Au sommet des pignons figurent Marie *(à gauche)* et Gabriel, archange de l'Annonciation *(à droite)*. Le long de la corniche s'alignent des statues de saints, parmi lesquels, sur la chapelle à droite, l'incontournable Jean Népomucène. Saint Joseph et saint Jean-Baptiste veillent sur le portail, superbement encadré de colonnes trapues soutenant saint François et saint Antoine. Au-devant, des *putti* envahissent la superbe balustrade et accompagnent aussi les marches qui s'élèvent au sud.

Les cloches du célèbre **carillon★** ont été fondues en 1694 en Hollande. L'air qu'elles égrènent toutes les heures est une variation orchestrée par Dvořák sur un hymne populaire tchèque à Marie, *« Des milliers de fois nous te saluons ! »* Alors que la peste faisait rage à Prague, les cloches se seraient, dit-on, mises à sonner toutes seules pour l'enterrement d'une pauvre lavandière, dont tous les enfants avaient déjà été emportés par l'épidémie. Le carillon est relié à un clavier qui permet de jouer d'autres airs.

Cloître et santa casa★ – La *santa casa* est entourée par son **cloître** d'origine, bâti autour de 1600 et surélevé d'un étage entre 1747 et 1751 par Kilian Ignaz Dientzenhofer. Le rez-de-chaussée du cloître abrite des confessionnaux, des prie-Dieu et des peintures de saints. Son plafond est peint de scènes de *La Litanie de Lorette*. Des chapelles richement décorées s'ouvrent aux angles du cloître et à mi-chemin des ailes nord et sud. Contre l'aile nord, la **chapelle St-François** abrite un beau **tableau** de **Peter Brandl**, au cadre ovale sculpté par Mathias Venceslas Jäckel. Au centre de cette partie de la cour se dresse un groupe de grande dimension figurant *La Résurrection*, sculpté par Brüderle. À l'origine, la *santa casa* n'était qu'un petit bâtiment d'allure modeste, mais on a recouvert en 1664 ses murs extérieurs de **bas-reliefs en stuc** sophistiqués ; ils dépeignent des scènes de la vie de la Vierge, ainsi que le parcours miraculeux de sa maison, de la Terre sainte jusqu'en Italie.

Comme dans l'original italien, l'humble intérieur est censé reproduire la condition modeste de la Sainte Famille à Nazareth. La maçonnerie en brique présente en un point une imperfection volontaire, imitant l'impact de la foudre qui aurait frappé le bâtiment d'origine pour punir un blasphémateur. On voit des vestiges de peintures murales, et, sur le retable, une *Vierge à l'Enfant* en tilleul foncé. Plusieurs des membres de la famille Lobkowicz, grands bienfaiteurs du sanctuaire, reposent ici.

Église de la Nativité★★★ – Elle possède l'un des intérieurs baroques les moins retravaillés de Prague, et l'un des plus somptueusement décorés, avec une statuaire particulièrement riche et des oratoires réservés à la noblesse assez semblables à des loges de théâtre. Elle a été commencée en 1718 par **Christoph Dientzenhofer**, poursuivie par son fils **Kilian Ignaz**, et complétée en 1737 par un parent de ce dernier, **Johann George Aichbauer**. On voit, parmi les peintures du plafond, de belles œuvres de **Reiner**, dont la *Crucifixion (tout près de l'autel)*. L'autel porte une copie par Heinsch de *La Nativité* de Raphaël. Sur les autels latéraux, les corps momifiés de saint Félix et de sainte Marcia sont, de manière assez macabre, vêtus à la mode espagnole de l'époque, leurs crânes se cachant derrière de charmants masques de cire. L'acoustique de l'église est excel-

lente, et l'on y donne depuis longtemps des concerts, auxquels les merveilleux petits musiciens placés autour de l'orgue apportent une plaisante note visuelle, à défaut d'être vocale.

Au milieu de l'aile sud de la cour s'ouvre la **chapelle St-Antoine-de-Padoue**. Elle renferme, comme son pendant de l'aile nord, une peinture encadrée par Jäckel. Le groupe sculpté au centre de cette partie de la cour est une copie représentant *L'Assomption de la Vierge*. La chapelle qui attire le plus les visiteurs est celle de l'angle sud-ouest, dédiée à **Notre-Dame des Douleurs**, dont la statue du début du 15e s. orne un autel. Un autre autel y présente le spectacle surprenant d'une femme barbue (sainte Starosta) mise en croix.

Triste sainte Starosta

La légende de Starosta – ou Wilgefortis, comme on l'appelle ailleurs – en fait la fille chrétienne d'un chef wisigoth. Son mécréant de père veut l'obliger à un mariage arrangé avec un prince païen ; mais Starosta refusant, on la jette en prison. Elle prie Dieu de la faire devenir si laide que le prétendant indésirable la repoussera. Sa requête est entendue : à son réveil le lendemain, une barbe superbe orne son menton… La fureur du père est sans bornes, et il la fait crucifier. Depuis, Starosta est la sainte patronne des femmes malheureuses en ménage. Son culte n'a cependant guère attiré de fidèles parmi le peuple tchèque, demeuré sceptique.

Trésor★★ – Il remonte à la fondation du sanctuaire de Lorette et a très largement bénéficié, après la bataille de la Montagne-Blanche, de la grande ferveur avec laquelle la noblesse souhaitait prouver son obédience catholique, en ne lésinant pas sur les donations pieuses. Les empereurs désargentés ont puisé régulièrement dans ses collections, mais il présente encore aujourd'hui un extraordinaire éventail d'objets, calices, crucifix, coffrets, candélabres et couronnes destinées aux statues de la Vierge. On y voit aussi des mitres, des gants, ainsi que des bas-reliefs, des objets en filigrane, des émaux, de la vaisselle et des statuettes. Cependant, les pièces les plus extraordinaires sont les **ostensoirs** étincelants, au nombre desquels le célèbre **Soleil de Prague★★** de 1699, dessiné par **Fischer von Erlach** ; son soleil rayonnant est incrusté des 6 500 diamants qui ornaient auparavant la robe de mariée de la comtesse Ludmila Kolowrat.

Couvent des Capucins (Kapucínský klášter) A1

Loretánské náměstí (ouv. lors des messes). Le côté nord de la place de Lorette est occupé par les modestes constructions du **couvent des Capucins**, bâti en 1602 et le premier fondé en terre tchèque. On a confié à ses moines le sanctuaire de Lorette, auquel le couvent est relié par une galerie aérienne. L'église, toute simple, renferme une *Nativité* populaire de 1700. En 1632, les moines permirent la libération de Prague occupée par une troupe protestante saxonne : le mur d'enceinte étant mitoyen du couvent, ils en abattirent une partie, créant ainsi une brèche où s'engouffrèrent les troupes catholiques de Wallenstein… Dans les années 1940, le couvent a été utilisé comme prison, d'abord par les nazis, puis par le gouvernement semi-démocratique de l'immédiat après-guerre. Les moines sont revenus en 1990.

Empruntez la rue Černínská.

Nouveau Monde★★ (Nový Svět) A1

Isolée par les fortifications de l'époque baroque, cette partie du quartier du Château possède un charme villageois : ruelles et venelles tortueuses, volées de marches, vieilles maisons, arbres magnifiques et jardins cachés derrière de hauts murs. Le quartier a pris le nom de la longue rue qui s'étirait paresseusement autrefois entre le Château et la campagne, et qui n'est plus aujourd'hui qu'un cul-de-sac. À la lisière de la ville, cette voie qui ne fut bordée de bâtiments qu'à partir du 16e s. logeait les domestiques du Château, entassés dans des taudis. Plus tard, le lieu accueillera des serviteurs d'un rang plus distingué. Tycho Brahé et son collègue (et concurrent) Johannes Kepler *(voir p. 122)* y auraient vécu, dans l'attente que l'empereur Rodolphe II leur attribue un logement plus confortable. Plus récemment, le quartier a été colonisé par les artistes et les écrivains.

Rue Černínská – Suivant un cours à peu près parallèle aux fortifications baroques, cette étroite rue pavée descend en pente douce de Loretánské náměstí vers Nový Svět. Le monastère capucin de 1602, dont le mur, sur la droite, cache le jardin, est le premier à avoir été fondé en terre tchèque. Les moines avaient la charge du sanctuaire de Lorette. Sur un mur à gauche, une merveilleuse petite statue de saint Jean Népomucène semble accueillir les visiteurs du quartier.

Empruntez la rue Nový svět.

Rue Nový Svět – Les bâtiments de cette rue tortueuse et pavée s'élèvent essentiellement sur le côté sud de la rue et vont du plus modeste logement sans étage à la majestueuse maison de ville. **U zlatého pluhu** (À la Charrue d'or – *n° 25/90*) est la maison natale (1857) du célèbre violoniste František Ondříček et **U zlatého noha** (Au Griffon d'or – *n° 1/76*) fut la résidence de **Tycho Brahé** et de **Johannes Kepler**. On raconte que Tycho se serait plaint à l'empereur de ne pouvoir travailler à cause du tintement continuel des cloches des capucins. Rodolphe, indécis, ordonna dans un premier temps l'expulsion des moines, mais revint sur sa décision quand ils lui firent don d'un beau tableau. Le bâtiment voisin, du début du 18e s., à la belle façade stuquée, est **U Zlaté hrušky** (À la Poire d'or), restaurant célèbre qui conserve l'atmosphère d'une auberge de village, avec, en face, son jardin.

Empruntez la rue Kanovnická.

La lumière du soir à Nový Svět.

Église St-Jean-Népomucène (Sv. Jana Nepomuckého) – Achevée en 1729, c'est la première église construite par **Kilian Ignaz Dientzenhofer**. Attachée au couvent adjacent des Ursulines, elle abrite un plafond superbement peint par **Reiner**, illustrant la destinée tragique du saint.

Visiter

Abbaye de Strahov★★ (Strahovský klášter) A2

Angle Pohořolec/Strahovská ou entrée par un escalier sous un porche au n° 8 de Pohořolec - 𝒫 233 107 711 - www.strahovskyklaster.cz - 9h-12h, 13h-17h.
Où que l'on se trouve à Prague, le regard rencontre les tours jumelles de Strahov, qui s'élèvent au-dessus des bois et des vergers de la colline de Petřín, semblant marquer le commencement de la campagne bohémienne. Au milieu du 12ᵉ s., le magnifique site en sommet de colline choisi pour fonder l'abbaye se trouvait aux confins de la ville, à l'endroit où la route venant de l'Ouest de la Bohême amorçait sa descente vers le Château. Dès le tout début, Strahov joue un rôle de pôle culturel, dont la réputation franchit les frontières. De sa longue histoire demeure un complexe architectural allant de l'âge roman au siècle des Lumières. Ses bibliothèques et ses collections de peinture comptent au nombre des trésors de Prague.

L'abbaye au fil des siècles – C'est l'éloquence de son fondateur qui aurait obtenu le soutien royal pour l'établissement de l'abbaye. En 1140, l'évêque Zdík d'Olomouc fait à Ladislav II une description du site en termes dithyrambiques, comparant Prague à Jérusalem et Strahov à la colline de Sion. Le souverain donne son consentement. En 1142, les premiers moines prémontrés arrivent de Rhénanie, et, dès les années 1180, une grande abbaye romane domine les hauteurs. Elle porte d'abord effectivement le nom de Sion, changé plus tard en **Strahov** (du tchèque *stráž* qui signifie « garde ») en raison de sa position stratégique aux abords ouest de la ville. Cette situation ne présente pas que des avantages : le monastère fera régulièrement l'objet de pillages et d'incendies. Mais on le reconstruit toujours, et les trésors perdus sont reconstitués. Au milieu de la guerre de Trente Ans, la dépouille de saint Norbert, fondateur de l'ordre des Prémontrés et l'un des saints patrons de Bohême, est conduite ici en grande cérémonie, venant de la ville de Magdebourg, devenue protestante. À la fin du 18ᵉ s., quand Joseph II ferme les monastères dans tout l'empire, l'abbé Meyer sauve Strahov en insistant sur son rôle d'institution éducative. Loin d'être dissous, Strahov croît en importance, aux dépens notamment de la grande abbaye de Louka, en Moravie, dont la bibliothèque, confisquée, vient enrichir ses rayons. Par la suite, les moines ne pourront résister à la pression de modernisateurs plus brutaux : en

1950, le régime communiste les expulse pour convertir l'abbaye en **musée de la Littérature tchécoslovaque**. Après la « révolution de velours » et la restitution de l'abbaye à l'ordre des Prémontrés, on s'interroge sur l'avenir de cette exceptionnelle institution, dont les archives littéraires rassemblent plus de sept millions de pièces.

Le complexe abbatial – Si l'on aborde l'abbaye par l'entrée principale à l'ouest, on découvre une splendide **porte baroque** de 1742, sur laquelle veille saint Norbert. L'enceinte du couvent conserve l'allure bucolique d'un domaine campagnard, avec ses pavés, son herbe, ses arbres et ses dépendances, dont la cave à vins, aujourd'hui occupée par un restaurant. À l'extrémité est de la cour, on voit se dresser parmi les arbres une colonne de la fin du 17ᵉ s. surmontée d'une **statue de saint Norbert**.

Chapelle St-Roch (Kostel sv. Rocha)– ℘ 233 107 711 - www.strahovskyklaster.cz - ouv. lors des expositions. Elle a été élevée entre 1603 et 1611 par Rodolphe II, en reconnaissance de la protection de Prague contre la peste, qui avait ravagé le reste du pays. En dépit de détails Renaissance, la chapelle illustre parfaitement la permanence de l'architecture gothique en Bohême au 17ᵉ s. Elle sert aujourd'hui de salle d'expositions.

Église N.-D.-de-l'Assomption★★★ (Nanebevzetí Panny Marie) – ℘ 233 107 711 - www.strahovskyklaster.cz - ouv. lors des messes. Comme pour une grande partie de l'abbaye, Notre-Dame-de-l'Assomption conserve, sous les remaniements et l'ornementation apportés par la suite, des éléments de maçonnerie romane. On y retrouve surtout l'empreinte du milieu du 18ᵉ s., époque où **Anselmo Lurago** a conduit des travaux de reconstruction. Mais l'église suit toujours le plan d'une basilique romane, avec des collatéraux de même hauteur que la nef. Relativement sobre, la façade baroque montre une belle statue de la Vierge Immaculée, due à Quittainer. L'intérieur a été décoré somptueusement au moment de la reconstruction ; au-dessus des bancs et des autels latéraux en bois sombre et doré, des stucs crémeux de Palliardi encadrent des scènes de la vie de saint Norbert *(murs latéraux)* et de la Vierge *(plafond)*. On y voit aussi des peintures d'autel de Willmann et de Liška, ainsi que des statues de Platzer et de Quittainer. La dépouille de saint Norbert repose dans un sarcophage Empire. Les tours caractéristiques de l'église, d'époque Renaissance, ont été remaniées par Lurago entre 1743 et 1751.

Bibliothèque baroque★★★ (Strahovská knihovna) – ℘ 233 107 711 - www.strahovskyklaster.cz - 9h-12h et 13h-17h - 80 Kč.

Les **bibliothèques de Strahov** comprennent deux des plus beaux endroits jamais conçus pour la conservation et la présentation des livres, la **salle de Théologie** (Teologický sál), réalisée entre 1671 et 1679, et la **salle de Philosophie** (Filozofický sál),

installée entre 1782 et 1784. La salle de Théologie jouxte l'aile ouest du cloître, et la salle de Philosophie a été construite, de manière pragmatique, au-dessus d'un ancien magasin. Son architecte, **Ignaz Palliardi**, l'a dotée d'une façade néoclassique, où le fronton montre un médaillon de l'empereur Joseph II, dont la gracieuse autorisation avait permis à l'abbaye et à ses bibliothèques de poursuivre leur existence.

Le couloir qui mène aux bibliothèques est bordé de vitrines présentant des objets étranges issus du cabinet des curiosités de l'abbaye. En revanche, on ne peut voir les bibliothèques qu'à partir de leur porte d'entrée. Au nombre des trésors habituellement exposés, on admirera les merveilleux Évangiles de Strahov, manuscrit de l'an 800 orné d'enluminures quelque deux siècles plus tard.

La salle de Philosophie.

R. Holzbachová/Ph. Bénet / MICHELIN

La **salle de Philosophie**★★★ frappe par ses dimensions établies sur mesure par Palliardi pour recevoir les bibliothèques de l'abbaye de Louka après sa dissolution. Ces chefs-d'œuvre de menuiserie ornementale, d'une hauteur de 15 m, ont été sculptés en noyer par Jan Lachofer, avec une galerie simple. Le superbe plafond peint est le dernier projet d'envergure du Viennois **Franz Anton Maulbertsch** (1724-1796), qui avait supervisé une œuvre similaire à Louka, détruite par la suite. Âgé de 72 ans lorsqu'il a peint le plafond, il a illustré son sujet, l'histoire de la Philosophie, par des personnages bibliques, mais aussi par des figures issues de l'héritage chrétien de la Bohême, comme sainte Ludmilla et saint Venceslas, ainsi que par des penseurs hérétiques des Lumières, comme Voltaire et Diderot, qu'il montre précipités au fond des Enfers.

La **salle de Théologie**★★★ réalisée plus d'un siècle plus tôt par Giovanni Domenico Orsini, évoque un univers plus ancien et plus mystérieux de spéculation philosophique et d'érudition. Une large voûte en berceau richement décorée de stucs s'appuie sur le sommet des bibliothèques, tandis qu'une procession de globes anciens ponctue la longueur de la pièce en son milieu. Encadrées de stucs, les peintures du plafond, réalisées aux alentours de 1720, déclinent le thème de la Vraie Sagesse et portent des messages en latin. Derrière les barreaux de plusieurs bibliothèques, on voit des livres interdits, dont le contenu, hérétique ou tout simplement indésirable, a entraîné leur mise à l'index par l'Église.

Galerie de Strahov★ **(Strahovská obrazárna)** – ☎ 233 107 711 - www.strahovskyklaster.cz - tlj sf lun. 9h-12h, 12h30-17h - 50 Kč.

Rassemblée pour l'essentiel au cours du 19e s., la splendide collection de l'abbaye fut confisquée sous le régime communiste. Beaucoup d'œuvres ont été aujourd'hui restituées, dont certaines par la Galerie nationale, et sont présentées à l'étage du cloître, dans la **galerie de peinture**. On y verra de merveilleux tableaux de l'époque gothique en Bohême, par les Maîtres de Vyšší Brod et de Litoměřice, mais aussi des chefs-d'œuvre Renaissance et baroques de van Aachen, Spranger, Škréta, Brandl et Reiner. Le projet de Maulbertsch pour le plafond de la salle de Philosophie est également exposé. Le joyau de la galerie demeure la **Madone de Strahov**★★ semblable à une icône, peinture d'un maître bohémien anonyme du milieu du 14e s. À la fin de la galerie, un **Musée de la littérature nationale**, créé par le régime communiste, qui se résume actuellement à la présentation de quelques grandes œuvres tchèques.

Palais Sternberg - Collections nationales d'art européen de l'Antiquité au Baroque★★ B1

Hradčanské náměstí 15 (passer sous le porche, entrée au fond de la ruelle) – ☎ 22 321 456 - www.ngprague.cz - tlj sf lun. 10h-18h - 150 Kč (gratuit le 1er merc. du mois entre 15h et 20h).

La résidence citadine bâtie par le comte **Wenzel Adalbert Sternberg** au tournant du 18e s. abrite la collection nationale de peintures de maîtres anciens.

Palais – Sternberg, l'un des hommes les plus riches de Prague au 18e s, avait fait construire cette résidence spacieuse ainsi que le grand palais Trója, aux confins de la ville, la campagne à l'époque. Il choisit comme architecte **Giovanni Battista Alliprandi**, qui s'inspire de plans de Domenico Martinelli, et termine son ouvrage en 1707. La maison est bâtie autour d'une cour. On remarque surtout son spacieux vestibule et, couronné d'un dôme ovale, un pavillon grandiose qui donne sur le jardin. Certaines des pièces conservent leur décoration d'origine, et la visite du palais donne une idée de son passé de résidence aristocratique.

Musée – Les collections de la **Galerie nationale** furent d'abord hébergées au palais Czernin, puis, de 1814 à 1871 au palais Sternberg, où elles retournèrent en 1947 après diverses péripéties. En 1995, le palais Sternberg perd sa remarquable collection d'art moderne européen, qui va rejoindre la collection nationale d'art tchèque au palais des Expositions. À l'époque communiste, la Galerie nationale servait entre autres de dépôt pour les biens confisqués : le processus de restitution engagé après 1989 fait que nombre d'œuvres majeures ont été rendues à leurs propriétaires. Mais le palais

« Adam et Eve » de Cranach l'ancien (détail).

Sternberg offre quand même un bel aperçu de tableaux de maîtres anciens de la plupart des écoles européennes. Ses points forts sont la Renaissance allemande et la peinture flamande du 17ᵉ s.

Rez-de-chaussée *(accès par la cour)* - Les salles donnant sur le jardin abritent quelques superbes exemples d'**art allemand et autrichien du 15ᵉ au 18ᵉ s.** Au nombre des peintures de la Renaissance allemande figurent des œuvres de très grande qualité : plusieurs sont de **Cranach l'Ancien** (1472-1553), dont un superbe **Adam et Ève★** et un *Vieillard* particulièrement gâteux, dont la jeune compagne lorgne la bourse. On découvre des panneaux du *Retable de Hohenburg*, œuvre de Holbein l'Ancien (vers 1465-1524), un *Portrait d'homme* de Cranach le Jeune (1515-1586), et un **Martyre de saint Florian★** d'**Albrecht Altdorfer** (v. 1480-1538), où l'on voit le malheureux saint battu à mort par des brutes armées de gourdins.

Dans **La Décollation de sainte Dorothée★**, de **Hans Baldung Grien** (vers 1485-1545), la martyre attend paisiblement son sort.

Sans conteste, **La Fête du Rosaire★★** de **Dürer** est le joyau de la galerie. Justement célèbre, ce panneau sur bois, peint en 1506 pour l'église des marchands allemands à Venise, synthétise les peintures du Nord et du Sud de l'Europe : dans la noble foule assemblée pour assister au couronnement de l'empereur Maximilien par la Vierge et, simultanément, du pape par l'Enfant Jésus figure le peintre, posant avantageusement avec un parchemin portant ses initiales. Un siècle plus tard, Rodolphe II aura le coup de foudre pour cette œuvre. Après son acquisition, il lui fera passer les Alpes, enveloppée de tapis, sur le dos de quatre robustes porteurs. C'est l'une des rares grandes peintures de l'immense collection de Rodolphe II qui est toujours restée à Prague.

Premier niveau – Une collection d'**icônes antiques** d'époques différentes et un groupe de portraits égyptiens anciens accueillent le visiteur dans la première salle. Les salles suivantes présentent de nombreuses **œuvres italiennes du 14ᵉ au 16ᵉ s.** Le retable en cinq panneaux d'Antonio Vivarini et Giovanni d'Allemagna, du milieu du 15ᵉ s., a conservé son cadre d'origine. On voit aussi un imposant *Saint Pierre* de Vivarini. Le splendide buste au nez busqué de *Laurent de Médicis* est d'Antonio Pollaiolo (1431-1498).

Dans les salles suivantes sont exposées les **collections flamandes du 15ᵉ au 16ᵉ s.** : Les toiles flamandes comprennent une *Lamentation* de Dirck Bouts (1410/20-1475), un triptyque de *L'Adoration des Mages* de Geertgen tot Sint Jans (1460/65-1490/93), qui a été très découpé, mais montre encore de beaux portraits de donateurs, avec en fond des paysages et des vues de villes remarquablement détaillées. On voit un autre triptyque, de Joos van Cleve (vers 1464-1540), mais les œuvres les plus fascinantes sont sans doute **Saint Luc dessinant la Vierge★** de **Jan Gossaert**, dit Mabuse (v. 1478-

1533/36), aux personnages entourés d'une complexe architecture, et une charmante *Vierge à l'Enfant* des environs de 1520, d'un maître flamand anonyme. Johannes Sanders van Hemessen est l'auteur, vers 1540, d'une caricaturale *Mariée en pleurs*.

Deuxième niveau – Les **collections italiennes** se poursuivent au deuxième étage avec des œuvres du 16e au 18e s. : au nombre des œuvres italiennes rococo figurent des toiles de Guardi et Tiepolo. Une petite salle dans un recoin présente quelques beaux exemples d'**art espagnol** entre le 16e et le 18e s., notamment un *Saint Jérôme* dans une étude expressive de Ribera (1591-1652) ; on voit aussi un *Christ en prière* du Greco (1541-1614). Ne manquez pas la petite porte qui donne accès à une pièce du palais ayant conservé sa décoration du 18e s. : le somptueux **Cabinet chinois** montre des murs en laque du décorateur Jan Vojtěch Ignác Kratochvíl, à qui l'empereur avait confié le monopole de cette technique. Après l'art français 17e et 18e s. (remarquez les œuvres de Simon Vouet), l'essentiel de la collection est constitué d'œuvres flamandes. Rubens, notamment, est présent avec une *Étude de tête d'homme*. Parmi les peintres hollandais, Ruysdael figure en bonne place, et on trouve deux beaux portraits de Jan van Ravesteyn (1570-1657), *Le Botaniste* et *La Vieille femme*. La grande salle ovale, au centre de l'aile nord du palais, renferme plusieurs chefs-d'œuvre. D'autres **Rubens** : *Le Martyre de saint Thomas* et *Saint Augustin* ; un **Saint Bruno**★ et un *Abraham et Isaac* de Van Dyck (1599-1641). Le double portrait **Perez Burdett et sa femme Hannah**★, de **Joseph Wright de Derby** (1734-1794,) est empreint d'humanité.

À la fin de la visite, ne manquez pas d'aller vous promener dans le joli **jardin** *(accès par la cour)*, parsemé d'œuvres de sculpteurs tchèques du 20e s. À noter également, l'agréable **café du musée** auquel on accède par la cour.

Aux alentours

Villa Loos - Müller (Loosova vila -Müllerova vila) Hors plan A1
Nad Hradním vodojemem 14 - ☎ 224 312 012 - www.mullerovavila.cz - avr.-oct. : mar., jeu. et w.-end 9h-18h (visites guidées à 9h, 11h, 13h, 15h et 17h) ; nov.-mars : mar., jeu. et w.-end 10h-18h (visites guidées à 10h, 12h, 14h et 16h) - 300 Kč.
Cette maison individuelle, construite pour Frantisek Müller, a été conçue par Adolf Loos et Karel Lhota dans les années 1928-1930. Très bien conservée, y compris dans ses espaces et aménagements intérieurs, elle est un excellent exemple des conceptions architecturales fonctionnalistes de l'architecte autrichien Adolf Loos (1870-1933), un des précurseurs de l'architecture moderne.

Le quartier du Château pratique

Se loger
Voir p. 33.

Se restaurer
◎◎ **U Ševce Matouše** – *Loretánská náměstí 4* - ☎ 220 514 536 - 11h-16h et 18h-23h - 300/600 Kč. Situé sous les arcades de l'un des anciens immeubles de la place Loretánská, un restaurant de spécialités de viandes grillées, servies avec différentes sauces. Une cuisine honnête et de qualité et une bonne adresse dans ce quartier qui en compte peu.

◎◎◎ **U Zlaté hrušky** – *Nový Svět 3* - ☎ 220 515 356 - 11h-0h - 800/1 200 Kč. Une cuisine créative et raffinée avec une belle carte de viandes grillées et de poissons délicats, ainsi que quelques spécialités tchèques. Un restaurant haut de gamme

réputé à Prague, dans le cadre romantique et champêtre du quartier du « Nouveau Monde ».

Faire une pause
Espreso Kajetánka – *Hradčanské náměstí* - ☎ 220 513 212 - 10h-20h. Situé à côté de l'entrée du Château, juste en haut de l'escalier menant au Château, ce grand café dispose de plusieurs terrasses offrant une vue splendide sur Malà Strana et Prague.

Mystic Café – *Radnické Schody 7* - ☎ 777 826 562 - 10h-22h. Un petit café niché dans un recoin de l'escalier qui fait la jonction entre Úvoz et Loretánská, avec une petite terrasse directement sur les marches. Ambiance détendue et bon enfant, dans un décor de marionnettes et autres figurines, avec une prédilection pour les sorcières !

La colline de **Petřín** ★

CARTE 1ᴱᴿ RABAT DE COUV. A2-A3-B2-B3

Les jardins, vergers et bois de la colline de Petřín maintiennent l'illusion d'une ville épargnée par la modernité. Regroupant les jardins Kinský, de Strahov et du Séminaire, Petřín est l'un des plus grands parcs de Prague, un splendide espace de verdure s'élevant en pente raide jusqu'au plateau qui monte doucement vers la Montagne Blanche.

➤ **Se repérer** – Lanovka (funiculaire) ; d'Újezd à Petřín, 🚌 22 ou 23 arrêt Pohořelec.

🅿 **Se garer –** Peu de places. Éventuellement sur la place de Pohořelec.

🕐 **Organiser son temps** – La colline de Petřín peut être découverte à partir du sommet, en passant par l'abbaye de Strahov et le quartier du Château *(voir p. 218)* ou, par en bas, à partir du quartier de Malá Strana *(voir p. 179)*.

👫 **Avec les enfants** – Le labyrinthe des Miroirs.

Les vergers de Petřín sous la neige.

Comprendre

Dans le passé, la colline a joué plusieurs rôles. Ses carrières ont fourni le calcaire pour bâtir nombre des constructions médiévales de Prague. Vers 1360, l'empereur Charles IV ferme la colline par le « **mur de la Faim** » (Hladová zeď), élevé pour donner du travail aux Praguois et lutter contre la famine qui les frappait alors durement *(voir p. 101)*. Jusqu'au 18ᵉ s., on y cultive la vigne. Pendant les troubles qui suivent la guerre de Trente Ans, la colline devient un repaire de brigands et de déserteurs. Mais Petřín offre, depuis toujours, une des plus belles vues de Prague, et, au début du 19ᵉ s., grâce à l'intervention de l'énergique comte Chotek, elle devient un parc public. On y aménage un réseau de sentiers, certains s'attaquant en zigzag à la pente, d'autres entourant ses flancs de promenades plus tranquilles. Le **lanovka**, petit funiculaire à propulsion hydraulique, fait la première fois l'ascension de la colline en 1891, année du jubilé, amenant les visiteurs à **Rozhledna**, un pastiche de la tour Eiffel. Au 20ᵉ s., les arbres envahissent les lieux et les vergers périclitent. Ces derniers font aujourd'hui l'objet d'un programme à long terme de protection et de repeuplement et offrent fidèlement au printemps le magnifique spectacle de leurs arbres en fleur. Juste au-dessous du monastère de Strahov, on a également planté symboliquement une vigne, pour rappeler les vignobles qui recouvraient largement ces pentes autrefois.

Se promener

Voir plan p. 180.

Funiculaire (Lanová dráha) BC3

Appelé familièrement *lanovka*, le funiculaire, autrefois mû par l'énergie hydraulique, est électrifié depuis 1932. Plus ou moins abandonné après la guerre, il a été endommagé par un glissement de terrain et fermé durant de longues années. Il est aujourd'hui entièrement restauré. Il relie la station basse d'Újezd, à Malá Strana, et le terminus, à la roseraie. Une station intermédiaire permet l'accès au Nebozízek (« Petite Vrille »), restaurant panoramique qui occupe l'une des belles résidences d'exploitants viticoles qui parsemaient autrefois les vignobles de Petřín.

Le sommet de la colline★ A3

Prendre vers le nord en sortant du funiculaire.

La tour inspirée de celle d'Eiffel.

R. Holzbachova/Ph. Bénet / MICHELIN

Tour (Rozhledna)

☏ 257 320 112 - juin-août : 10h-20h ; mai : 10h-22h ; avr. et sept. : 10h-19h ; oct. : 10h-18h ; nov. -mars : w.-end 10h-17h - 50 Kč. Impressionnés par la tour Eiffel, qu'ils avaient vue à l'Exposition universelle de Paris de 1889, les délégués du Club du tourisme tchèque en firent ériger cette imitation, haute de 60 m. Du sommet *(299 marches)*, on bénéficie d'un panorama circulaire sur Prague, et, par temps dégagé, on pourrait, dit-on, apercevoir au loin les Alpes et les monts des Géants, dans le Nord de la Bohême.

Labyrinthe des miroirs (Bludiště)

☏ 257 315 212 - juin-août : 10h-20h ; mai : 10h-22h ; avr. et sept. : 10h-19h ; oct. : 10h-18h ; nov. -mars : w.-end 10h-17h - 50 Kč. Les miroirs déformants du labyrinthe des miroirs ne manquent pas de déclencher l'hilarité des visiteurs. L'édifice pseudo-gothique fantaisiste qui l'abrite est censé imiter la porte médiévale de Vyšehrad. C'était le pavillon du Club du tourisme tchèque à l'Exposition de 1891. Il contient un imposant **diorama**, qui illustre la bataille de 1848, au cours de laquelle les étudiants de Prague ont empêché les soldats suédois de franchir le pont Charles.

Église St-Laurent (Sv. Vavřince)

Rarement ouv. Une église se tenait déjà au 12ᵉ s. à l'emplacement de l'église St-Laurent. Bien que le bâtiment actuel, de style baroque, date de 1740 environ, on retrouve des éléments romans dans sa maçonnerie. Près de l'église se dresse une chapelle du Calvaire, avec un saint-sépulcre et des sgraffites réalisés par **Mikoláš Aleš**. Une seconde chapelle, de plan ovale, marque la fin d'un chemin de croix du début du 19ᵉ s qui fait le tour de Rozhledna.

Vous pouvez poursuivre la balade en revenant vers l'arrêt le plus élevé du funiculaire. Le dépasser et poursuivre vers le sud où se trouvent d'autres curiosités décrites ci-dessous.

Aux alentours

Observatoire Štefánik (Štefánikova hvězdárna) B3

☏ 257 320 540 - www.observatory.cz - avr.-août : 14h-19h, 21h-23h (w.-end aussi 10h-12h) ; mars et oct. : lun.-vend. 19h-21h, w.-end : 10h-12h, 14h-18h, 19h-21h ; nov.-fév. : lun.-vend. 18h-20h, w.-end 10h-12h, 14h-20h - 40 Kč.
Par une brèche ouverte dans le « mur de la Faim », on rejoint l'observatoire Štefánik ouvert en 1928 dans le cadre agréable d'une roseraie. Le public a accès aux télescopes et peut visiter une exposition sur l'astronomie. L'observatoire

Les jardins Kinský.

R. Holzbachova/Ph. Bénet / MICHELIN

porte le nom de Milan Rastislav Štefánik (1880-1919), aviateur et astronome slovaque, qui fut l'un des fondateurs de la Tchécoslovaquie indépendante.

Église St-Michel★ (Sv. Michal)
1er rabat de couv. B3

Rarement ouv. Au-delà du « mur de la Faim » s'étendent les jardins Kinský, intégrés au parc de Petřín en 1905 et aménagés dans le style romantique, avec statues, plans d'eau et buttes rocheuses. Perdue dans une clairière, en hauteur, se dresse une petite église orthodoxe en bois avec ses trois clochers, l'**église St-Michel**. Émouvant rappel de la Ruthénie perdue, qui fut rattachée en 1919 à la Tchécoslovaquie pour être, dès 1945, annexée par l'Union soviétique, l'église se trouvait autrefois à Medvedovce, en Ukraine subcarpatique. Elle a été transportée ici en une seule pièce en 1928, pour le compte du Musée ethnographique.

Villa Kinský (Vila Kinských) - **exposition ethnographique**
1er rabat de couv. B3

Kinského zahrada 98 - ☎ 257 325 766 - www.nm.cz - mai-sept. : tlj sf lun. 10h-18h ; oct-mars : tlj sf lun. 9h-17h - 80 Kč. Construit entre 1827 et 1831 pour le comte **Rudolf Kinský** par l'architecte viennois Heinrich Koch, ce palais d'été a été converti au début du 20e s. pour loger le Musée ethnographique avec une exposition consacrée aux arts et coutumes populaires : costumes, meubles, ustensiles, gravures…
À côté se dresse un mémorial en hommage à l'actrice Hana Kvapilová. Près de l'entrée de la villa, la charmante statue de jeune fille, *Quatorze ans*, est due à **Karel Dvořák**.

Villa Bertramka - musée Mozart – *Voir p. 264.*

Petřín pratique

Se restaurer

Voir plan p. 180.

⊜☺ **Nebozízek** – *Petřínské sady 411 (arrêt intermédiaire du funiculaire de la colline de Petřín) - ☎ 257 315 329 - 11h-23h - 500/600 Kč.* Perchée dans les vergers proches du sommet de la colline de Petřín, la « Petite Vrille » offre la meilleure vue de Prague, surtout quand les lumières de la ville s'allument au crépuscule. Cuisine honnête avec un menu offrant un large choix de spécialités tchèques et internationales.

⊜☺ **Bellavista** – *Strahovské nádvoří 1 - ☎ 220 517 274 - 11h-0h - 350/700 Kč.* Situé dans une aile de l'abbaye de Strahov *(voir p. 221)*, ce restaurant italien offre, en été,

une terrasse avec une extraordinaire vue sur la colline de Petřín et sur Prague. La carte reprend les classiques italiens : pâtes, poissons grillés, grandes salades. À noter, la terrasse est située dans un petit jardin avec quelques jeux pour les enfants.

Faire une pause

Café Savoy – *Vítězná 5 -lun.-vend. 8h-22h30, w.-end 9h-22h30.* Situé au pied de la colline de Petřín, un grand café mythique du début du 20e s., idéal pour une pause dans son cadre magnifiquement restauré. Ambiance musicale reposante pour une clientèle surtout composée de touristes.

La Nouvelle Ville ★★

Nové Město

CARTE 1ᴱᴿ RABAT DE COUV. C2-C3-C4-D2-D3

Comme souvent à Prague, la « nouveauté » de cette partie de la ville est bien relative, car elle fut aménagée au milieu du 14ᵉ s., sur l'ordre de **Charles IV** désireux de transformer sa cité pour en faire la digne capitale du Saint Empire romain germanique. La Nouvelle Ville est sa plus grande réalisation, et on mesurera sa réussite à sa durée : bien des monuments, élevés il y a plus de six siècles et demi, sont encore aujourd'hui des pivots de la cité. La vie praguoise s'anime toujours le long des rues et des places aménagées par les maîtres d'œuvre de Charles, notamment sur la célèbre **place Venceslas**.

Se repérer – Ⓜ Můstek ou Národní třída.

Se garer – Plus aisé que dans la Vieille Ville. Parkings dans Ostrovní derrière le Théâtre national, dans Wilsonova à côté du Musée national et sur Opletalova, près de la place Venceslas.

À ne pas manquer – La place Venceslas ; Na Příkopě ; le Théâtre national.

Organiser son temps – La Ville Nouvelle offre beaucoup à voir, sans compter les nombreux musées. N'hésitez pas à prendre au moins une journée pour la découvrir. Quasiment tous les monuments sont accessibles à pied à partir de la Vieille Ville.

Avec les enfants – Les salles zoologiques du Musée national.

Le Théâtre national.

Ph. Gajic / MICHELIN

Comprendre

La Nouvelle Ville, un dessein impérial

Autant que le prestige, les considérations pratiques sont au cœur du projet de l'empereur Charles lorsqu'il décide de bâtir une ville nouvelle. La Vieille Ville est alors surpeuplée, les lieux de vie voisinent avec les activités insalubres des tanneries, des brasseries, des forges et des abattoirs, voisinage qui convient en outre difficilement à la future université que projette l'empereur.

Les travaux – En 1347, il signe la charte fondatrice de la Nouvelle Ville. Elle promet aux citoyens « honneur, liberté, bien-être, joie, protection contre tout conflit violent ». On y garantit aussi de généreuses exemptions d'impôts pour ceux qui s'y installeront, sous réserve de suivre toute une série d'ordonnances.

Les travaux de construction doivent commencer dès qu'un lot est attribué et s'achever dans les dix-huit mois. Une liste des matériaux à utiliser est même distribuée. Bientôt, des bâtiments bordent les avenues nouvellement tracées. Les premiers s'élèvent à l'angle de l'actuelle rue Jindřišská et de la **place Venceslas**. La place se nomme d'abord **marché aux chevaux**, et contribue, avec deux autres grands espaces forains, à l'articulation et à la cohésion du plan d'ensemble : au nord, le **marché au foin** a gardé son nom, alors que son pendant au sud, le **marché aux bestiaux**, s'appelle aujourd'hui place Charles en l'honneur du fondateur de la Nouvelle Ville.

En l'espace incroyablement court de deux ans, tout le périmètre de la Nouvelle Ville se trouve clos par trois kilomètres et demi de fortifications imposantes, reliées aux défenses renforcées de Vyšehrad, de Malá Strana et du Hradschin, et ponctuées de trois portes et une tour.

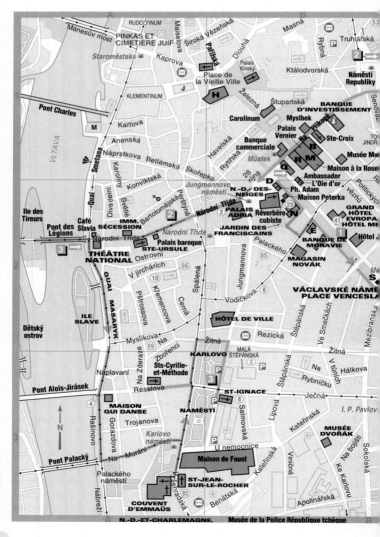

L'arrivée de nouveaux habitants – Les habitants se rendent vite compte des avantages qu'il y a à s'installer dans la Nouvelle Ville. Charles souhaite y attirer les Juifs, mais ces derniers lui préfèrent les limites rassurantes et familières du ghetto. La plupart des nouveaux habitants sont des Tchèques venus de la campagne ou de la Vieille Ville, dont la vie économique est encore très assujettie aux riches familles allemandes. Dix ans plus tard, le succès de la Nouvelle Ville peut être mesuré à la présence de plus de cent boucheries, chiffre qui ne sera dépassé qu'au 19e s.

Ce n'est qu'au cours de ce même 19e s., avec la démolition des fortifications, que Prague finira par déborder des limites imposées six siècles et demi auparavant par le projet visionnaire d'un de ses souverains les plus illustres.

LA NOUVELLE VILLE
NOVÉ MĚSTO

0 ——————————— 400 m

SE LOGER

Antik City	②
Hotel Adria	㉙
Hotel Evropa	㊶
Hotel Salvatore	㊲
Hotel U Šuterů	㊺
Jerome	㊻
Klub Habitat	㊾
Pension U Svatého Jana	㊷

SE RESTAURER

Café Louvre	②
La Perle de Prague	④
Novoměstský pivovar	⑥
Pivovarský dům	⑧
Pizzeria Kmotra	⑩

Banque de commerce tchécoslovaque	**B**
Baťa	**D**
Maison Wiehl	**E**
Musée du Communisme	**M**
Palais Alfa	**N**
Palais Koruna	**Q**
Palais Silva-Tarouca	**R**
Statue de Venceslas	**S**

Se promener

LA PLACE VENCESLAS★★★ (Václavské náměstí) ⊡ B1-B2

Départ au nord de la place. Durée : 1h.

Le grand espace urbain qui monte doucement sur 750 m (et 60 m de large) vers la célèbre statue du saint patron du pays et la façade imposante du Musée national a plutôt les dimensions d'un boulevard que celles d'une place. Aménagée au 14e s., elle est devenue, à la fin du 19e s., le plus important centre de commerce et d'animation de la ville, et le cadre de beaucoup des événements qui ont marqué l'histoire récente du peuple tchèque.

La construction de la place – Centre du projet de Charles IV pour la Nouvelle Ville, la place fut aménagée comme marché aux chevaux au 14e s. Elle s'étendait des murs de la Vieille Ville à une nouvelle porte. Mais il a fallu longtemps pour que la construction rejoigne la grande vision de l'empereur, et ce n'est qu'aux Temps modernes qu'elle a atteint une véritable unité architecturale. Plus proche du cœur commerçant de la ville, la partie basse de la place se développe la première, tandis que, pendant des années, la partie haute, bordée de logis assez misérables, reste l'emplacement du **gibet**. En 1689, une première **statue de Venceslas** par J. J. Bendl s'élève en son centre. En 1848, de beaux palais, hôtels et immeubles de commerce dominent le paysage urbain : c'est autour de la statue que se déroule la messe en plein air qui marquera le déclenchement des journées révolutionnaires, point de départ du réveil du sentiment national qui conduit à donner au marché aux chevaux son nom actuel de place Venceslas. En 1890, la vieille porte aux Chevaux qui ouvrait autrefois sur la campagne a été démolie : à son emplacement se dresse l'imposant **Musée national**.

Au début du 20e s. – Il ne fait désormais aucun doute que le centre de gravité de Prague s'est déplacé sur la place Venceslas. C'est là que les architectes d'avant-garde élèvent les grands palais des Temps modernes, monuments à usages multiples comme le palais **Koruna**, à l'angle de Na Příkopě, ou le palais **Lucerna**, création de Václav Havel, grand-père du dramaturge élu président en 1989. Le **passage** *(pasáž)* praguois y donne toute sa mesure, s'enfonçant au cœur des bâtiments, rejoignant d'autres parties du centre de la ville, créant un monde à demi secret, partiellement souterrain, de bars et de boutiques, de dancings et de cinémas. À cette époque, la place prend son empreinte architecturale et devient, de jour, un symbole de la nouvelle Tchécoslovaquie progressiste et indépendant et, de nuit, avec ses enseignes au néon, le cadre coloré d'une **vie nocturne** parmi les plus raffinées d'Europe centrale.

Le lieu de toutes les manifestations – De jour, la place, de par sa taille notamment, devient aussi rapidement le lieu de toutes les manifestations, qu'elles soient officielles ou non. Toutes les parades, processions et manifestations du 20e s. défilent sur la place Venceslas : en 1918, les légionnaires tchèques qui accompagnent le président Masaryk à son retour triomphant d'exil ; en 1939, les troupes allemandes d'occupation ; le 1er Mai, les travailleurs communistes, bannières au vent ; les tanks soviétiques en 1968 ; et, plus récemment, la foule en liesse acclamant Václav Havel et Alexander Dubcek annonçant le triomphe de la révolution de velour.

La répression des manifestations étudiantes de 1989

En novembre 1989, une semaine après la chute du mur de Berlin, les étudiants souhaitaient célébrer le cinquantenaire des événements du 17 novembre 1939 : la police allemande avait envahi les dortoirs des étudiants, en avait abattu certains et envoyé d'autres en camp de concentration. Le 17 novembre 1989, avec l'accord des autorités, les étudiants entament donc une marche en direction de la place Venceslas. Mais la police les arrête, puis les agresse brutalement. Des images télévisées de policiers abattant leurs matraques sur des crânes ensanglantés, ajoutées à la rumeur que le corps sans vie d'un étudiant abattu avait été emporté dans une camionnette, soulèvent l'indignation de la population et entraînent des manifestations massives, annonciatrices de la fin du régime.

Depuis 1989 – La circulation a été détournée et les tramways, omniprésents autrefois, se contentent de la traverser rapidement en son milieu ; mais la foule permanente d'acheteurs, de visiteurs, de promeneurs et de noctambules montre que la place Venceslas reste le cœur, bien vivant, de la ville.

Palais Koruna (palác Koruna) B1

Václavské náměstí 1/846, côté est. Formant avec panache l'angle avec Na Příkopě, le monumental palais Koruna a été achevé en 1914 pour la compagnie d'assurances Koruna : transition entre Sécession et Art déco, il porte effectivement sur sa tour une couronne semblable à un bijou, encadrée de figures allégoriques d'allure sévère. Son passage aéré est éclairé d'en haut par un élégant dôme de verre et de béton.

Magasin Bat'a B2

Václavské náměstí 6/774, côté ouest. Tomáš Bat'a (ou Bata) a fait fortune en fournissant les bottes de l'armée austro-hongroise pendant la Première Guerre mondiale. Industriel paternaliste, il a continué de prospérer dans la Tchécoslovaquie nouvelle en programmant une ville utopique, Zlín, pour ses ouvriers, et en construisant en 1927 ce chef-d'œuvre d'architecture fonctionnaliste, prototype des magasins de chaussures Bata dans le monde entier.

Pharmacie Adam
(Adamova iékárna) B2

Václavské náměstí 8/775, côté ouest. La pharmacie Adam est un bâtiment Sécession de 1913 aux détails cubistes, avec deux splendides statues supportant son balcon.

Maison Peterka
(Peterkův dům) B2

Václavské náměstí 12/777, côté ouest. La maison Peterka a été conçue en 1899, au début du style Sécession, par **Jan Kotěra** : elle marque un tournant dans l'évolution de l'architecture moderne tchèque, en abandonnant toutes les références historiques en faveur d'une synthèse inspirée entre fonction clairement définie et ornementation lyrique, mais restreinte. Sa construction, ainsi que celle d'autres bâtiments modernes assez hauts, a mis fin à la domination de cette partie de la place par l'église N.-D.-des-Neiges.

Le balcon de la Révolution

Le n° 36 de la place Venceslas, bâtiment de 1912, est plus connu sous le nom d'immeuble Melantrich, en hommage au célèbre imprimeur praguois de la Renaissance. En novembre 1989, il abrite les bureaux du *Svobodné slovo (La Libre Parole)*, premier journal à rejeter le joug du communisme.

Lors de la révolution de velour, on propose le balcon aux dirigeants du Forum civique. L'apparition de **Václav Havel**, auteur dissident qui sera bientôt élu président, et d'**Alexander Dubček**, très populaire ancien Premier ministre et héros du « printemps de Prague » de 1968, déclenche parmi les centaines de milliers de personnes assemblées sur la place « un rugissement comme je n'en ai jamais entendu » (Timothy Garton-Ash).

Hôtels Ambassador et Zlatá husa (L'Oie d'or) B1-B2

Václavské náměstí 5/840 et 7/839, côté est. Ces deux célèbres hôtels Art déco datent de la veille de la Première Guerre mondiale.

Palais Alfa (palác Alfa) B2

Václavské náměstí 28/785, côté ouest. Dans le palais Alfa, bâtiment fonctionnaliste de 1929, un passage conduit au jardin des Franciscains et à la rue Vodičkova. Avec ses 1 200 places, le cinéma souterrain Alfa était le plus grand de Prague. Au n° 26/784, l'**Adria** est le dernier hôtel (voir p. 34) baroque de la place Venceslas.

Entrer dans le passage qui mène au jardin des Franciscains.

Jardin des Franciscains★ (Františkánská zahrada) B2

Entrées : Vodičkova, passage du palais Alfa et Jungmannnovo náměstí - mi-avr.-mi-sept. : 7h-22h ; mi-sept.-mi-oct. : 7h-20h ; mi-oct.-mi-avr. : 8h-19h - gratuit - chiens interdits. Le petit jardin des Franciscains faisait autrefois partie du couvent voisin, rattaché à l'église N.-D.-des-Neiges. Aménagé au 14e s., il reste propriété des moines jusqu'en 1950, où il devient un jardin public. Redessiné en 1992, il conserve un peu de l'atmosphère d'un jardin médiéval et a su s'attirer les faveurs de tous ceux qui souhaitent échapper au bruit, à la pollution et aux durs trottoirs du centre-ville. À son extrémité nord, un petit pavillon se dresse au milieu d'un jardin de simples.

Revenir sur la place Venceslas ; prendre à droite la rue Vodičkova.

Magasin Novák★★ (U Nováků) B2

Vodičkova 30/699. U Nováků, ancien grand magasin ouvert en 1904 et aujourd'hui transformé en casino, est doté d'une merveilleuse façade Sécession décorée d'une grande mosaïque colorée de Jan Preisler avec des allégories du Commerce et de l'Industrie, et de ravissants petits camées en stuc de grenouilles sautillantes.

Revenir sur la place Venceslas.

Maison Wiehl (Wiehlův dům) B2

Václavské náměstí 34/792, côté ouest. Exemple de l'exubérant style néo-Renaissance tchèque, construite en 1895-1896, la maison Wiehl présente des peintures murales très colorées, des pignons, des tourelles et une tour-horloge.

Banque de Moravie★ (Moravská banka) B2

Václavské náměstí 38-40/794-795, côté ouest. Lors de son achèvement, en 1918, l'audacieux bâtiment qui domine l'angle de la rue Štěpánská a été traité de « monstre architectural ». Couronné d'un dôme fantastique et d'une multitude d'éléments décoratifs, dont des têtes de guerriers stylisées, il possède un passage qui communique avec ce qui est sans doute le complexe architectural le plus extraordinaire de la place Venceslas, le **palais Lucerna★★**. Aménagé entre 1907 et 1920 pour relier les rues Štěpánská et Vodičkova par Václav Havel, grand-père du président de la révolution de velour, c'est un concentré du passage praguois, presque un monde autarcique d'appartements, de boutiques, de snack-bars et de lieux de divertissement, s'élevant sur neuf étages, avec pas moins de quatre niveaux de sous-sol, dont l'un abrite la piste de danse la plus prestigieuse de Prague. Un buste de l'ingénieur Havel veille sur l'un des élégants escaliers.

Pénétrer dans les passages via le passage Rokoko, à l'angle du bâtiment. Celui-ci mène au passage Lucerna ; prendre sur votre gauche pour sortir et revenir sur la place Venceslas.

Grand hôtel Evropa et hôtel Meran★ B2

Václavské náměstí 25-27/865-825, côté est. Construits entre 1903 et 1905 en remplacement de l'hôtel Archiduc-Étienne, l'Evropa *(voir p. 34)* et le Meran constituent ensemble l'un des grands exemples du style Sécession à Prague. Les détails apportés au bâtiment, à l'intérieur comme à l'extérieur, sont d'une élégance et d'une délicatesse extrêmes. Au-dessus des arches vitrées du rez-de-chaussée, la façade présente des ferronneries

L'Evropa, l'une des plus célèbres façade Sécession de Prague.

sophistiquées, des ornements de feuilles et de fines inscriptions, et un fronton couvert de mosaïque étincelante, couronné d'un lanternon féerique, œuvre de **L. Šaloun**. À l'intérieur, le célèbre café où **Kafka** a donné la première et dernière lecture publique de son œuvre est une merveille de marqueterie somptueuse, de miroirs en cristal et d'éclairages raffinés ; les autres pièces sont tout aussi superbes.

Hôtel Jalta B2

Václavské náměstí 45/818, côté est. Terminé en 1956, le Jalta représente aussi bien son temps que l'Evropa. Attestant que tout ce qui est venu des Soviétiques n'est pas négatif, c'est le plus bel exemple à Prague du style appelé réalisme socialiste, avec une touche de luxe discret dans ses finitions et ses aménagements.

Venceslas, saint patron de la Bohême.

Statue de Venceslas★★ B2

Václavské náměstí (sur le terre-plein au centre). Connue dans le monde entier, la statue équestre du saint patron du pays est le chef-d'œuvre de **Josef Václav Myslbek** (1848-1922). Elle fut dessinée en 1887, mais sa réalisation a pris des décennies. Les figures latérales n'ont été ajoutées qu'au début des années 1920. Représentant les saints patrons de Bohême, Ludmilla, Agnès, Procope et Adalbert (Vojtěch), elles se tiennent aux angles du socle massif en granit poli, peu ornementé, à l'exception des paroles du choral médiéval : *« Puissions-nous ne pas périr, nous et nos descendants ».* Venceslas, cavalier alerte chevauchant un fringant destrier, bannière au vent sur sa lance dressée, est mis en place dès 1913, et assiste donc à la naissance de la Tchécoslovaquie indépendante. La statue est, depuis, le rendez-vous préféré des Praguois, ainsi que le point de mire du pays en période de troubles. À proximité, un petit mémorial aux victimes du communisme rappelle que, près d'ici, l'étudiant Jan Palach s'est tragiquement immolé par le feu en janvier 1969 pour protester contre l'occupation du pays par les troupes soviétiques.

Musée national★ (Národní muzeum) BC2

Václavské náměstí 68 - 📞 224 497 111 - www.nm.cz - mai-sept. : tlj sf 1ᵉʳ mar. du mois 10h-18h ; oct.-avr. : tlj sf 1ᵉʳ mar. du mois 10h-17h - 110 Kč.
Splendide aboutissement de la perspective de la place Venceslas, l'imposant bâtiment du Musée national est devenu un emblème incontesté de Prague et de la nation tchèque et offre une vue magnifique sur l'ensemble de la place Venceslas.

Histoire du musée – L'institution à laquelle le bâtiment sert de siège a des origines nobles et patriotiques : elle fut en effet fondée en 1818 par le comte **Kaspar von Sternberg**, soutenu par le burgrave du Château, le **comte Kolowrat**. Ses premières collections, données par des gentilshommes vivement motivés par la constitution d'un « tableau scientifique complet de [leur] patrie bohémienne », furent d'abord présentées dans divers locaux, plus ou moins adaptés et dispersés dans la ville. Mais en 1885, sur un projet de **Josef Schultz**, débute la construction d'un bâtiment approprié de style néo-Renaissance, à l'emplacement d'une ancienne porte de la ville en haut de la place Venceslas. L'immense édifice est ouvert au public cinq ans plus tard. Son architecture somptueuse et le déploiement de statues à la gloire de la nation et de ses hommes illustres le hissent immédiatement au rang d'un autre grand monument national de la capitale, le Théâtre national *(voir p. 246)*, achevé en 1883. Quand les soldats soviétiques envahissent la ville en 1968, ils portent un coup particulièrement cinglant à l'honneur tchèque en balayant la façade du musée à coups de canon.

Façade★ – La présence majestueuse du musée est mise en valeur par les murs imposants, les escaliers et les rampes qui le relient à la place Venceslas. L'effet en est cependant contrarié par le flux ininterrompu de la circulation sur la voie express. Longue de 104 m, la façade principale présente un appareil à bossages, des colonnes corinthiennes, et des coupoles aux angles. La tour carrée qui la domine est surmontée d'un dôme de 70 m couronné par une lanterne. La fontaine est ornée de statues allongées figurant les deux grandes rivières du pays, avec à gauche la figure masculine de l'Elbe (Labe) et à droite celle, féminine, de la Vltava. L'ensemble est dominé par une allégorie de la Patrie tchèque. D'autres personnages allégoriques décorent l'entrée, la balustrade et les façades de la tour centrale.

Intérieur★ – Le hall est déjà impressionnant, mais l'**escalier** principal à galeries, éclairé par une verrière et reliant par quatre volées de marches le premier étage, est tout bonnement monumental. Sur les colonnes de la galerie supérieure, des bustes en bronze des fondateurs et bienfaiteurs du musée accueillent le visiteur. Au-dessous, les écoinçons portent des médaillons de dirigeants du royaume tchèque. Entre ce vaste volume intérieur et la façade du bâtiment s'ouvre juste sous le dôme le **Panthéon★** (à l'étage), espace tout aussi impressionnant, consacré aux grands hommes de la nation. Les lunettes de la coupole montrent des huiles de Vojtěch Hynais, allégories de la Science, des Arts, de l'Inspiration, de la Force et du Progrès. De dimensions plus importantes, les peintures murales de František Ženíšek et Václav Brožík illustrent des épisodes de l'histoire de la nation, avec Přemysl le laboureur, l'apôtre Méthode, l'empereur Charles IV et l'humaniste Comenius. Le splendide cercle de mosaïques du sol est entouré de 47 bustes et statues de personnages, Hus le martyr, l'historien Palacký, le compositeur Dvořák, l'homme d'État Masaryk… Aucun général, mais deux femmes, l'écrivain Božena Němcová et la poétesse Eliška Krásnohorská.

Collections - premier étage : préhistoire en terres tchèque et slovaque – Une importante présentation d'archéologie régionale, dans son contexte européen, allant du paléolithique à l'aube du royaume médiéval de Bohême.

Minéralogie et pétrologie : une des plus grandes collections du monde, rassemblant plus de 10 000 spécimens de roches et minéraux, y compris des pierres précieuses.

Deuxième étage : zoologie★ – Ensemble de plus de 5 000 animaux, allant d'un squelette de rorqual de 22,5 m de long à la faune du territoire tchèque, avec plus de 200 espèces d'oiseaux. À voir, les marsupiaux australiens, au nombre desquels le thylacine, espèce en voie de disparition. On découvrira aussi dans le *Barrandeum* la remarquable et très riche collection de fossiles rassemblée par l'infatigable Joachim Barrande, qui vint à Prague comme précepteur du comte de Chambord, mais devint par la suite le grand pionnier de la géologie en Bohême.

Prendre la rue Wilsonova (attention : le petit parc et les passages souterrains autour de cette rue ne sont pas très sûrs. Évitez de vous y aventurer seul ou le soir).

Assemblée fédérale de Tchécoslovaquie
(býv. Federální shromáždění) C2
Wilsonova 2. Bâti de 1966 à 1972 pour loger l'Assemblée fédérale de Tchécoslovaquie, cet édifice imposant intègre des vestiges de l'ancienne Bourse, dernier élément subsistant de tout un côté de rue. Le Musée national se reflète étrangement dans ses vastes plans de verre couleur bronze.

Poursuivre sur Wilsonova.

Opéra d'État (Státní opera) C2
Wilsonova 4 (ouv. lors des spectacles). En réplique à la construction par les Tchèques du monumental Théâtre national, la communauté allemande de Prague, cultivée et prospère, finança un bâtiment tout aussi splendide, bien que plus petit, appelé au départ Neues Deutsches Theater. Le choix des architectes s'impose : ce sera le dynamique duo viennois de **Helmer et Fellner**, bâtisseurs de théâtres et d'opéras dans tout l'Empire austro-hongrois. Derrière la façade néoclassique, ornée d'une statue de Pégase, se cache un merveilleux intérieur néorococo, entièrement restauré en 1973.

Le théâtre est le cadre de nombreuses innovations musicales. C'est là que Prague découvre les musiques de Richard Strauss et Gustav Mahler. Entre 1911 et 1927, son chef d'orchestre autrichien Alexander Zemlinsky soutient la création contemporaine

Le Musée national.

allemande, avec des œuvres d'Ernst Křenek et d'Arnold Schoenberg. En 1924, Hindemith dirige la première de *L'Attente*; en 1936, on donne, pour la première fois hors d'Union soviétique, l'opéra *Katerina Izmailova* de Chostakovitch.

Après la Seconde Guerre mondiale, le théâtre devient le foyer de la troupe « L'Opéra du 5 mai » et de son orchestre d'avant-garde. Rebaptisé Smetanovo divadlo (théâtre Smetana), il deviendra ensuite l'Opéra d'État.

Poursuivre sur Wilsonova.

Gare centrale★ (Hlavní nádraží) C1-C2

Wilsonova. À l'exception de la Maison municipale, la gare centrale est le plus grand bâtiment public de la ville de style Sécession, conçue pour accueillir les visiteurs de Prague avec panache. Elle se compose d'un grand hall central surmonté de deux tours et flanqué d'ailes symétriques, également dotées de tours. Sa taille surprenante lui a permis de résister aux assauts de la voie rapide et à l'aménagement, dans les années 1970, d'un nouveau grand hall. Après l'immense arche vitrée du hall central s'élève un magnifique dôme semi-circulaire, dont la décoration montre le foisonnement caractéristique de l'Art nouveau. Il s'ouvre sur un puits central, qui permet d'apercevoir en contrebas les quais. La gare a porté différents noms. À l'époque austro-hongroise, elle a rendu hommage à l'empereur François-Joseph ; pour la première république de Tchécoslovaquie, au président américain Wilson ; avec les nazis et les communistes, elle est simplement devenue la gare centrale, nom qui lui est resté dans le langage courant, car depuis la venue en 1991 du lointain successeur de Wilson, George Bush, elle a officiellement retrouvé son nom d'avant-guerre, Wilsonovo nádraží (gare Wilson).

« SUR LES DOUVES » ★★ 2
De la place de la République au Théâtre national

Départ de la place de la République. Durée : 2h30.

Náměstí Republiky (place de la République) B1

En dépit de ses incohérences architecturales, la **place de la République** est, à la jonction de la Vieille Ville et de la Nouvelle, l'un des centres vitaux de Prague, avec une station de métro et une importante station de tramway. En face de la Maison municipale se dresse l'austère façade grise d'**U Hybernů**, élevée en 1811 par Georg Fischer, un des rares exemples de construction Empire de Prague ; situé à l'emplacement d'un monastère occupé jadis par des moines irlandais, dits « hiberniens », du nom latin de l'Irlande, l'édifice a longtemps hébergé la direction des Douanes. Au nord s'élève l'église des Capucins, **St-Joseph**, modeste édifice caractéristique du milieu du 17e s. En face se dresse le **Kotva**, l'un des grands magasins de la ville, construit dans les années 1970 dans le style suédois.

Emprunter la rue Na Poříčí.

Banque des Légions★ (Legio Banka) C1

Na Poříčí 24/1046. L'ancienne Legio Banka est peut-être le plus bel exemple du style rondocubiste du début des années 1920 à Prague. Sa façade monumentale est alourdie de formes circulaires typiques de ce mouvement architectural vite disparu. Au niveau du premier étage, on remarque de superbes bas-reliefs de **Jan Štursa** et **Otto Gutfreund**, illustrant les exploits des Tchèques et des Slovaques, qui ont combattu sur tous les fronts pendant la Première Guerre mondiale dans l'espoir de libérer leur pays du joug des Habsbourg. La décoration exubérante et colorée de l'intérieur atteint des sommets dans le **grand hall**, au superbe plafond bombé et vitré.

Tourner dans la rue Havlíčkova.

Gare Masaryk (Masarykovo nádraží) C1

Havlíčkova. Premier terminus ferroviaire de Prague, la gare a conservé le bâtiment qui, dans la liesse populaire, a vu l'arrivée du premier train à vapeur, le 20 août 1845.

Tourner dans la rue Hybernská.

Café Arco C1

Hybernská 16/1004. Dans la première partie du 20e s., c'était le bastion des chefs de file littéraires de la Prague de langue allemande. **Karl Kraus**, écrivain à la langue acérée, y baptisa « Arconautes » la clientèle majoritairement juive.

Hôtel Central C1

Hybernská 10/1001. L'hôtel Central (1899-1901), dont les feuillages en stuc enveloppent presque entièrement l'élégant encorbellement, est l'un des premiers immeubles de la ville conçu dans le style Sécession. En face se dresse le **palais Sweets-Sporck** (18e s.), modernisé avec soin dans les années 1920 par Josef Gočár, architecte moderniste aux multiples talents.

Palais Kinský B1

Hybernská 7/1033. Il a été construit à l'origine par **Carlo Lurago** au milieu du 18e s. En 1907, il est devenu le siège du Parti social-démocrate tchèque ; en 1912, Lénine a présidé ici une conférence illégale du Parti social-démocrate panrusse. En 1920, le bâtiment et ses alentours ont été le théâtre de troubles violents, quand les socialistes tchécoslovaques se sont scindés en factions communiste et centriste. Après le coup de force de 1948, le Parti social-démocrate a été absorbé par les communistes qui ont investi le bâtiment, remplacé les statues baroques par des sculptures prolétariennes appropriées, et y ont aménagé en 1952 un musée Lénine, aujourd'hui disparu.

Ph. Gajic / MICHELIN

Blason, rue Na Příkopě.

Revenir sur la place de la République, tourner à gauche devant la tour Poudrière.

Rue Na Příkopě★★ B1

L'une des rues les plus animées du centre de Prague, Na Příkopě (« Sur les douves ») suit le tracé des murs de la Vieille Ville, entre la Croix d'or, en contrebas de la place Venceslas, et la Maison municipale, sur Náměstí Republiky. Lorsqu'on a démoli les fortifications, on a asséché les douves, mais on ne les a pas remblayées. Elles vont devenir un dépotoir pour toutes sortes d'ordures, un lieu de maraude pour les vagabonds, et une chausse-trappe pour les cochers qui osent s'aventurer sur l'étroite route longeant les douves. En 1760, on les remblaye, pour aménager à leur place un boulevard généreusement planté d'arbres. À la fin du 19e s., bordé de banques et de bureaux prestigieux, il devient le principal lieu de vie des Allemands de Prague, une promenade dominicale où les étudiants arborent leurs couleurs, dans l'espoir de provoquer les passants tchèques. Dégagée de la circulation et des tramways, Na Příkopě montre d'intéressants bâtiments historiques.

Palais Vernier (Vernierovský palác) B1

Na Příkopě 22/859, côté sud. Vers la fin du 18e s., on a ajouté une façade classique au grand palais Vernier baroque, qui porte le nom de son propriétaire à la fin du 17e s., le baron Vernier de Rougemont. Lorsqu'il accueillait les activités du casino allemand, à la fin du 19e s. et au début du 20e s., c'était le point de ralliement des Allemands de Prague et le siège de l'association culturelle Concordia (surnommée Discordia par Max Brod, qui toutefois note avec émotion dans ses Mémoires avoir écouté à cet endroit Rilke lire ses poèmes). Après 1945, le bâtiment devient la Maison slave (Slovanský dům).

Banque d'investissement★ (Živnostenská banka) B1

Na Příkopě 20/858, côté sud. La Banque d'investissement occupe un magnifique bâtiment néo-Renaissance achevé en 1896, dû à **Osvald Polívka** et édifié pour loger le siège prestigieux de la Banque provinciale. Élevé au rang des grands monuments nationaux du centre-ville, comme le Musée national et le Théâtre national, il a été abondamment décoré, sur toutes ses faces, par des artistes de l'envergure de Mikoláš Aleš, Stanislav Sucharda, Max Švabinský et Bohuslav Schnirch. Son attrait majeur est la salle principale, au premier étage, que l'on rejoint par un escalier défendu par deux guerriers slaves en bronze. La banque s'élève sur deux niveaux et, de son sol en mosaïques à son plafond en vitraux, déploie une telle richesse, une telle invention décorative, qu'elle aura certainement su convaincre tout visiteur en quête d'investissement de l'énorme potentiel du royaume de Bohême : statues figurant les différentes régions du pays, allégories des rivières, armoiries des villes et, dans les lunettes, évocations de vertus comme l'Épargne, l'Industrie, le Sens social et l'union entre Travail et Capital.

Avenue tchèque, avenue allemande

Au début du 20e s., les Allemands de Prague s'étaient approprié Na Příkopě pour leur promenade dominicale tandis que les Tchèques tenaient leur *korzo* sur Národní. Plus que jamais, les deux communautés, qui avaient aussi chacune leur propre théâtre et bien d'autres institutions distinctes, ne se mélangeaient pas, pas même dans la rue.

La Banque d'investissement.

Ph. Gajic / MICHELIN

Deux passerelles au-dessus de la rue Nekázanka relient la banque à un autre bâtiment plus récent (*n° 18/857*), également œuvre de Polívka. Achevé en 1910, il est remarquable pour son style de transition entre architecture néoclassique et art Sécession et pour ses mosaïques de **Jan Preisler**.

Église de la Ste-Croix (Sv. Kříže) B1

Côté sud, à l'angle de la rue Panská (rarement ouv.). Le portique massif en façade de la petite église de la Ste-Croix, de style néoclassique, produit un effet hors de proportion avec sa taille : elle a été achevée en 1824 par Georg Fischer, architecte de la maison des Douanes sur Náměstí Republiky. L'intérieur, au mobilier d'origine, conserve l'élégance de l'époque, tout en retenue. L'église était rattachée à la congrégation des prêtres pour les écoles pies et à son collège, qui a compté Max Brod et Rilke au nombre de ses élèves.

Si vous souhaitez visiter le musée Mucha (voir p. 250), prenez la rue Panská.

Banque de commerce tchécoslovaque
(Československá obchodní bank) B1 B

Na Příkopě 14/854, côté sud. On peut difficilement trouver contraste plus grand entre la décoration exubérante de la Banque d'investissement et la sobriété de la Banque de commerce tchécoslovaque, dont l'immeuble fut achevé en 1933 par B. Bendelmayer. Un buste en bronze de Božena Němcová (1820-1862) rappelle que l'auteur bien-aimé de *Babička (grand-mère)* vécut et mourut à la pension « Les Trois Tilleuls », qui se tenait ici autrefois.

Myslbek B1

Na Příkopě 19, côté nord. Achevé en 1997, ce multiplexe à la remarquable façade d'acier et de verre représente la face moderne de Na Příkopě.

Maison à la Rose noire (dům U černé růže) B1

Na Příkopě 12/853, côté sud. Le bâtiment qui occupait l'emplacement de la **maison à la Rose noire** au début du 15ᵉ s. a été donné par les hussites à leurs alliés de langue allemande ; l'un d'entre eux, Nicolas de Dresde, subit le martyre sur le bûcher pour avoir répandu l'enseignement de Jan Hus dans la Saxe voisine. La façade néo-Renaissance de 1847 cohabite avec une galerie de verre et béton de l'Entre-deux-guerres (due à l'architecte fonctionnaliste Oldřich Tyl), qui ouvre un passage vers la rue Panská.

Palais Silva-Tarouca (palác Sylva-Taroucca) B1

Na Příkopě 10/852, côté sud. Na Příkopě n'a pas été entièrement remaniée au cours des 19ᵉ et 20ᵉ s. Remontant à 1751, le magnifique **palais Silva-Tarouca (R)** de style rococo, aujourd'hui transformé en casino, est un projet commun de **Kilian Ignaz Dientzenhofer** et **Anselmo Lurago**. Les statues sur les corniches, de la main d'Ignaz Platzer l'Aîné, en renforcent la dynamique. L'escalier, magnifique, présente d'autres œuvres de Platzer, ainsi que des plâtres travaillés par Giovanni Bossi et des fresques de Václav Ambrozzi.

Musée du Communisme B1 M

Na Příkopě 10 (entrée sous le porche, escalier à droite) - ℘ *224 212 966 - www.museumofcommunism.com - tlj 9h-21h - 180 Kč.*
Les salles réunissent pêle-mêle divers objets et documents, ludiques mais souvent anecdotiques, tels que téléphones, affiches, emballages et autres produits *made in communism*. Dans une petite pièce au fond sont projetés d'intéressants documentaires et images d'archives sur le communisme, la répression et la fin du régime.

Banque commerciale (Komerční banka) B1

Na Příkopě 3/390, côté nord. Achevées en 1908 par Josef Zasche pour loger la Banque de Vienne, la sévère façade de granit et l'austère décoration sculptée de la Banque commerciale ont eu une grande influence sur d'autres architectes et créateurs, en les détournant des débordements fleuris du style Sécession. En face, une façade somptueusement modelée a été conçue vers 1870 pour abriter le premier grand magasin de la ville. À l'époque communiste, c'était le principal magasin de mode de la ville, Dům elegance (Maison de l'Élégance – *n° 4/847*).

Place Venceslas (voir p. 236) B2

Prendre le passage à gauche menant vers Jungmannovo náměstí.

De musculeux Hercules veille sur l'ex-Banque de Vienne.

Réverbère cubiste B2

Jungmannovo náměstí. Un joli édifice rococo se dresse dans la zone piétonnière. On découvre, cachée derrière, une petite curiosité : le seul **réverbère cubiste** du monde, en béton ciselé, sans doute créé vers 1912 par **Emil Králíček**.

Église N.-D.-des-Neiges★ (Panny Marie Sněžné) B2

Jungmannovo náměstí - http://pms.ofm.cz - tlj 7h-19h. C'est en 1347 que l'empereur Charles IV entreprit de faire édifier l'église N.-D.-des-Neiges qui devait dominer la partie basse de la Nouvelle Ville ; mais les guerres hussites mirent fin aux travaux, et seul le chœur fut achevé. Elle demeure néanmoins imposante, avec ses 30 m de haut. Plus grand monument gothique après la cathédrale, elle a aisément pu accueillir les aménagements baroques ajoutés à l'intérieur par la suite. Le prêtre aux idées avancées Jan Želivský y a prêché, et c'est ici qu'on l'a inhumé après son exécution, en 1422.

Jungmannovo náměstí (place Josef-Jungmann) B2

La place commémore, avec sa statue pensive, **Josef Jungmann** (1773-1847), une des figures de proue du Réveil national tchèque. Écrivain et traducteur infatigable, Jungmann a, plus que tout autre, fait de la langue tchèque un moyen de communication expressif et moderne, pour une bonne part grâce à son dictionnaire tchéco-allemand rédigé en 1834-1839, monument rassemblant 120 000 entrées.

Prendre Národní třída.

Národní třída★ (avenue Nationale) A2-B2

Comme Na Příkopě, cette large avenue a été aménagée le long des murs de la Vieille Ville quand on a remblayé les douves. Elle a d'abord porté le nom de Nouvelle Avenue, puis celui d'avenue Ferdinand, en l'honneur de l'ancien empereur. Son nom actuel remonte à la création du nouvel État tchécoslovaque, le 28 octobre 1918. Cette grande date est aussi célébrée dans le nom de la rue 28 října, qui relie brièvement Národní au bas de la place Venceslas. Contrairement à la rue piétonne Na Příkopě, Národní a conservé ses tramways et sa circulation, ce qui donne une ambiance tout à fait différente. Bordée de magasins et de bâtiments administratifs construits pour l'essentiel au début du 20e s., la rue a été le théâtre de quelques-uns des événements et manifestations les plus marquants de ce même siècle.

Palais Adria★★ (palác Adria) B2

Národní třída 40, côté sud. Construit entre 1922 et 1924 pour la compagnie d'assurances italienne Riunione Adriatica di Sicurtá, le palais Adria, extraordinaire édifice aux allures de forteresse et aux façades audacieusement modelées, est le projet le plus ambitieux qui ait vu le jour dans le style rondocubiste spécifique à la Tchécoslovaquie. Sa conception revient à **Pavel Janák** et Josef Zasche, et les grands décors sculptés sont dus, entre autres, à **Jan Štursa** et **Bohumil Kafka**. Ce bâtiment a hébergé au sous-sol le célèbre théâtre **Laterna Magica** (aujourd'hui théâtre Za bránou II), qu'on rejoint par un passsage superbement décoré. C'est ici qu'en novembre 1989 un Václav Havel, fumant cigarette sur cigarette, s'est enfermé en compagnie de ses camarades du Forum civique pour préparer les actions qui devaient aboutir à la révolution de velour.

Palais baroque A2

Národní třída 16, côté sud. Sous l'arcade de ce petit palais baroque, certainement conçu par Kaňka, on voit une petite statue représentant des mains en prière, monument au « massacre » du 17 novembre 1989, un des événements décisifs qui précéda la révolution de velour, lorsqu'une manifestation d'étudiants fut brutalement réprimée par la police.

Église Ste-Ursule★ (Sv. Voršily) A2

Národní třída 8, côté sud - tlj 16h-17h sf dim. 10h-11h. Élevée entre 1698 et 1704 par Marco Antonio Canevale pour le couvent des ursulines, l'église Ste-Ursule est l'une des premières églises du baroque tardif de Prague. Son plan, avec son portail principal et ses volumes intérieurs parallèles à la rue, est le premier du genre. L'intérieur, magnifiquement restauré, est très ornementé. Il abrite des statues de Preiss, une peinture d'autel représentant sainte Ursule par K. Liška, et une *Assomption* de **Brandl**. Une partie du couvent loge depuis des années un restaurant réputé, mais l'extension du Théâtre national sur la propriété, restituée après 1990 aux ursulines, alimente de complexes arguties juridiques.

Immeubles Sécession★★ A2

Národní třída 7 et 9, côté nord. Ces deux immeubles de bureaux sont parmi les bâtiments Sécession les plus élégants de la ville. Ils sont l'œuvre d'**Osvald Polívka**. Le n° 7 a été bâti de 1903 à 1906 pour la Compagnie praguoise d'assurances ; le n° 9, en 1906-1908 pour le célèbre éditeur F. Topič. Leurs façades combinent harmonieusement une architecture aux lignes précises avec une ornementation riche, mais sans excès, composée d'inscriptions, de stucs, de mosaïques, de statues et de panneaux en relief.

Café Slavia A2

Národní třída 1, côté nord. Ce célèbre café, à l'angle de Národní et du quai de la Vltava, offre des vues sublimes sur la rivière, en direction de Malá Strana et du Hradschin. Repaire des intellectuels, il a connu une période de gloire exceptionnellement longue, qui ne s'est achevée qu'au début des années 1990. On a vu Smetana y composer sur une des tables *La Fiancée vendue*. Après avoir fermé ses portes à son ancienne clientèle de dissidents et de membres de la police secrète, il est aujourd'hui rouvert au public. Il ne lui reste qu'à rebâtir sa réputation.

Théâtre national★★★ (Národní divadlo) A2

Národní třída 2. Sans doute le plus grand monument du Réveil national tchèque, cet imposant bâtiment néo-Renaissance est un « don fait à elle-même par la nation », comme l'indique l'inscription *Národ sobě* au-dessus de l'avant-scène. Il a été financé grâce à une souscription, à laquelle ont contribué presque tous les Tchèques, même les plus modestes. En 1868, on pose la première pierre, apportée du mont Říp, d'où le père légendaire de la nation, **Čech**, a pour la première fois contemplé la terre promise de Bohême. Le 11 juin 1881, on inaugure le théâtre par une représentation de l'opéra *Libuše* de **Smetana**. Neuf jours plus tard, il n'est plus qu'une coque vide, ravagée par un incendie déclenché accidentellement par des ouvriers. Sans se décourager, les Tchèques se mobilisent, et en l'espace de neuf mois les fonds sont réunis pour la reconstruction. Des « trains du théâtre » sont affrétés pour convoyer les habitants de tout le pays afin qu'ils admirent le majestueux édifice qu'ils ont financé. Le premier architecte du théâtre était **Josef Zítek**. Après l'incendie, la reconstruction fut supervisée par **Josef Schultz**. On distingue trois corps de bâtiment : le théâtre lui-même, avec son toit massif, le **Prozatímní divadlo** (Théâtre provisoire) de 1862, qui renferme aujourd'hui les loges des acteurs, et l'annexe, appelée Schulzův dům (bâtiment Schulz).

Façade – Le théâtre a été somptueusement décoré par les meilleurs artistes et sculpteurs tchèques de l'époque, ce qui leur a valu l'appellation de « génération du Théâtre national ». Les pavillons de part et d'autre de l'arcade d'entrée sont décorés de chars romains dus à **Bohuslav Schnirch** ; les statues sur le mur face au quai sont de **Myslbek**.

Intérieur *(visible lors des représentations)* – Il est très ornementé avec notamment des peintures d'Aleš et Ženíšek à la gloire des arts et de la nation tchèque. Le plafond du grand auditorium de 1 700 places est orné d'une peinture allégorique de Ženíšek ; le rideau illustre la part prise par le peuple tchèque dans la création de cette institution nationale.

Nová scéna – Entre 1977 et 1983, le Théâtre national a été agrandi, côté est, sur Národní třída, avec un bâtiment dont la façade en pavés de verre n'a pas fait l'unanimité : on l'a même comparée à du plastique-bulle !

La Vltava au quai Smetana.

DES QUAIS DE LA VLTAVA À LA PLACE CHARLES★★ 3

Départ au croisement Národní třída/Smetanovo nábřeží. Durée : 2h.

Quai Smetana (Smetanovo nábřeží) A1-A2

C'est ici qu'on a commencé à « améliorer » les berges dans les années 1840, sous la direction du comte Chotek, énergique aménageur urbain. Le quai Smetana offre un magnifique panorama sur la Vltava vers le pont Charles, Malá Strana et le Château.

Pont des Légions (most Legií) A2

Il a été bâti entre 1899 et 1901, dans un mélange de styles néobaroque et Sécession, en remplacement d'un pont suspendu.

Prendre le pont.

Île des Tireurs (Střelecký ostrov) A2

Le pont donne accès à l'île des Tireurs, domaine des clubs de tir de la ville jusqu'en 1948. En 1890, l'île est le cadre de la première grande célébration du 1er Mai, avec une foule d'environ 35 000 travailleurs ; le pont des Légions avait été rebaptisé « pont du 1er Mai » à la période communiste. À l'extrémité nord de l'île, un parc offre des vues merveilleuses sur la rivière, le pont Charles et la ville.

Revenir sur le quai et aller vers le sud.

Île Slave★ (Slovanský ostrov) A2

Avec son kiosque à musique restauré, dans un paysage agréablement redessiné, l'île Slave est un lieu de détente apprécié. Au 19e s., elle a été le cadre d'événements importants, culturels et autres, à caractère essentiellement patriotique :

c'est là que s'est tenu le congrès panslave, qui a préparé la révolution de 1848, là aussi qu'ont été créées nombre d'œuvres musicales, dont *Má Vlast* de Smetana. On donne toujours des concerts au **Žofín**, salle polyvalente, remaniée en 1884 dans le style Renaissance, qui honore la mémoire de la mère de l'empereur François-Joseph, l'archiduchesse Sophie, dont l'île portait autrefois le nom. Juxtaposition étrange mais intéressante, le très ancien **château d'eau** noirci, couronné d'un bulbe, voisine avec le **bâtiment Mánes★**, édifice fonctionnaliste d'un blanc immaculé reliant l'île au reste de la ville, construit en 1930 pour loger le célèbre groupe artistique Mánes. À la retenue en amont, la rivière a sa largeur maximale, 330 m.

On aperçoit, de l'autre côté, l'**île des Enfants** (Dětský ostrov). Dotée de terrains de jeux et d'installations sportives, cette île n'est accessible que par l'autre rive. Le **château d'eau** de 1483 qui s'y trouve alimentait autrefois les fontaines de Malá Strana.

Revenir sur le quai et poursuivre vers le sud.

Quai Masaryk★ (Masarykovo nábřeží) A2

Une façade presque continue d'immeubles Sécession souligne, sur le quai Masaryk, la rencontre de la ville et de la rivière. Leur ornementation opulente caractéristique atteint des sommets au n° 32/224, l'**Institut Goethe**, ambassade de la République démocratique allemande jusqu'en 1990, et au n° 16/248, immeuble du **chœur Hlahol**.

Poursuivre vers le sud.

Pont Alois-Jirásek (Jiráskův most) A3

On a ouvert en 1932 ce pont, portant le nom d'Alois Jirásek (1851-1930), auteur de pièces historiques et de romans.

Maison qui danse★★ (Tančící dům) A3

À l'angle de Resslova et du quai de la Vltava à Rašínovo nábřeží, la « Maison qui danse » est un étonnant immeuble de bureaux postmoderne. Conçu par l'architecte californien **Frank Gehry**, achevé en 1996, il est affublé de tours qui s'enlacent gaiement, ce qui leur a valu le surnom de « Ginger et Fred » en référence au couple mythique des comédies musicales américaines. Au sommet se trouve un restaurant *(voir « Nouvelle Ville pratique »)*.

Poursuivre vers le sud.

Pont Palacký (Palackého most) A3

Sur Rašínovo nábřeží, un **monument Sécession★** sophistiqué porte la statue du grand historien tchèque František Palacký (1798-1876), qui surveille le **pont Palacký**. Achevé en 1876, l'ouvrage était à l'origine orné de figures tirées de la mythologie tchèque, sculptées par Myslbek ; mais après que le pont eut été endommagé pendant la Seconde Guerre mondiale, elles ont été transférées à Vyšehrad, où l'on peut les voir aujourd'hui *(voir p. 269)*.

Prendre la rue Na Moráni, puis, à droite, Vyšehrdaská.

Église St-Jean-sur-le-Rocher★★ (Sv. Jana na Skalce) A3

Vyšehrdaská 49 (rarement ouv. - visite sur demande). Construite à partir de 1730, cette merveille de complexité géométrique est l'un des chefs-d'œuvre de l'architecte baroque **Kilian Ignaz Dientzenhofer**. Derrière les deux tours

La « Maison qui danse », conçue par l'architecte Franck Gehry.

plantées en biais, l'intérieur n'est que courbes convexes, avec un octogone central comprimé entre une entrée et un chœur ovales. Les formes complexes de l'extérieur reprennent l'envers de ce schéma. L'impression de mouvement est renforcée par les fenêtres aux diverses formes, placées à des hauteurs différentes.

Traverser Vyšehrdaská, l'entrée du couvent se trouve en face de l'église.

Couvent d'Emmaüs★ (Emauzy - klášter na Slovanech) A3

Vyšehrdaská 49 - ✆ 221 979 211 -lun.-vend. 9h-16h - 30 Kč. Le couvent d'Emmaüs est l'une des nombreuses institutions religieuses fondées par Charles IV. Appelé aussi Na Slovanech (couvent des Slaves), il abritait des bénédictins croates de la côte dalmate, et avait pour mission de rapprocher les églises d'Orient et d'Occident. Le monastère conserve de belles fresques dans son **cloître★** et l'on peut également visiter le réfectoire, les églises et la chapelle de l'Empereur. À l'extérieur, le monastère a l'un des rares apports faits à une église sous le régime communiste : une élégante flèche double, qui a remplacé en 1967 l'ancienne, détruite au cours d'une attaque aérienne (visible en contournant l'église).

Revenir vers la place Charles.

Karlovo náměstí★ (place Charles) A3-B3

Cet ancien marché aux bestiaux, qui avait aussi d'autres usages, couvre huit hectares et demi. C'est l'un des trois espaces publics aménagés au milieu du 14e s. comme centres vitaux de la grandiose Nouvelle Ville projetée par Charles IV. C'est là que les habitants se rassemblaient pour entendre les proclamations impériales, ou pour contempler les reliques saintes exposées une fois par an et conservées le reste du temps dans une chapelle depuis longtemps disparue. Transformée en parc au 19e s., la place est aujourd'hui une oasis de verdure, offrant ses beaux arbres, ses pelouses, ses aires de jeux et son éventail de statues commémoratives. Autour s'élèvent des bâtiments de différents styles, allant du médiéval au contemporain.

Comme une odeur de hareng…

Il est probable que la **place Charles** n'ai fait pendant longtemps l'objet d'aucun entretien, car on dit que la rue Ječná avait été délibérément tirée au cordeau et orientée vers l'ouest pour permettre aux vents d'emporter les odeurs combinées du marché aux bestiaux et du bâtiment désigné sous le nom de « maison du Hareng ». Les habitants de la Nouvelle Ville avaient en effet le monopole de la vente du poisson…

Maison de Faust (Faustův dům) A3-B3

Karlovo náměstí 40. À l'angle sud-ouest de la place, la **maison de Faust**, grande maison de ville à noyau gothique et adjonctions Renaissance, baroques ou plus tardives, a une longue histoire. Son association avec Faust, née de l'imagination des romantiques, est relativement récente. Si le Dr Faust n'y a pas vécu, elle a connu en revanche une succession de personnages dont les activités ont suffi à alimenter la légende : le prince Venceslas de Troppau, qui s'essayait à l'alchimie ; Edward Kelley, alchimiste de la cour de Rodolphe II, qui échoua dans ses tentatives pour créer de l'or pour son maître ; plus récemment, le comte Mladota de Solopysky, chimiste de renom.

Prendre à gauche Resslova.

Cathédrale Sts-Cyrille-et-Méthode (Sv. Cyrila a Metoděje) A3

Resslova 9 (rarement ouv., mais l'intérieur de l'église est visible de l'entrée - messes à 8h le mar., à 8h et 17h le sam., à 9h30 le dim.). La cathédrale orthodoxe Sts-Cyrille-et-Méthode est une belle église baroque consacrée à l'origine au culte catholique et dédiée à saint Charles Borromée. Dessinée par P. I. Bayer, elle a été achevée en 1736 par Kilian Ignaz Dientzenhofer. Fermée sous le règne de Joseph II, comme tant d'autres établissements religieux, elle a servi d'entrepôt militaire, puis d'institut technique. Dans les années 1930, elle devint la cathédrale de l'Église orthodoxe tchèque. En 1942, elle fut le théâtre de violents combats lorsque les hommes qui avaient tué Heydrich furent assiégés dans la crypte *(voir p. 250).* Celle-ci constitue aujourd'hui le **Mémorial national des**

Des héros dans la crypte

À la fin de 1941, le gouvernement tchécoslovaque, en exil en Grande-Bretagne, s'alarme de l'apparente passivité de la population tchèque sous l'occupation nazie. On décide d'envoyer des parachutistes exécuter le **Reichsprotektor Reinhard Heydrich** *(voir p. 85)*. Le 27 mai 1942, Heydrich « le bourreau » est effectivement attaqué sur le chemin de son bureau ; il mourra quelques jours plus tard de ses blessures. La fureur des nazis ne connaît pas de limites ; elle culmine le 10 juin avec la destruction du village de Lidice *(voir p. 291)*. Pendant ce temps, sept des parachutistes ont trouvé refuge dans la crypte de l'église Sts-Cyrille-et-Méthode. Mais ils sont trahis par l'un des leurs, et le 18 juin le bataillon des SS de Prague inonde la crypte pour les faire sortir. Les Tchécoslovaques tentent de gagner du temps en repoussant le tuyau, mais la situation est désespérée. Alors que l'eau monte autour d'eux, les défenseurs survivants utilisent leurs dernières balles pour se suicider.

victimes de la terreur sous Heydrich (Národní památník obětí heydrichiády), avec une exposition sur la mission des parachutistes et ses terribles conséquences *(entrée sous l'escalier extérieur de l'église - 224 916 100 - tlj sf lun. 10-17h - 50 Kč).*

Revenir sur la place Charles, aller vers le nord.

Hôtel de ville de la Nouvelle Ville★ (Novoměstská radnice) B2

Karlovo náměstí 23 - salles accessibles lors des expositions temporaires ; tour de déb.-mai à fin sept. : tlj sf lun. - 20 Kč. Avec sa haute tour, l'hôtel de ville de la Nouvelle Ville domine le côté nord de la place Charles. Les travaux ont commencé peu après que l'empereur eut présenté, en 1348, son projet pour la Nouvelle Ville. Il a été beaucoup remanié, mais son sous-sol, son entrée voûtée et une partie de la tour conservent de nombreux éléments gothiques. Au début du 20e s., on a tenté une restauration complète afin de rendre au bâtiment son aspect ancien. Les trois pignons néo-Renaissance et la coiffe de la tour datent de cette période.

L'hôtel de ville a été le théâtre de la **première défenestration** de Prague (1419), établissant la tradition praguoise qui veut que l'on négocie avec ses opposants politiques en les précipitant par la fenêtre. Conduits par leur prêtre Jan Želivský, de nombreux hussites étaient venus en procession réclamer qu'on relâche leurs camarades arrêtés, enfermés à l'hôtel de ville. Ayant obtenu pour toute réponse une volée de pierres lancées des fenêtres supérieures, la foule s'ougouffra à l'intérieur et précipita une douzaine de conseillers, ainsi que le maire, sur les piques et les lances qui les attendaient en bas. Les rares survivants furent achevés sur le pavé à coups de gourdin.

On accède par 221 marches au sommet de la tour de 42 m, qui offre un superbe **panorama★** sur la Nouvelle Ville, mais aussi sur Prague et ses alentours. En montant, on découvre une chapelle gothique, remaniée dans le style baroque, et la salle d'apparat, avec des restes de peintures murales et, au plafond, des poutres massives, supportées par des corbeaux de pierre tout aussi imposants.

Se diriger vers l'est de la place.

Église St-Ignace★ (Sv. Ignáce) B3

Ječná 2 - 6h-12h, 15h30-18h. La baroque **église St-Ignace** et le collège voisin, qui occupe un demi-côté de la place, étaient le siège de l'ordre des Jésuites dans la Nouvelle Ville. Conçue entre 1665 et 1670 par Carlo Lurago sur le modèle des sanctuaires de l'ordre à Rome, l'église proclame les louanges du fondateur de l'ordre, saint Ignace de Loyola, dont on voit la statue haut perchée sur le pignon. D'autres belles statues ornent le superbe portique. L'intérieur est richement décoré.

Si vous le souhaitez, vous pouvez aussi visiter le musée Dvořák ou le musée de la Police qui se trouvent non loin de là.

Visiter

Musée national – *Voir p. 239.*

Musée Mucha (Muchovo muzeum) B1

Panská 7 - 221 451 333 - www.mucha.cz - 10h-18h - 120 Kč.
Souvent considéré comme représentant la quintessence de l'Art nouveau parisien, Alfons Mucha (1860-1939) était d'orgine morave. Ses affiches parisiennes des années

1900, reproduites à des millions d'exemplaires, ont occulté sa *Slovanská epopej (L'Épopée slave)*, un cycle de peintures qui a occupé les trente dernières années de sa vie. L'exposition, assez réduite, donne un aperçu de quelques facettes du talent de Mucha. Une section est consacrée à son œuvre parisienne, une autre à ses affiches moins connues traitant de sujets tchèques, et la troisième, peut-être la plus intéressante, aux peintures à l'huile. On regrettera cependant qu'il y ait aussi peu d'oeuvres exposées. Le musée a une boutique proposant de très nombreux articles « Mucha » déclinés à l'infini.

Alfons Mucha

Né en 1860 à Ivančice, petite ville de Moravie, Mucha suit des études artistiques à Paris lorsque vient la gloire, en 1895, avec la célèbre affiche représentant **Sarah Bernhardt**. Il devient alors l'un des principaux représentants de l'Art nouveau et réalise de nombreuses affiches. Mais Mucha cultive aussi la nostalgie de ses racines slaves, ce qui donne lieu à des œuvres peut-être moins connues : une **Épopée slave**, cycle de vingt toiles qui reprennent des épisodes des histoires slave et tchèque, ou encore des allégories de la Nation dans la **Maison municipale**. Il a même réalisé des billets de banque et des calendriers pour la nouvelle république de Tchécoslovaquie. Sa mort en 1939, après un interrogatoire de la Gestapo, fait l'objet d'un deuil national.

Affiche de Mucha.

CTK. Adap 2007

Musée de la Police de la République tchèque (Muzeum Policie ČR)
Hors plan au sud
Ke Karlovu 1 - ✆ 224 922 183 - www.mvcr.cz/policie.muzeum.htm - tlj sf lun. 10h-17h - 10 Kč.

De manière assez incongrue, le musée national de la Police occupe l'ancien couvent des Augustins, rattaché à l'une des églises les plus intéressantes élevées par Charles IV dans la Nouvelle Ville : l'église N.-D.-et-Charlemagne.

Le **musée** s'attache à retracer l'histoire de la police. Au milieu des nombreuses armes, tenues et outils de travail de la police tchèque exposés, on trouve d'intéressantes vitrines thématiques, telles celles consacrées à l'espionnage en période communiste et aux agents secrets, ou encore cet « enfer », une pièce un peu coquine à l'étage, consacrée à l'histoire de la police et de la prostitution. Le 1er étage accueille aussi des expositions temporaires n'ayant pas de lien avec le thème de la police et auxquelles le billet du musée donne accès. Dans le jardin, on a disposé un hélicoptère, une vedette de la police et une aire de jeux « Code de la route » pour les enfants.

Église N.-D.-et-Charlemagne★ (Panny Marie a Karla Velikého na Karlově) – *Dim. et vac. : 14h-16h30*. De la vallée de la Nusle, côté Vyšehrad, on aperçoit un remarquable ensemble de coupoles rouges s'élevant au-dessus des fortifications dressées à l'origine par Charles IV pour défendre la Nouvelle Ville. L'église N.-D.-et-Charlemagne, à laquelle elles appartiennent, a été fondée par l'empereur en 1358, en hommage à son grand prédécesseur, Charlemagne. Son plan octogonal rappelle celui de la chapelle impériale d'Aix-la-Chapelle. L'impressionnante voûte de la nef, large de 24 m, a été achevée en 1575 par **Bonifaz Wohlmut**. La période baroque l'a enrichie de peintures murales expressives, d'une chapelle de Bethléem, en forme de grotte, et d'un escalier dessiné par Santini.

Musée Dvořák - villa Amerika★
(Muzeum Antonína Dvořáka) B3

Ke Karlovu 20 - ℘ 224 923 363 - www. nm.cz - avr.-sept. : tlj sf lun. 10h-13h30, 14h-17h30 - 50 Kč.

En 1720, le comte Jan Václav Michna commande à **Kilian Ignaz Dientzenhofer** une résidence d'été dans la partie sud de la Nouvelle Ville, encore très campagnarde à l'époque et couverte de jardins et de vergers. La **villa★**, qui prend le nom d'une auberge voisine, est une composition baroque : un jardin à la française orné de statues de Braun entoure un bâtiment central flanqué de pavillons. Le jeune Dientzenhofer rentrait de dix années d'études à l'étranger, et sa charmante création montre les influences conjuguées de la France et de la Vienne du grand architecte Lukas Hildebrandt. Depuis 1932, la villa héberge un petit **musée** consacré au compositeur Antonín Dvořák (1841-1904) qui laisse découvrir, à l'intérieur, une belle salle décorée de fresques de Johann Ferdinand Schorr (1684-1767). Ce cadre approprié accueille de très agréables soirées musicales consacrées au musicien.

L'œuvre de Dvořák

Très influencée par celle de Brahms, son contemporain, l'œuvre remarquablement variée **Antonín Dvořák** (1841-1904) s'inspire dans une certaine mesure des *negro spirituals,* mais avant tout des musiques populaires de son pays natal ou des autres peuples slaves. Il compose beaucoup de musique de chambre et de musique religieuse : *Stabat mater* (1877), *Requiem* (1890), *Te Deum* (1893), et neuf symphonies, dont la célèbre 9e Symphonie « **du Nouveau Monde** » (1893). Ses opéras (*Rusalka,* 1901) ont connu moins de succès.

La Nouvelle Ville pratique

Se loger

Voir p. 33.

Se restaurer

😊 **Café Louvre** – *Národní třída 20 - ℘ 224 930 949 - lun.-vend. : 8h-23h, w.-end 9h-23h30 - 200/300 Kč.* Un grand café-restaurant à côté de la place Venceslas, où l'on croise aussi bien des Tchèques que des touristes venus admirer ses salles Art nouveau. On y trouve de quoi manger sur le pouce à bon compte, ainsi que de nombreuses formules de petits-déjeuners.

😊 **Pizzeria Kmotra** – *V Jirchářích 12 - ℘ 257 328 958 - 11h-23h - 150/250 Kč.* Cachée dans une petite rue derrière le quai Masaryk, cette pizzeria sans prétention propose de grandes et délicieuses pizzas à des prix tout à fait raisonnables.

😊🍴 **Pivovarský dům** – *Ječná/Lípová 15 - ℘ 296 216 666 - 11h-23h - 300/500 Kč.* Une brasserie typique à deux pas de la place Charles où l'on vous servira quelques-uns des grands classiques de la cuisine tchèque. La cuisine est tout à fait honnête, les portions sont plus que généreuses, et le service est agréable (demandez le menu en anglais). Le tout est à accompagner d'une délicieuse bière brassée maison.

😊🍴 **Novoměstský pivovar** – *Vodičkova 20 - ℘ 222 232 448 - lun.-vend. 10h-23h30, sam. 11h30-23h30, dim. 12h-22h -* 400/600 Kč. L'adresse est célèbre pour ses petites salles aménagées dans un réseau de caves, attirant de nombreux touristes. Dans un décor chaleureux, on y sert des plats traditionnels tchèques et de la bière brassée sur place.

😊🍴🍴 **La Perle de Prague** – *Tančící dům, Rašínovo nábřeží 80 - ℘ 221 984 160 - tlj sf dim. et lun. midi 12h-14h, 19h-22h30 - 800/2 500 Kč - menus à 490 Kč (midi), 900 Kč et 2 500 Kč.* Un chef français de talent et un cadre exceptionnel – le 7e étage de la « Maison qui danse » – ont contribué à donner ses lettres de noblesse à ce grand restaurant. Beaucoup de charme et sans doute l'une des meilleures adresses pour les gastronomes de passage à Prague.

Faire une pause

Café Europa – *Václavské náměstí 25 - ℘ 224 228 117 - 9h-23h.* Ce grand café, avec son magnifique décor Art nouveau, est une destination incontournable de nombreux touristes. Grande terrasse où s'asseoir et observer l'animation de la place Venceslas.

Slavia – *Smetanovo nábřeží 2 (entrée située sur la Národní) - ℘ 224 239 604 - www. cafeslavia.cz - 8h-23h.* Rendez-vous préféré de nombreux artistes tchèques des 19e et 20e s., ce grand café Art déco offre à sa clientèle une magnifique vue sur le Château et la Vltava.

Le restaurant Pivovarský dům.

U Fleků – *Křemencova 9/11 - ☎ 224 915 118 - 9h-23h.* Brasserie célèbre de Prague, ouverte depuis 1459! Véritable monument en soi, elle est très fréquentée par les touristes qui aiment venir dans son petit jardin pour y déguster sa bière maison.

Dobrá čajovna – *Václavské náměstí 14 - ☎ 224 231 480 - lun.-vend. 10h-21h30, w.-end 11h-21h30.* Un joli salon de thé situé dans une courette de la place Venceslas. Large choix de thés sélectionnés par la maison.

Café de l'Institut français – *Štěpánská 35 - ☎ 222 230 577 - lun.-vend. 9h-18h.* Ce café est le lieu de rassemblement de nombreux Français et de Praguois francophiles, qui peuvent y consulter les quotidiens et magazines français mis à leur disposition.

Achats

Rue Na Příkopě et place Venceslas – De nombreux Praguois viennent y faire leur shopping. On y trouve, entre autres, les principales enseignes de mode vestimentaire.

Moser – *Na Příkopě 12 - lun.-vend. 10-20h, w.-end 10h-19h.* Magnifique magasin d'usine proposant du cristal de Bohême et surtout de splendides porcelaines de Karlovy Vary, où une usine les fabrique depuis 1857.

Antikvariát Galerie Můstek – *Národní 40 - lun.-vend. 10h-19h, sam. 12h-16h, dim. 14h-18h.* Des livres anciens en plusieurs langues, des estampes et bien d'autres raretés peuvent être dénichés chez cet antiquaire-libraire caché dans le joli passage du palais Adria.

Internet

Globe – *Pštrosova 6 - ☎ 224 916 264 - 10h-22h.* Cette librairie, qui propose de très nombreux titres anglais neufs et d'occasion, est bien connue de la communauté anglo-saxonne. C'est aussi un petit webcafé convivial avec des tarifs de connexion Internet intéressants.

À la brasserie U Fleků.

Au nord du centre-ville★★

Parc de Letná★ Plan 1ᵉʳ rabat de couv. C1

Prague 6 - Ⓜ Hradčanská, Malostranská, Vltavská ; 🚋 1, 8 ou 15.

Prolongement de l'éperon rocheux sur lequel se dresse le Château, le plateau de Letná semble forcer la Vltava à bifurquer vers l'est à l'approche de son rebord vertigineux envahi par la végétation. Le parc en bordure du plateau commande une vue superbe sur Prague, en particulier sur la Vieille Ville. Vers le nord, un espace dégagé est brutalement fermé par un front d'immeubles tristes et par le grand stade de football, siège du fameux Sparta de Prague.

Au cours des siècles, le plateau fut le théâtre de festivités, de manifestations et de manœuvres militaires. C'est ici que s'est déroulée la célébration du couronnement d'**Ottokar II**, ici qu'a campé l'armée de l'empereur Sigismond avant d'être défaite sur la colline de Vítkov, de l'autre côté de la rivière. Pendant la période communiste, on demandait aux foules d'y défiler le 1ᵉʳ Mai, et, en 1955, on y a élevé une immense statue de Staline. Les derniers jours du communisme en Bohême ont sonné sur le Letná quand une foule estimée à un million de personnes s'y est rassemblée, faisant cliqueter leurs trousseaux de clés, en soutien à la « révolution de velours ».

Vers l'est, les étendues vertes du Letná se fondent avec la banlieue très urbanisée de Holešovice, tandis qu'à l'ouest une jolie passerelle enjambe le ravin séparant le plateau du jardin Chotek et des Jardins royaux.

Jardin Chotek (Chotkovy sady)

Un petit parc, le **jardin Chotek**, fut planté en 1830 à l'emplacement d'une ancienne scierie à l'initiative du comte Karel Chotek, gouverneur de Prague de 1826 à 1843. Infatigable aménageur, Chotek est à l'origine de plusieurs jardins et parcs, ainsi que du paysage des berges de la Vltava et de la route qui serpente de Malá Strana jusqu'au plateau. À l'ouest, le **Belvédère** domine le parc, qui cache en son cœur une grotte peuplée de personnages tirés des œuvres du poète néoromantique Julius Zeyer. Franz Kafka disait du jardin Chotek que c'était « le plus joli endroit de Prague ».

Pavillon Hanava (Hanavský pavilón)

Aujourd'hui converti en restaurant, le ravissant petit **pavillon Hanava**, surchargé d'une décoration néobaroque fantaisiste, était à l'origine un bâtiment d'exposition réalisé dans la fonderie du duc de Hanau pour l'Exposition du jubilé de 1891. Aisément démontable grâce à sa structure novatrice en fonte, il a été remonté ici en 1898. Sa terrasse offre un des plus beaux **panoramas**★★ sur la ville et la rivière. Juste à l'ouest se trouvent les importants vestiges du bastion XIX, imposant élément des fortifications baroques. Jusqu'en 1918, on y tirait le canon à midi. La majestueuse villa qui trouve là sert aujourd'hui de résidence aux hôtes officiels. Elle fut bâtie en 1911 par Karel Kramář, homme politique qui allait devenir le premier Premier ministre de la Tchécoslovaquie indépendante.

Outre le pavillon Hanava, d'autres édifices intéressants sont implantés sur le plateau de Letná. Le **petit château de Letná** (Letenský zámeček), plaisante demeure du 19ᵉ s., est occupé par un restaurant qui propose de nombreuses tables en extérieur.

Musée national des Techniques★★

Plan 1ᵉʳ rabat de couv. C1

Prague 7 (Holešovice)- Kostelní 42 - Ⓜ Vltavská, Hradčanská ; 🚋 1, 8 ou 15 - ☎ 220 399 111 - www.ntm.cz -mar.-vend. 9h-17h, w.-end 10h-18h - 70 Kč (gratuit le 1ᵉʳ vend. du mois). Fermé pour travaux jusqu'en 2008.

Logé dans un sobre édifice bâti à cet effet en 1942 au bord du plateau de Letná, le **Národní technické muzeum** présente un large éventail de rubriques passionnantes, rappelant le rôle dominant joué par les pays tchèques dans le déve-

La statue de Staline

Après la Libération, Staline est fait citoyen d'honneur de Prague ; l'idée est lancée d'un monument sur les hauteurs de Letná. Otakar Švec (1892-1955) emporte le concours, avec un projet montrant un Staline haut de 30 m à la tête de deux groupes de travailleurs. Quand le 1ᵉʳ Mai 1955 a lieu l'inauguration, Staline est déjà mort ; Khrouchtchev lance un an plus tard la déstalinisation. De Moscou parvient l'ordre de trouver une solution : on prend alors la décision de détruire le monument. Il faudra plusieurs semaines, et des centaines de tonnes d'explosifs, pour que le colosse s'écroule enfin. Le réseau d'escaliers et de chemins qui convergeaient vers la statue demeure. Colonisé par les amateurs de skateboard, le vaste socle porte aujourd'hui un immense et curieux **métronome** des années 1980.

loppement des sciences, des techniques et de l'industrie. Au cœur du musée s'ouvre le grand hall des Transports, occupé au sol par les véhicules routiers et les locomotives, alors que, sous la haute verrière, les aéronefs semblent figés en plein vol. Chacune des autres galeries spécialisées présente un grand intérêt. Les collections sont nées au 19ᵉ s. de l'enthousiasme d'esprits progressistes comme Vojtěch Náprstek, dont le musée personnel fut d'abord consacré au progrès de l'industrie. L'institution actuelle, d'abord appelée Musée technique du royaume de Bohême, a été fondée en 1908. Une part seulement de ses richesses est exposée, mais ses immenses réserves alimentent régulièrement des expositions temporaires d'excellente qualité.

Sous-sol

Des galeries souterraines, longues de plus d'un kilomètre, reconstituent des **mines de charbon et de minerai**. Mises en place au début des années 1950 pour promouvoir la mine et encourager le recrutement dans l'industrie minière, elles présentent une gamme d'équipements et de machines ayant désormais acquis leur propre intérêt historique. En raison de la longue histoire minière de cette partie de l'Europe centrale, on voit aussi des outils ou équipements très anciens, tel un *hund*, véhicule sur rails utilisé dans les galeries souterraines aux 15ᵉ et 16ᵉ s.

Rez-de-chaussée

L'exposition **La mesure du temps** rassemble un éventail fabuleux d'objets, allant du cadran solaire à l'horloge numérique. **Interkamera** présente 2 500 pièces illustrant l'**histoire de la photographie et du cinéma**, dont un exemple de studio tournant Edison et le Cinématographe Lumière qui a servi aux premières séances de cinéma praguoises.

Hall des Transports

Les galeries qui longent les murs de la salle sont occupées par toutes sortes d'objets offrant un panorama complet des transports terrestres, maritimes, ferroviaires ou aériens. L'attraction principale demeure la magnifique exposition de véhicules routiers et ferroviaires, et d'aéronefs *(la plus vaste collection d'avions du pays se trouve au musée de l'Aviation – voir p. 263)*. Au nombre des premières machines volantes, suspendues au plafond et à l'apparence bien fragile, on remarque le **planeur Zanonia** d'Igo Etrich (1905 environ) et le **monoplan Blériot**, à bord duquel Jan Kašpar a relié Pardubice à Prague en 1911. La plus ancienne des locomotives à vapeur exposées, l'imposante **Kladno**, a été construite en 1855 dans les ateliers Vienne-Györ pour le chemin de fer Prague-Bustěhrad. Elle semble lourde et grossière comparée à la **locomotive express n° 375007** de 1911, pur-sang sorti des ateliers Prague-Libeň. Parmi les voitures de chemin de fer se détache la **voiture-salon impériale**, construite à Prague et offerte en 1891 à l'empereur François-Joseph, à l'occasion de son jubilé, par la Chambre des députés de Bohême. L'opulence néobaroque de l'intérieur se retrouve presque dans le wagon décoré pour le malheureux archiduc François-Ferdinand, véritable palais roulant, rattaché par la suite au train officiel du gouvernement et toujours en service en 1959.

Bouchon de radiateur d'une Škoda.

Au nombre des automobiles présentées, la plus ancienne est la **Benz Viktoria** de 1893. Mais la **NW Präsident** de 1898, qui fit cette année-là un voyage triomphal jusqu'à Vienne, est la grand-mère de tous les véhicules produits par la suite dans les célèbres usines Tatra de Kopřivnice, en Moravie. À partir de l'Entre-deux-guerres, lorsque l'industrie automobile tchèque devient la cinquième du monde, on trouve, en plus des Tatra, des modèles de marques comme Praga, Lauren & Klement, Walter & Praga. La grosse Tatra 80 noire, offerte en 1935 au le président Masaryk, a une allure bien conventionnelle à côté de la **Tatra 77a** aux lignes aérodynamiques, avec refroidissement à air, sa cadette de deux ans seulement, un modèle d'avant-garde capable de rouler à 150 km/h et très recherché sous l'Occupation par les officiers allemands. La **Škoda**, si souvent décriée, a vu son prestige renforcé par le modèle 130RS de 1978, imbattable en rallye pendant les années 1970 et le début des années 1980.

Premier étage

La section **écologie du bruit** offre, au moyen de présentations interactives, une passionnante introduction à l'étude des phénomènes acoustiques. Une exposition sur les télécommunications est actuellement en cours de préparation.

Deuxième étage

Le département **astronomie** expose des objets remontant jusqu'au 15e s. Son point fort est une merveilleuse collection de pièces qui évoquent Prague à l'époque où Rodolphe II aimait à s'entourer d'astronomes : voici les sextants utilisés par Kepler et Tycho Brahé, un cadran solaire réalisé par Erasmus Haberemel et un magnifique globe céleste créé par Blaeu, élève de Brahé.

Palais Veletržní - musée d'Art moderne et contemporain★★★

(Muzeum moderního a současného umění) Plan 2e rabat de couv. F1

Prague 7 (Holešovice) - Dukelských hrdinů 47 - Ⓜ Vltavská ; 🚋 5, 12, 14, 17, arrêt Veletržní - ☏ 222 321 459 - www.ngprague.cz - tlj sf lun. 10-18h - 100 Kč pour un étage, 150 Kč pour deux étages, 200 Kč pour trois et 250 Kč pour l'ensemble (expositions temporaires non comprises).

Dans cet immense bâtiment de verre et de béton et ancien palais des Expositions avant-gardiste des années 1920, le **Muzeum moderního a současného umění** réunit la collection d'art du 19e s. et la collection d'art moderne et contemporain de la Galerie nationale.

Le palais★

La Bohême était la partie la plus industrialisée de l'Empire austro-hongrois, et pourtant Prague ne s'est dotée d'un grand centre d'exposition industrielle qu'après la fondation de la nouvelle Tchécoslovaquie, en 1918. En 1924, on commande aux architectes **Oldřich Tyl** et **Josef Fuchs** un **palais des Expositions**; ses dimensions et sa conception avant-gardiste stupéfieront Le Corbusier lors d'une visite peu après son achèvement, en 1928. Se considérant comme le chantre de l'architecture fonctionnaliste, l'architecte dut admettre que les concepteurs du bâtiment avaient mis en pratique ce que lui-même n'imaginait créer qu'en rêve. Couvrant la superficie d'un pâté de maisons, le bâtiment offrait pour l'essentiel une grande salle, prévue pour loger les présentations de machines lourdes, et de petites salles d'expositions sur huit étages de **galeries ouvertes★**. Il y avait un cinéma en sous-sol, et, sur le toit, un restaurant et un café en terrasse. Après la Seconde Guerre mondiale, les expositions tchécoslovaques sont transférées à Brno, et le grand bâtiment sert à des usages plus ou moins appropriés, notamment au stockage de produits occidentaux, qu'on ne peut s'offrir, en régime communiste, qu'avec des devises fortes, dans des boutiques spécialisées. Mal entretenu, le palais est ravagé par un incendie en 1974, et l'on raconte que les rues voisines ruisselaient de whisky et de vin français... On aurait pu le démolir, mais décision est prise en 1978 de l'aménager pour accueillir les collections d'art moderne de la Galerie nationale, qui n'ont jamais trouvé jusque-là de lieu adapté.

La grande salle ne sert que pour des expositions occasionnelles; les collections permanentes et les autres expositions temporaires occupent les lumineuses galeries blanches. Sous un plafond en verre, cet espace minutieusement restauré peut s'apprécier aujourd'hui comme l'un des tout premiers intérieurs de la période héroïque de l'architecture moderne. Ses larges balcons offrent un cadre intéressant à des sculptures et installations contemporaines.

Les collections du musée dArt moderne et contemporain★★

Rez-de-chaussée et mezzanine
Réservés aux expositions temporaires.

Premier étage - art étranger du 20ᵉ s.★
La collection est réduite, mais le musée peut s'enorgueillir de posséder quelques très belles pièces d'artistes importants du 20ᵉ s., tels que A. Tapiès, L. Survage ou Ben Vautier. Mais le cœur de la collection se compose surtout d'œuvres d'artistes d'Europe centrale comme les Autrichiens **Egon Schiele** (1890-1918) et **Gustav Klimt** (1862-1918). De ce dernier, remarquez la belle *Vierge★* de 1913 qui ouvre le début de l'exposition. À noter également, une belle collection de vues de Prague par **Oskar Kokoschka**, réalisées lors de son exil entre 1934 et 1939. Côté galerie, l'exposition se poursuit avec des œuvres de la seconde moitié du 20ᵉ s. et du début du 21ᵉ s, notamment des pièces du designer **Philippe Starck** et une maquette de la fameuse « Maison qui danse », édifiée par **F. Gehry** et **V. Milunič** sur les bords de la Vltava à Prague.

Deuxième étage - art tchèque de 1930 à aujourd'hui★
Les peintres et les sculpteurs tchèques ont suivi la plupart des grands mouvements artistiques européens, tout en apportant leur propre contribution, remarquablement originale. Beaucoup des œuvres présentées sont d'autant plus intéressantes qu'elles semblent peu familières. Les beaux torses masculins et féminins lumineux de **Zdenek Pešanek** ouvrent l'exposition, mettant en avant l'originalité d'un artiste qui a eu l'idée d'associer lumière et sculpture dès les années 1930. Plus loin, on découvre un autre artiste majeur, **Josef Sudek**, avec notamment une jolie série de photos réalisées dans les années 1950. La salle **Expo 58** expose quelques objets de l'Exposition universelle de 1958, au cours de laquelle le pavillon de la Tchécoslovaquie avait été remarqué pour son avant-gardisme et sa créativité. Au fil du 20ᵉ s., les œuvres deviennent plus sombres et parfois plus politisées : l'étonnant *Mur* réalisé par Bedřich Dlouhý en 1989 est une œuvre sombre et inquiète.

Troisième étage - art tchèque 1900-1930★★
Expressionnisme – Aujourd'hui, **František Kupka** (1871-1957) jouit d'une renommée internationale de coloriste et de pionnier de l'art abstrait. On peut suivre ici son évolution artistique, de ses premières œuvres figuratives à l'abstraction, avec

Fugue à deux couleurs Amorpha de 1912 et **Printemps cosmique★**, de 1913-1914 (salle 1).

Cubisme – L'importance de Prague comme deuxième capitale européenne du cubisme après Paris est attestée par les peintures de Filla (salle 3), Václav Špála (1885-1946 – salle 13), Otakar Kubín (1883-1969 – salle 6), et surtout **Kubišta** (*Carrières de Branik*, 1910-11, *Nature morte au crâne*, 1912, **Saint Sébastien★**, 1912, et **Le Fumeur★**, autoportrait désabusé de 1910 – salle 5). **Otto Gutfreund** (1889-1927) explore les possibilités de la sculpture cubiste dans une série de réalisations impressionnantes, dont une **Anxiété★** repliée sur elle-même, de 1911, et un buste magnifiquement tourmenté de **Don Quichotte★**, de 1912 (salle 11)

« *Cléopatre II* » par Jan Zrzavý.

Emil Filla (1882-1953) est représenté par plusieurs tableaux, dont le **Lecteur de Dostoïevski★**, de 1907 (salle 3). Dans la salle 14 ressort la personnalité de **Jan Zrzavý** (1890-1977), dont les visions nostalgiques, comme dans *Vallée des douleurs*, de 1908, sont parfois pimentées d'humour et d'érotisme, comme pour sa **Cléopâtre II★** alanguie.

Troisième étage - art français des 19ᵉ et 20ᵉ s.★★

Outre de belles œuvres de Rodin, un imposant **Héraclès** d'Antoine Bourdelle, une *Tête de femme* cubiste de 1909 par Picasso, et, sensuel contraste, une plantureuse *Pomone* sculptée en 1910 par Maillol, ce sont les peintures qui retiendront le plus l'attention, avec la collection presque exhaustive d'art moderne français. On découvre des tableaux, dont certains de très haute qualité, de Courbet, Corot, Delacroix, Daumier, Pissarro, Renoir, Lautrec, Van Gogh, Seurat, Signac, Cézanne, Degas, Derain, Gauguin, Matisse, Bonnard, Utrillo, Léger, Vlaminck, Dufy et Valadon. Dans les premières années du 20ᵉ s., le Dr Vincenc Kramář, historien d'art et collectionneur, a soutenu la cause du cubisme, et grâce à ses acquisitions visionnaires, la galerie possède une collection particulièrement remarquable de **peintures cubistes★★** de **Braque** et de **Picasso** (dont le célèbre *Autoportrait*, de 1907).

Quatrième étage - art du 19ᵉ s.★

L'imposant bronze de **Josef Václav Myslbek★**, intitulé *Music*, accueille le visiteur. Les premières salles sont dominées par de très belles peintures d'inspiration romantique signées Antonín Machek et Josef Navrátil et les tableaux de la célèbre famille **Mánes** : Antonín (1784-1843), Václav (1795-1858), Josef (1820-1871), et Quido (1828-1880) qui offre tellement de tendresse dans les scènes intimistes comme *La Visite des grands-parents* ou *La Fête au village*. Au nombre des œuvres de **Josef Mánes** figure la toile évocatrice *Paysage de l'Elbe, environs de Říp* (1863), qui a pour sujet le confluent des rivières Elbe et Vltava ; au loin s'élève au-dessus de la plaine la masse caractéristique de la montagne de Říp, d'où, au 6ᵉ s., le « père de la Nation », Čech, embrassa du regard la terre qui devait prendre son nom. Le paysage est un thème récurrent de cette galerie, reflétant la découverte par les peintres de la richesse et de la variété des campagnes de Bohême et de Moravie. On trouve également des peintures évoquant les grands épisodes du passé tchèque chez František Ženíšek (1849-1916), avec *Oldřich et Božena*, qui met en scène la rencontre, riche de symboles, entre le prince et la jeune paysanne.

Parmi les œuvres les plus connues du peintre symboliste **Jan Preisler** (1872-1918) se trouve le cycle du *Lac noir*, tableaux de 1903-1905 presque monochromes, montrant un adolescent gracile et un cheval à la robe claire, sur un arrière-plan de lac sombre et mystérieux. **František Bílek★** (1872-1941) est bien représenté ici avec certaines de ses sculptures, empreintes de force et de passion, comme *Blind people*. Antonín Hudeček (1872-1941) utilise le paysage pour exprimer de subtils états d'âme, comme dans *Pleine lune*, de 1899, ou *Silence du soir*, de 1900, qui s'opposent aux turbulents panoramas de Prague peints par Antonín Slavíček (1870-1910), par exemple *Vue vers Trója*, de 1908. La sculpture de cette époque compte de belles réalisations de Stanislav Sucharda (1866-1916), Bohumil Kafka (1878-1942) et **Ladislav Šaloun★** (1870-1946), auteur du mémorial de Jan Hus sur la place de la Vieille Ville. L'exposition s'achève sur une peinture et une esquisse d'**Alfons Mucha**.

Parc des Expositions Plan 2ᵉ rabat de couv. F1

Prague 7 (Holešovice) - 🚇 *Vltavská ;* 🚋 *5, 12, 14, 17.*

Au départ aménagé pour la grande Exposition du jubilé de 1891, le parc des Expositions de Prague, **Výstaviště**, a été étendu en 1991. L'Exposition de 1891 a été l'une des plus ambitieuses et des plus réussies de son temps : ses 146 pavillons, présentant les curiosités et les merveilles de la technologie de l'époque, ont accueilli deux millions de visiteurs. S'étendant aujourd'hui sur 36 ha dans le parc **Stromovka**, le parc des Expositions accueille non seulement des salons et des présentations de toutes sortes, mais aussi une fête foraine renommée. Il est particulièrement animé les week-ends d'été, surtout le samedi matin, avec un marché en plein air qui propose un choix extraordinaire. À proximité se trouve le **planétarium**. Un des pavillons de 1891 abrite le **Lapidarium** du Musée national, la plus belle collection de statuaire et de pierre sculptée du pays.

Palais de l'Industrie
(Průmyslový palác)

La superbe structure de verre et d'acier du **palais de l'Industrie** bâti pour accueillir les pièces principales de l'Exposition de 1891 domine toujours le parc. Cousin de la tour Eiffel en réduction élevée la même année sur la colline de Petřín, ce bâtiment en acier a été partiellement recouvert d'ornements néobaroques : tours couronnées de dômes flanquant la façade principale, tour centrale de 51 m de haut, statuaire allégorique au-dessus de l'entrée. En février 1948, en préalable au coup d'État imminent, 8 000 délégués syndicaux s'y réunirent, persuadés de ratifier le programme révolutionnaire du Premier ministre communiste Gottwald. Rebaptisé depuis palais des Congrès, le bâtiment a accueilli tous les congrès du Parti communiste.

L'horloge du palais de l'Industrie.

Parmi les grands bâtiments plus récents se distinguent la spectaculaire **Pyramida** argentée, qui accueille spectacles musicaux et expositions, et le **Spirála** (théâtre Spirale) en forme de cylindre.

Fontaine Křižík (Křižíkova fontána)

Výstaviště - mars-déc. (aussi un spectacle à 20h 180 Kč). Entourée de pavillons d'exposition modernes, la **fontaine Křižík**, extraordinaire création de František Křižík, inventeur prolifique et inspirateur de l'Exposition de 1891, a été récemment remaniée. Contrôlée par ordinateur, avec 50 pompes, 3 000 jets et 1 248 projecteurs, la fontaine offre à plus de 6 000 spectateurs un spectacle extraordinaire de jeux d'eau et de lumière.

Maroldovo Panorama

Výstaviště - avr.-oct. : tlj sf lun. 14h-17h, w.-end 10h-17h - 20 Kč. Un pavillon renferme une audacieuse « réalisation virtuelle » de la fin du 19ᵉ s. Il fut construit en 1898 pour abriter le **panorama Marold**, immense peinture circulaire de Luděk Marold décrivant l'une des batailles décisives des guerres hussites. En 1434, à la bataille de

Lipany, les partisans du farouche Prokop Holý furent vaincus par des troupes hussites plus modérées, prêtes à composer avec l'ordre établi. L'immense peinture, de 30 m de diamètre et 11 m de haut, évoque avec réalisme et un luxe de détails le chaos et la confusion du combat.

Lapidárium★★

Parc des Expositions (pavillon à droite en entrant) - 📞 *233 375 636 - mar.-vend. : 12h-18h, w.-end : 10h-18h - 40 Kč.* Du fait des dommages liés, entre autres, à la pollution, de nombreuses sculptures qui marquent le paysage praguois sont en réalité des copies : le Lapidárium offre l'occasion d'admirer de près les originaux de nombreux chefs-d'œuvre. D'autres ont été récupérés dans des bâtiments en démolition, ou sur des monuments tombés en désuétude.

Salle 1 – Pièces les plus anciennes de la collection, les **colonnes du 11e s.** provenant de la basilique du Hradschin, ancêtre de la cathédrale, présentent d'audacieux motifs tressés. Les féroces **lions rugissants de Kouřím**, du début du 13e s., sont les sculptures en rondebosse les plus anciennes du pays.

L'entrée du Lapidárium.

Salle 2 – Les plâtres des **célèbres bustes du 14e s.** du triforium de la cathédrale, dont ceux de Peter Parler et Matthieu d'Arras, ceux de Charles IV, de ses quatre épouses et d'autres membres de la famille royale, rivalisent en intérêt avec les superbes **sculptures de la tour du pont de la Vieille Ville★★**, présentées dans l'ordre que commande la hiérarchie. Charles IV apparaît à nouveau, en costume d'empereur romain, entouré des saints patrons du pays. On voit aussi l'original (endommagé) du chevalier Bruncvík du pont Charles.

Salle 3 – La salle est dominée par les vestiges de la magnifique **fontaine de Krocín★**, ornement de la place de la Vieille-Ville de 1591 à 1862, qui soutient la comparaison avec toutes les grandes fontaines de la Renaissance italienne.

Salle 4 – La **porte Slavata**, avec ses deux ours, formait autrefois l'accès de l'un des plus beaux jardins baroques de Prague. La statue d'**Atlas** par Braun est l'original de celle qui garde l'entrée du jardin Vrtba. On remarque aussi les originaux de quelques-unes des plus belles **statues★** du pont Charles, dont **Saint Ignace de Loyola** et **Saint François Xavier**, par Brokoff, et le **Saint Yves** de Braun.

Salle 5 – Les fragments de la **colonne mariale** baroque qui ornait jusqu'en 1918 la place de la Vieille-Ville donnent une idée de son aspect avant sa démolition.

Salle 6 – D'autres œuvres baroques comprennent l'original de la statue équestre du saint patron du pays par Bendl, qui ornait jusqu'en 1 879 la place Venceslas.

Salle 7 – Parmi les pièces des 18ᵉ et 19ᵉ s. se trouvent les charmants *Amoureux au palmier*, autrefois éléments d'une fontaine de František Lederer.

Salle 8 – On voit ici des monuments élevés à de grandes figures historiques, tels les empereurs François Iᵉʳ et François-Joseph, et le maréchal Radetzky, populaire général d'origine tchèque qui mit en déroute à maintes reprises les ennemis des Habsbourg ; œuvre des frères Max, sa superbe **statue★**, coulée dans le bronze de canons italiens, a orné jusqu'en 1919 la place de Malá-Strana.

Parc Stromovka

Coupé par les voies de chemin de fer, partiellement absorbé par le parc des Expositions, son extrémité ouest a été transformée en quartier résidentiel (aujourd'hui quartier des ambassades). Néanmoins le parc couvre toujours plus d'un kilomètre carré. Avec ses beaux bouquets d'arbres et son réseau étendu de sentiers, il est très apprécié des Praguois. Sous le règne de Rodolphe II, on perça le **Rudolfova stoka**, tunnel de 1 100 m de long, ouvrage remarquable pour son époque et toujours en service, qui conduit l'eau de la Vltava sous le plateau de Letná jusqu'au lac central du parc. Autres souvenirs du passé royal du parc, le pavillon de chasse royal (Královská dvorana) remanié en 1855 dans le style néogothique, et, dans le même style, perché au-dessus d'une pente vertigineuse, le **palais d'Été** (Letohrádek), qui abrite aujourd'hui le département des périodiques du Musée national. On y trouve aussi un petit **planétarium**, bâtiment construit après la guerre pour accueillir des présentations sur les mystères de l'univers, un cinéma et un « Cosmorama » ultramoderne.

Palais Trója ★★ (Trojský zámek) Plan 2ᵉ rabat de couv. E1

Prague 7 - U Trojeského zámku 1 - Ⓜ *Holešovice, puis bus 112, l'arrêt Zoologická zahrada -* ☏ *283 851 614 - www.citygalleryprague.cz - tlj sf lun. 10-18h - 100 Kč.*

Au 18ᵉ s., on a donné le nom collectif de Trója (Troie) aux petits hameaux dispersés dans des collines bucoliques couvertes de vignobles (quelques vignes témoins demeurent), quand le comte Wenzel Adalbert Sternberg y fit bâtir son grand palais d'Été.

D'une pierre deux coups – Le comte Sternberg se disait que, s'il pouvait proposer à son souverain un lieu de détente agréable après ses parties de chasse à Stromovka, de l'autre côté de la rivière, son influence à la cour ne pourrait qu'y gagner : la chasse royale ne disposait à l'époque d'aucun aménagement, pas même un simple pavillon. Le domaine de la ferme des Sternberg fournissant un emplacement idéal, les travaux débutèrent en 1679, avant même que la famille ne se construise un palais en ville. De plus, si le fait de recevoir fastueusement le souverain devait favoriser le nom des Sternberg, il démontrait aussi leur loyauté tout en soutenant la cause de la noblesse de Bohême, dont l'image auprès de l'empereur s'était ternie depuis l'échec de la rébellion des États et la bataille de la Montagne-Blanche (1620).

Un projet ambitieux – Sur les conseils de l'archevêque de Prague, le comte engage un architecte alors peu connu, le Français **Jean-Baptiste Mathey.** On entreprend d'énormes travaux de terrassement afin de disposer l'axe principal du palais et du jardin face au Château de Prague, en hommage au souverain. Cette disposition permet aussi aux visiteurs arrivant en bateau d'admirer à loisir le bâtiment et son environnement : après avoir débarqué, ils doivent traverser les jardins à la française pour rejoindre la terrasse, puis gravir l'escalier monumental pour pénétrer au cœur même du palais, dans la salle d'apparat du premier étage.

Les Marchetti

Originaires de Trente, en Italie du Nord, Francesco Marchetti et son fils Giovanni Francesco ont été chargés des peintures des plafonds, et aussi des grandes toiles, dont subsistent uniquement celles de la chapelle (1690). Tous leurs travaux, sans exception, célèbrent la gloire et le génie de la famille Sternberg. Ils dépeignent ses membres en compagnie des dieux, au sein de compositions allégoriques (la Vérité, la Victoire), proclamant les Vertus (Obéissance, Sagesse, Loyauté) ou triomphant du mal (le Vice, l'Envie, la Folie). L'étoile à huit branches des Sternberg y figure souvent. Cette iconographie complexe et prétentieuse ne parvient pas à dissimuler les défauts dans la composition et le rendu des gestes ; déçu, le comte engagea d'autres artistes pour orner la salle d'apparat.

L'escalier monumental de Trója.

Ph. Gajic / MICHELIN

Une fantaisie franco-italienne

L'esprit général du projet de Mathey est demeuré, en dépit de la disparition de quelques éléments conçus par l'architecte.

Jardins

Les jardins à la française, auxquels la restauration moderne a fait perdre un peu de leur atmosphère, se composent de parterres entourant une grande fontaine et d'une terrasse surélevée, bordée d'un mur orné de vases gigantesques conçus par Bombelli. Sur le côté s'étend un grand verger au dessin également classique, avec des allées convergentes, un labyrinthe circulaire et un théâtre de plein air.

Palais

La structure rigoureusement symétrique du palais s'inspire des concepts nouveaux des Italiens Fontana et le Bernin. Monumental, le corps central du bâtiment, qu'éclairent deux étages de fenêtres, est entièrement occupé par la **salle d'apparat.** De part et d'autre, les ailes, plus basses, sont flanquées à leur tour de pavillons d'angle qui s'avancent dans les jardins. Au-dessus s'élèvent les deux tours qui renferment les escaliers intérieurs. L'axe principal de l'ensemble se prolonge côté nord, où les écuries jouxtent un escalier semi-circulaire central et un petit portail qui donnait autrefois sur les vignes. Pour amplifier les dimensions du palais, Mathey y aligne des pilastres colossaux rouges, couleur qu'il donne aussi aux corniches et aux cadres des fenêtres. Seuls le grand escalier extérieur et les portes demeurent en pierre nue, ce qui en souligne l'effet.

Grand escalier – Point de mire de l'axe principal, l'escalier est l'unique accès direct du rez-de-chaussée à la salle d'apparat. Sa forme en fer à cheval s'inspire du grand escalier du château de Fontainebleau. La splendide série de **statues**★★ montre les dieux de l'Olympe précipitant les Titans en enfer. Zeus et Héra encadrent la balustrade supérieure, qui offre une vue panoramique sur les jardins en direction du Hradschin. Cette superbe gigantomachie est l'œuvre de sculpteurs de Dresde, **Johann Georg Heerman** et son neveu Paul, disciples du Bernin.

Un descriptif du décor est présenté en plusieurs langues dans chaque pièce.

Salle d'apparat★★★ **(1691-1697)** – Les frères flamands Abraham et Isaac Godyn entrèrent au service du comte en 1690. Impressionné par les trompe-l'œil architecturaux qu'ils avaient peints pour les corridors, Sternberg décida de leur confier les travaux de décoration de la salle d'apparat. Leurs fresques, à la gloire de la dynastie des Habsbourg et de la foi chrétienne, montrent une dimension épique. Celles qui illustrent la cuisante défaite des Turcs, envahisseurs de l'Europe centrale, sont particulièrement évocatrices. Maîtres dans l'art du trompe-l'œil, les frères Godyn ont magnifiquement traité l'espace de manière dynamique, utilisant la multiplicité des points de vue.

Dans les trois pièces qui jouxtent la salle d'apparat, les charmantes peintures de paysages dans le style chinois sont l'œuvre d'un anonyme.

Collections de peinture – Le palais abrite une partie de l'immense collection de peinture tchèque du 19e s. de la Ville de Prague, dont de nombreux tableaux du peintre d'histoire Václav Brožík.

En face de l'entrée latérale du palais Trója s'ouvre le **zoo de Prague** – $\mathscr{C}$ 296 112 111 - www.zoopraha.cz - juin-août : 9h-19h ; avr.-mai et sept.-oct. : 9h-18h ; nov.-fév. : 9h-16h - 90/70 Kč.

Musée de l'Aviation ★ (Letecké muzeum) 2e rabat de couv. F1

Prague 9 - aéroport Praha-Kbely - Mladoboleslavká 902 - Ⓜ *Českomoravská, puis bus n° 185, 259, 278, 280, 302 ou 354, arrêt Letecké muzeum -* $\mathscr{C}$ *973 207 511 - www.militarymuseum.cz - mai-oct. : tlj sf lun. 10h-18h - gratuit.*

Occupant les hangars de l'aérodrome historique de Kbely, il possède l'une des plus importantes collections d'appareils en Europe. Malgré son accès relativement peu aisé et sa rusticité, il mérite une visite, même pour ceux qui ne s'intéressent que de loin aux avions. Ses présentations illustrent bien la fascination qu'ont suscitée, pour les habitants de cette terre enclavée, l'étude, puis la conquête du ciel.

Longtemps base aérienne de l'armée, le terrain de Kbely a aussi été le premier aéroport commercial de Prague : en octobre 1920 a été inaugurée ici une liaison régulière Prague-Strasbourg-Paris.

Objets et souvenirs liés à l'aviation, ainsi qu'une importante collection d'armes antiaériennes entourent la centaine d'avions exposés, donnant un tableau très complet de l'aviation militaire et civile dans cette partie d'Europe centrale. Beaucoup d'appareils, comme par exemple ceux provenant des usines **Avia**, reflètent le degré de modernité de l'aviation tchécoslovaque, notamment dans l'Entre-deux-guerres. Pendant la Seconde Guerre mondiale, des pilotes tchécoslovaques en exil ont participé à la bataille d'Angleterre, aux commandes d'appareils comme le **Spitfire** et au sein d'escadrilles de la RAF. D'autres ont combattu sur le front de l'Est à bord du Lavochkine ou du célèbre Iliouchine **Sturmovik**. En 1945, la Luftwaffe, chassée de la plupart de ses terrains d'aviation en terre allemande par l'avancée des Alliés, s'est repliée ici ; aussi le musée possède-t-il non pas un, mais deux exemplaires de son avion de combat d'avant-garde, le biréacteur **Messerschmitt 262**. Un impressionnant déploiement d'appareils de construction soviétique illustre les tensions de la guerre froide. Il y a même un Phantom américain, ainsi qu'un Northrop Tiger, pris au Vietnam.

Plusieurs avions du musée, dont une réplique d'un chasseur Nieuport de la Première Guerre mondiale, sont toujours en état de vol et participent à des démonstrations.

Au nord du centre-ville pratique

Se restaurer

⊖⊖⊜ **Pavillon Hanavsky** – *Letenské sady 173 (Prague 7) -* $\mathscr{C}$ *233 323 641- 11h-1h - 1 000/1 500 Kč.* Situé sur la colline de Letná, le pavillon de Hanava (*p. 254*) érigé lors d'une Exposition universelle a un charme fou et offre une vue magnifique sur Prague. Cuisine internationale de qualité, mais addition un peu salée. On paie aussi pour la vue.

Faire une pause

Letenské sady – *Parc de Letná (Prague 7).* Des bancs et des tables, quelques grillades, et surtout de la bière : le parc de Letná est un lieu de rencontre populaire, où l'on jouit d'une superbe vue sur Prague.

10 À l'ouest du centre-ville

CARTE 1ER RABAT DE COUV. A4 - CARTE 2E RABAT DE COUV. E2

Villa Bertramka - W.-A. Mozart Museum ★
Plan 1er rabat de couv. A4

Prague 5 (Smíchov) - Mozartova 169 - Ⓜ *Anděl ;* 🚋 *4, 6, 9, 10, 12, 14, arrêt Bertramka -* 📞 *257 316 753 - www.bertramka.com - avr.-oct. : 9h-18h ; nov.-mars : 9h30-16h - 110 Kč.*

Au 18e s., la campagne commmençait au pied des murs de Prague, et la ville était entourée de fermes. Beaucoup avaient été converties en agréables villégiatures pour les classes moyennes en plein essor : tel fut le cas de la **villa Bertramka.**

Au début du 18e s., on transforme en une charmante résidence cette maison de bois d'un négociant en vins, au milieu des vignes de la colline Noire. Elle prend le nom de l'un de ses propriétaires, Franz de Bertram. Les meilleurs amis praguois de Mozart, les Dušek, l'achètent en 1774. **František Dušek** était un professeur de musique estimé ; sa femme, une de ses anciennes élèves, une cantatrice célèbre. Ils avaient rencontré Mozart à Salzbourg, et lui avaient offert l'hospitalité. Mozart visite Prague pour la première fois en 1787. En l'absence des Dušek, hôte du comte Thun, il prend grand plaisir à la « figaromanie » qui emporte la ville : « On ne joue, on n'entend, on ne chante, on ne siffle que… Figaro ». Plus tard, la même année, il profitera de l'environnement convivial de la villa Bertramka pour terminer *Don Giovanni*.

En 1789 et 1791, il revient dans cette ville qui l'a gardé dans son cœur. À sa mort, on chante à St-Nicolas de Malá Strana un requiem composé par František Antonín Rössler (Rosetti). L'assistance se presse dans l'église et déborde jusque dans la rue.

Les séjours de Mozart à Prague ont inspiré le court roman d'Eduard Mörike *Mozart auf der Reise nach Prag (Voyage de Mozart à Prague – 1856)* et la pièce de Peter Schaeffer *Amadeus* (1975), superbement filmée par Miloš Forman.

La villa et ses alentours ont pour beaucoup gardé leur atmosphère de la fin du 18e s. Dès les années 1870, les admirateurs de Mozart y viennent en pèlerinage et paraphent le livre d'or. L'aménagement de la villa en musée date de 1956.

La première de « Don Giovanni »

Plusieurs opéras sur le thème de don Juan ont déjà été présentés à Prague quand, au début de l'année 1787, le théâtre Nostitz demande à Mozart de composer un opéra sur le même sujet pour l'automne suivant. Il se met au travail. Mais, deux jours avant la première, l'ouverture reste toujours à écrire. On dit que, durant toute la nuit du 27 octobre, sa femme Constance le maintient éveillé avec du café fort pendant qu'il griffonne à toute allure. Enfin terminée, l'ouverture est emportée en hâte chez les copistes, puis distribuée aux musiciens, juste à temps pour la première le 29. La représentation d'*Il Dissoluto punito ossia il Don Giovanni* est un triomphe ; tous s'accordent à dire qu'on n'a jamais rien entendu de tel à Prague. Ravi d'être adulé par la ville, Mozart s'exclame : *Meine Prager verstehen mich !* (« Mes Praguois me comprennent ! »). La ville le vénère toujours, et on joue en permanence ses œuvres les plus connues dans les églises de la ville, mais davantage pour un public de touristes.

Couvent de Břevnov ★ (Břevnovský klášter) 2e rabat de couv. E2

Prague 6 - Markétská 1/28 - 🚋 *15, 22, 25, arrêt Břevnovský klášter -* 📞 *220 406 111 - www.brevnov.cz - visite guidée uniquement - avr.-oct : w.-end 10h, 14h et 16h ; nov.-mars : w.-end 10h et 14h - 50 Kč.*

Le monastère bénédictin de Břevnov, le plus ancien du pays, a été fondé il y a plus de mille ans. L'aspect baroque qu'on lui voit aujourd'hui est le résultat d'une rénovation ambitieuse du début du 18e s., l'une des plus belles réussites de la dynastie d'architectes Dientzenhofer. Sous le régime communiste, il servit à divers usages et fut mal entretenu, bien que dans le même temps des archéologues se fussent consciencieusement attachés à redécouvrir sa longue histoire. Revenu aux bénédictins en 1990, il présente au public les nombreux trésors de l'abbaye et sa splendide église.

Histoire du couvent – Selon la légende, le couvent fut fondé à la suite d'une rencontre entre le prince **Boleslav II** et l'évêque de Prague, **Adalbert** (Vojtěch), guidés vers une source par un même songe. Quoi qu'il en soit, les origines de l'institution remontent à l'an 993, au retour d'Italie d'Adalbert, accompagné d'un groupe de moines bénédictins. Břevnov connut un grand essor et devint un important centre de propagation du christianisme en Bohême et dans les pays voisins, quoique Adalbert ait été martyrisé par des païens prussiens. Une imposante basilique romane s'éleva, remplacée par une église gothique, en majeure partie détruite au début du 15e s. par les hussites. Un nouvel âge d'or survint au début du 18e s., quand deux abbés énergiques employèrent les Dientzenhofer à rebâtir l'église et le couvent. Au début du 20e s., il connut une autre période de gloire et se fit une réputation enviable grâce à l'enseignement qu'il dispensait et à ses publications. Pendant la période communiste, ces activités se maintinrent, plus modestement en raison de l'exil des moines en Bavière. En 1990, à leur retour, de grands travaux de restauration les attendaient : une partie des bâtiments du couvent avait abrité les archives de la police, une autre un fonds de bibliothèque.

Couvent

On pénètre dans le couvent par un portail baroque surmonté d'une statue de saint Benoît, entourée d'anges. De grandes dépendances longent l'allée de tilleuls qui mène à l'église. On voit notamment sur la gauche une grange dîmière particulièrement imposante. À gauche de l'église, un autre portail donne accès aux **jardins**, dessinés par Kilian Ignaz Dientzenhofer et jadis dotés d'une magnifique orangerie, mais longtemps laissés à l'abandon. La **source** où aurait eu lieu la rencontre de Boleslav et d'Adalbert est devenue un important centre de pèlerinage, et l'on a restauré le **pavillon** baroque qui la domine.

Nef de l'église Ste-Marguerite.

Église abbatiale★★

L'église du couvent, consacrée à sainte Marguerite, reste l'un des chefs-d'œuvre des Dientzenhofer, avec ses proportions grandioses et l'utilisation magistrale des différentes techniques du baroque. **Christoph Dientzenhofer** l'a bâtie entre 1709 et 1716, mais c'est son fils **Kilian Ignaz** qui y aurait apporté la touche finale. L'extérieur, d'ordre ionique monumental, est couronné d'énormes pignons et de statues de Jäckel. À l'intérieur, l'absence de bas-côtés crée un seul volume d'une grande majesté. Les autels latéraux portent des peintures de Peter Brandl, dans des cadres en trompe l'œil ; les fresques peintes au plafond par Steinfels illustrent des épisodes de l'histoire de l'abbaye. Les formes ovales qui se recouvrent sur la voûte reposent sur des pilastres placés, pour la première fois à Prague, de biais par rapport à l'axe de la nef. On voit, derrière la chaire, l'oratoire vitré de l'abbé. Des statues de sainte Marguerite et d'anges par Jäckel ornent le maître-autel.

Crypte – *Visite guidée combinée avec celle du couvent.* Sous le pavement de l'église baroque se trouvent d'intéressants vestiges de bâtiments antérieurs de plusieurs siècles, mis au jour entre 1978 et 1983 : à côté de parties de murs de l'église gothique, le plus impressionnant demeure l'extrémité est, semi-circulaire, de la crypte romane, avec ses robustes piliers et ses ouvertures en plein cintre.

Bâtiments conventuels★

Visite guidée. Les logements des moines ont été commencés par Christoph Dientzenhofer. Quand ce dernier se retire, peu avant sa mort, en 1722, c'est Kilian Ignaz qui prend la relève. Seule la partie est des bâtiments qui entourent les trois cours est ouverte au public. Escaliers, couloirs et salles superbement dessinés abritent des peintures, des fresques sur les plafonds et beaucoup d'autres merveilles. Le **Salon chinois**, avec ses peintures murales orientales, lumineuses et légères, est à voir, mais ne manquez surtout pas la **salle Thérèse★★**, somptueusement décorée par les frères **Asam**, de Bavière. Au plafond, leur merveilleuse fresque illustre de manière vivante comment Gonthier le Bienheureux a évité que l'on ne consomme de la viande un vend, en faisant miraculeusement s'envoler de la table royale un paon rôti.

Montagne Blanche (Bílá hora)

Pavillon de l'Étoile★ (Letohrádek Hvězda) -
musée de la Littérature tchèque (pámátník národního písemnictví)

Plan 2e rabat de couv. E2

Prague 6 - Liboc 25 c - 🚃 *22 ou 23, arrêt Pohořelec -* ☎ *220 516 695 - www.pamatniknarodnihopisemnictvi.cz - mai-sept. : tlj sf lun. 10h-18h ; avr. et oct. : tlj sf lun. 10h-17h - 30 Kč.*

En 1530, **Ferdinand Ier** aménage en réserve de chasse un bois qui appartenait autrefois au monastère de Břevnov, tout proche. Par la suite, il l'enclôt d'un mur, mais c'est son fils, l'archiduc **Ferdinand du Tyrol**, qui, en 1556, donnera au parc

La bataille de la Montagne-Blanche

L'armée impériale catholique et les troupes des États protestants de Bohême s'affrontent au matin du 8 novembre 1620. Rapidement, l'armée des États s'effondre ; pris de panique, le faible « roi d'un hiver » Frédéric, et son épouse Élisabeth Stuart, fuient la ville. Pour les catholiques, la victoire revient à un triomphe de la foi ; des églises sont élevées à Prague en célébration de ce haut fait. Pour la noblesse, le clergé et les intellectuels de Bohême, le désastre est total. Leurs chefs sont exécutés, leurs propriétés confisquées, et des milliers d'entre eux sont contraints à l'exil. Au 19e s., avec l'éveil d'une sensibilité nationale, la bataille de la Montagne-Blanche sera considérée comme le début de « Temno », un « âge des ténèbres » marqué par la mainmise des Allemands sur le pays…

La bataille de la Montagne-Blanche, 8 nov. 1620 (lithographie au crayon).

akg-images

le monument qui le distingue : ce pavillon en forme d'étoile. Homme très cultivé, l'archiduc a lui-même conçu cet édifice très inhabituel, en recourant néanmoins aux services de plusieurs architectes, parmi lesquels **Bonifaz Wohlmut** et l'Italien **Juan Maria del Pambio**. C'est ici, en 1620, que les vainqueurs de la bataille de la Montagne-Blanche ont rassemblé leurs forces avant d'entrer dans la ville sans défense. Puis le château et la chasse ont été abandonnés, et par la suite endommagés par des armées en manœuvre. Entre 1945 et 1951, on a procédé à la restauration complète du bâtiment, considéré comme un modèle d'architecture.

N.-D.-de-la-Victoire.

Pavillon – Son plan en étoile à six branches a exigé un aménagement intérieur complexe, composé de salles ovales et d'une pièce centrale à douze côtés. L'attrait de cet ensemble original est renforcé par la décoration, dont se détache le remarquable travail des **stucs**, très probablement l'œuvre de maîtres artisans italiens. On y voit plus de 300 panneaux, figurant pour la plupart des scènes joyeuses de l'Antiquité. La toiture actuelle, plutôt banale, a remplacé depuis longtemps le dôme d'origine, très élancé, mais l'effet produit par ce bâtiment Renaissance, placé au point de convergence de plusieurs grandes avenues, n'en est pas diminué pour autant.

Exposition – Au rez-de-chaussée, le pavillon abrite une exposition consacrée à son histoire. Une maquette de la bataille de la Montagne-Blanche a été disposée dans le magnifique sous-sol une forme en étoile. Quant à l'étage, il accueille d'intéressantes expositions temporaires du **musée de la Littérature tchèque**.

Montagne Blanche (Bílá hora)

Terminus du 🚃 *22 ou accès à pied par le sud du parc du pavillon de l'Étoile. Elle n'a rien d'une montagne ; c'est simplement le point culminant (381 m) du morne plateau crayeux où s'est déroulée la bataille décisive du 8 novembre 1620. Couvert aujourd'hui de logements de banlieue sans attrait, c'est l'endroit où le tramway 22 amorce une courbe, après sa longue ascension depuis le Hradschin. On n'y trouve guère d'échos de la bataille à part une stèle.*

Église N.-D.-de-la-Victoire★
(Panny Marie Vítězné)

Karlovarská (derrière le terminus du 🚃 *22) - ouv. 1/2h. av. les messes : messes e jeu. à 16h (hiver), 17h30 (été), dim. 11h.*

Elle a été consacrée en 1720 au cours de la semaine de célébrations marquant le centenaire de la bataille. Comme d'autres lieux de pèlerinage de Bohême, elle se blottit derrière de grands murs, et l'on y pénètre par un portail richement décoré. Aux angles du cloître s'ouvrent des chapelles. La petite église, au centre, montre un plafond peint par **Reiner** et **Asam**. Sa construction aurait été dirigée de concert par **Santini-Aichel** et **Kilian Ignaz Dientzenhofer**.

> ### Info pratique
>
> #### Se restaurer
>
> 🍽 **Na Verandách** – *Nádražní 84 (Prague 5)* - ✆ *257 191 111 - 11h-0h - 150/300 Kč.* Une brasserie populaire où l'on croise aussi bien l'homme d'affaire la famille tchèque que le touriste. Cadre simple, cuisine honnête et un vaste choix de bières à déguster avec les plats.

11 Au sud du centre-ville

CARTE 1ER RABAT DE COUV. C4-D4

Vyšehrad★ Plan 1er rabat de couv. C4 et plan p. 269

Prague 2 - M Vyšehrad ▄ 3, 16, 17 ou 21, arrêt « Výtoň » ▄ 7, 18, 24 arrêt « Albertov »
℘ 241 410 352 - www.praha-vysehrad.cz - avr.-oct. : 9h30-18h ; nov.-mars : 9h30-17h -
entrée libre dans l'aire de la forteresse.

Le rocher-forteresse de Vyšehrad défendait autrefois les abords de Prague. Baigné de mythes et d'histoire liés à la fondation de la ville, il est devenu, à la fin du 19e s., un haut lieu du sentiment national tchèque. Avec ses arbres, ses cimetières et ses espaces verts, Vyšehrad a un petit air de campagne, mais il abrite aussi plusieurs monuments intéressants, dont une très belle église et quelques exemples d'architecture cubiste.

La forteresse de Vyšehrad.

Forteresse des premiers souverains de Bohême – La réalité historique a été très enjolivée par les poètes et de chroniqueurs du 19e s. mais il est attesté qu'un certain nombre des premiers souverains de Bohême choisirent Vyšehrad comme lieu de résidence. Au 10e s., **Boleslav II** y faisait frapper sa monnaie ; on trouve les traces d'une église de la même époque sous les ruines de la **basilique romane** St-Laurent (Sv. Vavřince). Le lien entre Vyšehrad et la royauté est cependant essentiellement ranimé par **Charles IV**, qui rénove le palais abandonné et ajoute Vyšehrad dans le parcours du cortège du couronnement. Les hussites détruisent la forteresse en 1420 ; au milieu du 17e s., on y élève des fortifications baroques sophistiquées, auxquelles les Français adjoignent, un siècle plus tard, un ensemble de casemates. Mais quand éclate la guerre austro-prussienne de 1866, les forteresses de ce type sont devenues obsolètes… Abandonné des militaires, Vyšehrad est repris par les patriotes tchèques, dont le sentiment national se nourrit d'une production extraordinaire de peinture, de musique et de littérature inspirée de **Libuše** et d'autres légendes glorieuses du passé tchèque. À partir des années 1870, on ouvre un cimetière national réservé aux Tchèques et on rénove avec munificence l'église Sts-Pierre-et-Paul. Durant tout le 20e s., Vyšehrad conserve sa puissance symbolique. En 1939, la moitié des habitants de Prague assiste au transfert, au cimetière national, du corps du poète lyrique **Karel Hynek Mácha** (1810-1836), sa ville natale, Litoměřice, que les accords de Munich avaient rattachée à l'Allemagne. Un demi-siècle plus tard, par un jour de novembre, les étudiants entameront ici la manifestation qui précipitera la « révolution de velours », de 1989.

Porte de Tábor (Táborská brána)

Protégé sur trois côtés par des talus abrupts, Vyšehrad est défendu sur le quatrième par un avant-poste auquel donne accès la porte de Tábor (milieu du 17e s.). Sur la droite, entre cette porte et la porte Léopold, on voit les vestiges de la porte Špička, partie des fortifications gothiques.

La vision de Libuše

Vyšehrad est intimement lié aux prémices légendaires de l'histoire tchèque et à l'essor de la dynastie prémyslide : on dit que c'est ici que la **princesse Libuše** eut sa vision prémonitoire de la fondation de Prague, une ville « dont la splendeur atteindra les étoiles ».

Porte Léopold (Leopoldova brána)

L'architecte Carlo Lurago a pris part à la conception de la porte Léopold, magnifique porte baroque achevée vers 1670.

Rotonde St-Martin (rotunda sv. Martina)

Ouv. lors des messes. Construite autour de 1070, la rotonde romane St-Martin se trouvait au cœur de l'implantation urbaine de Vyšehrad jusqu'à l'expulsion de la population civile pour édifier les fortifications baroques. Convertie en entrepôt et magasin à poudre, la rotonde a failli être détruite à son tour au 19e s. par un projet d'amélioration des routes, mais l'intervention du comte Chotek a permis de la sauver et de la restaurer entièrement, peut-être excessivement.

Galerie Vyšehrad

Janv.-mars et nov.-déc. : 9h30-17h ; avr.-oct : 9h30-18h - 10 Kč. Ce bastion qui domine la Vltava abrite régulièrement des expositions de dessins. Juste à côté, on trouve l'entrée des **caves gothiques** ou **casemates**, une suite de pièces souterraines présentant une intéressante exposition sur la colline fortifiée *(30 Kč)*.

Les statues de Myslbek★

Apportés du pont Palacký, où ils avaient souffert de la guerre et étaient menacés par des aménagements routiers, ces quatre groupes dus à l'auteur de la statue de saint Venceslas, **Josef Václav Myslbek** (1848-1922), comprennent les figures de Libuše et de Přemysl, son époux laboureur.

Église Sts-Pierre-et-Paul★ (Sv. Petra a Pavla)

Tlj sf mar. et vend. apr.-midi : 9h-12h (dim. 10h), 13h-17h - 30 Kč.

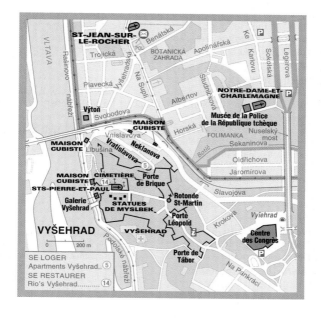

Modifiée et restaurée au fil des années, l'église Sts-Pierre-et-Paul (fin du 11e s.) a finalement été entièrement remaniée dans le style néo gothique par **Josef Mocker** dans les années 1880. L'intérieur aussi a été refait dans le même style, avec une audacieuse décoration polychrome.

Cimetière de Vyšehrad★ (Vyšehradský hřbitov)

Mai-sept. : 8h-19h ; mars-avr. et oct. : 8h-18h ; nov.-fév. : 8h-17h - gratuit.

Autrefois humble cimetière paroissial, le cimetière de Vyšehrad, aménagé à partir des années 1870, accueille les sépultures d'environ 600 personnalités de la nation tchèque. On y trouve peu de figures militaires ou politiques, mais de nombreux représentants des arts, des sciences et des lettres, dont quelques femmes, parmi lesquelles l'écrivain **Božena Němcová** et la cantatrice **Ema Destinnová** (Emmy Destinn). Certains des monuments funéraires sont de remarquables créations de sculpteurs comme **František Bílek** et **Bohumil Kafka** ; au nombre des œuvres de **Ladislav Šaloun**, le **tombeau de Dvořák**. Une arcade néo-Renaissance limite pour partie le cimetière. Son monument majeur est le **Slavín**, le mausolée abritant les reliques des Tchèques les plus illustres, dont le peintre **Alfons Mucha**. Un génie ailé le couronne, ainsi que des statues représentant la *Nation endeuillée* et la *Nation en liesse*.

Tombeau de Dvořák.

J. Sierpinski / PHOTONONSTOP

Porte de Brique (Cihelná brána)

Achevée en 1842, la porte de Brique est aussi appelée porte de Prague ou porte Chotek, du nom de son bâtisseur.

Remparts

On peut faire à pied le tour presque complet des remparts de Vyšehrad. Ils offrent des vues splendides, vers l'amont en direction des rochers de Bráník et Barrandov, et jusqu'au Château vers le nord, avec la Nouvelle Ville, Smíchov et Malá Strana.

Maisons cubistes★

(Si vous souhaitez découvrir les maisons cubistes, prenez un passage à gauche juste après la porte de Brique dans le mur d'enceinte ouest. Un petit escalier descend vers la rue Na Libušince.)

Durant la première décennie du 20e s. régnait le projet de faire de Vyšehrad une zone résidentielle de prestige. L'idée a fait long feu, mais **Josef Chochol** (1880-1956), architecte spécialiste du singulier style cubiste tchèque, a reçu commande d'un certain nombre de maisons au pied de la forteresse.

 Rašínovo nábřeží n° 6-10 – En suivant le quai Rašínovo vers le sud, enfilade de trois belles maisons cubistes.

Villa Kovařovic - rue Libušina n° 3 – Elle occupe un site triangulaire entre le quai et les rues Vnislavova et Libušina.

Vyšehrad pratique

Se loger

Voir p. 34.

Se restaurer

⊜⊜ **Rio's Vyšehrad** – *Štulcova 2 (Prague 2)* - ✆ *224 922 156 - 11h-0h - 300/500 Kč.* C'est le seul restaurant à l'intérieur de l'enceinte de Vyšehrad. La cuisine propose des spécialités « méditerranéennes » : carpaccio, pâtes, tartares et un bon choix de plats de poisson et de viande. Terrasse agréable et très jolie vue sur Prague.

Chochol acheva en 1913 cette villa avec la création d'un jardin cubiste encore plus remarquable par son inventivité (visible de l'autre côté, dans la rue Neklanova).

Rue Neklanova n° 2 et n° 30 – Le premier immeuble est de Chochol ; le second exploite de façon spectaculaire l'angle de la rue et la pente de la colline. Magistrale, sa colonne d'angle s'élève jusqu'à une corniche aérienne, qui s'inspire des voûtes en étoile caractéristiques de l'architecture gothique en Bohême.

Výtoň (Podskalská Celnice na Výtoni)

Rašínovo nábřeží 412 - 📞 224 919 833 - tlj sf lun. 10-18h - 30 Kč.

Cette maison des Douanes du 16ᵉ s. est tout ce qui reste de **Podskalí**, un

Le « bois flotté » de la Vltava

Le principal trafic sur la Vltava était celui du bois, flotté sur le courant sous forme de radeaux ; certains, attachés entre eux, formaient des convois atteignant jusqu'à 200 m de long. Les gravures anciennes montrent de courageux flotteurs de bois manœuvrant leurs radeaux grossiers dans les passes des retenues qui émaillent encore aujourd'hui la rivière. Une grande partie des berges était occupée par des parcs à bois. Sur la célèbre maquette de Langweil, au musée de la Ville *(voir p. 275)*, on aperçoit les énormes empilements de troncs qui font penser à de grands blocs d'immeubles en bord de rivière.

ancien village de pêcheurs et de flotteurs de bois détruit au début du 20ᵉ s. C'était le quartier général des douaniers de la Nouvelle Ville, chargés de prélever l'impôt sur le bois flotté. Le bâtiment abrite aujourd'hui une petite exposition sur l'histoire du village qui détaille notamment ce qu'était jadis le travail du « bois flotté » sur la Vltava.

12

À l'est du centre-ville ★

CARTE 1ER RABAT DE COUV. D3 ET 2E RABAT F1-2

Vinohrady ★ Plan 1er rabat de couv. D3

Prague 2 et 3 - Ⓜ *Náměstí Míru ou Jiřího z Poděbrad.*

Entre le Musée national et les cimetières d'Olšany s'étire un quartier central couvert d'une construction dense d'immeubles, ponctuée de temps à autre de parcs ou de sites qui présentent un intérêt autre que simplement local.

Quand, au milieu du 19ᵉ s., on donne au quartier le nom **Královské vinohrady** (vignes royales), c'est surtout un espace découvert, parsemé de bâtiments de ferme et d'auberges rustiques fréquentées par les citadins le dimanche. Le nouveau nom rappelle les vignobles plantés au 14ᵉ s. sur ordre de l'empereur Charles IV, dont la plupart ont depuis longtemps disparu. En 1920, quand le quartier est incorporé au Grand Prague, les champs aussi ont disparu, enfouis sous d'innombrables blocs d'immeubles de style Sécession, résultat de l'extraordinaire boom immobilier du tournant du siècle. Vinohrady est une adresse convenable, ses habitants de solides citoyens des classes moyennes, tolérants envers les quelques intellectuels qui s'installent ici. **Jan Kotěra** (1871-1923), le plus grand architecte de Prague du tournant du siècle, y bâtit sa villa en 1909. De 1924 à 1938, la maison que partagent les frères **Josef** (1887-1945) et **Karel Čapek** (1890-1938) accueille des réunions informelles de l'élite tchécoslovaque, écrivains, artistes, hommes d'affaires et politiciens, au nombre desquels les présidents Masaryk et Beneš.

Le quartier a déjà perdu son qualificatif de royal lorsque, sous le régime communiste, il souffre de décennies de relatif abandon. On restaure aujourd'hui les stucs délâbrés, et Vinohrady retrouve sa réputation de quartier résidentiel recherché, proche du centre, riche de son héritage d'architecture Sécession.

Náměstí Míru (place de la Paix)

En dépit de la rapidité avec laquelle il s'est construit, Vinohrady a été organisé de façon planifiée, avec une hiérarchie cohérente de rues et d'avenues, de parcs et de jardins, et un point focal, la vaste **place de la Paix**, emplacement logique de plusieurs bâtiments publics. La station Náměstí Míru est la plus profonde (53 m) du métro de Prague.

Théâtre de Vinohrady (Divadlo na Vinohradech)

Náměstí Míru 7 (ouv. lors des spectacles). Achevé en 1907 par Alois Černý, le **théâtre de Vinohrady**, deuxième théâtre praguois à ne produire que des œuvres en tchèque, a conservé sa place dans la ville. Le bâtiment, imposant, est de style plus ou moins Renaissance, avec une décoration Sécession et une riche ornementation intérieure. Les sculptures ailées qui couronnent la façade représentent L'*Opéra* et Le *Théâtre*.

Église Ste-Ludmilla (Sv. Ludmila)

Náměstí Míru - avr.-sept. : 9h-16h ; oct.-avr. : 30mn av. et apr. les offices (dim. 9h, 11h et 16h30 et lun. et mar. 16 h 30, merc. et jeu. 6h30-16h30 ; vend. 16h30, sam. 16h30).

La place est dominée par la grande église néogothique en briques **Ste-Ludmilla**, dont les deux tours hautes de 60 m sont visibles de presque toute la ville. Le sanctuaire a été bâti entre 1988 et 1993 sur un plan de Josef Mocker, plus connu pour ses restaurations de monuments historiques. L'opulence de la décoration des contemporains de Mocker adoucit l'austérité de la brique. L'entrée montre un tympan de Myslbek. À l'intérieur, on découvre des murs et des voûtes polychromes, des statues des saints patrons du pays, de beaux vitraux, des panneaux de céramique et de superbes retables.

Parc Rieger (Riegrovy sady)

Vinohrady est établi sur un terrain qui s'élève vers l'est à partir du centre de la ville. Aménagé sur les pentes les plus fortes, le **parc Rieger** offre, entre ses arbres, de belles vues sur Prague. L'été, un débit de bières s'installe ici ; c'est l'un des « Biergarten » les plus agréables de Prague (*voir p. 277*).

Église du Très-Sacré-Cœur-de-Notre-Seigneur★
(chrám Nejsvětějšího Srdce Páně)

Náměstí Jiřího z Poděbrad - ouv. 40mn av. et apr. les offices (lun.-sam., 8h et 18h, dim., 9h, 11h et 18h). Une statue de Georges de Podiebrad, le « roi hussite », auquel la place Náměstí Jiřího z Poděbrad est dédiée, orne la façade d'un bâtiment à l'angle de Mánesova (rue Máns). Mais cette place animée est dominée surtout par une extraordinaire église, chef-d'œuvre de l'architecte du Château dans l'Entre-deux-guerres, **Josip Plečnik** (1872-1957). Comme toute l'œuvre de Plečnik, l'**église du Très-Sacré-Cœur-de-Notre-Seigneur** en forme de temple s'inspire de la tradition pour la réinterpréter de manière foncièrement originale. Au-dessus de la nef, simple et spacieuse, s'élève une tour de 42 m, large mais fine, entourée de pyramides élancées et ponctuée d'une grande horloge transparente. Couvert d'un revêtement sombre en brique incrusté de blocs de granit, l'édifice évoque un manteau d'hermine royal, peut-être par référence au passé royal de la place. Le décor sobre de l'intérieur comprend des retables et une statuaire dessinés par Plečnik, exécutés avec un savoir-faire admirable par ses collaborateurs. Au sous-sol s'ouvre une crypte à voûte en berceau.

L'église du Très-Sacré-Cœur-de-Notre-Seigneur.

Dans la Prague de l'Entre-deux-guerres, dominée par les idées avant-gardistes et fonctionnalistes, cet édifice a été accueilli par des réactions mitigées d'approbation et d'incompréhension. Aujourd'hui, s'il ne joue plus un rôle central dans la vie du quartier de Vinohrady, il est devenu un lieu de pèlerinage pour les étudiants en architecture, qui voient en Plečnik un précurseur du postmodernisme.

Tour de la Télévision (Televizní vysílač) Plan 2ᵉ rabat de couv. F2

Mahlerovy sady 1 - M Jiřího z Poděbrad - ℰ 242 418 784 - www.tower.cz - tlj 10h-23h - 150 Kč. Avec ses antennes (télévision, radio et télécommunications), la **tour de la Télévision** domine de plus de 216 m l'ancien cimetière juif, dégagé en partie pour recevoir cette extraordinaire structure futuriste tripode, en contraste frappant avec son environnement. À 93,5 m du sol, son restaurant et sa plate-forme supérieure offrent un splendide **panorama★** sur Vinohrady et Prague dans son ensemble, surtout le matin, quand le soleil monte à l'est.

Cimetières d'Olšany ★ Plan 2e rabat de couv. F2

*Prague 3 - **M** Flora ou Želivského.*

Au-delà du faubourg de Vinohrady, **Olšanské hřbitovy**, le plus grand cimetière de Prague, s'étend sur un vaste domaine où se tenait autrefois le village d'Olšany. Ici reposent nombre des grands personnages de la ville. Sous un berceau d'arbres centenaires, tombes et monuments illustrent l'évolution des goûts dans l'art funéraire.

Cimetières

Entrées sur Jičínská, Vinohradská et Jana Želivského - ℘ 271 733 647 - mai-sept. : 8h-19h ; mars-avr. et oct. : 8h-18h ; nov.-fév. : 8h-17h - gratuit.

Sur un espace couvrant plusieurs hectares, ce cimetière, créé après la grande peste de 1680, regroupe dix cimetières. Les plus anciens sont aujourd'hui monuments historiques. Ils comprennent différents bâtiments, dont le plus vieux est l'**église St-Roch** (Sv. Rocha), bâtie en 1682, sans doute par Jean-Baptiste Mathey *(rarement ouv. ; messes le dim. à 9h et 17h)*. En dépit de l'existence du mausolée Slavín sur la colline de Vyšehrad, le nombre d'éminents personnages enterrés ici pourrait faire du site une sorte de panthéon national. Les pèlerins viennent s'incliner sur les sépultures de **Josef Jungmann**, de la femme de lettres **Eliška Krásnohorská** et de plusieurs membres de la famille Mánes *(voir p. 114)*. La tombe la plus visitée est certainement celle de **Jan Palach**, l'étudiant qui s'immola par le feu en janvier 1969 pour protester contre l'invasion de 1968.

De l'autre côté de la grande rue Želivského se trouvent plusieurs cimetières militaires, ainsi qu'un cimetière orthodoxe russe. L'**église orthodoxe** a été construite en 1925 pour l'importante communauté de Russes blancs émigrés à Prague dans l'Entre-deux-guerres. À proximité s'alignent les tombes des soldats de l'**armée Vlassov**, considérés à l'époque communiste comme des « non-personnes » *(voir p. 85)*. On les cachait au public, tandis que les tombes des soldats soviétiques étaient méticuleusement entretenues. Ici reposent aussi les dépouilles des soldats du tsar tombés pendant les guerres napoléoniennes. D'autres sections sont consacrées aux légionnaires et aux aviateurs tchécoslovaques, ainsi qu'aux citoyens qui périrent au cours du soulèvement de Prague de mai 1945. Il y a même un petit cimetière militaire britannique.

Nouveau cimetière juif (Nový židovský hřbitov)

Izraelská - tlj sf sam. 9h-17h (dernière entrée 30mn av.) - gratuit.

Le **nouveau cimetière juif**, aménagé en 1881 quand celui de Žižkov fut complet, est le troisième grand cimetière juif de Prague. Ce vaste lieu est particulièrement émouvant, avec ses arbres envahis par le lierre et ses espaces vacants. La tombe la plus visitée est celle de **Franz Kafka** (parcelle 21), que l'on peut voir, quand le cimetière est fermé, au travers d'une grille dans le mur, à environ 200 m à l'est de l'entrée. Son inhabituelle stèle porte son nom, ainsi que celui de ses parents – qui lui survécurent – et de ses trois sœurs, qui ont péri sous l'Occupation. En face du tombeau, les plaques apposées sur le mur du cimetière honorent la mémoire d'autres Juifs de Prague, parmi lesquels Max Brod.

Colline de Žižkov ★ Plan 2e rabat de couv. F2

M *Florenc.*

Le quartier ouvrier de Žižkov s'étend au pied de la **colline de Žižkov**, éperon rocheux et théâtre de la célèbre victoire hussite de 1420 *(voir encadré p. 277)*. Dans les dernières décennies du 19e s., la zone s'urbanise rapidement après l'établissement des grandes lignes de chemin de fer qui longent la colline, au nord comme au sud. Ces logements serrés les uns contre les autres se remplissent bientôt d'anciens habitants de la campagne bohémienne, attirés par les salaires relativement élevés offerts par les fabriques, l'usine à gaz et les dépôts ferroviaires. Avant son incorporation dans le Grand Prague en 1920, Žižkov est, avec sa population de plus de 70 000 habitants, la troisième ville des pays tchèques. Le syndicalisme révolutionnaire qui s'y développe lui vaut le surnom de « **Žižkov le rouge** » et garantit un nombre élevé de suffrages communistes à chaque élection. Le quartier a reçu son lot d'immeubles Sécession, mais demeure toujours très différent, socialement parlant, de son voisin Vinohrady, habitat des classes moyennes. Žižkov est aussi le quartier d'élection des Roms de Prague.

Musée de la Ville de Prague★★ (Muzeum hlavního města Prahy)
Plan 1ᵉʳ rabat de couv. D2

Na Poříčí 52 - Ⓜ *Florenc - ✆ 224 816 772 - www.museumprahy.cz - tlj sf lun. 9h-18h - 60 Kč.*

Palais – Le musée de la Ville de Prague loge ses collections dans un palais néo-Renaissance, construit en 1898 à l'emplacement de la porte de Poříčí, qui défendait autrefois le nord de la Nouvelle Ville. Achevé par Antonín Balšánek suivant un projet d'Antonín Wiehl, le bâtiment marque, comme le Musée national et le musée des Arts décoratifs, la période d'épanouissement de la fin du 19ᵉ s. Tous trois ont été conçus pour exprimer la dignité et l'importance de leur office. À l'extérieur, une volée de marches mène au portique central, surmonté d'un tympan montrant des bas-reliefs allégoriques, ainsi qu'une statue de Ladislav Šaloun représentant *l'Esprit de Prague*. À l'intérieur, un superbe **escalier★** en trois parties, décoré d'un panorama circulaire de Prague, conduit aux étages supérieurs.

Exposition sur l'histoire de Prague★★ – Les présentations retracent l'évolution de la ville, de l'époque préhistorique au 18ᵉ s., expliquant la manière dont les différents quartiers de Prague ont évolué, comment ils se sont finalement unis pour former une seule cité. Les présentations, très didactiques (longs panneaux explicatifs en plusieurs langues), sont accompagnées de superbes pièces : peintures et sculptures produites à Prague, objets du quotidien (meubles, bijoux, vêtements…). On y trouve aussi l'original du **cadran** peint par Mikoláš Aleš pour l'horloge astronomique de l'hôtel de ville de la Vieille Ville, où figurent les travaux des saisons et les signes du zodiaque. Mais la grande attraction demeure la maquette de Prague de Langweil.

Maquette de Prague de Langweil★ (Langweilův model Prahya) – Humble lithographe, Anton Langweil a travaillé de 1826 à 1834 sur ce projet extraordinaire. Établie au 1/148, la maquette en papier et carton couvre environ 20 m². Elle montre, avec une foule de détails, la Vieille Ville et presque tout Malá Strana et le Hradschin. D'une précision méticuleuse, c'est une inestimable photographie de la ville à l'aube de l'industrialisation. Une part de la fascination qu'elle exerce vient de ce que Prague s'y montre très ressemblante à la ville actuelle. Mais ce qui y a changé est tout aussi passionnant. Sur la maquette, la ville tourne encore le dos à la **rivière**, dont les rives sont couvertes de moulins, de décharges et de parcs à bois. La **tour Poudrière**, avant restauration, se dresse près de la Cour royale. La **cathédrale** n'a pas de nef, et la place de la Vieille Ville montre son plan d'origine, avec en son centre la colonne mariale.

La maquette de la ville de Prague, réalisée par Langweil.

R. Holzbachova/Ph. Benet / MICHELIN

Au musée de l'Armée.

À l'étage supérieur, les expositions temporaires sur l'histoire de la ville, alimentées par les vastes réserves du musée, présentent souvent un intérêt exceptionnel.

Musée de l'Armée★ (Armádní muzeum) Plan 2e rabat de couv. F1

U Památníku 2 - Ⓜ *Florenc, puis bus 133 ou 207, arrêt U Památníku -* ☏ *973 204 924 - www.militarymuzeum.cz - tlj sf lun. 9h30-18h - gratuit.*

Une présentation moderne, des armes, uniformes, affiches, documents, maquettes, dioramas, œuvres d'art et toutes sortes d'objets permettent au **musée de l'Armée** de donner un aperçu passionnant de l'histoire tourmentée de cette partie de l'Europe centrale au 20e s. Malheureusement, les commentaires sont presque tous uniquement en tchèque.

Certains épisodes sont remarquablement évoqués : le rôle joué par les légions tchécoslovaques sur les fronts russe, français et italien dans la Première Guerre mondiale ; le démantèlement du pays après les accords de Munich de 1938 ; les luttes à l'intérieur et à l'extérieur du pays durant la Seconde Guerre mondiale.

Mémorial national★ (Národní památník) Plan 2e rabat de couv. F1

U Památníku 2 - Ⓜ *Florenc, puis bus 133 ou 207, arrêt U Památníku.*

Où que l'on se trouve dans Prague, on aperçoit, dominant la colline, le **Mémorial national**, immense pavé de granit portant la **statue équestre de Jan Žižka**.

L'idée de dresser un mémorial à Žižka remonte aux années précédant la Première Guerre mondiale. Le temps de clore le concours d'architecture et de réunir les fonds, le projet a pris de l'ampleur, pour célébrer l'indépendance acquise en 1918 par la Tchécoslovaquie et le rôle joué dans cet événement par les légionnaires. Conçu par Jan Zázvorka, le monument s'élève entre 1926 et 1932. On ajoute une construction austère, renfermant un musée et des archives militaires, près du pied de la colline.

En 1931, **Bohumil Kafka** commence à sculpter la colossale **statue★** de Žižka. Il y travaillera de nombreuses années, parvenant à la soustraire aux regards allemands pendant l'Occupation. La statue est finalement mise en place en 1950. C'est l'une des plus grandes de ce genre au monde : masse à la main, le général s'élève sur son puissant cheval à 9 m du socle, et l'ensemble pèse 16,5 tonnes.

Dans les premières années du communisme, le mémorial devient un mausolée du Parti. On ajoute à l'intérieur, décoré par certains des artistes les plus réputés d'avant-guerre, des œuvres dans le style réaliste socialiste, comme les portes en bronze qui illustrent les luttes révolutionnaires du peuple tchécoslovaque. Le Soldat inconnu se voit adjoindre le corps du premier président communiste,

La victoire du général hussite Žižka

Le 14 juillet 1420, répondant à l'appel du pape en croisade contre l'hérésie hussite, le roi Sigismond lève une armée contre le général borgne, Jan Žižka de Trocnov (v. 1376-1424), et sa troupe de paysans. Le combat semble bien inégal, mais les hussites ont l'idée de se réfugier sur une colline. Lorsque la cavalerie impériale s'avance vers le sommet, Žižka ordonne une contre-attaque. Les cavaliers, disposant de peu d'espace, trouvent la mort en tombant des parois rocheuses, ou se noient dans la rivière. La colline prendra le nom du vainqueur, ainsi que, des siècles plus tard, le bourg, dont de nombreuses rues (Husitská, Táborská) rappellent l'époque glorieuse des hussites.

I. Krej?i / MICHELIN

Klement Gottwald (1896-1953), momifié suivant les techniques qui préservent celui de Lénine à Moscou. Mais, malgré des soins experts, la dépouille de Gottwald se détériore peu à peu, et il faut l'incinérer en 1962. Après 1989, on enlève toute trace de Gottwald et des autres dignitaires du Parti : le mémorial est redevenu libre.

À l'est du centre-ville pratique

Se loger

Voir p. 34.

Se restaurer

⊜⊜ **Pivovarský Klub** – Křižíkova 17 (Prague 8) - Žižkov - ℘ 222 315 777 - 11h-23h30 - 250/300 Kč. Cette brasserie fait un peu office de club des amateurs de bières : on vient ici pour les goûter, mais aussi pour les acheter (la boutique de la brasserie en propose à la vente). Et pour accompagner la dégustation, une belle carte de spécialités tchèques, simples et copieuses.

⊜⊜ **Pastička** – Blanická 25 (Prague 2) - Vinohrady - ℘ 222 253 228 - 11h-1h, w.-end 17h-1h - 300/400 Kč. Bonne adresse pour goûter une cuisine tchèque savoureuse. Quelques variations et modernisations des plats traditionnels intéressantes. Cadre chaleureux et agréable.

⊜⊜ **Roca** – Vinohradská 32 (Prague 2) - Vinohrady - ℘ 222 520 060 - 10h-23h - 300/600 Kč. Tenue par un couple d'Italiens, cette trattoria propose une cuisine italienne classique et de qualité.

Faire une pause

Park Café – Riegrovy sady 28 - parc de Riegrovy à Vinohrady (Prague 2) - en été seul. Destination incontournable et très populaire des Praguois en été, ce « Biergarten » offre un joli cadre, en bordure du parc, pour siroter u ne bière. Animé et convivial.

Bar-restaurant de la tour TV – Mahlerovy sady 1 (Prague 3)- Žižkov - ℘ 242 418 778 - 11h-23h. Installé en haut de la tour de la Télévision qui domine toute la ville, ce bar panoramique offre une vue extraordinaire sur Prague. Possibilité de se restaurer, mais les prix sont fonction du cadre… La montée au bar est payante, comprise dans la visite de la tour.

L'église Ste-Barbe à Kutná Hora.

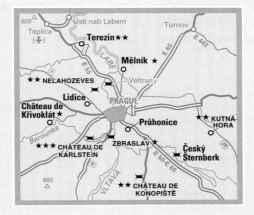

Dans la gamme très riche d'excursions d'une journée possibles au départ de Prague, vous trouverez dans ce chapitre, décrits par ordre alphabétique, des sites remarquables situés dans un rayon de 70 km autour de Prague. Pour certains d'entre eux, notamment le château de Karlstein et le ghetto de Terezín, les tour-opérateurs proposent des excursions en autocar ; pour d'autres, il est préférable de prendre la voiture. Si l'on emprunte les transports en commun, ou si l'on souhaite explorer à fond un site particulier, mieux vaut sans doute passer une nuit hors de Prague : nous proposons pour cela une petite sélection d'hôtels et de restaurants.

Český Šternberk

120 HABITANTS
CARTE P.279 – CARTE MICHELIN N° 731 (G 4)

Le hameau de Český Šternberk se tapit au pied du rocher de son château, sur la rive gauche de la sinueuse Sázava. Cette vallée, desservie depuis longtemps par le « Sázava Express », à la lenteur remarquable, est une destination appréciée des Praguois pour la journée. Le château du 13ᵉ s., fondé par la famille Sternberg, en est l'élément le plus pittoresque.

▶ **Se repérer** – 53 km au sud-est de Prague.

Visiter

Château★ (hrad)

℘ 317 855 101 - www.hradceskysternberk.cz - juin-août : tlj sf lun. 9h-18h ; mai et sept. : tlj sf lun. 9h-17h ; avr. et oct. : w.-end 9h-17h ; le reste de l'année sur réservation - visite guidée en plusieurs langues - 70/130 Kč.

Histoire - Très remanié au fil des siècles, le château a été commencé un peu avant 1241 par Zděslav de Divišov qui, suivant la mode de l'époque, prit le nom allemand de **Sternberg**, et adopta pour emblème l'étoile (*Stern* en allemand) à huit branches qui orne depuis le blason de la famille. Les Sternberg devinrent l'une des familles les plus puissantes du royaume. Ils achetèrent de vastes domaines en Bohême, dont celui de Konopiště près de là, et construisirent plus d'un beau palais à Prague. Au début du 19ᵉ s., le comte Kaspar Maria Sternberg, grand botaniste, fut l'un des cofondateurs du Musée national. Le château appartient aujourd'hui encore à la même famillle.

Château – S'étirant sur l'étroite arête rocheuse surplombant la Sázava, le château présente une silhouette fascinante : tour ronde de l'extrémité sud, grands murs de l'imposant corps central, défenses de la cour extérieure au nord. À l'intérieur, l'exiguïté du terrain a donné des salles aux formes étonnantes, dont certaines montrent un aménagement somptueux. Celle des Chevaliers est une grande salle décorée de stucs du 17ᵉ s. réalisés par Carlo Brentano.

Český Šternberk pratique

Adresse utile

Informations touristiques – *Český Šternberk 27 - ℘ 317 855 046 - ic-sternberk@posazavi.com -mar.-vend. 9h-13h, 13h30-17h ; w.-end 9h-12h, 13h30-17h.*

Transports

Des bus directs partent de la gare routière Praha Roztyly. Sinon, bus au départ de la gare Praha Uhříneves, puis changement dans l'une des villes desservies par le pittoresque train Sázava Express qui s'arrête à Český Šternberk.

Château de **Karlstein** ★★★

Hrad Karlštejn

800 HABITANTS
CARTE P.279 – CARTE MICHELIN Nº 731 (F 4)

Dominant la vallée sinueuse de la Berounka, s'élevant au-dessus des arbres, la silhouette romantique des tours et des remparts crénelés du château de Karlstein est l'un des grands spectacles de la Bohême, attirant chaque année des milliers de visiteurs.

- **Se repérer** – 28 km au sud-ouest de Prague.

- **Se garer** – Accès au château interdit en voiture : parcs de stationnement au pied du village de Karlstein. Comptez ensuite environ 1,5 km à pied ; possibilité d'effectuer la montée en calèche.

- **Organiser son temps** – Comptez environ une demi-journée, mais vous pouvez aussi envisager de passer une nuit sur place. Important à noter : les visites du château sont obligatoirement guidées, et le nombre de places est limité. En été, venez tôt le matin pour réserver votre place.

Comprendre

Fondé le 10 juin 1348, le château fait partie des projets visionnaires de **Charles IV**, qui ont pour objet, comme la cathédrale St-Guy et la Nouvelle Ville de Prague, de confirmer le rang spirituel et temporel de sa dynastie, comme souveraine de Bohême, mais aussi du Saint-Empire romain germanique. Karlstein est pensé moins comme une forteresse que comme une sorte de bastion sacré, reposoir des **joyaux de la Couronne** et des nombreuses **reliques saintes**, dont un fragment de la Vraie Croix, rassemblées par le pieux empereur. Construits en enfilade sur la pente raide du site, les bâtiments du château symbolisent un pèlerinage, qui s'achève à la Grande Tour. Là, dans la chapelle de la Ste-Croix, au décor extraordinaire, l'empereur pouvait s'abîmer dans la contemplation mystique parmi les saintes reliques.

Apparemment construit pour l'éternité, Karlstein perd d'abord ses trésors, puis son aspect d'origine. Menacés par les guerres hussites, les joyaux de la couronne impériale sont transférés à Vienne. Ceux de la couronne de Bohême, qui les avaient remplacés, partent pour la cathédrale St-Guy quand éclate la guerre de Trente Ans. Le château perd son rôle impérial. Et il ne reste guère plus que le quartier général du domaine

Le spectaculaire château de Karlstein.

G. Cozzi / DEA Picture Library

agricole environnant : beaucoup des bâtiments servent de granges ou de magasins. En 1812, l'empereur François II accorde les premières subventions pour sa restauration et, à la fin du 19e s., il est remanié par le grand architecte-restaurateur **Josef Mocker**, dans ce qu'on imagine, sentimentalement, être son style gothique d'origine.

Visiter

Château★★★ (hrad)

274 008 156 - www.hradkarlstejn.cz - juil.-août : 9h-12h30, 13h-18h ; mai-juin et sept. : 9h-12h30, 13h-17h ; avr. et oct. : 9h-12h, 13h-16h ; janv., mars et nov. : 9h-15h (les heures de fermeture indiquées sont celles de la dernière entrée) - deux circuits de visite, l'un à 220 Kč et l'autre, uniquement de début juin à fin oct., à 300 Kč qui inclut la chapelle de la Ste-Croix.
La longue montée à partir du village aboutit à la porte ouest du château. De l'autre côté de la cour extérieure, une autre porte mène à la **cour du Burgrave** (Purkrabský dvůr), dominée par la résidence à colombage de ce grand dignitaire, du début du 16e s. Une arête crénelée part de là en direction de l'ouest, offrant des vues splendides sur la vallée boisée, vers la **tour du Puits**, qui abrite un puits de 80 m de profondeur. Une autre porte mène à la cour intérieure, que domine le **palais impérial**. Le rez-de-chaussée était occupé par les écuries, alors que les étages s'organisaient en quartiers séparés pour la suite de l'empereur, l'empereur et son épouse (Charles IV en a eu quatre). Les salles, peu meublées, abritent des présentations sur l'empereur et l'histoire du château, ainsi que des œuvres d'art, dont un diptyque portatif italien du 14e s. Un peu plus haut s'élève la **tour Ste-Marie** (Mariánská věž), qui renferme l'église Ste-Marie et la minuscule **chapelle Ste-Catherine**. L'église conserve d'importants vestiges des peintures murales gothiques d'origine, œuvre sans doute de Nicolas Wurmser de Strasbourg, montrant des scènes de l'Apocalypse et Charles recevant des reliques saintes. Creusée dans l'épaisseur du mur, la chapelle présente la même riche ornementation que la chapelle St-Venceslas de la cathédrale St-Guy et que la chapelle de la Ste-Croix, avec des peintures murales encadrées de pierres semi-précieuses. Une des peintures montre Charles et son épouse Anne de Schwednitz.

L'empereur s'enfermait des heures dans la chapelle pour de longues périodes de contemplation, avant de descendre dans le saint des saints, la **chapelle de la Ste-Croix**. Reliée par une passerelle couverte, elle était le reposoir des reliques saintes, marquant l'aboutissement du pèlerinage de Karlstein, ce qui explique son décor extraordinaire. Sous une voûte dorée, étincelante d'étoiles en verre de Venise, les murs incrustés de pierres semi-précieuses portaient 130 portraits de l'atelier du peintre de la cour **Maître Théodoric**. Représentant l'armée céleste, ces chefs-d'œuvre montraient des saints et des martyrs, des papes et des prophètes, mais aussi des souverains comme le grand Charlemagne. Baignant dans la lumière filtrée par d'autres pierres semi-précieuses couvrant les ouvertures ou diffusée par une multitude de bougies, la chapelle remplissait d'émerveillement ceux qui avaient le privilège de s'y recueillir. Un visiteur du Moyen Âge rapporte qu'elle était « sans pareille au monde ».

Karlstein pratique

Transports

Trains directs au départ de la gare principale Praha Hlavní nádraží.

Se loger et se restaurer

Koruna – *Karlštejn 13 - 311 681 465 korunakarlstejn@atlas.cz - 14 ch. 700/1 000 Kč - repas 200/300 Kč.* Cet hôtel familial, donnant sur la rue principale menant vers le château, possède de grandes chambres, calmes et propres. Au rez-de-chaussée, le restaurant dispose d'une belle terrasse et propose un choix de spécialités tchèques et internationales généreusement servies.

U královny Dagmar – *Karlštejn 2 - 311 681 378 - penziondagmara.cz - 5 ch. 1 050/1 500 Kč - repas 300/500 Kč.* Cette petite pension, elle aussi située sur Karlstein, propose quelques chambres et petits appartements propres et confortables. Mais c'est surtout un restaurant avec une cuisine de qualité proposant des plats de viande et de poisson et des spécialités tchèques.

Château de **Konopiště** ★★
Zámek Konopiště
CARTE P.279 – CARTE MICHELIN N° 731 (G 4)

Entourée d'un grand parc situé au cœur d'une forêt, cette sombre forteresse du 13ᵉ s. doit son aspect et son atmosphère à la personnalité de l'archiduc François-Ferdinand d'Autriche, qui la fit remanier dans les années précédant son assassinat à Sarajevo en juin 1914.

- **Se repérer** – 40 km au sud-est de Prague.
- **Se garer** – Parking payant (60 Kč) au pied du château.
- **À ne pas manquer** – L'intérieur du château.
- **Organiser son temps** – Comptez 2h de visite et la possibilité d'une promenade dans le joli parc du château.

Le château de Konopiště sous la neige.

Comprendre

Dans les dernières années du 13ᵉ s., le seigneur du lieu, Tobiáš de Benešov, entreprend la construction d'une forteresse sur le modèle français de l'époque, avec de grosses tours rondes reliées par des murs épais. Le château connaît plusieurs propriétaires et remaniements successifs. Il a notamment appartenu aux Sternberg et, brièvement, à Albrecht von Wallenstein. Mais c'est l'archiduc François-Ferdinand qui l'achète en 1887 pour la bagatelle de six millions de florins, et lui donne son empreinte définitive. Avec l'aide de **Josef Mocker**, expert en restauration, l'archiduc lui rend, en l'idéalisant, l'allure qu'il avait au Moyen Âge, et y crée une résidence prestigieuse et confortable, cadre parfait pour ses remarquables collections d'œuvres d'art, d'armes, d'armures et de curiosités de toutes sortes. En même temps, le château est entièrement modernisé, avec des équipements du dernier cri, eau courante chaude et froide, chauffage central, et même un ascenseur. Le domaine est réaménagé, orné de statues, planté d'arbres et de buissons exotiques, et doté d'une superbe roseraie.

L'élément le plus frappant de Konopiště est la **grande tour ronde de l'angle sud-est**, avec ses mâchicoulis et son toit conique, de style tyrolien plutôt que bohémien. Au pied de la tour se trouve l'une des rares additions postmédiévales conservées par l'archiduc et son architecte, une porte baroque de F. M. Kaňka, ornée de statues de l'atelier de M. B. Braun.

Akg-images

L'archiduc François-Ferdinand et son épouse.

Comme tous les biens des Habsbourg, Konopiště est devenu propriété de l'État tchécoslovaque à la fin de la Première Guerre mondiale. Pendant la Seconde Guerre mondiale, il a servi de quartier général SS, lieu de séjour pour la sinistre figure de Heinrich Himmler.

Visiter

Château★★ (zámek)
✆ 317 721 366 - www.zamek-konopiste.cz - mai-août : tlj 9h-17h ; avr. et oct. : tlj sf lun. 9h-15h (w.-end 16h) ; sept. : tlj sf lun. 9h-16h (w.-end 17h) ; nov. : w.-end 9h-15h - fermé les 18 avr., 2 et 9 mai - plusieurs visites guidées entre 120 et 300 Kč.

L'essentiel du mobilier, du décor et des objets d'art de l'époque de François-Ferdinand est toujours en place, conférant aux appartements une atmosphère particulièrement intime et personnelle, à un point parfois oppressant.

Une suite d'**appartements d'État** somptueusement meublés occupe le premier étage de l'**aile sud**, où le nom de certaines pièces rappelle les séjours à Konopiště de Guillaume II et de sa suite. La passion de l'archiduc pour la chasse est partout rappelée, notamment dans le couloir voisin, spectaculairement décoré de **trophées**. On dit que François-Ferdinand a tué un animal pour chacune des heures de sa vie. La **salle à manger** a conservé son décor 18e s., avec un beau plafond peint par F. J. Lux, figurant *Les Heures du jour*. La **salle de la Colonne** montre un plafond en stuc soutenu par une seule colonne. Les pièces du second étage étaient occupées par François-Ferdinand et sa famille : le **bureau**, la **chambre du maître de maison**, le **bureau de Sophie** et les pièces des enfants, dont une **salle de jeux**. Le couloir conserve les souvenirs du voyage de dix mois effectué incognito autour du monde par l'archiduc en 1892-1893, qu'il décrit dans son journal *Tagebuch meiner Reise um die Erde*.

L'héritier du trône des Habsbourg

Konopiště était la retraite préférée du prince François-Ferdinand (1863-1914). En avance sur son temps en matière de conservation des monuments historiques, il s'est attaché à recréer un château médiéval et a ajouté de nombreux objets d'art à ses collections déjà importantes. Neveu de l'empereur François-Joseph, il aurait dû succéder à son oncle vieillissant comme souverain de l'Empire austro-hongrois multinational et turbulent. Pacifiste, il n'a cependant pas su répondre à la montée du nationalisme chez les sujets de l'empire et fut assassiné à Sarajevo par un Serbe le 28 juin 1914. Sa mort est l'une des causes de déclaration de la Première Guerre mondiale.

La partie ouest de l'**aile nord** du château renferme la **bibliothèque**, le **fumoir**, au sol recouvert de peaux d'ours tués par les SS, et une salle décorée dans le style oriental, le « **harem** ».

Au rez-de-chaussée de la partie est de l'aile nord, une suite de salles voûtées conserve de nombreux souvenirs de la vie personnelle de l'archiduc et de sa famille. On y voit les **masques mortuaires** réalisés après la mort tragique du couple. Au-dessus s'ouvre la **chapelle**, avec sa belle collection composée surtout de peintures et de sculptures du gothique tardif. Au second étage, la **salle d'armes★★**, provenant de l'héritage de Modène, est l'une des plus belles du genre. Dans cet extraordinaire déploiement d'armes et d'armures, pour l'essentiel des 16e et 17e s., figure une **armure équestre** complète, réalisée autour de 1560 pour le condottiere de la république de Venise, Eneo Pio degli Obizzi.

Pour des raisons sans doute liées à ses combats personnels, l'archiduc s'intéressait à la légende de saint Georges : une collection réduite d'objets associés au saint est rassemblée dans un petit **musée St-Georges** (Muzeum Sv. Jiří) *(mai-sept. : tlj sf lun., 9h-13h, 13h-17h ; avr. et oct. : w.-end, 9h-13h, 13h30-17h - 25 Kč)* - situé dans une dépendance du château.

Konopiště pratique

Transports

Bus au départ des gares routières Praha Roztyly et Praha Florenc, puis changement à Benešov. Comptez ensuite 2,5 km à pied à travers le parc jusqu'au château.

Se restaurer

☺☺ **Stará Myslivna** – *Konopiště 2 - ☎ 317 721 148 - avr.-déc. : 11h-22h - 300/600 Kč.* Niché dans une petite allée boisée entre le château et le parking, ce restaurant met à l'honneur le gibier et la venaison : salade de faisan, terrine de gibier aux airelles, steak de daim et même une « brochette de Ferdinand », en l'honneur de František Ferdinand d'Este célèbre occupant du château et grand amateur de chasse.

Achats

À la belle saison, sur le parking du château se trouvent de nombreux stands qui proposent des souvenirs, des objets artisanaux et des spécialités culinaires locales.

Château de **Křivoklát** ★
Hrad Křivoklát

CARTE P. 279 – CARTE MICHELIN N° 731 (E 3)

Moins visité que Karlstein, mais aussi moins restauré, le château médiéval de Křivoklát garde une atmosphère plus évocatrice ; son impressionnant site, surplombant de très haut un affluent de la Berounka, était la réserve de chasse favorite des rois de Bohême.

▶ **Se repérer** – 60 km à l'ouest de Prague.

🅿 **Se garer** – Parking au pied du château.

Comprendre

Les origines de Křivoklát remontent à un pavillon de chasse princier, établi en ce lieu dès le 11e s. Au siècle suivant, on le fortifie, puis au 13e s. on le reconstruit en pierre quand il devient le centre de la vie de la cour. Le futur **empereur Charles IV** y passe son enfance et y retourne en 1334 avec sa jeune épouse Blanche de Valois. Alors qu'elle est en couches, on raconte que Charles lâche au pied du château tout un vol de rossignols pour qu'ils l'encouragent de leurs chants. Remanié au tournant du 15e et du 16e s. dans le style gothique tardif, le château devient le nid d'amour du gouverneur impérial Ferdinand du Tyrol et de son épouse secrète, Philippine Welser, fille d'un marchand. Le château sert parfois de prison : un de ses hôtes de marque est l'alchimiste de Rodolphe II **Edward Kelley**, en disgrâce. À la fin du 17e s., Křivoklát perd son statut royal. Ses derniers propriétaires privés sont les princes de Fürstenberg, qui le restaurent à la fin du 19e s. et au début du 20e s., avec l'aide incontournable du grand architecte-restaurateur **Josef Mocker**.

Visiter

Château ★ (hrad)

🕿 313 558 440 - www.krivoklat.cz - mai-août : tlj sf lun. 9h-17h ; sept. et avr. : tlj sf lun. 9h-16h ; oct. : 9h-15h ; nov.-déc. : w.-end 9h-15h - deux visites guidées possibles, avec ou sans interprète, 40/150 Kč.

Juchée sur une falaise que domine sa haute tour ronde, la silhouette de Křivoklát illustre tout le romantisme et le pittoresque des châteaux de Bohême. On rejoint la cour intérieure par une poterne surmontée d'une tour. Côté est, la **salle royale** est dotée d'un balcon et d'un splendide oriel orné de bustes des rois Jagellon, œuvre de Hans Spiess de Francfort à la fin du 15e s. Spiess est aussi l'auteur des remaniements de la superbe **chapelle** dans l'aile sud de la cour intérieure. Elle montre une voûte réticulée, de magnifiques pierres sculptées, ainsi qu'un vitrail et un superbe retable de style gothique tardif. Le château renferme une collection de peintures et de sculptures du gothique tardif, ainsi que des portraits des Fürstenberg.

Křivoklát pratique

Transports

Trains directs au départ de la gare principale Praha Hlavní nádraží.

Se loger et se restaurer

🍴🛏 **Pension restaurace U Jelena** - Hradní 53 - 🕿 313 558 529 - 10h-22h (vend. et sam. 0h) - 6 ch. 1 000/2 000 Kč - repas 200/500 Kč. Au menu, des spécialités locales à base de gibier ainsi que des plats de poisson et quelques plats tchèques. Le restaurant propose également quelques chambres simples et confortables pour le voyageur qui souhaiterait faire halte dans ce charmant village.

Achats

Plusieurs boutiques d'artisanat et de souvenirs à l'intérieur de l'enceinte du château.

Kutná Hora ★★

21 700 HABITANTS –
CARTE P. 279 – CARTE MICHELIN Nº 731 (H 4)

La ville de Kutná Hora doit sa richesse à des gisements d'argent extrêmement productifs. C'était au Moyen Âge l'une des plus grandes et plus actives villes de Bohême, capable d'entreprendre la construction de la cathédrale Ste-Barbe, une des merveilles d'architecture gothique du pays. Elle a connu plus tard une période de stagnation, et la plupart de son bel héritage de bâtiments historiques a ainsi pu échapper à l'expansion moderne : l'Unesco a inscrit Kutná Hora sur la liste du Patrimoine mondial de l'humanité.

- **Se repérer** – 70 km à l'est de Prague.
- **À ne pas manquer** – La cathédrale et ses fresques ; l'ossuaire.
- **Organiser son temps** – Comptez entre une demi-journée et une journée de visite.

La voûte de la cathédrale Ste-Barbe.

akg-images

Comprendre

La « ruée vers l'argent » débute en 1275 à Kutná Hora, où se précipite, sur des gisements nouvellement découverts, une foule de prospecteurs venus de toute l'Europe centrale. Les richesses du sol alimentent la prospérité de l'État médiéval de Bohême, et le roi Venceslas II fait frapper une nouvelle monnaie, le *groschen* de Prague, dans le bâtiment appelé aujourd'hui la **Cour italienne**.

Au début du 14ᵉ s., les guerres hussites font fuir beaucoup de mineurs catholiques de langue allemande ; mais l'événement qui met fin aux beaux jours de la région est la découverte, au début du 15ᵉ s., de filons plus riches encore à **Jáchymov**, dans les monts Métallifères (Krušné hory) du Nord-Ouest de la Bohême. Au 17ᵉ s., guerre et émigration vident les deux tiers des maisons de Kutná Hora. La ville se remettra, mais ne retrouvera jamais sa gloire passée.

Découvrir

Colonne de la Peste ★

Šultysova. Cette superbe colonne baroque a été réalisée dans l'atelier du sculpteur František Baugut. Elle a été érigée entre 1713 et 1716 en remerciement de la fin d'une épidémie de peste qui avait emporté près de 6 000 habitants à Kutná Hora.

Maison de Pierre (Kamenný dům)

Radnická 184/24 - ☎ 327 512 159 - juil.-août : 10h-18h ; mai, juin et sept. : 9h-18h ; avr. et oct. : 9h-17h ; nov. : 10h-16h - 40 Kč.

La maison de Pierre, bâtiment à haut pignon de style gothique tardif (fin du 15e s.), est l'une des plus remarquables maisons patriciennes de la ville. À l'intérieur, une exposition retrace vie quotidienne et grands événements de la ville entre le 17e et le 19e s.

Église St-Jean-Népomucène (Sv. Jana Nepomuckého)

Husova 146/12 - avr. et juin-oct. : 10h-17h ; mai. : 9h-17h - 30 Kč.

Achevée autour de 1754 par F. M. Kaňka, l'église St-Jean-Népomucène possède un intérieur baroque exceptionnellement riche.

Fontaine★

Rejskovo náměstí. Portant le nom du sculpteur et architecte **Rejsek**, cette place a pour ornement principal la magnifique fontaine gothique à douze côtés qu'il a conçue autour de 1495.

Collège des Jésuites (Jezuitská kolej)

Barborská. Actuellement en travaux. En hommage à l'empereur Ferdinand II, Domenico Orsi a dessiné le baroque **collège jésuite** en forme de F. Sa taille imposante et sa position dominante sont caractéristiques des établissements jésuites de la Contre-Réforme du 17e s., construits comme des bastions.

Cathédrale Ste-Barbe★★ (velechrám sv. Barbory)

Barborská - ☎ 327 512 115 - mai-sept. : tlj sf lun. 9h-18h ; oct.-avr. : tlj sf lun. 10h-16h - 30 Kč.

À la fin du 14e s., sur un site élevé surplombant le cours sinueux de la Vrchlice, on commence à construire la grande église Ste-Barbe pour concurrencer l'abbaye voisine de Sedlec. On la dédie à la sainte patronne des mineurs, des sapeurs et des artilleurs. Le premier architecte est **Jan Parler**, fils du bâtisseur de la cathédrale St-Guy à Prague. Matyáš Rejsek le suit, puis, au milieu du 16e s., **Benedikt Ried**, auteur du magnifique plafond en forme de triple tente qui flotte au-dessus du bâtiment tel un « campement des anges » (Brian Knox).

À l'intérieur, le dessin de Ried pour la **voûte de la nef★★**, avec son magnifique tracé complexe de nervures entrecroisées, illustre la splendeur créative du gothique tardif. La nef est ornée de bancs et d'une chaire superbes, apport des jésuites, et de statues des Vertus cardinales, du haut Moyen Âge. L'orgue, magnifique, date du 18e s. On admirera les **peintures murales★★**, dont certaines illustrent le travail de la mine et la frappe de la monnaie.

Le **chœur**, réalisé par **Rejsek**, montre des bossages sculptés du Christ en Croix, des quatre évangélistes, et des emblèmes des corporations de la ville. Le retable de 1552 a été remplacé par une copie au 20e s. On aperçoit le tombeau de Rejsek dans la partie sud du chœur. La première des chapelles rayonnantes abrite des peintures murales avec les armes de la ville et le blason de la corporation du treuillage (celle des mineurs qui remontaient le minerai des profondeurs), à laquelle elle est consacrée. La suivante est dédiée à la famille Smíšeks, qui fit fortune du jour au lendemain grâce à la mine : la peinture murale du bas la montre en prière, celle du haut décrit l'arrivée de la reine de Saba (on voit la reine passer le Cédron à gué, car elle sait que les traverses du pont qui l'enjambe fourniront un jour au Croix pour crucifier le Christ).

Chapelle Corpus-Christi (kaple Božího těla)

En face de l'entrée de la cathédrale - avr.-sept. : 9h-18h ; oct. et mars : 10h-17h ; nov.-fév. : 10h-16h - 20 Kč. Cette chapelle joliment voûtée a été érigée en même temps que la cathédrale adjacente, à la fin du 14e s. Elle faisait office d'ossuaire.

Musée de l'Argent et de la Mine (muzeum Hrádek)

Barborská 28 - ☎ 327 512 159 - www.cms-kh.cz - juil.-août : tlj sf lun. 10h-18h, mai, juin et sept. : tlj sf lun. 9h-18h, avr. et oct. : tlj sf lun. 9h-17h ; nov., w.-end 10h-16h ; le reste de l'année sur réservation - deux visites guidées possibles en plusieurs langues : 60/130 Kč.

Ce palais gothique du 15e s. renferme le **musée de la Mine**. Les visiteurs aventureux peuvent enfiler des vêtements de mineur pour explorer des puits et des galeries souterraines.

Église St-Jacques (Sv. Jakuba)

Ouv. lors des messes : lun., merc. et vend. à 18h et dim. à 9h et 18h.
Bel exemple d'église-halle, bâtie entre 1330 et 1380, l'église St-Jacques dresse une tour haute de 82 m.

Cour italienne★ (Vlašský dvůr)

Havlíčkovo náměstí 52 - ℘ 327 512 873 - avr.-sept. : 9h-18h ; mars et oct. : 10h-17h ; nov.-fév. : 10h-17h - 80 Kč.
Très restaurée au 19e s., la Cour italienne est l'endroit où des experts florentins ont appris aux habitants l'art de frapper la monnaie. Venceslas IV l'a convertie en palais royal, avec sa chapelle ornée d'un splendide encorbellement du début des années 1400. Le petit **musée** présente de nombreux exemples des pièces frappées en ce lieu.

Aux alentours

Couvent des Ursulines (klášter Voršilek)

Jiřího z Poděbrad 288/13 (ne se visite pas). Kilian Ignaz Dientzenhofer a dessiné ce couvent des Ursulines, mais seules deux ailes de son grandiose projet de 1734 ont été achevées.

Église N.-D.-de-l'Assomption (chrám Nanebevzetí Panny Marie)

Vítězná - ℘ 728 125 488 - 30 Kč. Actuellement en travaux.
Fondée en 1142 par des moines cisterciens venus de Waldsassen en Bavière, l'**abbaye de Sedlec** atteint le sommet de sa prospérité et de son influence vers la fin du 13e s., mais sa grande église abbatiale N.-D.-de-l'Assomption gothique est mise à sac par les hussites en 1421. On ne décide de la remplacer qu'en 1699. Le premier architecte, Paul Ignaz Bayer, est suivi en 1703 par **Jan Blažej** (dit Johann Blasius, ou même Giovanni Battista) **Santini-Aichel** (1667-1723), architecte praguois très original, d'origine italienne. Santini garnit l'extérieur de pinacles, et construit à l'intérieur une voûte nervurée complexe, d'inspiration médiévale. C'est le premier exemple de sa synthèse très personnelle des styles baroque et gothique, qu'il va appliquer partout en Bohême. L'origine de ce style est autant religieuse qu'artistique : les hommes d'Église de la Contre-Réforme souhaitaient faire revivre la gloire des grandes institutions monastiques du Moyen Âge.

Ossuaire★★ (Kostnice)

Zamecká - ℘ 327 561 143 - www.kostnice. cz - avr.-sept. : 8h-18h ; oct. : 9h-12h, 13h-17h ; nov.-mars : 9h-12h, 13h-16h - 40 Kč.
L'ossuaire qui se dresse au milieu du cimetière date de la fin du 14e s., mais Santini l'a « baroquisé » en 1708. Dès 1511, un moine aveugle avait construit des pyramides avec les os des personnes inhumées dans ce lieu, mais c'est en 1870 que František Rint a créé l'extraordinaire éventail de motifs visible aujourd'hui, en utilisant les ossements de 40 000 tombes. On y voit des chandeliers fantastiques, et le blason des Schwarzenberg, propriétaires de l'abbaye de Sedlec après sa sécularisation.

C. Bouillet / MICHELIN

Ossuaire près de Kutná Hora.

Kutná Hora pratique

Adresse utile

Centre d'informations touristiques – *Palackého nàmêstí 377 - ℘ 327 512 378 - www.kutnahora.cz - avr.-sept. : 9h-18h ; oct.-mars : 9h-17h (w.-end 16h).*

Transports

Trains directs au départ de la gare principale Praha Hlavní nádraží.

Se loger et se restaurer

⊜ **Pension U Rytířů** – *Rejskovo náměstí 123 - ℘ 327 512 256 - 300/600 Kč.* Située dans le vieux centre, cette pension aménagée dans une ancienne demeure constitue un logement assez économique tout en ayant beaucoup de charme. La réservation est conseillée.

⊜⊜ **Restaurant Kometa** – *Barbórská 29 - ℘ 327 515 515 - 9h-23h - 300/400 Kč.* Ce restaurant propose de bonnes spécialités tchèques, servies sur une agréable terrasse face au collège des Jésuites.

⊜⊜ **Hôtel-restaurant U Růže** – *Zámecká 52 - ℘ 327 524 115 - hotelruze@khora.cz - 14 ch. - 1 300/1 450 Kč.* Un peu à l'écart du vieux centre, mais à deux pas du célèbre ossuaire de Kutná Hora, c'est un très joli hôtel-restaurant dont les chambres donnent sur un petit jardin et une rue tranquilles. La carte du restaurant propose des spécialités

Le restaurant Kometa.

tchèques, internationales, et un menu de saison.

⊜⊜⊜ **Hôtel-restaurant Zlatá Stoupa** – *Tylova 426 - ℘ 327 511 540 - zlatastoupa@iol.cz - 25 ch. 1 200/1 950 Kč.* Un des hôtels chics de la ville, avec des chambres bien équipées et de nombreux services aux clients. C'est aussi un restaurant de qualité qui sert des spécialités tchèques et internationales.

Achats

De petites boutiques d'artisanat de qualité se trouvent dans les ruelles entre la cathédrale et le centre, notamment dans la rue Barbórská.

Lidice

446 HABITANTS – CARTE P.279 – CARTE MICHELIN Nº 731 (F 3)

La modeste bourgade minière de Lidice est tragiquement célèbre pour avoir été détruite en représailles de l'assassinat du Reichsprotektor Reinhard Heydrich, le 27 mai 1942. Tous les hommes ont été fusillés, les femmes et les enfants déportés en camp de concentration. Les nazis clamèrent que le blé pousserait là où se trouvait autrefois Lidice, et que son nom disparaîtrait à jamais de l'histoire. Mais leurs atrocités ont produit l'effet inverse : Lidice est devenu un symbole mondial de la cruauté nazie et du martyre tchèque. Un mouvement « Lidice vivra » s'est amorcé en Angleterre, et partout dans le monde des bourgades ont repris le nom de Lidice en l'honneur du village rasé. Après la guerre, le site de Lidice est devenu un mémorial très visité, à côté duquel on a construit un autre village.

▶ **Se repérer** – 23 km au nord-ouest de Prague.

🄿 **Se garer** – Parking payant devant le mémorial, juste après l'entrée dans le village (20 Kč).

Comprendre

Les autorités allemandes, enrageant de ne pouvoir retrouver les parachutistes responsables de la mort de **Heydrich** *(voir encadré p. 250)*, ne s'embarrassèrent pas de prétextes pour associer le village de Lidice à l'assassinat. La nuit du 9 juin, la milice et les SS cernent le village, rassemblent tous les hommes dans une cour de ferme, et les fusillent le lendemain à l'aube. Ceux qui étaient absents cette terrible nuit ne furent pas épargnés : les mineurs de l'équipe de nuit sont pris à la sortie du travail et assassinés, tout comme un homme qui était hospitalisé pour une fracture à la jambe. On pense que le seul à en avoir réchappé était un meurtrier incarcéré. Beaucoup de femmes et d'enfants ont disparu à jamais dans le labyrinthe infernal des camps, mis à part quelques jeunes qui, jugés aptes à être « germanisés », ont été confiés à des parents adoptifs SS.

Vidé de ses habitants, le village a été entièrement brûlé, et les hommes du génie de la Wehrmacht l'ont aplani au bulldozer.

Visiter

Parc mémorial et musée

En contrebas d'un bastion et d'une colonnade, le terrain où se tenait autrefois Lidice descend en pente douce vers le sud pour remonter ensuite. On peut voir la fosse commune où ont été jetés les hommes du village, ainsi que les fondations de l'église et d'autres bâtiments. On a planté une grande roseraie. Les présentations du petit **musée** (*☎ 312 253 063 - www.lidice-memorial.cz - avr.-oct. : 9h-18h ; nov.-mars : 9h-16h - 80 Kč*) sont autant de souvenirs poignants de la vie ordinaire des habitants du village, avant son anéantissement.

Lidice pratique

Transports

Plusieurs bus directs, notamment au départ des gares de Dejvická et Zlicín.

Se restaurer

⊖ **Restaurace Lidická Galerie** – *Tokajická 152 - ☎ 604 692 886 - 10h-22h - 150/300 Kč.* Situé dans le village nouveau, à l'opposé du parc mémorial sur l'avenue qui y mène, ce restaurant sans prétention propose des plats tchèques et des spécialités internationales.

Mělník★

19 700 HABITANTS
CARTE P.279 – CARTE MICHELIN Nº 731 (F 3)

Couronnant un sommet de colline isolé, qui surplombe le confluent des deux grandes rivières de Bohême, la Vltava et l'Elbe (en tchèque Labe), le bourg ancien de Mělník s'aperçoit de loin sur la plaine. L'église et le château dominent des vignobles qui produisent certains des meilleurs vins du pays.

- **Se repérer** – 39 km au nord de Prague.
- **Se garer** – Parking sur la place principale de la vieille ville, náměstí Míru.

La place de la Paix.

Comprendre

Les origines de Mělník remontent à une forteresse, bâtie ici au 9ᵉ s. par la tribu slave connue sous le nom de Pšovs. Une de leurs princesses, Ludmilla, épousa un membre de la dynastie prémyslide qui régnait à Prague, mais c'est à Mělník qu'elle éleva chrétiennement son petit-fils, le prince Venceslas, qui fut canonisé plus tard. Elle aussi fut canonisée sainte patronne de Bohême, et le château de Mělník devint une sorte de douaire pour les veuves royales. On cultiva très tôt la vigne sur les pentes abritées sous le château, mais c'est l'**empereur Charles IV** qui, au milieu du 14ᵉ s., fit venir de nouveaux cépages de Bourgogne, en ordonnant qu'on les enrobe de miel pour les préserver au cours du voyage.

Le château de Mělník changea plusieurs fois de propriétaire et subit de nombreux remaniements avant de devenir en 1753 propriété de la famille princière de **Lobkowicz**. Préférant résider à Prague, les Lobkowicz ne lui apportèrent guère de modifications. Dépossédés au début du régime communiste, ils ont récupéré leur bien dans les années 1990, et s'emploient avec énergie à développer les atouts du domaine.

Visiter

Náměstí Míru (place de la Paix)

Partiellement entourée d'arcades, la place du marché de Mělník a tout le charme des villes provinciales de Bohême et semble à mille lieues de l'agitation citadine de Prague. Au côté nord, l'**hôtel de ville** médiéval, avec ses pignons jumeaux et son beffroi, doit son apparence à une restauration au 18ᵉ s. À l'est, non loin de là, se dresse la **porte de Prague** (Pražská brána), dernière porte de la ville encore debout.

Château★ (zámek)

Svatováclavská 19 - ☎ 315 622 121 - 10h-17h - 70 Kč. Passé la porte, on découvre les trois ailes du **château**, organisées autour d'une cour. Une partie de l'édifice reste médiévale, mais son allure d'ensemble, avec ses arcades et son audacieuse décoration de sgraffites, est plutôt un mélange Renaissance et baroque. On a restauré certaines des salles, garnies du mobilier des Lobkowicz et de divers objets, dont certains proviennent de ministères praguois. Il y a de belles peintures et une salle des cartes. Mělník est au cœur du vignoble des Lobkowicz : une visite séparée permet de découvrir les caves à vin. Du château et de la terrasse ouverte en contrebas, on jouit de **vues** magnifiques sur le confluent des rivières et la grande plaine qui s'étend jusqu'aux monts de Bohême centrale. On peut également visiter les caves du château et goûter certains crus produits dans la région *(même horaires que le château - 25 Kč).*

Église Sts-Pierre-et-Paul★ (Sv. Petra a Pavla)

9h-18h. Romane à l'origine, l'église St Pierre-et-Paul a été remaniée dans le style gothique aux 14e et 15e s. Malgré sa coiffe baroque, la tour caractéristique remonte à cette époque. La crypte abrite un vaste **ossuaire**.

Musée régional

Náměstí Míru 54 - ☎ 315 621 915 - www.muzeum-melnik.cz - tlj sf lun. 9h-12h, 13h-17h - 25/35 Kč. Ce petit musée est consacré à la viticulture en terre tchèque. Une cafétéria propose des dégustations de vins tchèques, et des visites-dégustations sont également organisées (sur réservation : ☎ 315 630 936).

Mělník pratique

Adresse utile

Centre d'informations touristiques – *Náměstí Míru 11 - ☎ 315 627 503 - www.melnik.info - mai-sept. : tlj 9h-17h ; oct.-avr. : lun.-vend. 9h-17h.*

Transports

Bus directs au départ de la gare de Holešovice et trains au départ de la gare principale Hlavní nádraží, avec changement à Všetaty.

Se loger et se restaurer

⊖ **Restaurace Sv Václav** – *Svatováclavská 22 - ☎ 315 622 126 - 11h-23h (w.-end 0h) - 250/400 Kč.* Des plats simples et traditionnels et une cuisine de qualité, servie dans un cadre chaleureux qui n'est pas sans évoquer un pub anglais. Les plats peuvent être accompagnés de différentes sauces au choix. Service agréable.

⊖⊖ **Hôtel-restaurant U Rytířů** – *Svatováclavská 17 - ☎ 315 621 435 - jansladecek@seznam.cz - 7h-22h (w.-end 8h-23h) - 8 ch. 1 900/2 100 Kč - repas 200/400 Kč.* Cet hôtel, situé en face de l'entrée du château, est l'un des meilleurs de la ville. Il propose des chambres propres, équipées de tout le confort. Le restaurant qui se situe au rez-de-chaussée est également à recommander : plats tchèques, grandes salades, pâtes… sont chaque jour au menu.

Achats

Voici une occasion d'acheter quelques bonnes bouteilles de vin, puisque c'est la spécialité de Mělník. La boutique du château propose des crus dont on peut effectuer auparavant une dégustation dans ses caves. Vous trouverez également dans la vieille ville plusieurs boutiques spécialisées où l'on saura vous conseiller dans vos achats.

Nelahozeves★★

1 240 HABITANTS
CARTE P.279 – CARTE MICHELIN N° 731

Connu comme village natal du compositeur Antonín Dvořák, ce petit bourg rustique en bord de Vltava est dominé par un magnifique château Renaissance, dont les salles offrent leur cadre superbe à l'une des plus remarquables collections d'art du pays.

▶ **Se repérer** – 27 km au nord-ouest de Prague.

Visiter

Château★★ (zámek)

✆ 315 709 121 - tlj sf lun. 9h-12h, 13h-17h - plusieurs visites possibles (guidées) : 150/330/380 Kč.

Commencé en 1552 par Florián Griespek de Griespach, le **château** domine de sa masse carrée un promontoire surplombant la rivière et le village. Griespek, officier à la cour chargé de tous les travaux royaux en Bohême, s'entoure des meilleurs architectes et artisans. Parmi ceux qui contribuent à la construction, le bâtisseur royal **Bonifaz Wohlmut**. Nelahozeves, pensé comme une sorte de grande résidence campagnarde, possède toutefois l'apparence formidable d'un *castello* du Nord de l'Italie, avec des bastions d'angle et des bossages rustiques, que viennent alléger des décors sophistiqués de sgraffites. Le pont qui enjambe les douves asséchées mène au travers d'une arche à une cour partiellement entourée d'arcades, d'apparence générale plus légère. L'aile sud n'a jamais vu le jour, un mur peu élevé l'a remplacée. L'aile est montre un portail Renaissance sans prétention orné d'armoiries. L'aile nord est la plus remarquable au plan architectural, avec un étage qui était autrefois une loggia ouverte.

En 1623, Nelahozeves devient propriété de la famille princière de **Lobkowicz**, mais ne sera jamais leur résidence principale. Quand, après la Seconde Guerre mondiale, l'État confisque le domaine, il est à l'abandon. Les travaux de restauration durent des années. Après 1989, le château est restitué à la branche Roudnice de la famille.

Collections★★ – Sur plusieurs générations, les Lobkowicz ont été de grands amateurs d'art. Leurs collections comptent plus d'un millier de peintures, de nombreux objets en **verre** et en **porcelaine**, de magnifiques pièces de **mobilier** et des **objets sacrés**, par exemple un merveilleux **retable★** du 16e s. en filigrane d'or et d'argent, orné de pierres précieuses.

La visite fait le tour des salles, décorées avec goût, des ailes nord et est du château. Les deux plus spectaculaires sont la **salle des Arcades** (Arkádové haly) et la **salle des Chevaliers★** (Rytířský sál), immense salle Renaissance haute de deux étages, dotée d'un âtre contemporain et de stucs généreux, avec des vestiges de peintures murales.

Parmi les intéressants portraits figurent de nombreux Espagnols. **Polyxène de Lobkowicz** apparaît deux fois : on voit cette noble dame d'ascendance espagnole soigner les blessures des gouverneurs catholiques défenestrés en 1618 au Château de Prague. Un merveilleux **Vélasquez** montre l'infante **Marguerite-Thérèse d'Espagne★**. Les Habsbourg sont bien représentés ; parmi eux, Rodolphe II jeune homme, et sa sœur Anne d'Autriche. Le célèbre cabinet des Curiosités de Rodolphe est dépeint en détail sur un autre tableau.

La collection compte deux **Canaletto** des environs de 1747, **Vue de la Tamise, avec l'abbaye et le pont de Westminster★**, et **La Tamise et la cathédrale St-Paul, la fête du lord-maire★**. Au nombre des peintures flamandes et hollandaises, trois toiles présentent des singes et des chats dans des allégories de la vie aristocratique, alors qu'une scène de village de Jan Bruegel illustre un mode de vie plus rustique. De toutes ces merveilles, le chef-d'œuvre incontesté de la collection demeure **La Fenaison★★★** de **Pieter Bruegel**, seul tableau de sa série sur les mois de l'année qui appartienne à un particulier. Derrière les faneurs au premier plan, et les villages et les rochers au milieu du tableau, une ville fascinante s'étend sur les rives d'un fleuve ; sa silhouette n'est pas sans rappeler celle de Prague.

La cour intérieure du château

Les autres grandes toiles comprennent **La Vierge et l'Enfant avec sainte Barbe et sainte Catherine★** de **Cranach l'Ancien**, **Hygie nourrissant le serpent sacré★** de **Rubens**, et le **David et la tête de Goliath★** de **Véronèse**.

Avec sa table dressée pour 24 invités, la **salle à manger** présente une impressionnante collection de verrerie et de porcelaine. Parmi les membres de la famille Lobkowicz, nombreux étaient mélomanes, et leur orchestre de cour était réputé. Ils ont protégé de nombreux compositeurs, dont Beethoven, qui a dédié plusieurs œuvres à son ami Josef Franz Maximilian (1772-1816), musicien accompli. Instruments, partitions originales et nombreux autres objets évoquent ces liens dans la **salle de Musique**.

Au début du 19e s., le topographe Carl Robert Croll a recensé les possessions des Lobkowicz dans une charmante série de paysages et de vues de villes, dont beaucoup sont exposés ici.

Maison natale d'Antonín Dvořák (památník Antonína Dvořáka)

Nelahozeves 12 - ℘ 315 785 099 - a.dvorak-museum@nm.cz - 1re et 3e sem. du mois : merc.-dim. : 9h30-12h, 13h-17h ; 2e et 4e sem. : merc.-vend. : 9h30-17h, 13h-17h - 30 Kč.

Presque à l'ombre du château se tient la grande maison natale d'Antonín Dvořák (1841-1904). Elle renferme aujourd'hui un petit musée consacré au compositeur. On y apprend que le jeune Dvořák était entouré de musique : musique sacrée à l'église, musique populaire au village ; tout jeune, il participa à l'orchestre de village où jouait déjà son père, boucher de son état, et prit des cours de violon avec le Pr Spitz.

Nelahozeves pratique

Transports
Trains directs au départ de la gare de Prague Masarykovo.

Se restaurer
🍴🍷 **Restaurace Zámek Nelahozeves** – ℘ 315 709 140 -mar.-dim. 10h-17h - 300/600 Kč. Situé dans l'enceinte du château, ce restaurant propose une bonne cuisine tchèque traditionnelle. Les meubles et tableaux appartenant aux Lobkowicz décorent agréablement la salle. Les repas sont accompagnés des bières et vins produits par la célèbre famille.

Achats
La boutique du château propose de nombreux souvenirs, produits locaux, vins et bières des Lobkowicz.

Průhonice

1 780 HABITANTS
CARTE P.279 – CARTE MICHELIN N° 731 (G 4)

Presque en vue de Prague, facilement accessibles par l'autoroute de Brno, le village et le parc de Průhonice sont une destination priviligiée des habitants de la capitale. La détente du week-end a ici un certain cachet. On y a construit dans les années 1960 le premier motel, un terrain de golf, et tout respire une certaine aisance.

▶ **Se repérer** – 16 km au sud-est de Prague.

Vue du parc et du château de Průhonice.

Se promener

Parc et jardin botanique

☎ *267 750 346 - avr.-oct. : 7h-19h ; nov.-mars : 8h-17h - 40 Kč.* Le **parc** de 200 ha, sillonné de 40 km d'allées, est une création du comte Ernst Silva-Tarouca (1858-1936), dernier ministre de l'Agriculture d'Autriche-Hongrie. Il s'étend à partir du **château**, remanié par le comte dans les styles gothique et Renaissance en conservant la **chapelle** romane et ses peintures murales. Le château abrite le département de botanique de l'Académie des sciences, mais n'est pas ouvert au public. Dans le domaine verdoyant se trouvent des lacs et des jardins de plantes alpines, mais l'attraction principale reste l'**arboretum★**, un parc de style anglais planté de plus de 1 000 essences locales et exotiques qui en font un des plus beaux d'Europe centrale.

Průhonice pratique

Transports

En voiture : autoroute D1, direction Brno, sortie 6.

En transports en commun : métro C, descendre à Opatov, puis bus 325, 363 ou 385 direction Průhonice.

Terezín★★
Theresienstadt

2 900 HABITANTS
CARTE P.279 – CARTE MICHELIN N° 731 (F 2)

En 1941, les nazis vident cette triste ville fortifiée de ses habitants et en font un ghetto pour y rassembler les Juifs. Les Juifs tchèques composent la majorité des arrivants, suivis plus tard de Juifs d'Allemagne et d'autres pays. Trompeuse, la propagande décrit Theresienstadt (nom allemand de Terezín) comme une communauté « rude, mais civilisée ». En réalité, c'est une étape vers la « solution finale » : on y parque la population juive en attendant son transfert vers les camps de la mort.

- **Se repérer** – 65 km au nord de Prague.
- **Se garer** – Un grand parking payant (50 Kč) se trouve entre la petite forteresse et la ville, permettant un accès facile à tous les sites.
- **À ne pas manquer** – La pPetite forteresse et la caserne Magdeburg.

Comprendre

Effrayé par la puissance grandissante de la Prusse vers le nord, l'empereur d'Autriche Joseph II ordonne la construction d'une série de grandes forteresses, destinées à arrêter toute tentative de sa belliqueuse voisine d'avancer sur Prague et vers le cœur de l'Autriche. Le 10 octobre 1780, il pose la première pierre de la forteresse qui porte le nom de sa mère, Marie-Thérèse. Conçue d'après les idées les plus avancées sur les fortifications de l'époque baroque, Theresienstadt ne remplira pourtant jamais sa fonction. Quand, en 1866, la Prusse décide d'éliminer définitivement la capacité d'intervention de l'Autriche dans les affaires allemandes, la forteresse, tout comme son équivalent de Hradec Králové, est tout simplement ignorée.

Terezín suit un plan conventionnel en damier, protégé par des murs en brique, des bastions et des douves, autrefois alimentées en détournant la rivière. Les premiers Juifs y arrivent en novembre 1941. Au milieu de l'année 1942, on expulse les citoyens tchèques non juifs, et toute la ville devient une prison pour les Juifs des territoires tchèques, mais aussi pour d'autres opposants, que les nazis ont décidé d'épargner, anciens combattants d'Allemagne ou personnes éminentes venues d'autres pays.

À la Libération, en mai 1945, ce sont près de 140 000 personnes qui ont transité par Terezín. Beaucoup y sont mortes, mais la plupart devaient périr dans des camps d'extermination comme Auschwitz. Sous le contrôle des nazis, le ghetto s'administre lui-même, et on y maintient un semblant de vie normale. La présence de nombreux membres de l'élite intellectuelle du pays en fait un lieu de culture vivante : conférences, séminaires, concerts et représentations théâtrales se succèdent. On y donne plus de 50 fois l'opéra pour enfants *Brundibar* ; celui de Viktor Ullmann, *L'Empereur d'Atlantis*, est quant à lui interdit quand les censeurs SS se rendent compte que c'est une satire de l'État hitlérien.

À l'annonce d'une inspection de la Croix-Rouge internationale, les nazis entreprennent une opération d'« embellissement », et contraignent le célèbre réalisateur allemand Kurt Gerron à tourner un film truqué intitulé *Le Führer donne une ville aux Juifs*. Dupée, la Croix-Rouge accorde un satisfecit à Terezín.

Visiter

Petite forteresse★★
(Malá pevnost)

416 782 225 - www.pamatnik-terezin.cz - avr.-oct. : 8h-18h ; nov.-mars : 8h-16h30 - fermé les 24-26 déc. et 1er janv. - 130 Kč (billet commun pour le musée, la petite forteresse et la caserne Magdeburg). Au sud de l'allée d'arbres

« Il me reste d'être ombre… »

C'est par ces mots que s'ouvre l'un des derniers poèmes de **Robert Desnos** (1900-1945). Résistant, il fut arrêté et déporté à Buchenwald, puis transféré au ghetto de Terezín où il mourut.

qui relie la ville et la forteresse s'étend le morne paysage du **cimetière national**, lieu de repos de milliers de victimes du ghetto de Terezín et de la prison installée par les nazis dans la petite forteresse en 1940. Sous les Autrichiens, la **petite forteresse** renfermait de nombreux opposants politiques au régime, comme **Gavrilo Princip**, l'étudiant serbe qui donna le coup fatal à l'archiduc François-Ferdinand en juin 1914. Le régime autrichien était sévère, celui des nazis abominable, comme en témoignent abondamment les cellules et autres installations de ce lieu sinistre. Si la plupart des prisonniers enfermés ici pendant l'Occupation étaient des Tchèques impliqués dans des activités de résistance, plus de douze nationalités différentes étaient représentées. Environ 2 500 prisonniers y sont morts, et bien davantage dans

Entrée de la petite forteresse.

les camps d'extermination et autres lieux de mort où on les a envoyés. Entre 1945 et 1948, près de 4 000 Allemands furent internés, dont beaucoup arbitrairement, à la petite forteresse.

Musée du Ghetto (muzeum ghetta)

🕾 416 782 576 - www.pamatnik-terezin.cz - avr.-oct. : 9h-18h ; nov.-mars : 9h-17h30 - fermé les 24-26 déc. et 1ᵉʳ janv. - 130 Kč (billet commun pour le musée, la petite forteresse et la caserne Magdeburg). Ce qui s'est passé à Terezín et les raisons de ces événements,sont les thèmes de l'excellent musée du Ghetto. Dessins, photos et témoignages de survivants jalonnent le parcours. Le musée propose également des projections de films et des expositions temporaires. Au rez-de-chaussée, une boutique vend livres et souvenirs.

Caserne Magdeburg★ (Magdeburská kasárna)

🕾 416 782 948 - www.pamatnik-terezin.cz - avr.-oct. : 9h-18h ; nov.-mars : 9h-17h30 - fermé les 24-26 déc. et 1ᵉʳ janv. - 130 Kč (billet commun pour le musée, la petite forteresse et la caserne Magdeburg). Plusieurs passionnantes expositions présentent des documents relatifs aux arts dans le ghetto ; de nombreux artistes se sont en effet retrouvés enfermés et ont continué, vaille que vaille, de produire dessins, écrits et musique. Plusieurs reconstitutions touchantes évoquent également la vie quotidienne dans les baraquements du camp. Un peu plus loin, après la caserne Magdeburg, se trouvent un cimetière juif *(Židovský hřbitov)* et un crématorium *(avr.-oct. : tlj sf sam.10h-17h ; nov.-mars : 10h-16h).*

Terezín pratique

Transports

Bus directs au départ de Prague, station Florenc.

Se loger

🛏 **Parkhotel** – *Máchova 162 -* 🕾 *416 782 260 - 250/400 Kč.* Hôtel proposant des chambres simples et classiques, sans grande prétention. Essentiellement pour son aspect

pratique puisqu'il est situé en centre-ville, à deux pas du musée du Ghetto.

Se restaurer

🍴 **Restaurace Atypik** – *Máchova 91 -* 🕾 *416 782 780 - 10h-22h - 200/300 Kč.* Ce petit café-restaurant propose une cuisine locale correcte. Situé dans une petite rue derrière le musée du Ghetto.

Zbraslav ★

7 700 HABITANTS
CARTE P.279 – CARTE MICHELIN N° 731 (F 4)

Toujours dans l'agglomération de Prague, même si une étroite bande de campagne le sépare de l'agglomération, Zbraslav possède encore une atmosphère provinciale. Par le passé, c'était une destination privilégiée pour de nombreux visiteurs du week-end, qui remontaient la Vltava en vapeur à aubes et débarquaient sur ses quais. Aujourd'hui, le principal attrait touristique est l'ancien monastère, qui offre un cadre remarquable à la superbe collection d'arts asiatiques de la Galerie nationale.

▶ **Se repérer** – 12 km au sud de Prague.

L'ancien couvent qui accueille la collection nationale d'arts asiatiques.

C. Bouillet / MICHELIN

Visiter

Château de Zbraslav - Collection nationale d'arts asiatiques★★
(zámek Zbraslav - Národní galerie)

Bartoňova 2 (Prague 5) - 𝄞 *222 321 459 - www.ngprague.cz - tlj sf lun. 10h-18h - 80 Kč.* Rangée dans les réserves pendant presque toute la période communiste, la collection nationale d'arts asiatiques est l'une des plus belles d'Europe. Elle a enfin trouvé un lieu d'accueil digne d'elle dans les majestueux bâtiments conçus au début du 18ᵉ s. par J. B. Santini-Aichel et F. M. Kaňka pour le monastère cistercien de Zbraslav, fondé en 1292, puis détruit par les hussites. Pendant une bonne partie de l'après-guerre, le monastère et son domaine ont servi de décor à de nombreuses **sculptures du 19ᵉ s. et du 20ᵉ s.**, dont la plupart ont été transférées au palais des Expositions de Prague. Quelques belles pièces ornent toujours le parc arboré.

Superbement présentées, les collections mettent l'accent sur le Japon et la Chine, mais font aussi la part belle à l'Asie du Sud et du Sud-Est, au Tibet, et au monde islamique. L'exposition insiste sur les liens entre les arts européens et les arts asiatiques.

Rez-de-chaussée – L'**art japonais** occupe l'essentiel des salles de ce niveau, avec une superbe présentation de laques, objets religieux, fourreaux de sabres, émaux, paravents et céramiques. En raison de leur fragilité, peintures et dessins sont exposés à tour de rôle, mais on trouve habituellement parmi les œuvres des maîtres celles d'Hiroshige et Hokusai.

La « polka du tonneau de bière »

C'est la traduction du titre anglais d'une des chansons vedettes du 20e s., qui a fait le tour du monde, sur un air de polka, dans les années 1930 et 1940, et continue sa carrière chez les supporters de football… Tout le monde peut certainement la siffler ou la fredonner, mais on ne sait peut-être pas que c'est un habitant de Zbraslav, **Jaromír Vejvoda** (1902-1988), qui l'a écrite. Né dans une famille qui comptait beaucoup de **musiciens d'harmonie municipale**, Vejvoda a écrit toute sa vie polkas et valses entraînantes, mais aucune n'a rencontré le succès de *Škoda lásky* (Amour non partagé), plus connue sous le nom de *Beer Barrel Polka*. À Zbraslav, le restaurant où ce morceau a été composé a été baptisé **Škoda Lásky** et il est décoré de nombreux souvenirs de Vejvoda *(voir carnet pratique)*.

Présentée à part, la riche collection Rainer Kreissl se compose en majorité d'objets japonais.

Étage – La remarquable collection d'**art chinois** témoigne de l'extraordinaire diversité des traditions artistiques de la Chine, et ce depuis la nuit des temps. On découvre des vases rituels et des objets funéraires du néolithique, tout comme des chevaux Tang, des porcelaines Song et Qing, des objets quotidiens de la période Ming, ainsi qu'une collection, constamment renouvelée, de peintures et de calligraphies. On remarque particulièrement la statuaire bouddhique, avec une merveilleuse statue polychrome de Guanyin, déesse de la Miséricorde, des 12e-13e s., et une série de bouddhas de la même époque, présentés comme dans un temple-grotte.

Les collections d'art d'**autres régions d'Asie** sont moins complètes, mais comprennent de très belles pièces. Parmi celles-ci, des sculptures de temple des 10e-13e s., des sculptures bouddhiques d'Indochine et d'Indonésie, et des objets religieux du Tibet. La collection d'art islamique comporte surtout des tapis de prière, des récipients en métal ou en céramique et des calligraphies.

Zbraslav pratique

Transports

Transports en commun depuis Prague : métro jusqu'à la station Smichovske nadrazi, puis bus 129, 241, 243, arrêt Zbraslavské náměstí.

Se restaurer / Faire une pause

Škoda Lásky – *Zbraslavské náměstí 31/454 - 150/300 Kč*. Le meilleur endroit pour une pause-détente à Zbraslav. Sur la place principale, ce restaurant familial typiquement tchèque porte le nom du célèbre morceau composé par Vejvoda. Cuisine tchèque simple et traditionnelle.

■ **a.** 🏠 *Maison d'hôte de charme*

■ **b.** 💶 *Chambre à 50 € maximum la nuit*

■ **c.** 😊 *À ne pas manquer : le petit "plus"*

Vous ne savez pas quelle case cocher ?

Alors ouvrez vite Le Guide Nos Coups de Cœur Michelin !

MICHELIN

Nos coups de cœur
France
1000 maisons d'hôte & hôtels de charme

280 adresses à moins de 50 €

- Des adresses à prix doux qui vous charmeront
- une sélection classée par région
- des établissements qui offrent des prestations gastronomiques et sportives
- des cartes régionales pour un repérage facile

Guide Nos Coups de Cœur, le plaisir du voyage.

MICHELIN
Une meilleure façon d'avancer

NOTES

NOTES

Maison municipale : curiosité touristique.
Kafka, Franz : noms historiques et termes faisant l'objet d'une explication.
Les **sites isolés** (château, abbayes, églises…) sont répertoriés, en français, à leur propre nom et en tchèque selon leur appellation.
Musée national★ (Národní muzeum) est classé à « Musée » et à « Národní ».
Pour rappel :

most	pont	nábřeží	quai
nàmèsti	place	palác	palais
sv. / sva.	saint / sainteville	ulice	rue

INDEX

CARTES ET PLANS

RESEAU DE TRANSPORTS
METRO,

Service de jour – Septembre 2006
Les trams 2 et 13 ne circulent pas le week-end

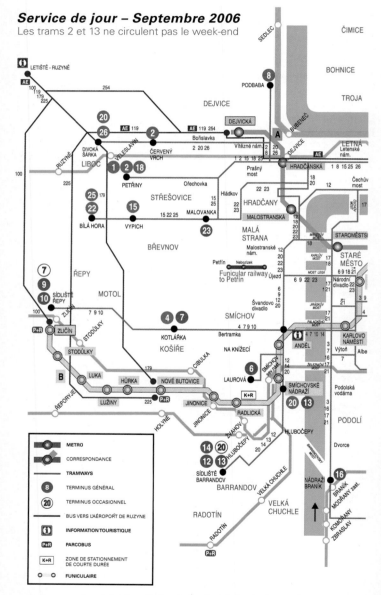

© Dopravaní podnik hl. m. Prahy, akciová společnost, Septembre 2006

PUBLICS DE PRAGUE
TRAMWAYS ET TRAINS

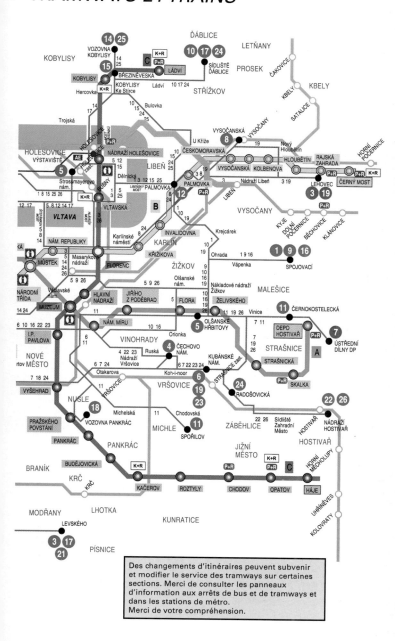

Des changements d'itinéraires peuvent subvenir et modifier le service des tramways sur certaines sections. Merci de consulter les panneaux d'information aux arrêts de bus et de tramways et dans les stations de métro.
Merci de votre compréhension.

Manufacture française des pneumatiques Michelin
Société en commandite par actions au capital de 304 000 000 EUR
Place des Carmes-Déchaux - 63000 Clermont-Ferrand (France)
R.C.S. Clermont-Fd B 855 200 507

Toute reproduction, même partielle et quel qu'en soit le support,
est interdite sans autorisation préalable de l'éditeur.

© Michelin, Propriétaires-éditeurs.
Dépot légal : mars 2007
ISSN 0293-9436
Compogravure : Nord Compo, Villeneuve-d'Ascq
Impression : IME, Baume-les-Dames
Printed in France : avril 2008

QUESTIONNAIRE
LE GUIDE VERT

VOTRE AVIS NOUS INTÉRESSE...
TOUTES VOS REMARQUES NOUS AIDERONT À ENRICHIR NOS GUIDES.

Merci de renvoyer ce questionnaire à l'adresse suivante :
MICHELIN – Questionnaire Le Guide Vert
46, avenue de Breteuil – 75324 PARIS CEDEX 07

En remerciement,
les 100 premières réponses recevront en cadeau
la carte Local Michelin de leur choix !

VOTRE GUIDE VERT

Titre acheté : ....

Date d'achat : ....

Lieu d'achat *(point de vente et ville)* : ....

VOS HABITUDES D'ACHAT DE GUIDES

1) Aviez-vous déjà acheté un Guide Vert Michelin ?

    O oui   O non

2) Achetez-vous régulièrement des Guides Verts Michelin ?

    O tous les ans   O tous les 2 ans

    O tous les 3 ans   O plus

3) Si oui, quel type de Guides Verts ?

– des Guides Verts sur les régions françaises : lesquelles ? ....

– des Guides Verts sur les pays étrangers : lesquels ? ....

– Guides Verts Thématiques : lesquels ? ....

4) Quelles autres collections de guides touristiques achetez-vous ?

....

5) Quelles autres sources d'information touristique utilisez-vous ?

O Internet : quels sites ? ....

O Presse : quels titres ? ....

O Brochures des offices de tourisme

VOTRE APPRÉCIATION DU GUIDE

1) Notez votre guide sur 20 : ....

2) Quelles parties avez-vous utilisées ?.................................
....

3) Qu'avez-vous aimé dans ce guide ? ....
....

4) Qu'est-ce que vous n'avez pas aimé ? ....
....

5) Avez-vous apprécié ?

	Pas du tout	Peu	Beaucoup	Énormément	Sans réponse
a. La présentation du guide (maquette intérieure, couleurs, photos...)	O	O	O	O	O
b. Les conseils du guide (sites et itinéraires)	O	O	O	O	O
c. L'intérêt des explications sur les sites	O	O	O	O	O
d. Les adresses d'hôtels, de restaurants	O	O	O	O	O
e. Les plans, les cartes	O	O	O	O	O
f. Le détail des informations pratiques (transport, horaires, prix…)	O	O	O	O	O
g. La couverture	O	O	O	O	O

Vos commentaires ....
....

6) Rachèterez-vous un Guide Vert lors de votre prochain voyage ?

O oui   O non

VOUS ÊTES

O Homme   O Femme   Âge : ....

Profession :

O Agriculteur, Exploitant   O Artisan, commerçant, chef d'entreprise
O Cadre ou profession libérale   O Employé   O Enseignant
O Étudiant   O Ouvrier   O Retraité
O Sans activité professionnelle

Nom ....
Prénom ....
Adresse ....
....
....
....

Acceptez-vous d'être contacté dans le cadre d'études sur nos ouvrages ?

O oui   O non

Quelle carte Local Michelin souhaitez-vous recevoir ?
Indiquez le département : ....

Offre proposée aux 100 premières personnes ayant renvoyé un questionnaire complet.
Une seule carte offerte par foyer, dans la limite des stocks disponibles.